過去問題集&テキスト

1級

建設業経理士 財務諸表

出題パターンと解き方

ネットスクール
桑原知之 編・著

第19版（2025年3月、2025年9月試験用）への改訂にあたり

第18版（旧版）から第19版へ改訂するにあたり、主に以下の点を加筆・修正しました。

第３部　最新問題編

（1）第30回、第31回の問題を削除し、第34回、第35回の問題を追加。

ネットスクール出版

はじめに
～みんなが幸せになる資格～

日本は『世界でも有数の土木・建築の技術を持つ国』ではありますが、そんな素晴らしい技術を持つ会社があっけなく倒産してしまう国でもあります。
会社というのは、どんなにすごい技術を持っていても、資金調達などバックヤードの支えが弱いと、ちょっとしたトラブルやアクシデントで取り返しのつかないことになってしまうものです。
そこに、建設業経理士の存在意義があります。

また、建設業経理士は、とても珍しい資格です。
この試験に合格すると、建設業に必要な計数感覚が身に付くばかりか経営事項審査で加点されるので会社も喜べる、つまり「本人も会社も幸せになれる」という事務系の資格ではとても珍しい資格です。

しかもこの試験は、科目の建て付けがいい。
２級までで建設業経理の基礎をしっかりと学び、１級になると入札などの際にとても重要な積算の基礎となる『原価計算』を学び、財務諸表ができるまでのプロセスや考え方を『財務諸表』で学び、さらに出来上がった財務諸表の読み方を『財務分析』で学びます。
これで、積算でミスして損失を被ることもなく（原価計算）、きっちりとした決算書が作成でき（財務諸表）、さらに自社や取引先の経済状況も把握できる（財務分析）という、建設業における理想的な経理士の誕生です。

さあ、みなさん。この建設業経理士を目指しましょう！
この資格を取って、みなさん自身も、みなさんの会社も、そして……。
そして、みなさんの周りにいる大切な人たちも幸せにしていきましょう！
ネットスクールは、周りの人たちの幸せのために自分が努力する、そんなみなさんを応援しています。

合格への道案内は、我々にお任せください。

ネットスクールを代表して

桑原　知之

本書の 2 大特長

1　テキストと過去問題集を一冊に集約!　一体型の効率学習 を実現

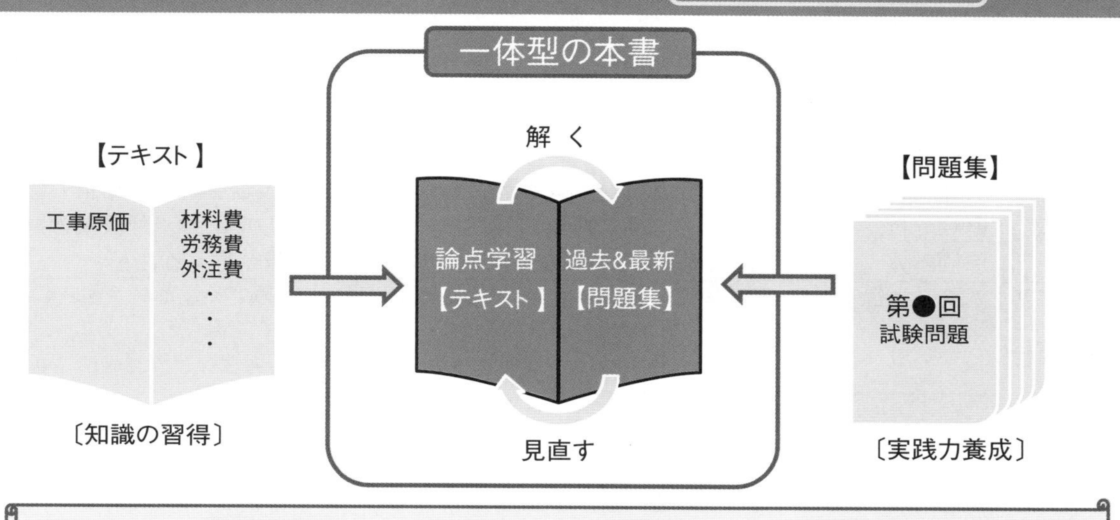

テキストと問題集の回転学習で効率よく実力アップを図ることができるよう工夫されています!

2　過去問題の出題パターンを効率よくマスター!　ヨコ解き学習 を実践

ネットスクールでは、設問ごとに過去問題を解いていくことを「ヨコ解き」と呼んでいます。
第２部に掲載の過去問題はこの「ヨコ解き」がしやすいように掲載するとともに、少ない演習量でも過去の出題パターンをなるべく網羅できるように掲載する過去問題を厳選しています。

	第〇〇回	第〇〇回	第〇〇回	第〇〇回	
ヨコ解き	第１問	第１問	第１問	第１問	
ヨコ解き	第２問	第２問	第２問	第２問	
ヨコ解き	第３問	第３問	第３問	第３問	…
ヨコ解き	第４問	第４問	第４問	第４問	
ヨコ解き	第５問	第５問	第５問	第５問	

※ 第２部の掲載問題数は設問ごとの出題パターンに応じて調整しています。
出題パターンが少ない設問については、少ない問題数でも高い網羅性を実現できるため、少ない学習時間で効率よく学習できるよう、掲載問題数も少なくしています。

設問ごとに出題パターンと解き方をマスターできるように工夫されています!

本試験のプロフィール・ネットスクールの合格率

建設業経理士とは

建設業経理士とは、建設業経理に関する知識と処理能力の向上を図ることを目的として、建設業経理士検定試験に合格した方に与えられる資格です。

1級の試験内容

級 別	科　目	試験時間	程　　度
1 級	財務諸表	1時間30分	上級の建設業簿記、建設業原価計算及び会計学を修得し、会社法その他会計に関する法規を理解しており、建設業の財務諸表の作成及びそれに基づく経営分析が行えること。
	財務分析	1時間30分	
	原価計算	1時間30分	

合格基準：試験の合格判定は、正答率70％を標準とする。1級は1科目ずつ受験することができます。

試験日

	第 36 回
試 験 日	令和7年3月9日（日）
申込期間	—
合格発表	—

日程、試験地、申込方法などの詳細につきましては下記にお問い合わせ下さい。
また、第 37 回試験（令和７年９月実施）の日程は、第 36 回試験実施後に公表されます。こちらにつきましても下記よりご確認ください（試験申込期間は試験実施日よりもかなり前に設定されますのでご注意ください）。

問い合わせ　一般財団法人 建設業振興基金　経理試験課
https://www.keiri-kentei.jp
〒105－0001　東京都港区虎ノ門４－２－12　虎ノ門４丁目 MT ビル２号館
TEL　03－5473－4581

1級　財務諸表　試験データ

年　　度	令和２年度上期	令和２年度下期	令和３年度上期	令和３年度下期	令和４年度上期	令和４年度下期	令和５年度上期	令和５年度下期	令和６年度上期
回　　数	27	28	29	30	31	32	33	34	35
受験者数	1,697人	1,860人	1,728人	1,805人	1,687人	1,596人	1,425人	1,349人	—
合格者数	410人	408人	481人	368人	357人	348人	561人	497人	—
合 格 率	24.2%	21.9%	27.8%	20.4%	21.2%	21.8%	39.4%	36.8%	—

ネットスクール WEB 講座（建設業経理検定）合格率

	2級		1級　財務諸表		1級　財務分析		1級　原価計算	
	WEB講座	全国平均	WEB講座	全国平均	WEB講座	全国平均	WEB講座	全国平均
30～34回試験合格率	75.45%	**40.75%**	47.83%	**27.11%**	66.32%	**38.00%**	42.11%	**17.58%**

・本ページで公開している合格率は、WEB 講座を受講された方への事後アンケートを元に、下記の算式で算定しています。
「合格率 ＝ アンケート回答者のうち合格者数÷アンケート回答者のうち実際に受験された受講生数」
・公開している情報は、これまでの実績となります。上記合格率を保証するものではありません。
・本データは 2024 年６月現在の情報を元に作成しています。

日商簿記から建設業経理士の攻略法

【日商簿記２級から建設業経理士２級に挑戦する方へのポイント】

▼ 建設業はオーダーメイド。総合原価計算、標準原価計算、直接原価計算、ＣＶＰ分析に関する計算は建設業経理士２級では出題されません。
▼ 外注費を経費から独立させて、原価を材料費・労務費・外注費・経費の４つに分類します。
▼ 特殊商品売買が出題されないのはもちろん、伝票や帳簿に関する問題もほとんど出題されません。
▼ 決算の問題（第５問）は、これまで必ず『精算表』の形式で出題されています。
▼ 原価計算の分野は個別原価計算・部門別原価計算の知識が中心となります。
▼ 建設業特有の勘定科目が多数登場するので、しっかりと覚えましょう。
▼ 月次決算を前提とした決算整理仕訳をマスターする必要があります。

【日商簿記１級から建設業経理士１級（原価計算）に挑戦する方へのポイント】

▼ 建設業経理士では１級でも総合原価計算、標準原価計算の計算問題は、基礎的な内容がほとんどです。
▼ 意思決定会計に関しても、日商簿記検定より素直に理解力が問われる内容の出題となります。
▼ 第５問の総合問題は、個別原価計算の知識があれば、後は基礎と『解き方』をマスターするようにしましょう。
▼ 論述問題は、白紙にしないことが重要です。計算問題を解く際にも、「なぜそのような計算をするのか」といった理由を考えるようにしましょう。

【日商簿記１級から建設業経理士１級（財務諸表）に挑戦する方へのポイント】

▼ 準拠する会計基準・法令のほとんどは、建設業であっても同じなので、日商簿記１級（商業簿記・会計学）で学んだことの大半は共通しています。
▼ ただし、建設業の財務諸表は“建設業法”に規定された表示方法・処理に準ずるため、若干異なる部分があります。その点は注意しましょう。
▼ 計算問題のほとんどはテキストの計算例を理解していれば解けるレベルです。基礎をしっかりと学習しましょう。
▼ 配点の半分は理論（論述・記号選択・正誤）問題です。特に論述問題は、正しい用語とともに、会計処理の理由や背景を理解しておく必要があります。日商簿記の学習のとき以上に、会計処理の理由や背景を意識して学びましょう。

★「財務分析」は日商簿記では学習しなかった内容なので、基礎からしっかり学習しましょう。
※ 損益分岐点分析も、日商簿記で学んだ内容とは考え方が異なるので注意が必要です。

出題パターンを知れば合格は早い！

本試験の出題をパターンごとに分析し、以下にその対策をまとめました。第２部、第３部を学習するさいの参考にしてください。
また、出題を論点ごとに分析したものが論点チェックリスト（本書（7））です。第１部テキスト編で論点ごとに理解したらチェックしてください。出題回数の多い論点に関しては、テキストをよく読んで把握してください。

出題パターンと対策

財務諸表

	出題パターン	対策	配点	難易度
第１問	字数制限付きの論述問題が出題されています。	文章を書く前に、ポイントを整理することが必要です。発生主義会計や固定資産の評価など問われやすい論点を中心に理解しておいてください。	20点	C
第２問	空欄補充の問題が出題されています。	さまざまな論点から出題されていますが語句を選択する問題なので、キーワードをおさえるようにしてください。	14点	A
第３問	主に正誤問題が出題されています。	企業会計原則がよく出題されています。ただし、細かい知識までは要求されていません。したがって、第１問、第２問において出題頻度の高い分野を中心に学習しておけば十分です。	16点	A
第４問	主として、個別計算問題が出題されています。	個別計算問題では、リース会計、共同企業体会計、連結会計についての重要度が高いので、繰り返し練習してください。	14点	B
第５問	精算表が出題されています。	まず、主要７論点をしっかり押さえてください。また、工事進行基準の計算は必ずマスターしてください。	36点	A
総　評	第１問、第２問、第３問は、会計理論について異なる形式で出題されています。また、第４問は個別計算問題で、第５問は精算表で、計算が問われています。したがって、バラバラに勉強するのではなく、第１問、第２問、第３問をまとめて理論として、第４問、第５問をまとめて計算として、効率よく学習してください。また、時間配分としては、第２問、第３問、第４問は、短時間で解答して、第１問と第５問の解答に十分な時間を確保するよう心がけてください。			

難易度：A＝比較的易しい　B＝ふつう　C＝比較的難しい

論点別重要度と出題頻度（チェックリスト）

論　点	テキストのページ	チェック	過去10回分の出題回数									
			1	2	3	4	5	6	7	8	9	10
Chapter 0　建設業の特徴												
Section 1 建設業会計の特徴	1−4											
Section 2 建設業の財務諸表	1−7											
Chapter 1　財務諸表の基礎知識												
Section 1 会計制度	1−14											
Section 2 企業会計原則	1−17											
Section 3 損益会計	1−26											
Section 4 資産会計	1−29											
Chapter 2　損益計算書の作成												
Section 1 損益計算書の概略	1−34											
Section 2 営業損益	1−36											
Section 3 営業外損益	1−41											
Section 4 その他の項目	1−43											
Chapter 3　貸借対照表の作成												
Section 1 貸借対照表の概略	1−58											
Section 2 棚卸資産	1−62											
Section 3 有価証券	1−66											
Section 4 有形固定資産	1−74											
Section 5 その他の資産	1−85											
Section 6 社　債	1−89											
Section 7 引当金	1−98											
Section 8 退職給付会計	1−106											
Section 9 純資産	1−112											
Chapter 4　キャッシュ・フロー計算書の作成												
Section 1 キャッシュ・フロー計算書の作成	1−128											
Chapter 5　財務諸表作成のテクニック												
Section 1 精算表	1−136											
Section 2 損益計算書の作成	1−140											
Section 3 貸借対照表の作成	1−142											
Chapter 6　特殊論点												
Section 1 共同企業体会計（JV）	1−146											
Section 2 連結財務諸表	1−155											
Section 3 税効果会計	1−178											
Section 4 企業結合	1−183											
Section 5 外貨換算会計	1−189											
Section 6 リース会計	1−194											
Section 7 デリバティブ	1−196											
Section 8 減損会計	1−205											
Section 9 資産除去債務	1−211											

攻略マップ

●マスターした項目には、そのチェック・ボックス（□）にチェック・マーク（✓）を記入してください。
●絶対にマスターしておかなければならない基礎的論点および合格に必要な論点を重要度5（★★★★★）として5段階で示しました。学習にあたっての力配分の参考にしてください。

ROUND I　論点学習

[Start　　月　　日目標
Finish　　月　　日目標]

各論点をマスターするためのROUNDです。

学習期間　約1カ月

パターン学習へ

受験学習で大切なことは、合格までの学習の全体量と学習方法、そして自分の学習の進行状況を常に把握することです。この『攻略マップ』を活用して効率的に学習し、合格を実現させてください。

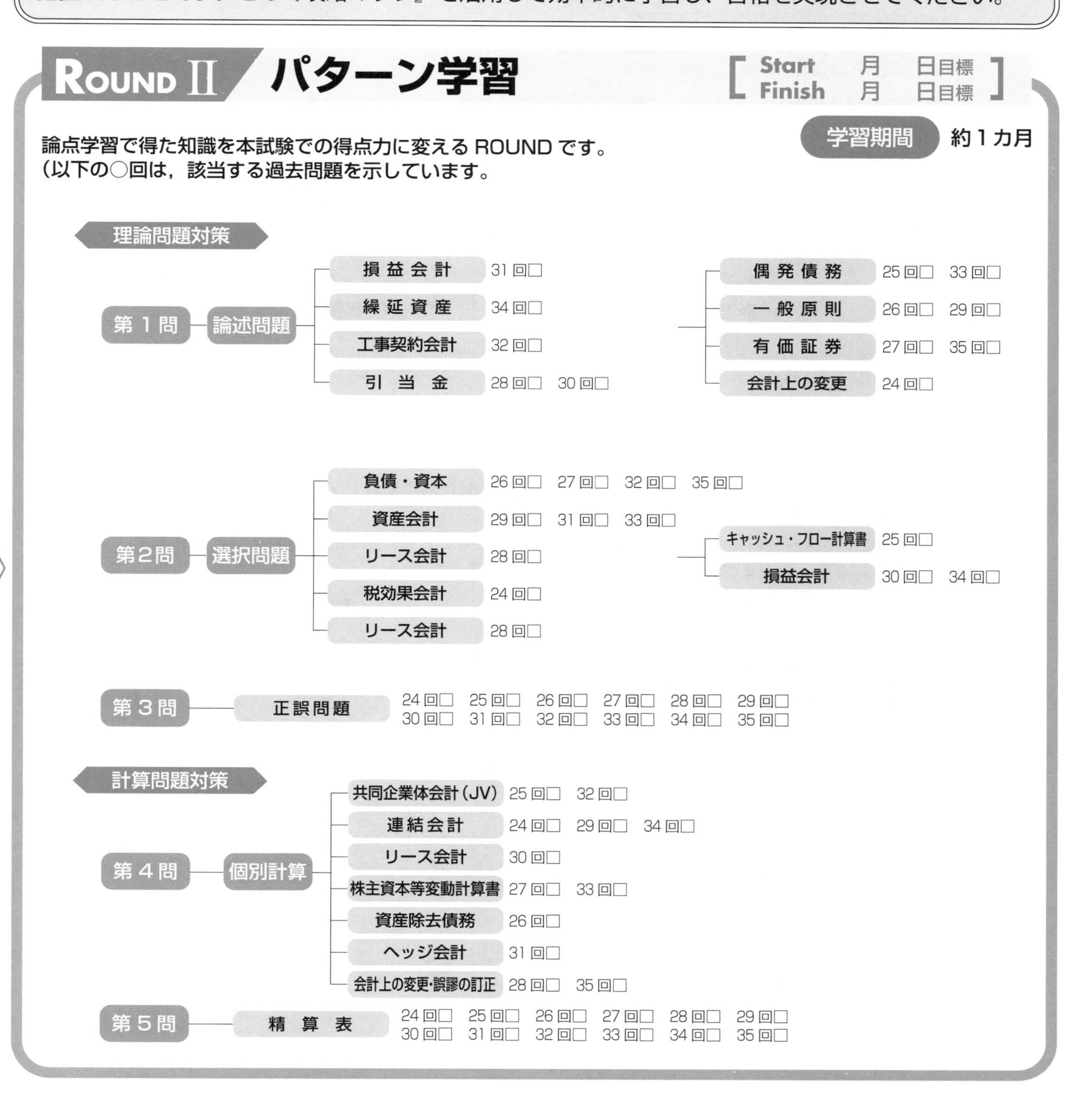

ヨコ解きのススメ

ポイントはヨコ解き！

建設業経理士試験は、幾つかのパターンの問題が繰り返し出題されています。
効率的に実力をつけるためには、第１問なら第１問の問題だけを集中的に学習するヨコ解きがオススメです。
第２部「過去問題編」ではヨコ解きをスムーズにできるように、また、短い期間で網羅性を高められるように過去問題を厳選し、「問」別に掲載しています。出題頻度の高い内容は第２部でほぼ網羅できるよう工夫していますので、ぜひ挑戦して下さい。

※第２部の掲載問題数は設問ごとの出題パターンに応じて調整しています。出題パターンが少ない設問については、少ない問題数でも高い網羅性を実現できるため、少ない学習時間で効率よく学習できるよう、掲載問題数も少なくしています。

「解き方」を知る！

また、第２部「過去問題編」では、単に過去問題を「問」別に掲載しているだけではなく、「問題の解き方」も掲載しています。
問題の出題パターンに沿った効率的な解き方をおさえることで、効率的に実力をつけられます。
「解き方」をしっかりと頭に入れてから、問題を解いてください。

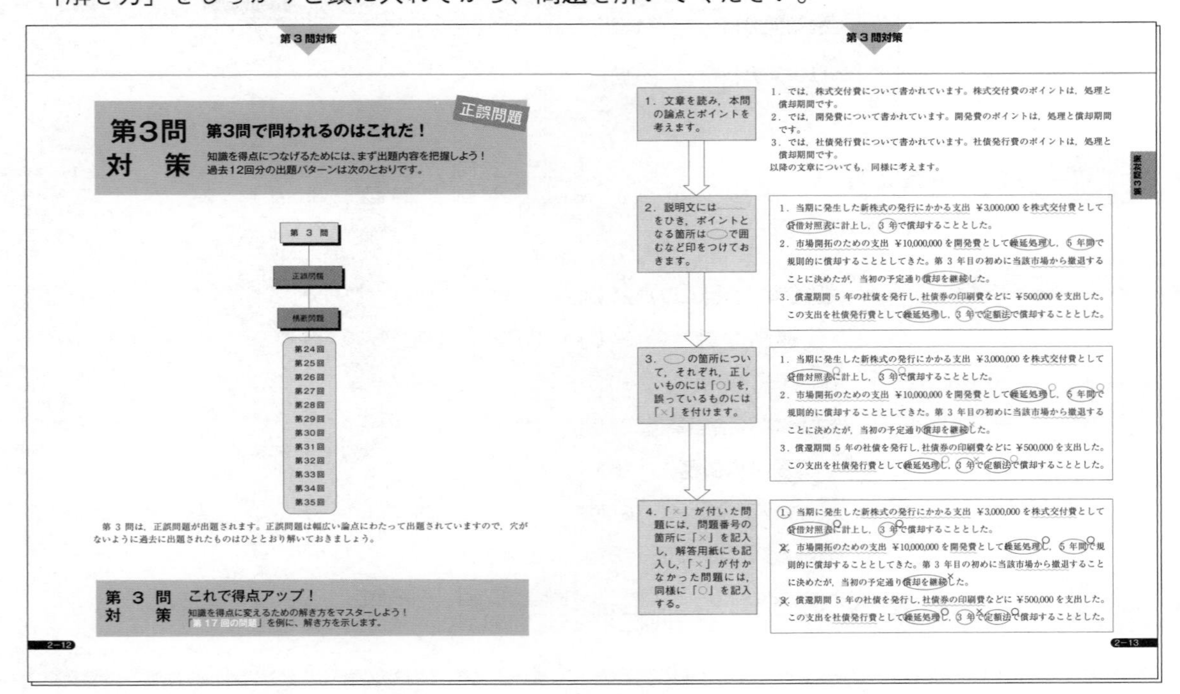

第３問対策

正誤問題

第3問 対策　第3問で問われるのはこれだ！

知識を得点につなげるためには、まず出題内容を把握しよう！
過去12回分の出題パターンは次のとおりです。

第３問
正誤問題
横断問題
第24回
第25回
第26回
第27回
第28回
第29回
第30回
第31回
第32回
第33回
第34回
第35回

第３問は，正誤問題が出題されます。正誤問題は幅広い論点にわたって出題されていますので，穴がないように過去に出題されたものはひととおり解いておきましょう。

第３問 対策　これで得点アップ！

知識を得点に変えるための解き方をマスターしよう！
「第17回の問題」を例に、解き方を示します。

2-12

第３問対策

1．文章を読み，本問の論点とポイントを考えます。

1．では，株式交付費について書かれています。株式交付費のポイントは，処理と償却期間です。
2．では，開発費について書かれています。開発費のポイントは，処理と償却期間です。
3．では，社債発行費について書かれています。社債発行費のポイントは，処理と償却期間です。
以降の文章についても，同様に考えます。

2．説明文には～～をひき，ポイントとなる箇所は◯で囲むなど印をつけておきます。

1．当期に発生した新株式の発行にかかる支出 ¥3,000,000 を株式交付費として貸借対照表に計上し，3 年で償却することとした。
2．市場開拓のための支出 ¥10,000,000 を開発費として繰延処理し，5 年間で規則的に償却することとしてきた。第 3 年目の初めに当該市場から撤退することに決めたが，当初の予定通り償却を継続した。
3．償還期間 5 年の社債を発行し，社債券の印刷費などに ¥500,000 を支出した。この支出を社債発行費として繰延処理し，3 年で定額法で償却することとした。

3．◯の箇所について，それぞれ，正しいものには「○」を，誤っているものには「×」を付けます。

1．当期に発生した新株式の発行にかかる支出 ¥3,000,000 を株式交付費として貸借対照表に計上し，3 年で償却することとした。
2．市場開拓のための支出 ¥10,000,000 を開発費として繰延処理し，5 年間で規則的に償却することとしてきた。第 3 年目の初めに当該市場から撤退することに決めたが，当初の予定通り償却を継続した。
3．償還期間 5 年の社債を発行し，社債券の印刷費などに ¥500,000 を支出した。この支出を社債発行費として繰延処理し，3 年で定額法で償却することとした。

4．「×」が付いた問題には，問題番号の箇所に「×」を記入し，解答用紙にも記入し，「×」が付かなかった問題には，同様に「○」を記入する。

①．当期に発生した新株式の発行にかかる支出 ¥3,000,000 を株式交付費として貸借対照表に計上し，3 年で償却することとした。
✕．市場開拓のための支出 ¥10,000,000 を開発費として繰延処理し，5 年間で規則的に償却することとしてきた。第 3 年目の初めに当該市場から撤退することに決めたが，当初の予定通り償却を継続した。
✕．償還期間 5 年の社債を発行し，社債券の印刷費などに ¥500,000 を支出した。この支出を社債発行費として繰延処理し，3 年で定額法で償却することとした。

第３問対策

2-13

目次
Contents

第１部 テキスト編

※第２部「過去問題編」の掲載問題及び問題数について
第２部「過去問題編」については、設問ごとの出題内容や出題パターン・出題傾向と、その対策に要する学習時間・学習負担や合否への影響を鑑みて、設問ごとに掲載問題及び掲載数を厳選・調整しています。そのため、掲載回数及び掲載問題数が設問によって異なります。あらかじめご理解ください。

第２部 過去問題編

第３部 最新問題編

抜取式 ●解答用紙

第１部　テキスト編

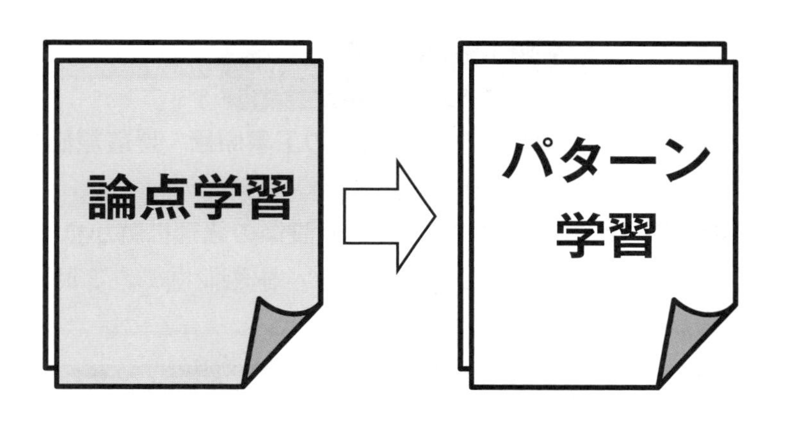

テキスト編では，論点学習を行います。論点学習は，建設業経理士に合格するために必要な知識を身につける学習です。論点学習を効率的に進めるために，テキスト編は次のように構成されています。

①各Section の冒頭に「はじめに」を設け，これから学習する Section の内容・特徴・問題点などをイメージしやすくしました。

②本試験での出題の多くは計算問題です。そこで，解説には随所に計算例をあげて，本試験に対応した知識を修得できるようにしました。

③各Section の最後には，「try it（小問）」を設けています。「try it」を解くことで，論点ごとの理解を確かめてください。

各Section のはじめにある◈は，重要度を表しています。重要度は５段階に分かれていて，◈の数が多いほど，重要度が高いことを示しています。

実務について学びたい方におススメ！

堀川先生による動画講義のご案内

パソコンだけでなく、スマートフォンやタブレットなどでもご覧頂ける講義です。

経理実務講座

- 実務の流れを学習しながら、受験をするための簿記と実務で使う簿記の違いや、経理の仕事について学習していきます。
- これから経理職に就きたいという方、簿記3級を始めたばかりという方にもお勧めの講座となります。

講義時間：約 2 時間 40 分

建設業の原価計算講座

- 原価という概念・原価計算の方法・建設業の工事原価・製造原価を通して、原価管理の方法を学習していきます。
- 原価に関係のあるお仕事を担当される方、建設業の経理に就かれる方にお勧めの講座となります。

講義時間：約 3 時間 15 分

詳しい内容・受講料金はこちら

https://tlp.edulio.com/net-school2/cart/index/tab:569

視聴にともなう通信料等はお客様のご負担となります。あらかじめご了承ください。
また、講義の内容などは予告なく変更となる場合がございます。（2024年 9 月現在）

Chapter 0

建設業の特徴

みんなの役に立つ財務諸表を作成してみませんか？
あなたのまわりには大小さまざまな企業が，所狭しと活動しています。外部との連絡や取引をまったくしないで，わが道を行く企業は１つもないはずです。出資を受けたり，借入れを行ったり，商品を仕入れたり，販売したりしていますよね。おどろくほどたくさんの人々が企業との関わりを持っています。
財務諸表のテーマは「素敵な自己紹介」です。

Section 1　建設業の特徴の内容を理解しましょう。　重要度◈◈◈

建設業会計の特徴

はじめに

あなたは，建設業経理士の１級の合格を目指すことにしました。
１級の合格には財務諸表，原価計算，財務分析と３科目もクリアしなければなりません。でも難しく考えることはありません。３科目はすべてつながっています。流れの中でマスターしていきましょう。
それではまず建設業の経理について理解しましょう。いろんな特徴を持っています。それは３科目すべてに共通しています。

建設業の特徴

建設業とは，土地に結びついた構造物や施設を生産する事業を営むことを指します。発注者が建設業者に建物等の建造を依頼し，両者は契約を結び，建設業者が依頼物を完成させたら引き渡すという一連の流れがあります。

特徴１　個別受注生産であること

建設業では生産物の規模が大きいので，発注者は個別に建設工事を発注します。オーダーメードなので，個別原価計算が採用されます。

特徴２　総額請負契約が多いこと

発注者と建設業者は，工事内容など請負契約で決定します。このうち，工事代金は総額を定額で確定する総額請負契約[01]で決定されることが多く，このため工事が完成し，原価が確定するまで，損益は確定しません。

この場合，請負工事収益は客観的で確実性が高いので，建設業のみ例外的に工事進行基準の適用が認められています。

特徴３　長期工事が多いこと

受注した工事の多くは，長期にわたる工事になります。そのため，未成工事支出金勘定など，建設業独特の勘定を用いて処理します。

多額の費用が長期間に渡って必要となるため，請負代金の前受制の習慣があります。その結果，流動資産・流動負債の額が多くなります。

特徴４　単品産業で，移動産業であること

建設業は，基本的に単品産業です。また建造物により建設現場が異なるので，移動産業といえます。そのため，大きな工場や設備を持つ必要が少ないので，有形固定資産が少なくなります[02]。

01）事前に工事代金を決めておくため，原価がいくらかかっても売上高が変化しないのが一般的です。したがって，雨などで作業が遅れたり，途中で材料費の値上りがあったりすると利益が減ることになります。
なお，工事代金の決定方法には他に以下のものがあります。
原価補償契約：
　実際の工事原価の総額に一定の利益率を上乗せした額を請負代金とする方法です。
単価精算契約：
　単価を決定しておき，その数量に応じて精算するという契約の方法です。

02）なお，減価償却計算だけでは適正な工事原価を計算できないため，損料計算が実施されます。

特徴５　天候などの自然条件に左右されること

建造物はほとんどの場合，屋外に建設されるため，工期などが天候に左右されることになります。寒冷地では雪などのため工事繁忙期と工事閑散期[03]の差が激しいので，予定配賦法などを用い配賦額を均一にするようにしなければいけません。

03）実際配賦法を採用すると機械や車両以外の固定費や現場管理要員の月給などの配賦額に大きな差が出てしまいます。

特徴６　下請業者に依存する場合が多いこと

建設業者が工事を請け負うと，多くの場合，工事ごとの専門の下請業者に発注し各工事の完成を依存します。そのため，外注費が多くなります。製造業では材料費，労務費，経費の３つに分けるのに対し，建設業では外注費[04]を含めて４つに分けます。

04）外注費が総額の50％を超えることも少なくありません。

特徴７　手形のサイト（振出しから満期までの期間）が長いこと

建設業では長期工事が多いことから，手形のサイトも長くなる傾向がみられます。

特徴８　公共工事が多いこと

発注者が政府や地方公共団体などの公共工事の場合は，入札制度[05]がとられています。積算（せきさん）[06]という手法を使って事前原価を重視しています。

05）公共工事の場合，複数の業者が価格競争をして受注する一般競争入札方式などがあります。

06）見積原価計算によります。

特徴９　共同企業体による受注があること

他の業種ではみられない，共同企業体（ジョイントベンチャー）[07]での工事があります。

07）複数の事業者が個々の企業を維持しつつ共同して１つの工事を請負うことです。

特徴10　自己資本が少ないこと

他の業種と比べて，自己資本[08]が少ない企業が多くみられます。労働力に頼っているため，財政基盤が弱いという特徴があります。

08）自己資本とはB/Sの純資産の部の合計額であり，資産から負債を引いた正味の財産です。

特徴11　支払利息が少ない

工事代金を前受けする慣習があることから，長期借入金の割合が少なく，財務費用の支払利息も少ない傾向にあります。

特徴12　販売費及び一般管理費が少ない

建設業では，不特定多数を対象としていないため，販売などにかかる営業関係費が少なくなっています。

通常の製造業との相違点

通常の製造業と建設業の会計で異なる点としてあげられる特徴は(1)勘定科目と(2)収益の認識基準の２点です。

(1)勘定科目

建設業会計では独特の勘定科目を使って会計処理を行います。ただし，勘定科目名が異なるだけで，その意味や使い方は通常の製造業と同じです。

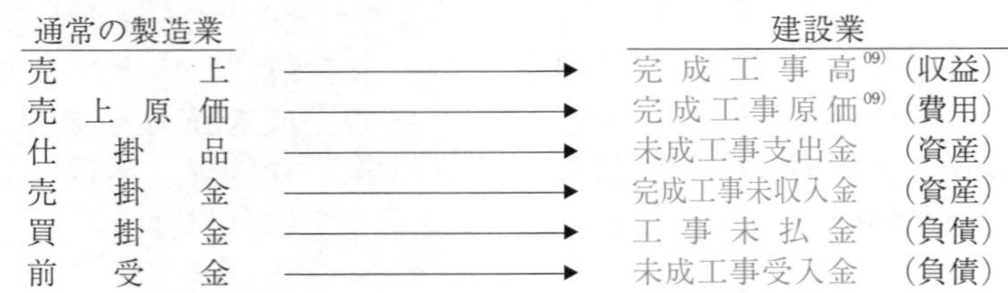

通常の製造業		建設業	
売上	→	完成工事高[09]	（収益）
売上原価	→	完成工事原価[09]	（費用）
仕掛品	→	未成工事支出金	（資産）
売掛金	→	完成工事未収入金	（資産）
買掛金	→	工事未払金	（負債）
前受金	→	未成工事受入金	（負債）

09) 通常の製造業の「売上」が「完成工事」に置き換わっていると考えてください。

(2)収益の認識基準

建設工事にかかわる収益の認識基準で重要なものとして次の２つがあります。

収益の認識基準

①工事進行基準[10)]：工事の進捗に従って収益を計上するという発生主義に基づく認識基準

②工事完成基準[10)]：工事が完成し，引き渡したときに収益を計上するという実現主義に基づく認識基準

10) 工事契約に関して，一定の要件を満たす場合には，工事進行基準を適用し，一定の要件を満たさない場合には工事完成基準を適用します。詳しい内容については，Chapter2 Section2 で学習します。

工事進行基準

工事進行基準とは，工事契約に関して，工事収益総額，工事原価総額及び決算日における工事進捗度を合理的に見積り，これに応じて当期の工事収益及び工事原価を認識する方法をいいます。

代表的な工事進捗度の見積り方法である原価比例法[11)]による工事収益（売上）の計算は以下のとおりです。

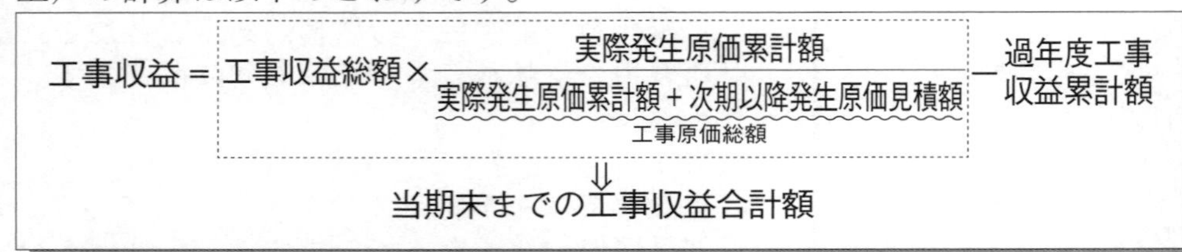

11) 原価比例法とは，決算日における工事進捗度を見積る方法のうち，決算日までに実施した工事に関して発生した工事原価が工事原価総額に占める割合をもって決算日における工事進捗度とする方法をいいます。

工事完成基準

工事完成基準とは，工事契約に関して，工事が完成し，目的物の引渡しを行った時点[12)]で，工事収益及び工事原価を認識する方法をいいます。

したがって，引渡しが完了するまでは，収益（完成工事高）や費用（完成工事原価）は計上しません。

工事完成基準では，各期に発生した費用を未成工事支出金（仕掛品）とし，完成，引渡しのあった期に完成工事原価（売上原価）とします。

工事完成基準と類似のものに部分完成基準[13)]があり，これも実現主義の一形態とみられます。

12) 工事が完成しただけでなく，引渡しがあって初めて収益が計上できます。

13) 請負工事の全部が完成しなくても部分的に引渡しが行われたときに，それに対応する工事収益を認識する基準です。

Section 2 科目の順番は覚えなくて大丈夫。 重要度 ◈◈◈◈

建設業の財務諸表

はじめに あなたは，自分のことをみんなに知ってもらおうとする時，どうしますか。外見だけでは，なかなかわかってもらえません。できれば，ありのままの姿を知ってほしいのですが…。
もちろん，あなたは自己紹介をするでしょう。自分のことは自分が一番よく知っているはずですから。この時，みんなが知りたいと思うことを，わかりやすく伝えるのが望ましい自己紹介ではないでしょうか。これは企業にとっても同じで，財務諸表が自己紹介の手段となります。ということは，企業の姿を，利害関係者が必要とする範囲で一定のルールに従い，わかりやすく表現しなくてはなりません。
さあ，企業の経理担当のあなたが，財務諸表を作成して素敵な自己紹介をしてください。

財務諸表とは

財務諸表とは，企業活動の状況を表す計算書類です[01]。

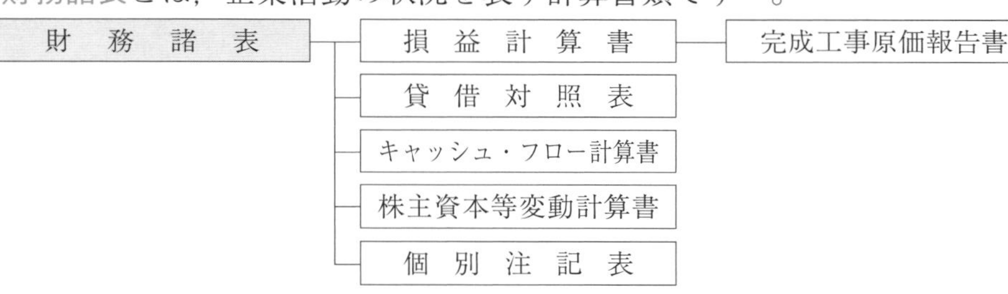

企業の利害関係者は財務諸表を入手し，さまざまな意思決定の資料とすることができます。

01）財務報告の中心は個別ベースから連結ベースに移行しています（Chapter6 Section2 参照）。
また，キャッシュ・フロー計算書についてChapter4で扱います。

損益計算書

損益計算書は，企業の経営成績を表す財務諸表です。

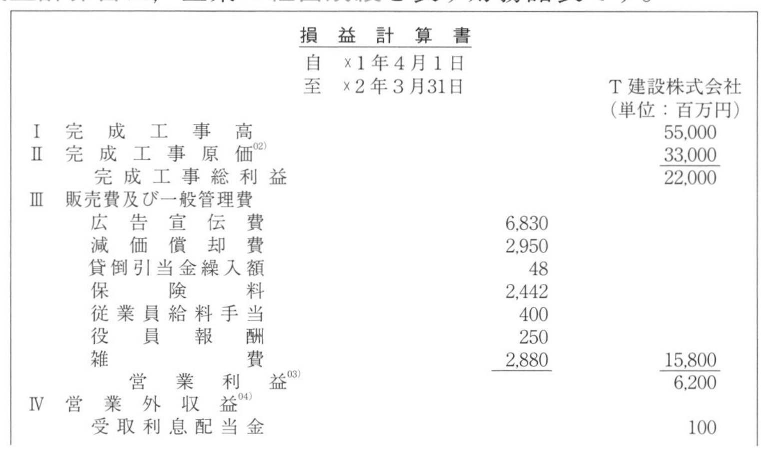

損益計算書
自 ×1年4月1日
至 ×2年3月31日
T建設株式会社
（単位：百万円）

Ⅰ 完成工事高		55,000
Ⅱ 完成工事原価[02]		33,000
完成工事総利益		22,000
Ⅲ 販売費及び一般管理費		
広告宣伝費	6,830	
減価償却費	2,950	
貸倒引当金繰入額	48	
保険料	2,442	
従業員給料手当	400	
役員報酬	250	
雑費	2,880	15,800
営業利益[03]		6,200
Ⅳ 営業外収益[04]		
受取利息配当金		100

02）完成工事原価の内訳明細を示す「完成工事原価報告書」を別に作成します。

03）営業活動の成果を表す利益。

04）財務活動等から生じた損益。

Ⅴ 営業外費用[04]		
支払利息	96	
為替差損	22	118
経常利益[05]		6,182
Ⅵ 特別利益[05]		
社債償還益		120
Ⅶ 特別損失[06]		
投資有価証券評価損	115	
固定資産売却損	1,880	1,995
税引前当期純利益		4,307
法人税・住民税及び事業税		2,000
当期純利益[07]		2,307

05）経常的な経営活動の業績を示す利益。

06）臨時的な取引から生じた損益。

07）当期の結果的な利益。

完成工事原価報告書
自 ×1年4月1日
至 ×2年3月31日

T建設株式会社
（単位：百万円）

Ⅰ 材料費		6,600
Ⅱ 労務費[08]		2,300
（うち労務外注費	1,000）	
Ⅲ 外注費		20,000
Ⅳ 経費		4,100
（うち人件費	1,500）	
完成工事原価		33,000

08）外注費であっても，その大部分が労務費であると認められるものは，労務費に含めて記載することができます。この際に労務費の下に労務外注費として内訳を示します。

貸借対照表

貸借対照表は，企業の財政状態を表す財務諸表です。

貸借対照表
×2年3月31日現在
資産の部

T建設株式会社
（単位：百万円）

Ⅰ 流動資産[09]		
現金預金		5,267
受取手形		17,000
完成工事未収入金		16,000
有価証券		6,000
未成工事支出金		3,213
材料貯蔵品		2,200
貸倒引当金[10]		△ 180
流動資産合計		49,500
Ⅱ 固定資産[11]		
(1) 有形固定資産[12]		
建物・構築物	28,000	
減価償却累計額	△23,030	4,970
機械・運搬具	28,000	
減価償却累計額	△23,000	5,000
工具器具・備品	5,000	
減価償却累計額	△ 770	4,230
土地		2,000
建設仮勘定		1,300
有形固定資産合計		17,500
(2) 無形固定資産		
特許権		1,120
のれん		4,080
無形固定資産合計		5,200

09）正常な営業取引から生じた資産。または1年以内に回収される資産。

10）流動資産の区分の最後に一括して控除されます。

11）正常な営業取引外から生じた資産，または1年以内に回収されない資産。

12）償却される有形固定資産は，3つに区分して表示されます。

13）財産としての価値はないが将来の収益獲得に役立つために資産として認められるものです。

(3) 投資その他の資産	
投資有価証券	1,550
関係会社株式	1,250
投資その他の資産合計	2,800
固定資産合計	25,500
Ⅲ 繰延資産[13]	
開発費	1,800
株式交付費	200
繰延資産合計	2,000
資産合計	77,000
負債の部	
Ⅰ 流動負債	
支払手形	13,820
工事未払金	17,050
未成工事受入金	4,000
完成工事補償引当金	1,330
工事損失引当金	2,000
流動負債合計	38,200
Ⅱ 固定負債	
社債	5,720
長期借入金	180
退職給付引当金	400
固定負債合計	6,300
負債合計	44,500
純資産の部	
Ⅰ 株主資本	
1 資本金	20,000
2 資本剰余金	
(1) 資本準備金	3,500
(2) その他資本剰余金	1,200
資本剰余金合計	4,700
3 利益剰余金	
(1) 利益準備金	500
(2) その他利益剰余金	
任意積立金	2,571
繰越利益剰余金	4,229
利益剰余金合計	7,300
4 自己株式	△ 500
株主資本合計	31,500
Ⅱ 評価・換算差額等	
1 その他有価証券評価差額金	50
2 繰延ヘッジ損益	450
評価・換算差額等合計	500
Ⅲ 新株予約権	500
純資産合計	32,500
負債・純資産合計	77,000

キャッシュ・フロー計算書（直接法）

キャッシュ・フロー計算書とは，当期中のキャッシュの動きを示す財務諸表です。

キャッシュ・フロー計算書
自　×1年4月1日
至　×2年3月31日

T建設株式会社
（単位：百万円）

Ⅰ　営業活動によるキャッシュ・フロー	
営業収入	36,405
原材料等の仕入支出	△ 11,200
人件費支出	△ 4,450
その他の営業支出	△ 12,152
小計	8,603
利息および配当金の受取額	100
利息の支払額	△ 96
法人税等の支払額	△ 607
営業活動によるキャッシュ・フロー	8,000
Ⅱ　投資活動によるキャッシュ・フロー	
定期預金の預入による支出	△ 1,000
定期預金の払戻による収入	1,000
有価証券の取得による支出	△ 10,000
有価証券の売却による収入	2,000
有形固定資産の取得による支出	△ 3,700
有形固定資産の売却による収入	5,000
貸付けによる支出	△ 4,000
貸付金の回収による収入	4,000
投資活動によるキャッシュ・フロー	△ 6,700
Ⅲ　財務活動によるキャッシュ・フロー	
短期借入金の返済による支出	△ 100
短期借入れによる収入	100
長期借入金の返済による支出	△ 120
長期借入れによる収入	300
社債の償還による支出	△ 5,000
社債の発行による収入	5,720
株式配当金の支払い	△ 200
株式の発行による収入	1,000
財務活動によるキャッシュ・フロー	1,700
Ⅳ　現金および現金同等物に関連する換算差額	△ 22
Ⅴ　現金および現金同等物の増加額	2,978
Ⅵ　現金および現金同等物期首残高	2,289
Ⅶ　現金および現金同等物期末残高	5,267

キャッシュ・フロー計算書（間接法）

キャッシュ・フロー計算書
自　×1年4月1日
至　×2年3月31日
T建設株式会社
（単位：百万円）

Ⅰ　営業活動によるキャッシュ・フロー	
税引前当期純利益	4,307
減価償却費	2,950
貸倒引当金増加額	48
受取利息および受取配当金	△　100
支払利息	96
為替差損	22
有形固定資産売却損	1,880
売上債権の増加額	△　200
棚卸資産の減少額	100
仕入債務の減少額	△　500
小計	8,603
利息および配当金の受取額	100
利息の支払額	△　96
法人税等の支払額	△　607
営業活動によるキャッシュ・フロー	8,000
Ⅱ　投資活動によるキャッシュ・フロー（直接法の場合と同じ）	
Ⅲ　財務活動によるキャッシュ・フロー（直接法の場合と同じ）	
Ⅳ　現金および現金同等物に関連する換算差額	△　22
Ⅴ　現金および現金同等物の増加額	2,978
Ⅵ　現金および現金同等物期首残高	2,289
Ⅶ　現金および現金同等物期末残高	5,267

株主資本等変動計算書

株主資本等変動計算書とは，貸借対照表の純資産の部の一会計期間における変動額のうち，主として，株主に帰属する部分である株主資本の各項目の変動事由を報告するために作成する財務諸表です。

（単位：百万円）

	株主資本								評価・換算差額等		新株予約権	純資産合計
	資本金	資本剰余金		利益剰余金			自己株式	株主資本合計	その他有価証券評価差額金	繰延ヘッジ損益		
		資本準備金	その他資本剰余金	利益準備金	その他利益剰余金							
					任意積立金	繰越利益剰余金						
当期首残高	19,500	3,000	1,200	480	2,561	2,152	△ 500	28,393			500	28,893
当期変動額												
新株の発行	500	500						1,000				1,000
剰余金の配当				20		△ 220		△ 200				△ 200
当期純利益						2,307		2,307				2,307
任意積立金の積立					10	△ 10		0				0
株主資本以外の項目の当期変動額(純額)									50	450		500
当期変動額合計	500	500		20	10	2,077		3,107	50	450		3,607
当期末残高	20,000	3,500	1,200	500	2,571	4,229	△ 500	31,500	50	450	500	32,500

個別注記表

個別注記表とは，会社計算規則により重要な会計方針に係る事項に関する注記等および貸借対照表，損益計算書，株主資本等変動計算により会社の財産または損益の状態を正確に判断するために必要な事項を注記するために作成が要求されるものをいいます。

しかし，従来どおり貸借対照表の注記事項として記載することも認められています。

建設業会計特有の勘定科目など

建設業は，完成品の価格が高いことや着工から完成までの期間が長いことなどの特徴を持っています。そのため，建設業会計は製造業会計とは異なる部分があります。

ここでは，一般の製造業会計を学んだ人のために，建設業会計に特有の勘定科目や用語を一覧表にします。

	製造業	建設業	3級	2級	1級		
					財務諸表	原価計算	財務分析
損益計算書上の用語							
	売上高	完成工事高	●	●	●	●	●
	売上原価	完成工事原価	●	●	●	●	●
	売上総利益	完成工事総利益			●		●
貸借対照表上の用語							
	売掛金	完成工事未収入金	●	●	●	●	●
	仕掛品	未成工事支出金	●	●	●	●	●
	買掛金	工事未払金	●	●	●	●	●
	前受金	未成工事受入金	●	●	●		●
その他							
	製造原価	完成工事原価	●	●	●	●	●
	製造間接費	工事間接費		●		●	
	製造部門	施工部門		●		●	

Chapter 1
財務諸表の基礎知識

なにごとも，はじめからすべてうまくいくとは限りません。まずは基礎から始めましょう。「かたいことは言うな！」などと，言っている場合ではありません。財務諸表は，作成の基本ルールに従って作成してこそ，みんなが利用できるのです。ルールを無視した財務諸表なんて……誰も見てくれません。

さあ，ここからがスタートです。

会計制度

はじめに なぜ会計には，定められた制度（ルール）があるのでしょう。どんぶり勘定ではいけませんか？
もしも，そんな会社があったら
あなたは社員になりたいですか？
あなたは株主になりたいですか？
また，もしあなたがマルサなら…やはりルールは必要ですよね。

財務会計と管理会計

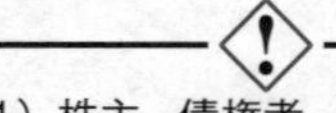

01）株主，債権者，取引先など。

02）取締役，従業員など。

企業が行う会計は，情報の提供先により⑴財務会計と⑵管理会計に分けることができます。

⑴財務会計：企業外部の利害関係者[01] に情報提供 ⇒ 財務諸表作成目的
⑵管理会計：企業内部の経営管理者[02] に情報提供 ⇒ 意思決定目的

会計公準

(1) 会計公準とは

会計公準（こうじゅん）とは，企業が会計を行ううえでの基礎的前提および仮定であり，会計上の理論や原則が成立するための基本的な前提条件ともなっているものです。

(2) 主な会計公準

会計公準の主なものとして，企業実体の公準，継続企業の公準（会計期間の公準），貨幣的評価の公準（貨幣的測定の公準）の３つがあげられます。

① 企業実体の公準

企業実体の公準とは，企業はその出資者から分離した別個の存在であり，それを会計単位とする前提です[03]。

企業は出資者から独立して企業自体の立場から会計上の計算・記録を行います。

② 継続企業の公準（会計期間の公準）

継続企業の公準とは，企業は解散や清算を予定せずに，永久に事業を営むものとする仮定です[04]。

したがって，会計を行うにあたっては企業の全存続期間を人為的に区切った会計期間を対象とします。

03）企業を，株主のものでも社長のものでもなく，１個の法的に独立した人格（法人）として捉えます。

04）この，企業が永続するという仮定により，会計期間を区切る必要が生じます。
なお，企業が破綻（たん）するときは，清算会計に移行し，これまでの原価主義から売却時価主義で計算することになります。

③ 貨幣的評価の公準（貨幣的測定の公準）

貨幣的評価の公準とは，企業はその経済活動を貨幣額によって記録・計算・表示するとする前提[05]です。

貨幣経済においては，経済価値のあるものが貨幣額によって表現されています。そのため, 企業は会計処理にあたって, 貨幣（日本の場合は円）を単位として統一し，記録・計算・表示しなければならないとするものです。

05）すべてを貨幣で評価するという前提により，逆に貨幣的に評価できないものは簿記上の取引とされないことになります。

継続企業の公準から派生する会計処理

「企業は永続する」という継続企業の公準を前提として，次のような会計処理が行われます。

① 減価償却計算

「企業は永続する」という仮定により，耐用年数を設け，その期間に費用を配分することになります。

② 繰延資産の計上

「企業は永続する」という仮定により，将来の収益獲得に貢献するものとして，繰延資産の計上が認められます。

③ 引当金の設定

「企業は永続する」という仮定により，将来の支出に備えた引当金の計上を行うことになります。

会計にかかわる法制度

会計にかかわる法制度としては，会社法，金融商品取引法，税法とありますが，建設業経理士の試験では，原則として建設業法に基づくことになります。

(1) 会社法

会社法とは，商法第２編，有限会社法，商法特例法などを再編し，１つの法律として体系化したもので，2006 年５月から施行されています。

諸制度間の規律を是正し，近年の社会経済情勢に対応した制度作りを目指しているのが会社法であるといえます。

また，最低資本金制度の撤廃や有限会社法の廃止など従来の商法と比べ，多くの規制緩和がなされているのが大きな特徴であるといえます。

(2) 金融商品取引法

金融商品取引法は，大規模な株式会社を対象にして制定された法律で，投資家保護を目的としています（旧証券取引法）。

企業の財務情報を開示することによって，株式等の有価証券の発行や流通に対し，投資家が平等に情報を与えられ，正しい判断ができるように定められています。

(3) 税法

法人税法を中心に，税負担を公平かつ平等に行うために制定された法律で，確定決算方式を採っています。

そのため，会社法の財務諸表と金額が異なることがあります。

(4)建設業法

建設業法とは，特に建設業を営む企業，個人を対象にして定められた法律で，建設業法施行規則によって，細かな指示がなされています。
その背景には，公共事業が多いことや受注生産といった一般企業とは異なる特徴が認められる点があります。
財務諸表の様式も法人と個人に分けて定めてあり，また勘定科目の分類も公表されています。

法律名	会社法	金融商品取引法	建設業法
対象	すべての会社	大会社	建設業者
目的	債権者保護	投資家保護	発注者保護
表示基準	会社計算規則	財務諸表等規則	建設業法施行規則
提出先	定時株主総会 公示	内閣総理大臣 一般公開	国土交通大臣 都道府県知事
期限	事業年度終了後 3カ月以内（公示）	事業年度終了後 3カ月以内	事業年度終了後 4カ月以内
財務諸表等	貸借対照表 損益計算書 株主資本等変動計算書 個別注記表 附属明細書 事業報告	貸借対照表 損益計算書 株主資本等変動計算書 キャッシュ・フロー計算書 附属明細表	貸借対照表 損益計算書 株主資本等変動計算書 注記表 附属明細表 事業報告書
備考		有価証券報告書 上記財務諸表の他に企業の概況や事業状況などが含まれる 連結財務諸表として 連結貸借対照表 連結損益計算書 連結包括利益計算書 連結株主資本等変動計算書 連結キャッシュ・フロー計算書 連結附属明細表	経営事項審査 経営規模 経営状況 技術力 その他

Section 2

一般原則は簡単に説明できるようにしましょう。　重要度 ◈◈◈◈

企業会計原則

はじめに さて，あなたは企業の自己紹介をすることになりました。「財務諸表を作ろう」と，はりきっているのですが，好き勝手に作るわけにはいきません。作成のルールが必要です。

企業会計原則の位置づけ

昭和24年，戦後の日本にアメリカのものをお手本とした，基本的な会計ルールができました。この企業会計原則に法令のような強制力はありませんが，今でもすべての企業が守らなくてはいけない基準としての位置付けは変わっていません。そのため，会社法など企業会計の法律が制定または改廃される場合，常に尊重されてきました。

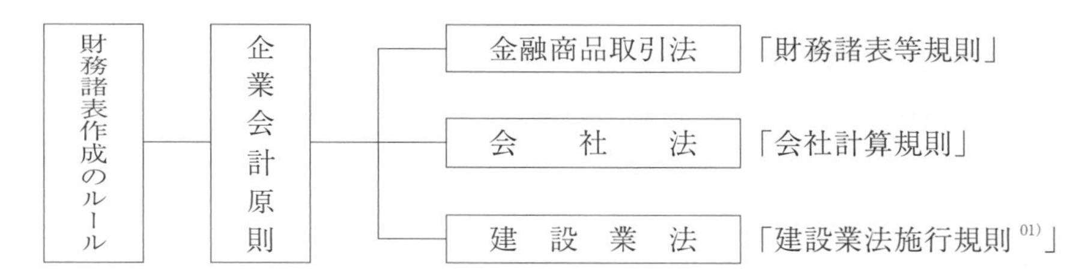

01）主に，表示に関する規定が設けられています。

企業会計原則

企業会計原則は，すべての企業が会計処理を行うにあたって守らなければならない原則です。

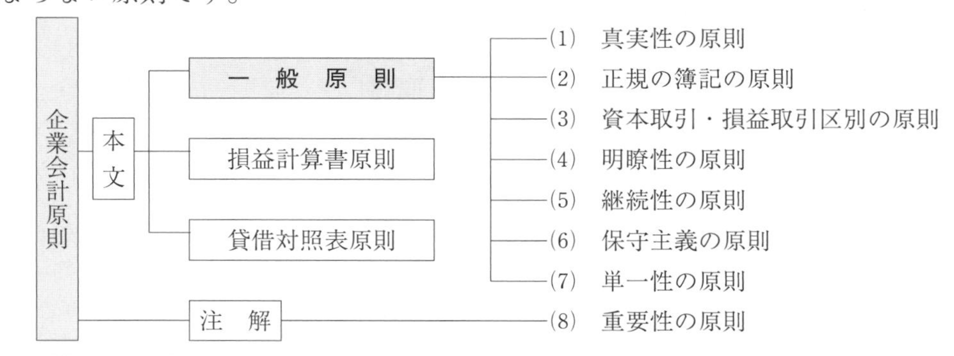

(1)真実性の原則

> 企業会計は，企業の財政状態及び経営成績に関して，真実な報告を提供するものでなければならない。(一般原則・一)

真実性の原則は，すべての会計記録・測定および報告にあたり，真実[02]を記すことを要請する一般原則のもっとも根本的なルールです。

02）相対的性格をもつ真実。例えば，認められた会計処理などの中で会計処理の方法などの違いにより，計算される数値が複数考えられる場合，採用した方法で求めた数値が真実なのであり，常に真実が１つであることを意味するのではありません。

(2)正規の簿記の原則

企業会計は，すべての取引につき，正規の簿記の原則に従って，正確な会計帳簿を作成しなければならない。(一般原則・二)

① 意味

正規の簿記の原則は，正確な会計帳簿の作成とそれに基づく財務諸表の作成を要請しています[03)]。

② 正確な会計帳簿の要件

正確な会計帳簿とは，a. 網羅性，b. 検証可能性，c. 秩序性の３つの要件を満たす会計帳簿をいいます。

a. 網　羅　性…会計帳簿に記録すべき事実はすべて正しく記録され，記帳漏れや架空記録がないこと。

b. 検証可能性…記録はすべて客観的に証明可能な証ひょう資料に基づいていること。

c. 秩　序　性…すべての記録が，一定の法則に従って組織的・体系的に秩序正しく行われていること。

03) 誘導法による作成といいます。誘導法とは会計帳簿から誘導して，財務諸表を作成する方法です。
したがって，正確な会計帳簿を必要とします。
なお，この逆に財産目録により作成する棚卸法があります。

(3)資本取引・損益取引区別の原則

資本取引と損益取引とを明瞭に区別し，特に資本剰余金と利益剰余金とを混同してはならない。(一般原則・三)

① 意味

企業の取引から生じる剰余金[04)]を区別することにより，株主資本の明確化と，適正な期間損益計算を要請しています。

② 剰余金の区別

企業の取引	剰　余　金		役　割
資本取引	資本剰余金[05)]	⇒	株主資本の明確化
区別	区別		
損益取引	利益剰余金[06)]	⇒	適正な期間損益計算
その他の取引[07)]	×		

「企業会計原則注解【注2】」

(1) 資本剰余金は，資本取引から生じた剰余金であり，利益剰余金は損益取引から生じた剰余金，すなわち利益の留保額であるから，両者が混同されると，企業の財政状態および経営成績が適正に示されないことになる。したがって，例えば，新株発行による株式払込剰余金から新株発行費用を控除することは許されない。

③ 区分の必要性

a. 資本剰余金の利益剰余金への混同

株主から集めた払込資本が配当などにより社外流出してしまうことになる。

b. 利益剰余金の資本剰余金への混同

利益が払込資本として計上されると，当期純利益の適正な計算ができなくなり，税金や配当に影響を及ぼすことになる。

04) 借方または貸方に生じる差額です。

05) 資本準備金，その他資本剰余金など。

06) 利益準備金，その他利益剰余金など。

07) その他の取引とは，借入金の返済のように直接的に資本剰余金にも利益剰余金にも影響を及ぼさないものをいいます。

(4)明瞭性の原則

> 企業会計は，財務諸表によって，利害関係者に対し必要な会計事実を明瞭に表示し，企業の状況に関する判断を誤らせないようにしなければならない。(一般原則・四)

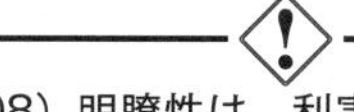

08) 明瞭性は，利害関係者の視点から判断します。利害関係者が混乱するようでは，財務諸表が無意味になってしまうからです。

① 意味

明瞭性の原則は，財務諸表の利用者である利害関係者[08)]が判断を誤らないようにするために，必要な会計記録とそれが導き出される過程，あるいは採用した手続などを明らかに完全な開示を要請しています。

② 適用例

(i) 形式的明瞭性

a. 損益計算書，および貸借対照表の様式と区分表示

b. 流動性配列法

c. 総額主義

(ii) 実質的明瞭性

a. 附属明細書

資本金および剰余金・積立金の増減

社債および借入金の増減

固定資産の取得・処分・減価償却費の明細

引当金の明細など

b. 脚注　その他の注記

重要な会計方針や重要な後発事象を注記することが定められています。

☆重要な会計方針の開示について「企業会計原則注解【注１－２】」

財務諸表には，重要な会計方針を注記しなければならない。

会計方針とは，財務諸表の作成にあたって採用した会計処理の原則及び手続きをいいます。

会計方針の例としては，次のようなものがある。

イ　有価証券の評価基準及び評価方法

ロ　たな卸資産の評価基準及び評価方法

ハ　固定資産の減価償却方法

ニ　繰延資産の処理方法

ホ　外貨建資産・負債の本邦通貨への換算基準

ヘ　引当金の計上基準

ト　費用・収益の計上基準

代替的な会計基準が認められていない場合には，会計方針の注記を省略することができる。

☆重要な後発事象(こうはつじしょう)の開示について「企業会計原則注解【注１－３】」

財務諸表には，損益計算書及び貸借対照表を作成する日までに発生した重要な後発事象を注記しなければならない。

後発事象とは，貸借対照表日後に発生した事象で，次期以後の財政状態及び経営成績に影響を及ぼすものをいう。

重要な後発事象を注記事項として開示することは，当該企業の将来の財政状態及び経営成績を理解するための補足情報として有用である。

重要な後発事象の例としては，次のようなものがある。

イ　火災，出水等による重大な損害の発生
ロ　多額の増資又は減資及び多額の社債の発行又は繰上償還
ハ　会社の合併，重要な営業の譲渡又は譲受
ニ　重要な係争事件の発生又は解決
ホ　主要な取引先の倒産

(5)継続性の原則

企業会計は，その処理の原則及び手続を毎期継続して適用し，みだりにこれを変更してはならない。(一般原則・五)

09) 例として，減価償却があり，減価償却の方法として，定額法，定率法などが認められています。

① 意味

継続性の原則は，1つの会計事実について，2つ以上の会計処理の原則または手続の選択適用が認められている場合[09]に，企業がいったん採用した会計処理の原則および手続を毎期継続して適用することを要請しています。

② 必要性

継続性の原則が必要とされるのは，a. 利益操作を排除し，b. 財務諸表の期間比較性を確保するためです。

③ 継続性の変更

	変更前		変更後	
a.	適正な処理	→	認められない処理	認められない
b.	認められない処理	→	認められない処理	認められない
c.	認められない処理	→	適正な処理	……当然の変更（問題とならない）
d.	適正な処理	→	適正な処理	……正当な理由があるか否かが問題となる

正当な理由により会計処理の原則，または手続に重要な変更を加えた場合は，(1)その旨　(2)その理由　(3)財務諸表に対するその影響額を脚注に注記しなければならない。

(6)保守主義の原則

企業の財政に不利な影響を及ぼす可能性がある場合には，これに備えて適当に健全な会計処理をしなければならない。(一般原則・六)

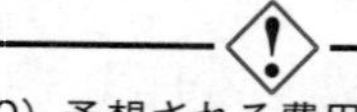

10) 予想される費用・損失は計上し，予想される収益・利益は計上しません。

① 意味

保守主義の原則は，企業の発展のために，予想される将来の危険に備えて慎重な判断に基づく会計処理を行うことを要請しています[10]。

② 適用例

具体的な適用例としては次のものがあります。

a. 将来に発生が予想される費用または損失に備える引当金の設定

b. 固定資産の減価償却における定率法の採用

(7)単一性の原則

> 株主総会提出のため，信用目的のため，租税目的のため等種々の目的のために異なる形式の財務諸表を作成する必要がある場合，それらの内容は，信頼しうる会計記録に基づいて作成されたものであって，政策の考慮のために事実の真実な表示をゆがめてはならない。（一般原則・七）

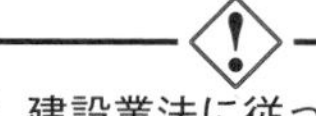

11）建設業法に従った財務諸表と，金融商品取引法に従った財務諸表の表示が異なってもかまいません。

単一性の原則は，目的別に財務諸表の表示形式が異なること（形式多元）は問題とせず[11]，財務諸表の作成の基礎となる会計記録は単一（実質一元）であることを要請しています。

(8)重要性の原則

一般原則に準じる原則として重要性の原則があります[12]。

12）本来，一般原則に含まれるべきものですが，他の原則と異なり許容原則のため，一般原則に含めることができません。

> 企業会計は，定められた会計処理の方法に従って正確な計算を行うべきものであるが，企業会計が目的とするところは，企業の財務内容を明らかにし，企業の状況に関する利害関係者の判断を誤らせないようにすることにあるから，重要性の乏しいものについては，本来の厳密な会計処理によらないで他の簡便な方法によることも正規の簿記の原則に従った処理として認められる。（企業会計原則注解【注 1】）

① 意味

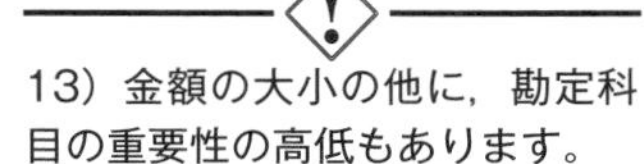

13）金額の大小の他に，勘定科目の重要性の高低もあります。

利害関係者の判断を誤らせないという観点から	重要性が高い[13]	⇒	厳密な会計処理が必要
	重要性が乏しい	⇒	簡便な会計処理の容認

② 適用例

(1) 消耗品，消耗工具器具備品その他の貯蔵品等のうち，重要性の乏しいものについては，その買入時または払出時に費用として処理する方法を採用することができる[14]。

(2) 前払費用，未収収益，未払費用および前受収益のうち，重要性の乏しいものについては，経過勘定項目として処理しないことができる。

(3) 引当金のうち，重要性の乏しいものについては，これを計上しないことができる[15]。

(4) たな卸資産の取得原価に含められる引取費用，関税，買入事務費，移管費，保管費等の付随費用のうち，重要性の乏しいものについては，取得原価に算入しないことができる。

(5) 分割返済の定めのある長期の債権または債務のうち，期限が１年以内に到来するもので重要性の乏しいものについては，固定資産又は固定負債として表示することができる。

14）期中に購入した消耗品を購入時に費用計上した場合，簡便な会計処理によって，決算時に未使用分を消耗品に振り替えないとき，簿外資産が発生します。

15）決算時に当期に行うべき修理などを次期に延ばしたにもかかわらず，引当金を計上しないと，簿外負債が発生します。

例題 企業会計原則

1. 次の文の(　　)の中に適当な用語を入れて完成させなさい。

企業会計原則は，会計実務の中で（ ア ）として発達したものの中から，一般に（ イ ）と認められるところを要約したものである。必ずしも（ ウ ）によって強制されるものではないが，すべての企業が会計処理を行うにあたって，従わなければならない（ エ ）である。

解 答 ア.慣　習　イ.公正妥当　ウ.法　令　エ.基　準

2. 会計事実の中で，重要性の乏しいものについては厳密な会計処理を要請しないとされる原則があるが，この原則について下記の問いに答えなさい。

(1) この原則が，企業会計上容認される根拠として正しいものに○を，間違っているものに×を付けなさい。

① さほど重要でない事由について厳密な会計処理をした場合，かえって煩雑となり明瞭性を欠く結果となる。
② 非重要項目について簡便法が容認されるのは，収益項目だけであり，収益計上を慎重に行おうとする保守主義の原則の要請である。
③ 非重要項目について厳密な会計処理を行うと，計算の経済性が損なわれる。

解 答 ① ○　② ×　③ ○

(2) 簡便処理の適用例として，正しいものに○を，間違っているものに×を付けなさい。

① 重要性の乏しい工具は，購入時に費用として処理している。
② 長期借入金を固定負債に表示しているが，決算において最終弁済期日が10カ月後であることが確認できた。しかし重要性を判断しそのまま固定負債として表示した。
③ 小口の買掛金をその金額が小さいという理由で，簿外負債とした。

解 答 ① ○　② ○　③ ×

参考

会計上の変更・誤謬の訂正

会計上の変更・誤謬の訂正

棚卸資産の評価方法を総平均法から先入先出法に変更した場合や，過去の財務諸表に誤りがあった場合などには財務諸表や注記事項の修正を行います。財務諸表などの修正はその原因により次のように分類され，それぞれ取扱いが異なります。

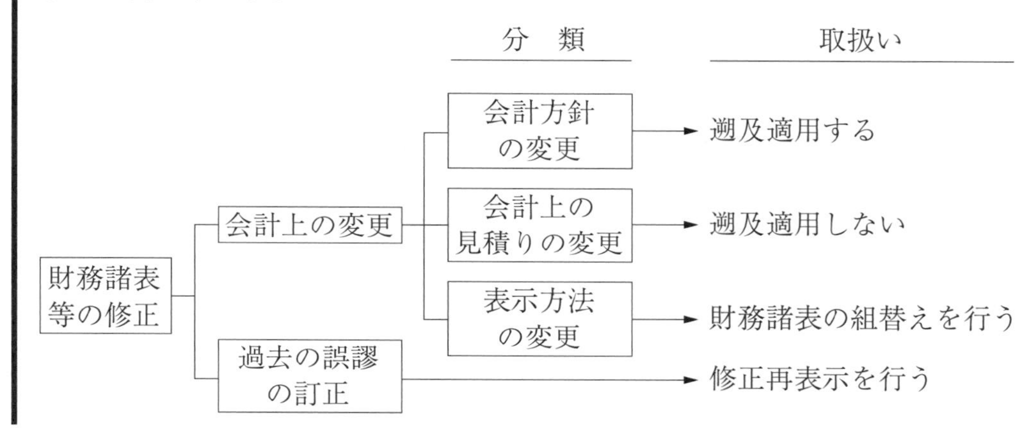

会計方針の変更

(1) 会計方針の変更とは

会計方針とは，財務諸表の作成にあたって採用した会計処理の原則および手続き[16]をいいます。

会計方針の変更とは，従来採用していた一般に公正妥当と認められた会計方針から他の一般に公正妥当と認められた会計方針に変更することをいいます。

会計方針の変更には，会計基準等の改正にともなう会計方針の変更と，その他の正当な理由による会計方針の変更があります。

16) 表示方法は，従来は会計方針に含まれていましたが，「会計方針の開示，会計上の変更および誤謬の訂正に関する会計基準」では，会計方針には含まれず，独自に定義づけされました。

(2) 会計方針を変更した場合の取扱い

会計方針を変更した場合には，原則として新たな会計方針を過去の期間のすべてに遡及適用(そきゅうてきよう)します[17]。遡及適用とは，過去からその会計方針を適用していたかのように財務諸表を作り直すことをいいます。

そして，主に以下の事項を注記します。

- 会計基準等の名称(会計基準の改正の場合)[18]
- 会計方針の変更の内容
- 表示期間のうち過去の期間について，影響を受ける財務諸表の主な表示科目に対する影響額および１株あたり情報に対する影響額

17) 新たな会計基準に経過的な取扱い（遡及適用を行わないこと等）が定められている場合を除きます。

18) その他の正当な理由による会計方針の変更の場合には正当な理由を注記します。

（例）材料の評価方法として×１年度と×２年度に総平均法を採用していたが，×３年度より先入先出法に変更した場合，×１年度から先入先出法を採用していたかのように過去の財務諸表を作り直します。

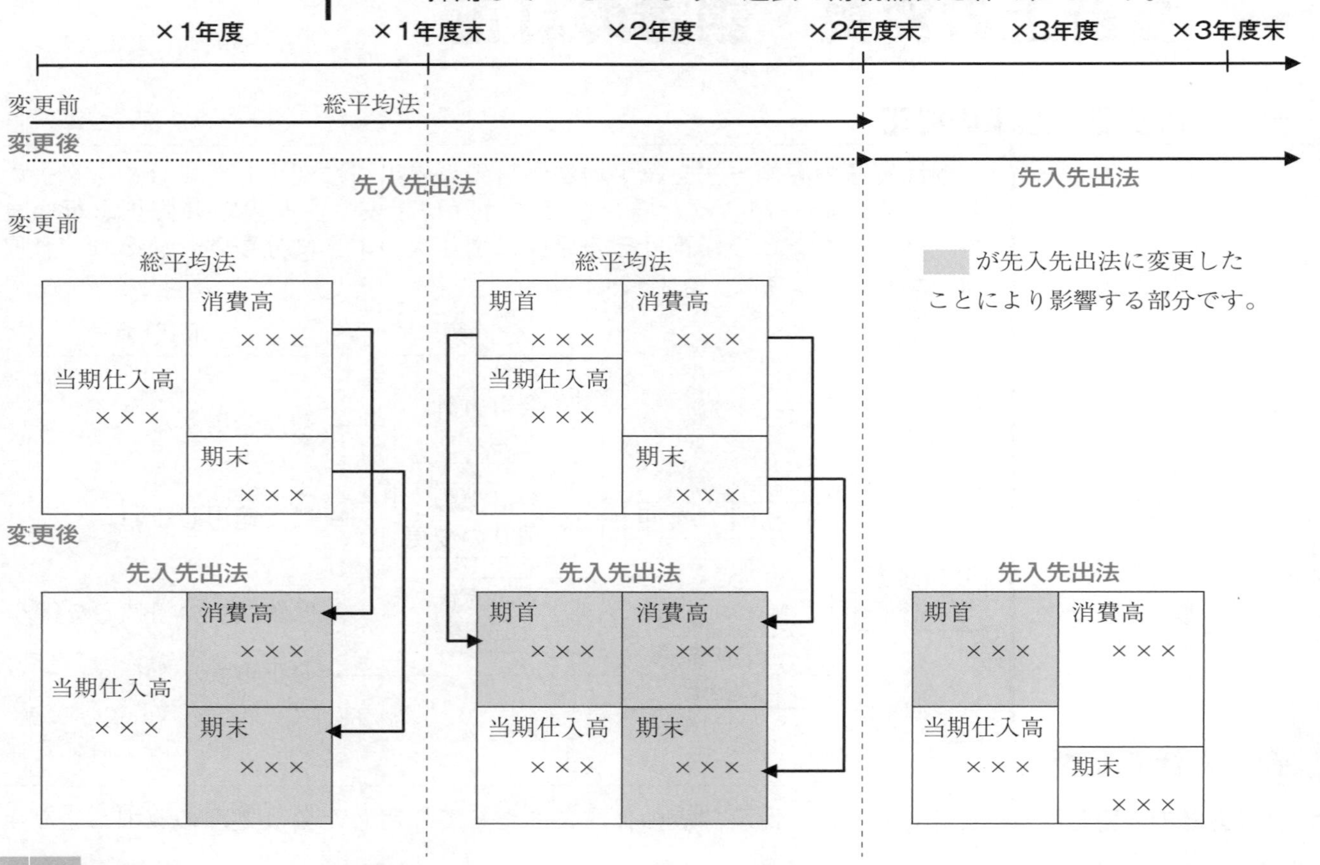

会計上の見積りの変更

(1)　会計上の見積りの変更とは

会計上の見積りとは，資産および負債や収益および費用等の額に不確実性がある場合において，財務諸表作成時に入手可能な情報にもとづいて，その合理的な金額を算出することをいいます[19]。

会計上の見積りの変更とは，新たに入手可能となった情報にもとづいて，過去に財務諸表を作成するさいに行った会計上の見積りを変更することをいいます。

具体的には，固定資産の耐用年数の変更などです。

19）引当金の計算や減価償却費のように時期や金額が不確実な計算をイメージしてください。

(2)会計上の見積りの変更を行った場合の取扱い

会計上の見積りの変更を行った場合は，変更した期（当期）にのみ影響する場合には，その変更期間（当期）に会計処理を行い，その変更が将来の期間にも影響する場合には，将来にわたり会計処理を行います（遡及適用は行いません）。

そして，主に以下の事項を注記します。

- 会計上の見積りの変更の内容
- 会計上の見積りの変更による影響額

20）減価償却方法は会計方針の1つですが，減価償却方法の変更（定率法から定額法への変更など）がこれに該当します。

なお，会計方針の変更を会計上の見積りの変更と区別することが困難な場合[20]には，会計上の見積りの変更と同様に取り扱い，遡及適用は行いません。

（例）機械の減価償却方法として従来定率法を採用していたが，×３年度から定額法に変更した場合

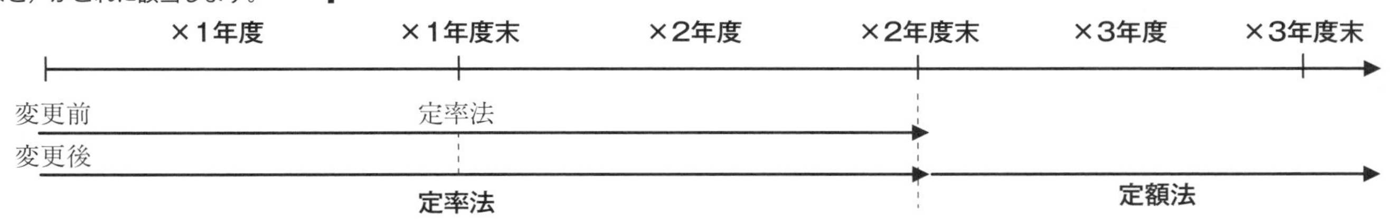

表示方法の変更

（1）表示方法の変更とは

表示方法とは，財務諸表の作成にあたって採用した表示の方法[21]をいい，財務諸表の科目分類，科目配列および報告様式が含まれます。

表示方法の変更とは，従来採用していた一般に公正妥当と認められた表示方法からほかの一般に公正妥当と認められた表示方法に変更することをいいます。

21）注記による開示も含みます。

（2）表示方法の変更の取扱い

財務諸表の表示方法を変更した場合には，原則として表示する過去の財務諸表について，新たな表示方法に従い財務諸表の組替え（くみかえ）[22]を行います。

そして，主に以下の事項を注記します。

- 財務諸表の組替えの内容
- 財務諸表の組替えを行った理由
- 組替えられた過去の財務諸表の主な項目の金額

22）新たな表示方法を過去の財務諸表でも適用していたかのように，表示を変更することです。

過去の誤謬の訂正

（1）誤謬とは

誤謬（ごびゅう）とは，原因となる行為が意図的であるか否かにかかわらず，財務諸表作成時に入手可能な情報を使用しなかったことによる，または，これを誤用したことによる誤りをいいます。

誤りとは，データの収集または処理の誤り，会計上の見積りの誤り，会計方針の適用の誤りまたは表示方法の誤りをいいます。

（2）過去の誤謬の取扱い

過去の財務諸表で誤謬が発見された場合は，修正再表示（しゅうせいさいひょうじ）を行います[23]。修正再表示とは，過去の財務諸表における誤謬の訂正を財務諸表に反映することをいいます。

そして，主に以下の事項を注記します。

- 過去の誤謬の内容
- 影響を受ける表示科目に対する影響額および１株あたり情報に対する影響額

23）重要性の判断にもとづき，修正再表示を行わない場合には，損益計算書の営業損益または営業外損益として認識する処理が考えられます。

Section 3　利益は収益と費用を対応させた上で計算する。　重要度◈◈◈◈

損益会計

はじめに ■「あなたの会社は，儲かっていますか？」請負工事の件数はライバル会社よりも多いのですが……。本当に儲かっているかどうか収益と費用を計算して，利益を求めてみましょう。もしかしたら，利益額ではライバルに負けているかもしれません。ここで，収益には収益の計算方法が，費用には費用の計算方法があることを確認してください。収益よりも費用のほうが多かったらどうしよう……。

期間損益計算の方法

期間損益計算とは，継続企業を前提として，一定期間（通常１年）を区切って行う損益計算です。期間損益の計算方法には次の２つがあります。

(1)財産法 ● 財産法とは，期首と期末の純財産（正味財産）の差額により純損益を計算する方法です。

期末純財産　－　期首純財産　＝　⊕ 純利益 / ⊖ 純損失

(2)損益法 ● 損益法とは，一会計期間における総収益と総費用の差額により純損益を計算する方法です。現行会計は損益法による計算を中心としています[01]。

01）損益法は，財務諸表の作成方法としての誘導法と密接に関連しています。

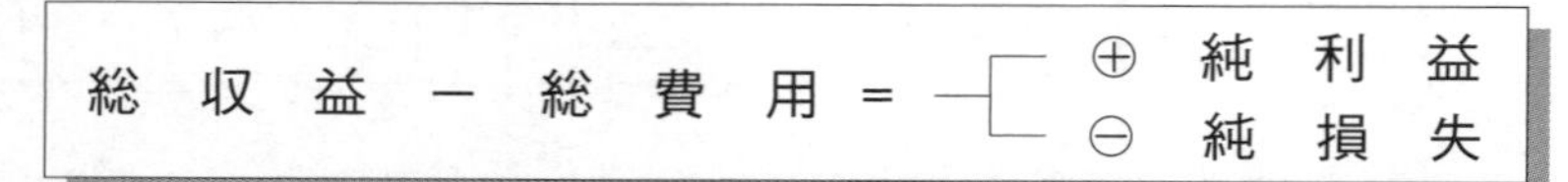

損益法における収益・費用の会計処理の仕方には**現金主義会計**と**発生主義会計**とがあります。

現金主義会計：貨幣の流れを重視し，当期の現金収入額を収益，現金支出額を費用とする会計方式

発生主義会計：財･用役の流れを重視し，財･用役の価値の増加を収益，財･用役の価値の減少を費用とする会計方式

現在の企業会計では，適正な期間損益計算を行う手段として発生主義会計が用いられています。

適正な期間損益計算の手続

発生主義会計は，具体的には次の３つの計算原則をもとに行われています。

(1)　発生主義の原則
(2)　実現主義の原則
(3)　費用収益対応の原則

(1)発生主義の原則

発生主義の原則とは，現金収支を無視し，財貨・サービスの価値の増加（減少）に基づいて収益（費用）を認識する考え方であり，最も合理的な考え方です[02]。

財貨・サービスの価値の増加 例）工事の進行	⇒	収益を認識
財貨・サービスの価値の減少 例）工事材料の消費	⇒	費用を認識

02）商業簿記の世界では，費用にのみ認められているのが一般的ですが，建設業では前受金の制度があるので，工事進行基準によって，収益にも認められています。

(2)実現主義の原則

実現主義の原則とは，生産した財貨・サービスを販売し，発生した価値が明確かつ客観的になった時点で収益を認識する考え方で，下記の２つを条件とします[03]。

①財貨・サービスが外部の第三者に引き渡されること[04]
②財貨・サービスの対価として現金・現金等価物を受け取ること[04]
⇨収益の認識

03）商業簿記の売上，建設業での工事完成基準がこれにあたります。
04）２つの要件を両方とも満たして，初めて収益を認識します。

(3)費用収益対応の原則

費用収益対応の原則とは，期間収益を中心に据え，発生主義により認識した費用のうち，期間収益に対応する費用（期間費用）を限定し，期間損益を決定する原則です。

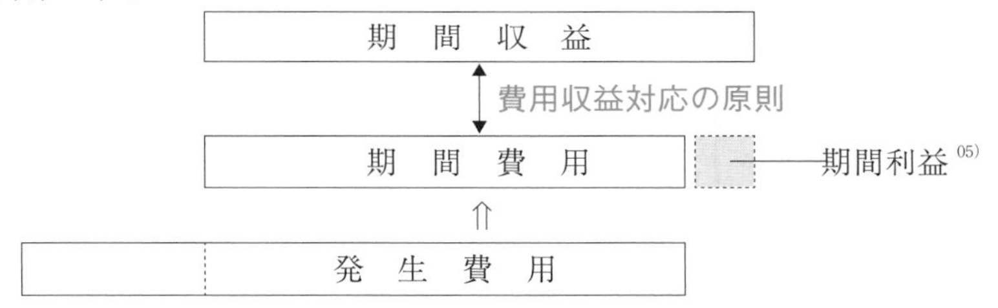

05）期間収益を獲得するために役立った期間費用を対応させて期間利益を計算します。

認識

収益・費用の認識とは，その期間帰属を決定することです。現在の会計では，費用は発生主義，収益は主に実現主義に基づいて認識します。

測定

収益・費用の測定とは，その金額を決定することです。収益と費用は，収支額基準によって測定します。

収支額基準

収支額基準とは，収益は収入額に基づいて測定し[06]，費用は支出額に基づいて測定する考え方です。この場合の収支とは当期の収支だけでなく，過去および将来の収支を含みます。

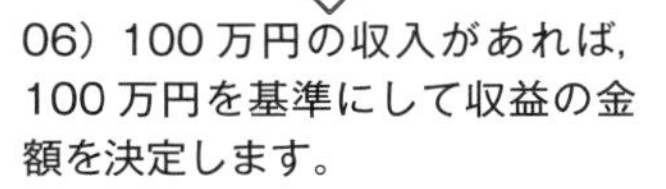

06）100万円の収入があれば，100万円を基準にして収益の金額を決定します。

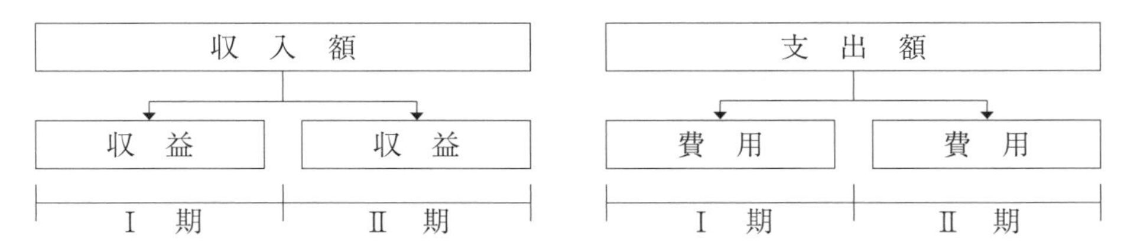

収益・費用の認識と測定をまとめると以下のとおりです。

認識……期間帰属の決定（いつ計上するのか？）	─	発生主義（収益，費用） 実現主義（収益）
測定……金額の決定（いくら計上するのか？）	──	収支額基準（収益，費用）

費用配分の原則

費用配分の原則とは，資産の取得原価を当期と次期以降の期間に配分する手続きです[07]。

07）取得原価のうち，減価償却された部分が費用となり，残りが資産として貸借対照表に記載される金額となります。

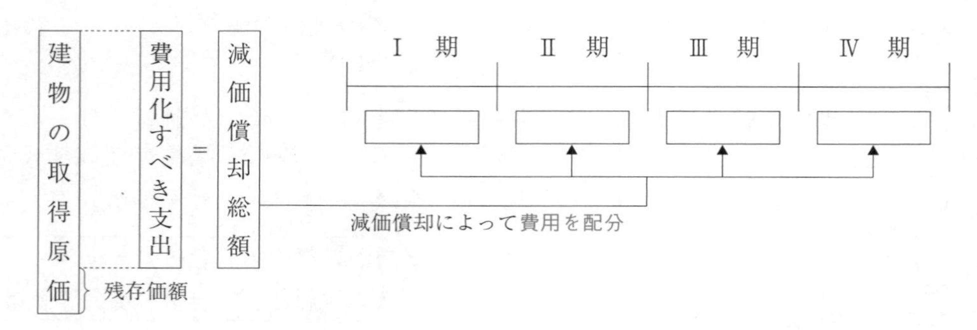

時間の流れと収益・費用の認識基準

※試験の範囲にはありませんが，参考のためにあげてあります。

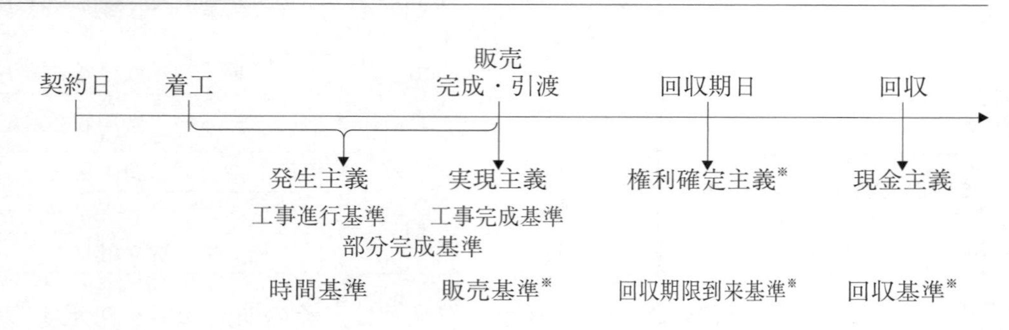

try it　例題　損益会計

次の文の(　　　)の中に入れるべき適当な用語を下記の用語群の中から選び，所定の欄に記入しなさい

有形固定資産の取得原価は，それを利用する各期間に，（　ア　）・利用量等に基づいて，（　イ　）として（　ウ　）される。このために適用される手続が減価償却と呼ばれ，その最も重要な目的は適正な（　エ　）を計算することである。

定額法は（　ア　）を基準として（　イ　）を（　ウ　）する方法の1つである。

〈用語群〉

期間	期間損益	結果	原因
財産法	収益	損益計算書	損益法
貸借対照表	配分	費用	純資産

解答　ア．期間　イ．費用　ウ．配分　エ．期間損益

Section 4

資産には収益の対価として受取るものと、費用になるものがある。　重要度 ◈◈◈

資産会計

はじめに 決算に際し，株主などから言われました。「あなたの会社の資産を教えてください」。いろいろあって，どこから手をつけたらいいのかわかりません。まずは資産の範囲をはっきりさせましょう。何を資産と考えていいのかという問題です。
次に，資産を分類しましょう。同じ仲間は，まとめたほうがわかりやすいからです。そして最後は金額の決定，つまり評価です。過大計上や過小計上にならないようにしましょう。

資産とは

会計学上の資産とは，企業資本の一定時点における運用形態を示すものですがその定義にはさまざまな説があります。

換金可能価値説（静態論） この説は，資産を「現金に転化される可能性を示す価値」と考えます。商品や材料は最終的には現金化されるということを示しています。しかし，繰延資産については説明ができません。

前払費用説（動態論） この説は，損益計算の立場に立って考えられています。資産から現金ではなく，「資産から費用に転化する」と考えます。有形固定資産についても，減価償却費（費用）の前払いと考えます。
この説の欠陥としては，現金が株主配当金となって社外流出した場合など，資産＝費用とならない資産もあるところです。

潜在的用役提供能力説 この説は，会計上の資産は企業に収益をあたえる能力（収益獲得能力）を有するものと考えます。
繰延資産も将来，企業にとって有用であると考えられます。

資産の分類

(1)流動・固定分類 資産を，正常営業循環基準と一年基準によって流動資産と固定資産とに分類します。

正常営業循環基準 正常営業循環基準とは，企業の主目的たる営業活動の循環過程（営業サイクル）の中に入る資産はすべて流動資産とする基準です。

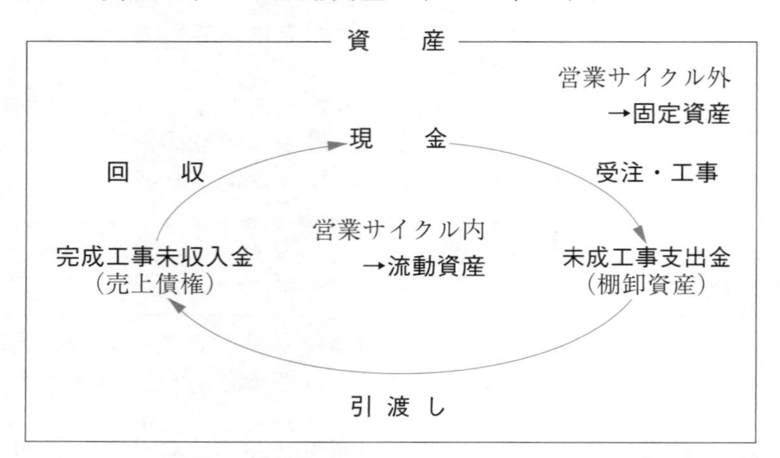

一年基準 一年基準とは，決算日の翌日から起算して1年以内に現金化される予定の資産を流動資産とし，そうでないものを固定資産とする基準です。

現行会計 現行会計では，正常営業循環基準に一年基準を加味した基準を適用しています。

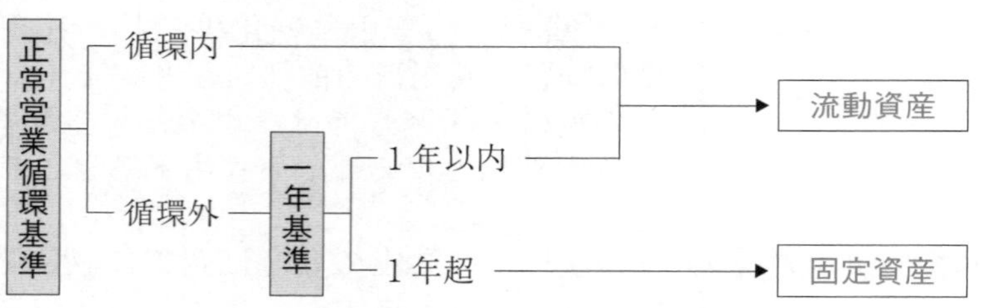

(2)貨幣性・費用性分類 資産を貨幣性資産と非貨幣性資産に分類し，非貨幣性資産をさらに費用性資産とその他の非貨幣性資産とに分類します。この分類は，資産の評価と密接に関連します。

①貨幣性資産 貨幣性資産とは，最終的に現金化する資産をいいます。具体的には現金預金と金銭債権です。

②費用性資産 費用性資産とは，(非貨幣性資産のうち) 最終的に費用化する資産をいいます。

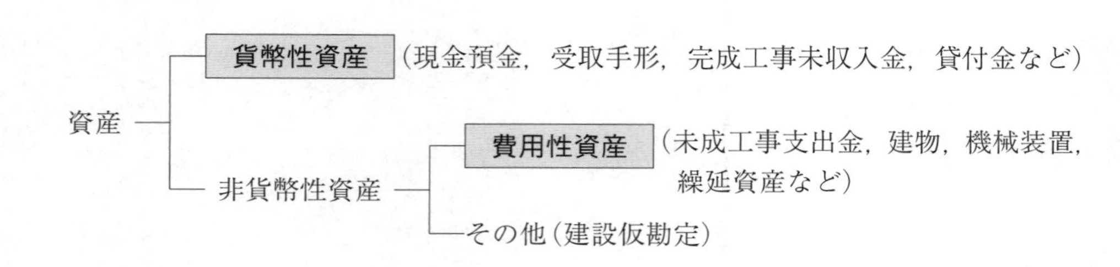

貨幣性資産と費用性資産の評価

(1)貨幣性資産

貨幣性資産のうち，現金預金については券面額で評価します。また，金銭債権については，次のように規定されています。

> 受取手形，売掛金，貸付金その他の債権の貸借対照表価額は，取得価額から貸倒見積高に基づいて算定された貸倒引当金を控除した金額とする。ただし，債権を債権金額より低い価額又は高い価額で取得した場合において，取得価額と債権金額との差額の性格が金利の調整と認められるときは，償却原価法に基づいて算定された価額から貸倒見積高に基づいて算定された貸倒引当金を控除した金額としなければならない。
> （金融商品に関する会計基準　Ⅳ.1.14）

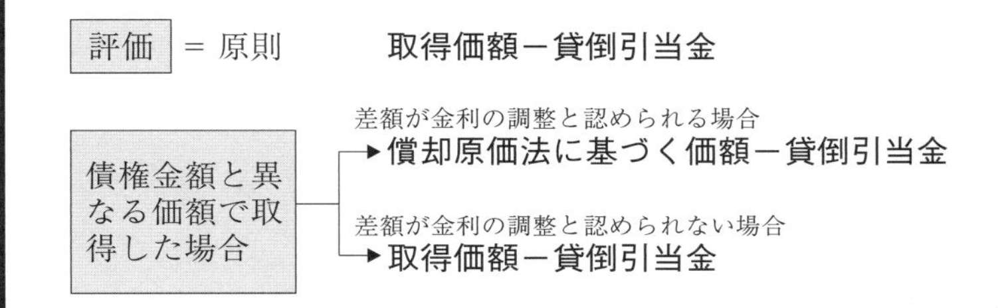

(2)費用性資産

費用性資産は，**取得原価**で評価します[01]。

取得原価　=　取得に要した支出額　=　購入代価＋付随費用

費用性資産の取得原価は，費用配分の原則により各会計期間に費用として配分されます。よって，次期以降に配分される金額が貸借対照表価額となります。

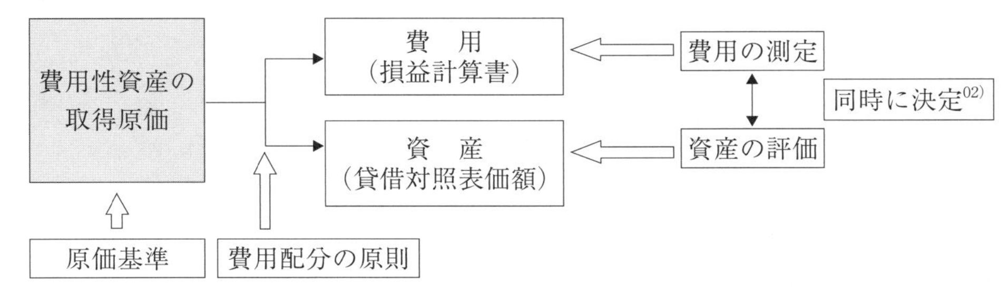

有形固定資産の貸借対照表価額

有形固定資産の貸借対照表価額（評価）は，土地と建設仮勘定を除き，原則的には，費用配分の原則にもとづいて，有形固定資産の取得原価から減価償却費を引いた未償却残高となります。

なお，災害などにより固定資産に物理的な減失が生じた場合，固定資産の取得原価と減価償却累計額を修正します[03]。

また，固定資産の収益性の低下により投資額の回収が見込めなくなった場合には，減損処理[04]が行われます。

01) 資産の評価を取得原価によって行うという考え方を，原価基準といいます。

02) 工事材料 200 万円
費用：　50 万円 ┐同時
資産：150 万円 ┘
費用：　80 万円 ┐同時
資産：120 万円 ┘

03) (借) 減価償却累計額 ×
臨時損失 ××
(貸) 固定資産 ×××

04) 減損会計については，Chapter6 Section8 を参照してください。

資産の評価基準

資産の貸借対照表価額を決定することを「資産の評価」といいます。資産の評価基準として次の３つの考え方があります。

(1)原価基準 取得原価に基づいて資産の貸借対照表価額を決定するという考え方です[03]。この取得原価は，実際の支出額を基礎としています。

(2)時価基準 資産の市場での価格（時価）に基づいて貸借対照表価額を決定するという考え方です。有価証券の評価において採用されています。この時価とは，販売市場におけるものと購買市場におけるものの２種類があり，実際の支払額とは無関係です。

03）客観的証拠と計算の確実性が確保されます。

販売市場 … 売却時価または正味実現可能価額
購買市場 … 再調達原価

(3)低価基準 資産の取得原価と時価を比較して，どちらか低い価額をもって，貸借対照表価額とする考え方です。棚卸資産の評価において採用されています。

try it **例題** 資産会計

Q **次の文の（　　）の中に入れるべき適当な用語を，下記の用語群の中から選びなさい。**

貸借対照表は，企業の（　ア　）を明らかにするため，貸借対照表日におけるすべての（　イ　），（　ウ　）および（　エ　）を記載し，株主，（　オ　）その他の利害関係者に，これを正しく表示するものでなければならない。

〈用語群〉

財産状態	資　　産	現　　金	財政状態
収　　益	財　　産	純 資 産	経営成績
費　　用	負　　債	債 権 者	対　　応

解　答

ア．財政状態　イ．資　　産　ウ．負　　債　エ．純 資 産
オ．債 権 者

Chapter 2
損益計算書の作成

いよいよ財務諸表の作成に入っていきます。企業の自己紹介の大部分を占める損益計算書です。「成績が良かった，成績が悪かった」。損益計算書から判断することができる情報はもっとたくさんあります。取引の規模，営業活動の良否，資金繰りの巧拙，など。これらをわかりやすく伝えたいものです。

Section 1 損益計算書の区分と企業の活動を関連付けましょう。 重要度◈◈◈

損益計算書の概略

はじめに あなたの会社が決算を迎えました。この1年間を振り返ってみると，いろいろなことがありました。請負工事の受注，着工，引渡し，他にも銀行からの資金借入れ，有価証券の売買など。収益と費用を集計してみたところ“利益が200万円だった”ということがわかりました。でもこの情報だけで経営成績が本当に判断できるのでしょうか？

企業の活動

建設業を営む企業は，請負工事にかかわる営業活動ばかりでなく，資金運用にかかわる投資活動[01]や資金繰りにかかわる財務活動[02]などによっても利益を獲得します。活動を分類することにより，適切な損益計算に役立てることができます。

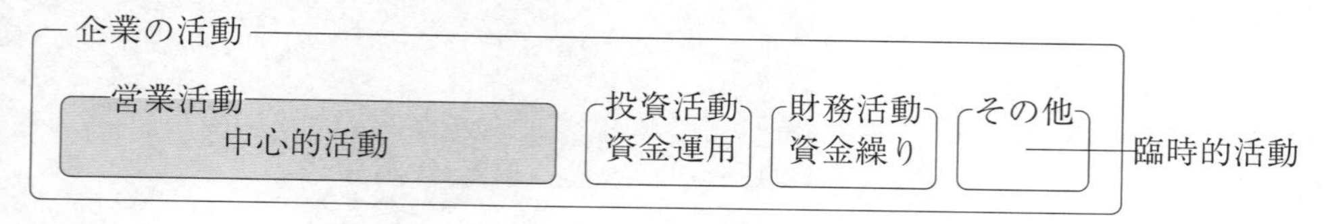

01）有価証券の購入。売却，資金の貸付けなど。

02）資金の借入れ，社債の発行など。

総額主義

損益計算書では，収益と関連費用の相殺を禁止しています。完成工事高と完成工事原価を両建(りょうだて)表示にして規模がわかるようにしておきます[03]。

03）総額主義の例外
- 値引・割戻しは総額から控除して純額で表示します。
- 為替差益と為替差損は相殺して純額で表示します。

区分損益計算

(1)利害関係者の判断 企業の利害関係者（株主や債権者など）は，利益額のみによって意思決定を行うわけではありません。

損益計算書（単位：万円）

Ⅰ	収　益	1,000
Ⅱ	費　用	800
	利　益	200

⇒「利益は200万円です」という情報だけでは，意思決定できない[04]。

04）利益の計算過程をもっと細かく知りたいでしょう。

(2)区分損益計算書 損益計算書が利害関係者にとって役立つように，収益および費用を活動に従って分類します。営業活動による収益と投資・財務活動による収益を，また営業活動のための費用と投資・財務などの営業外活動のための費用を区別します。

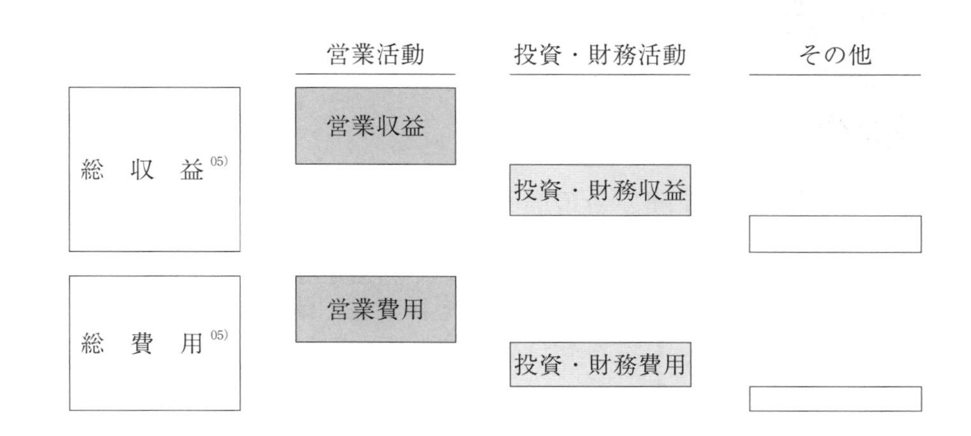

05）利益・損失を含めます。

分類した収益，費用を各活動ごとに対応させて損益計算書を作成します。

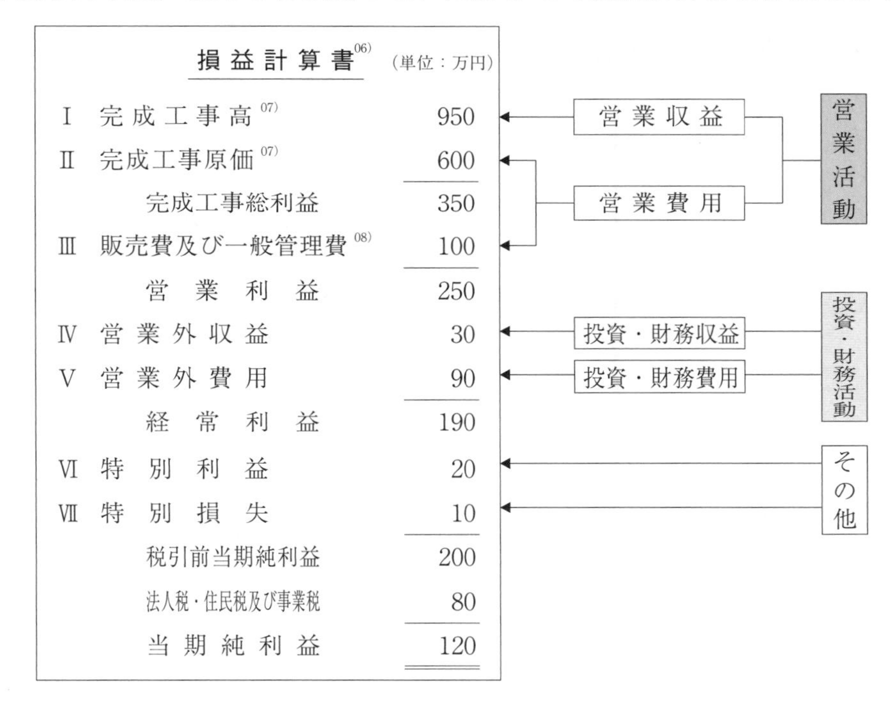

損益計算書[06]（単位：万円）

Ⅰ	完成工事高[07]	950
Ⅱ	完成工事原価[07]	600
	完成工事総利益	350
Ⅲ	販売費及び一般管理費[08]	100
	営業利益	250
Ⅳ	営業外収益	30
Ⅴ	営業外費用	90
	経常利益	190
Ⅵ	特別利益	20
Ⅶ	特別損失	10
	税引前当期純利益	200
	法人税・住民税及び事業税	80
	当期純利益	120

06）建設業では報告式を推奨しています。
なお，科目を細分化して，内容の詳細を示すようにします。

07）同一企業の各経営部門の間における内部利益は，売上高および売上原価を算定するにあたって除去します。
また，値引や割戻しも控除します。

08）固定資産税や印紙税など租税公課となる税金が含まれます。

try it 例題 損益計算のプロセス

次の文の(　　　)の中に適当な用語を入れて完成させなさい。

費用および収益は，総額によって記載することを原則とし，（　ア　）の項目と（　イ　）の項目とを直接に（　ウ　）することによってその全部または一部を損益計算書から（　エ　）してはならない。

費用および収益を（　オ　）して表示した場合，取引規模の過小表現，発生費用の埋没などが生じ，利害関係者の判断を誤らせる可能性がある。

解答

ア 費　用　イ 収　益　ウ 相　殺　エ 除　去
オ 相　殺

工事収益の計算方法は本試験で出題される。　重要度◈◈◈

営業損益

はじめに 水泳の選手を想像してください。彼はいつも「マラソンやスキーで負けても水泳では負けないぞ」と思っています。建設業を営むあなたの会社も請負工事の受注に力を注いで利益を獲得したいものです。なんといっても活動の中心なのですから。それでは，請負工事にかかわる収益と費用を抜き出して，いったん利益を計算してみましょう。

「収益認識に関する会計基準」については当面の間，出題されないことになっていますが，1 − 46 ページに「参考」として載せています。

完成工事高・完成工事原価

完成工事高は，建設業における営業収益を表す科目で，売上にあたります。一方，完成工事原価は，建設業における営業費用を表す科目で，売上原価にあたります。

> 完成工事高＝建設業における営業収益[01)]
> 完成工事原価＝建設業における営業費用

01）営業収益（＝工事収益）の認識
→工事進行基準
→工事完成基準

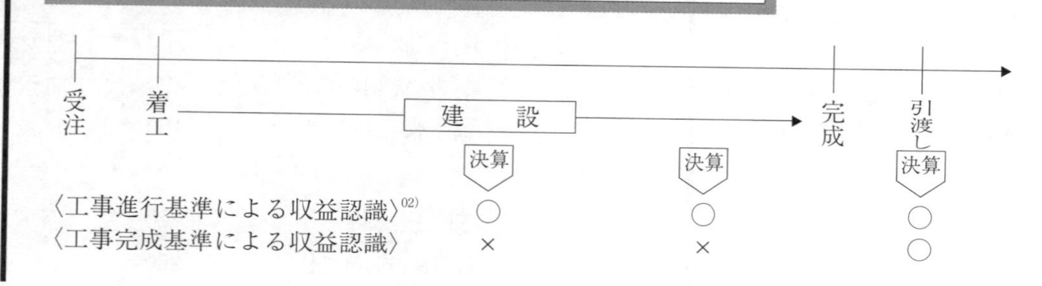

02）○は，工事収益の計上を行うことを表し，×は工事収益の計上を行わないことを表します。

工事収益の認識

工事契約に関して，工事の進行途上においても，その進捗部分について成果の確実性が認められる場合には工事進行基準を適用し，成果の確実性が認められない場合には，工事完成基準を適用します[03)]。

成果の確実性が認められるためには，(1)工事収益総額[04)]，(2)工事原価総額[05)]，(3)決算日における工事進捗度[06)]の各要素について信頼性をもって見積ることができなければなりません。

三　要　件	信頼性の見積り	成果の確実性	認識基準
(1)工事原価総額 (2)工事収益総額 (3)決算日における工事進捗度	各要素について信頼性をもって見積ることができる ⇒	成果の確実性が認められる ⇒	工事進行基準
	各要素について信頼性をもって見積ることができない ⇒	成果の確実性が認められない ⇒	工事完成基準

03）従来は，長期の請負工事を対象としていましたが，長期・短期の工期に関係なく，すべての工事契約が対象となりました。
04）工事収益総額についての信頼性とは，完成見込みが確実で，対価が決められていることをいいます。
05）工事原価総額についての信頼性とは，工事原価の事前の見積りと実績を比較することにより適時に見積りの見直しが行われることをいいます。
06）工事進捗度についての信頼性とは，上記の要件04），05）が満たされることです。

工事進行基準

工事進行基準とは，工事契約に関して，工事収益総額，工事原価総額，及び決算日における工事進捗度を見積り，これに応じて当期の工事収益及び工事原価を認識する方法をいいます。

なお，決算日における工事進捗度を見積る方法として原価比例法[07]による工事収益の計算について確認していきます。

原価比例法とは，決算日までに実施した工事に関して発生した工事原価が工事原価総額に占める割合をもって決算日における工事進捗度とする方法をいいます。具体的な計算方法は以下のようになります。

$$\text{工事収益} = \text{工事収益総額} \times \frac{\text{実際発生原価累計額}}{\underbrace{\text{実際発生原価累計額} + \text{次期以降発生原価見積額}}_{\text{工事原価総額}}} - \text{過年度工事収益累計額}$$

⇓

当期末までの工事収益合計額

07）工事進捗度の測定方法には次の３つの方法がありますが，法人税法との関係から多くの会社が①を採用しています。

①見積工事原価総額に対する実際工事原価の割合を基準とする方法
②見積総作業量（日数・面積）に対する実際作業量を基準とする方法
③技術的見地でみた完成割合を基準とする方法

取引例 1　工事進行基準による収益の認識

次の資料に基づいて，工事進行基準（原価比例法）により各期の工事収益，工事原価および工事利益の額を計算しなさい。なお，支出額は当座預金勘定で処理する。

請負金額　18,000 円　請負時の工事原価総額　12,000 円

実際発生原価　　第１期 2,000 円　　第２期 4,000 円　　第３期 5,000 円

工事の完成・引渡しは第３期末に行われた。ただし，第２期末に工事原価総額を 10,000 円に修正した。

	第１期	第２期	第３期
工事収益	3,000	7,800	7,200
工事原価	2,000	4,000	5,000
工事利益	1,000	3,800	2,200

第１期：工事収益　$18{,}000\text{円} \times \frac{2{,}000\text{円}}{12{,}000\text{円}} = 3{,}000\text{円}$

工事利益　3,000 円 − 2,000 円 =1,000 円

第２期：工事収益　$18{,}000\text{円} \times \frac{2{,}000\text{円} + 4{,}000\text{円}^{08)}}{\underbrace{10{,}000\text{円}}_{\text{修正後の工事原価総額}}} - 3{,}000\text{円}$

=7,800 円

工事利益 7,800 円 − 4,000 円 =3,800 円

08）分子は実際原価，分母は工事原価総額です。

工事原価総額に修正があったときには，その期より修正後の金額で計算し，過去に遡（さかのぼ）っての修正は行いません。

第３期：工事収益　18,000 円 −（3,000 円 + 7,800 円）= 7,200 円[09]

工事利益　7,200 円 − 5,000 円 = 2,200 円

09）最終年度は差額で計算します。

第３期の仕訳

費用発生時

（借）	未成工事支出金	5,000	（貸）	当座預金	5,000

完成・引渡し時

（借）	完成工事原価	5,000	（貸）	未成工事支出金	5,000
（借）	完成工事未収入金	7,200	（貸）	完成工事高	7,200

工事完成基準

工事完成基準とは，工事契約に関して工事が完成し，目的物の引渡しを行った時点[10]で，工事収益及び工事原価を認識する方法をいいます。

10）工事が完成しただけでなく，引渡しの完了があって，はじめて収益が計上できます。

取引例２　　工事完成基準による収益の認識

次の資料に基づいて，工事完成基準により各期の工事収益，工事原価および工事利益の額を計算しなさい。なお，支出額は当座預金勘定で処理する。

請負金額　18,000 円　　工事原価総額　12,000 円

実際発生原価　第１期 2,000 円　第２期 6,000 円　第３期 4,000 円

工事の完成・引渡しは第３期末に行われた。

	第１期	第２期	第３期
工事収益	0	0	18,000
工事原価	0	0	12,000[11]
工事利益	0	0	6,000

11）第１期，第２期の実際発生原価は第３期まで未成工事支出金勘定で繰り越されます。

第３期の仕訳

費用発生時

（借）	未成工事支出金	4,000	（貸）	当座預金	4,000

完成・引渡し時

（借）	完成工事原価	12,000	（貸）	未成工事支出金	12,000
（借）	完成工事未収入金	18,000	（貸）	完成工事高	18,000

部分完成基準

完成工事基準の類似のものとして，部分完成基準があります。これは，工事の全体が完成していなくても，部分的な引渡しが行われたときにその引渡した部分に相当する収益を完成工事高に計上する方法です。

ここで，工事全体にかかわる共通経費や工事原価を合理的に配分し，完成工事原価に追加しなければなりません。

※完成工事原価報告書

完成工事原価の内訳を示す財務諸表が完成工事原価報告書です。

完成工事原価　888,000 万円

内容
- 材料費 132,000 万円
- 労務費 216,500 万円(労務外注費が 156,500 万円含まれている)
- 外注費 423,400 万円
- 経　費 116,100 万円(うち，人件費　55,000 万円)

完成工事原価報告書

自　×9 年4月 1 日
至　×10 年3月 31 日

T 建設株式会社

完成工事原価　(単位：万円)

Ⅰ	材　料　費		132,000
Ⅱ	労　務　費		216,500
	(うち労務外注費	156,500)	
Ⅲ	外　注　費		423,400
Ⅳ	経　　　費		116,100
	(うち人件費	55,000)	
	完成工事原価		888,000

Ⅰ　材料費

工事のために直接購入した素材，半製品，製品，材料貯蔵品勘定から振り替えられた材料費（仮設材料の損耗額等を含む)。

Ⅱ　労務費

工事に従事した直接雇用の作業員に対する賃金，給料および手当等。

・労務外注費[12)]

工種・工程別等の工事の完成を約する契約で，その大部分が労務費であるものに基づく支払額。

Ⅲ　外注費

工種・工程別等の工事について素材，半製品，製品等を作業とともに提供し，これを完成することを約する契約に基づく支払額（労務費に含めたものを除く)。

Ⅳ　経費

他の原価要素に入らないすべての費用（現場共通費含む)。

・人件費[13)]

給料手当（現場管理者・現場事務員等)，退職金，法定福利費，福利厚生費。

12) 労務費に含める場合は内書として表示しなければなりません。

13) 経費の中の人件費は内書として表示しなければなりません。

販売費及び一般管理費

販売費及び一般管理費は，完成工事高を獲得するために発生した，完成工事原価以外の営業費用です。

販売費及び一般管理費　＝　営業費用

販売費…請負工事の受注活動（販売活動）に関する費用

〈例〉

広告宣伝費

調　査　費

貸倒引当金繰入額（受取手形・完成工事未収入金に対するもの[14]）

14）貸付金に対する貸倒引当金繰入額は営業外費用。

一般管理費…管理活動に関する費用

〈例〉

減価償却費	役員報酬
のれん償却	従業員（本社・支社）給与・手当・退職金
保険料	水道光熱費
寄付金	修繕維持費
租税公課	事務用消耗品費

try it

例題　工事収益・工事原価の計上

Q

下記の資料により，当期の工事収益および工事原価の計上に関する仕訳を示しなさい。

当社が当期に施工しているのはA工事のみである（会計期間は×6年3月31日を決算日とする1年）。

（イ）A工事の工事明細は次のとおりである。

工事開始日	工事完了引渡日	請負価額	見積総工事原価
×5年4月1日	×8年3月31日	300,000千円	225,000千円

（ロ）その他A工事に関連する事項は下記のとおりである。

(a)　未成工事支出金中の　78,000千円はA工事のためのものである。

(b)　前期末の工事契約時に5,000千円，当期の工事の進行にともない30,000千円ずつ3回小切手を受け取り，いずれも未成工事受入金勘定で処理されている。なお，完成工事高に計上した部分については，未成工事受入金勘定より控除する。

(c)　A工事については，工事進行基準により工事収益を計上する。また，工事進捗度の見積りは原価比例法によること。

解答

（借）	未成工事受入金	*95,000,000*	（貸）	完成工事高	*104,000,000*
	完成工事未収入金	*9,000,000*			
（借）	完成工事原価	*78,000,000*	（貸）	未成工事支出金	*78,000,000*

未成工事受入金：30,000千円×3回＋5,000千円＝95,000千円

完成工事高：300,000千円×$\dfrac{78,000\text{千円}}{225,000\text{千円}}$＝104,000千円

（$\dfrac{78,000\text{千円}}{225,000\text{千円}}$：工事進捗度）

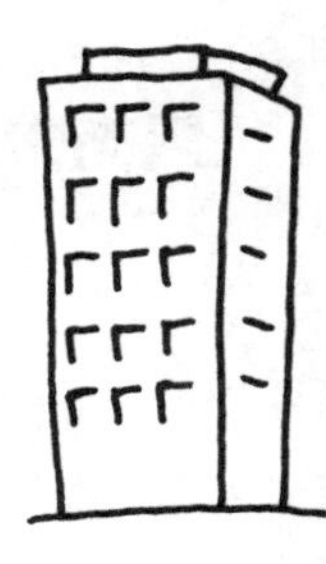

企業は本業の営業活動だけでなく裏の財務活動も大事。　重要度 ◈◈◈

営業外損益

はじめに 再び水泳選手を想像してください。彼は，ずっと泳いでばかりいるわけではありません。筋力アップのために，経常的にトレーニングジムで汗を流したりしています。あなたの会社も，請負工事ばかりではなく，他の活動も行っています。
ここで重要なことは，経常的な活動から生じる収益や費用は，経常的な利益に影響を与えるということです。経常的な活動は，請負工事にかかわる営業活動の他に，どういった活動があるのでしょうか？

営業外収益

営業外収益には，貸付金に対する利息の受取額など，主に資金繰りに関する収益が表示されます。

営業外収益＝主に資金繰りに関する収益

〈例〉 受 取 利 息
受取配当金
有価証券売却益
有価証券評価益
仕 入 割 引

仕入割引は，工事未払金の支払いを早期に行うことで代金の一部を免除された場合に生じる支払額と工事未払金との差額です。工事原価からはマイナスせずに，営業外収益として処理します。

取引例　仕入割引

① 甲社から工事用資材 50,000 円を仕入れ，代金を掛けとした。
② 工事未払金 50,000 円の支払いにつき，早期に現金で支払ったので，5％の割引きを受けた[01]。

①(借)	未成工事支出金	50,000	(貸)	工 事 未 払 金	50,000
②(借)	工 事 未 払 金	50,000	(貸)	現　　　　金	47,500
				仕 入 割 引（営業外収益）	2,500

01）誤った仕訳
(借) 工 事 未 払 金 50,000
　(貸) 現　　金 47,500
　　未成工事支出金 2,500

営業外費用

営業外費用には，借入金に対する利息の支払額など，主に資金繰りに関する費用が表示されます。

営業外費用＝主に資金繰りに関する費用

〈例〉支払利息
社債利息
貸倒引当金繰入額（貸付金）
有価証券売却損
有価証券評価損
売上割引

売上割引は，完成工事未収入金を早期に受取るために代金の一部を免除した場合に生じる受取額と完成工事未収入金の差額です。工事収益からはマイナスせずに，営業外費用として処理します。

try it **例題** 営業外損益

次の資料から，(1) 営業外収益，(2) 営業外費用の金額を求めなさい。

完成工事高：	500,000円	租税公課：	36,000円	仕入割引：	5,000円
完成工事原価：	380,000円	貸倒引当金繰入額：（受取手形分）	1,200円	売上割引：	8,000円
社債利息：	22,000円	有価証券評価損：	10,500円	備品売却損：	31,000円
受取配当金：	42,300円				

解答

(1) *47,300* 円
(2) *40,500* 円

解説

(1) 営業外収益
仕入割引 5,000円＋受取配当金 42,300円＝**47,300円**

(2) 営業外費用
売上割引 8,000円＋社債利息 22,000円＋有価証券評価損 10,500円
＝**40,500円**

備品売却損31,000円は次のSection 4で扱う特別損失にあたります。

臨時に発生し金額が大きいものが特別損益。　重要度 ◈◈

その他の項目

はじめに どんな優秀な水泳選手でも，試合中に足がつったりすることがあるでしょう。あなたの会社でも，突然のできごとがありますね。思いがけない損失や利益が。そうはいっても会社にとってのマイナスまたはプラスなので，損益計算の仲間に入れてあげましょう。ただし，他の項目とは区別して。

特別損益

特別損益とは，営業活動や財務活動（資金繰り）[01] 以外から当期中に発生した損益です。

損益計算書（単位：百万円）

⋮	⋮
経常利益	800
Ⅵ 特別利益	50
Ⅶ 特別損失	230
税引前当期純利益	620
法人税・住民税及び事業税	310
当期純利益	310

特別損益[02]
- 固定資産売却益
- 投資有価証券売却益
- 国庫補助金
- 固定資産売却損
- 投資有価証券売却損
- 社債償還損
- 災害損失[03]
- 異常な為替差損

01）企業の通常の活動です。

02）異常な原因によって発生した損益（臨時損益）は，営業外損益の項目であっても，特別損益とします。
　例）異常な為替差損

03）火災，風水害などによる損失です。

例題　当期純利益

Q　次の資料から，当期純利益の金額を求めなさい。

完成工事高：	500,000円	災害損失：	50,000円
販売費及び一般管理費：	103,000円	社債償還損：	2,000円
完成工事原価：	315,000円	受取利息：	1,000円
社債利息：	1,500円	法人税・住民税及び事業税：	18,800円
建物売却益：	18,000円	有価証券評価損：	500円

解答　当期純利益　*28,200* 円

解説

営業外収益：受取利息 1,000円
営業外費用：社債利息 1,500円＋有価証券評価損 500円 =2,000円
特別利益：建物売却益 18,000円
特別損失：災害損失 50,000円＋社債償還損 2,000円 =52,000円

損益計算書　(単位：円)

Ⅰ 完成工事高	500,000
Ⅱ 完成工事原価	315,000
完成工事総利益	185,000
Ⅲ 販売費及び一般管理費	103,000
営業利益	82,000
Ⅳ 営業外収益	1,000
Ⅴ 営業外費用	2,000
経常利益	81,000
Ⅵ 特別利益	18,000
Ⅶ 特別損失	52,000
税引前当期純利益	47,000
法人税・住民税及び事業税	18,800
当期純利益	28,200

コラム アジア放浪・カラチの空港にて

「そこに行けば、どんな夢も、叶うと言うよ」と昔、ゴダイゴが唄ったガンダーラへどうしても行きたくて、現在は渡航が非常に危険となっているパキスタンのカラチに、20 年以上前に旅行にいったときのことである。

ガンダーラの最寄の空港がある街はペシャワール。しかし、そこへ行く飛行機が飛ばない。どうやら霧が濃くて危険らしい。
出発予定時刻がすぎて 5 時間が経つ。しびれを切らした乗客たちが航空会社の職員を捕らえて、とり囲み、昔の労働争議のような様相で「早く飛ばせ！」「いやダメだ！」とガナリ合う。またパキスタン語の語尾が “ダー” などとついてガナリ合い易いようにできている。

危険な中、飛行機を飛ばして墜落でもしたら乗客もパイロットも死ぬし、家庭も航空会社も困る。同じ利害どころか運命まで同じである。そんな双方がガナリ合っているのが、おかしくて、その輪の中に入って私も叫んだ。
「我要啤酒（ビールを出せ！)」と。
パキスタンは酒を飲まないイスラム教国であり、おまけに断食中である。とんでもない暴言であるが、現地の人にはわからない。乗客の中の中国人が苦笑いしてこちらを振り向いた。彼らは私が日本人であることをわかっていて、中国語で暴言を吐かれるのを苦々しく思っているのである。

しかし、まだこの争議は終わらない。そこでベンチに寝ていた山田さんを起こし、「地歩き」を奪い取り、そのパキスタン語のページを開け、人垣の一番後ろから「××××ダー！（これいくらですか)」ちょっと間を置いて「△△△△△ダー！（もう少し安くして下さい)」と叫んだ。

さすがにこれは通じたらしく、ムスリム（イスラム教徒）の男たちが脱力した顔でチラッとこちらを見、「こりゃダメだ」と黙り、パラパラと、いずこともなく散っていった。無益な争議は無事に終わった。

その後、泣きながら笑う航空会社の職員に両手で握手をされ、へんに感謝された。

参考

「収益認識に関する会計基準」

「収益認識に関する会計基準」の適用開始時期と適用対象企業

2021年4月より，証券取引所に上場している企業や公認会計士の監査を受けている大規模な企業を主に対象として，「収益認識に関する会計基準」が適用されています[01]。（それ以外の中小の企業に適用される予定は当面ありません。）

01)「収益認識に関する会計基準」の適用に伴い，「工事契約に関する会計基準」は廃止されます。

この新しい会計基準について，建設業経理士試験では「収益認識に関する会計基準」の内容を当面の間，出題しないと主催者である建設業振興基金が発表しています。

しかし，この新しい収益認識の知識を学習することは，将来，建設業経理の実務に就かれるかもしれない方々にとって有用であると考え[02]，**参考**として掲載しました。

02)「収益認識に関する会計基準」の適用対象となる企業では，すでに適用されているからです。

注）本書の刊行後に，建設業振興基金より「収益認識に関する会計基準」の出題について新たな情報が発信された場合には，弊社ネットスクールのホームページにおいてその内容をアップする予定です。
ネットスクールホームページ　https://www.net-school.co.jp/
⇒「読者の方へ」⇒「建設業経理士」⇒「建設業経理士１級」

収益認識の基本

(1)収益認識の基本原則

収益認識の基本原則は，財[03]またはサービスの顧客（こきゃく）への移転と交換に，企業が権利を得ると見込む対価の額で収益を認識することです。

つまり，相手先から得る対価の額をもとに収益を認識します[04]。

03) 財の例としては，商品や製品，建設業では工事物件などがあります

04)「収益認識に関する会計基準」は，企業の営業活動から生じる収益が対象となります。そのため，事業で使用している固定資産の売却に係る収益については，「収益認識に関する会計基準」は適用対象外となります。

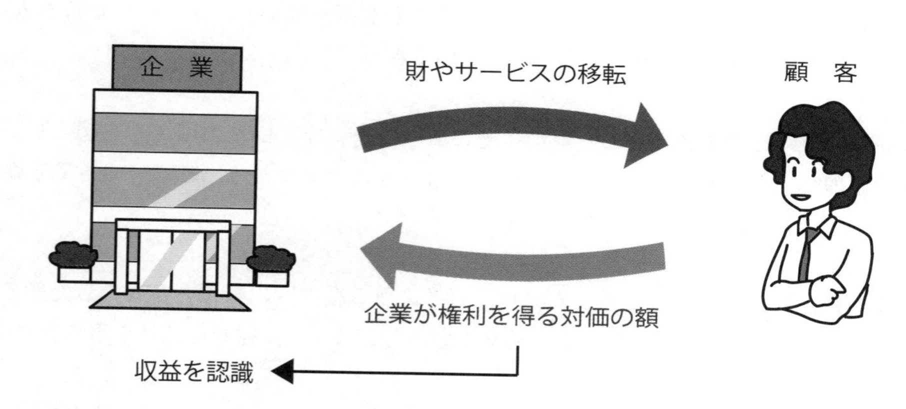

(2)収益認識の５つのステップ

企業が権利を得ると見込む対価の額で収益を認識するために，「収益認識に関する会計基準」（以下，基準）では，収益を認識するまでの過程を５つのステップに分解し，このステップに従って収益を認識します。

STEP 1	顧客との契約の識別	収益の計上単位の決定（どの単位（まとまり）で収益を計上するか）
STEP 2	履行義務（りこうぎむ）の識別	
STEP 3	取引価格の算定	収益の計上金額の決定（いくらで収益を計上するか）
STEP 4	取引価格を履行義務へ配分	
STEP 5	履行義務の充足時に収益を認識	収益の計上時期の決定（いつ収益を計上するか）

STEP 1　顧客との契約の識別

収益を計上するにあたっては顧客に財やサービスを提供することが必要ですが，そのためには財やサービスを提供する約束（契約）があることが前提となります。

契約の識別とは契約として認められるかどうかを判断することであり，契約として認められるためには一定の要件[05]を満たす必要があります。

05）契約として認められるための要件は，契約の当事者双方が契約を承諾していること，引き渡す財やサービスが決まっていること，支払条件が決まっていること，取引の実態があること，代金を回収できる可能性が高いことです。

STEP 2　履行義務の識別

履行義務とは，財やサービスを顧客に提供する義務をいいます。履行義務の識別とは，顧客に財やサービスを提供する義務を具体的に特定することをいいます。

STEP 3　取引価格の算定

取引価格の算定とは，財やサービスを顧客に移転したときに顧客から受取る金額を計算することであり，これをもとに収益として計上する金額を決定します。

STEP 4　取引価格を履行義務へ配分

履行義務とは財やサービスの提供義務であり，取引価格とはいわば収益として計上する金額です。履行義務への配分とは，財やサービスの提供義務に対し，収益計上する金額を配分することをいいます。

1つの契約に複数の履行義務がある場合[06]には，取引価格を各履行義務に配分する必要があります。配分するにあたっては，**各履行義務を単独で提供した場合の価格（独立販売価格）にもとづいて配分**します。

06）建設業を例にすると，老朽化した建物の解体工事と新しい建物の建設工事を合わせて行い，それぞれが重要な履行義務に該当する場合が考えられます。

STEP 5　履行義務の充足（じゅうそく）

履行義務の充足とは財やサービスの提供義務を果たすことであり，履行義務を充足したときに収益を認識します。履行義務を充足するパターンとしては，次の2つがあります。

履行義務の充足

一時点で充足される履行義務：商品の販売など
⇒履行義務を充足した時点（一時点）で収益を認識

一定期間にわたり充足される履行義務[07]：サービスの提供など
⇒履行義務を充足するにつれて（一定期間）収益を認識

07）建設業における長期の工事の多くは，一定期間にわたり充足される履行義務に該当します。

ここでは，収益認識の5つのステップを理解するために，商品販売を例として説明していきます。

取引例 1　　収益認識の5つのステップ

次の取引の仕訳を示しなさい。当期は×1年4月1から×2年3月31日までの1年である。

1. 取引時（×1年4月1日）
   (1)　当社は，甲社に商品の販売と保守サービスの提供を行い，代金を現金で受取る契約を締結した。
   (2)　商品の販売と2年間の保守サービスの提供の対価：9,000円
   (3)　独立販売価格
   商品：8,000円　　2年間の保守サービス：2,000円
   (4)　×1年4月1日に商品を甲社に引き渡した。甲社では検収を完了し使用可能となり，当社は代金9,000円を現金で受取った。

2. 決算時（×2年3月31日）
   当期末において，保守サービスのうち当期分について収益計上を行う。

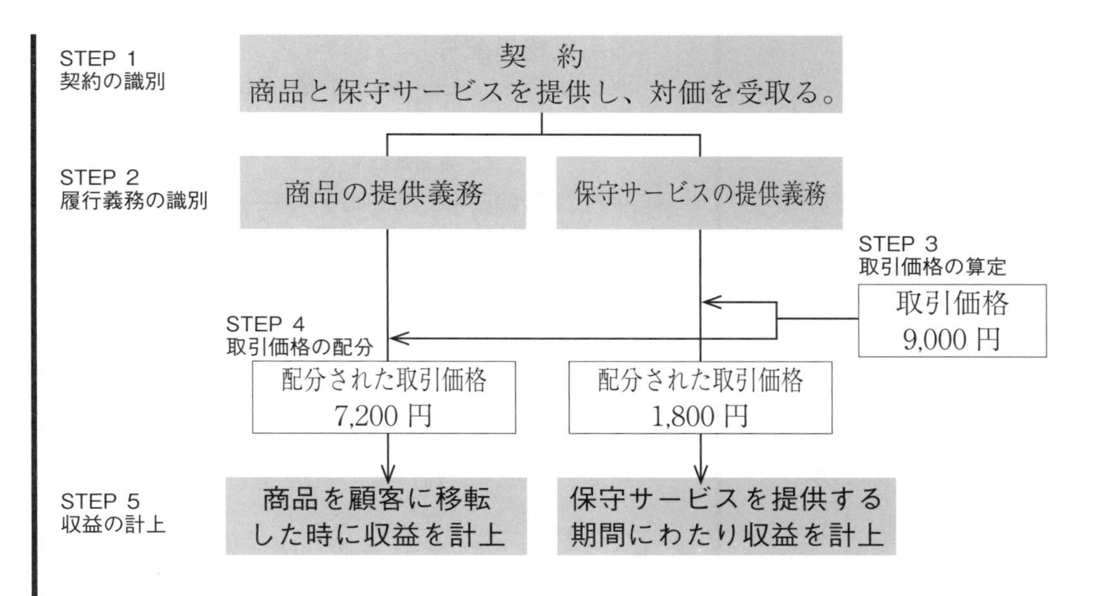

(1)　商品の販売

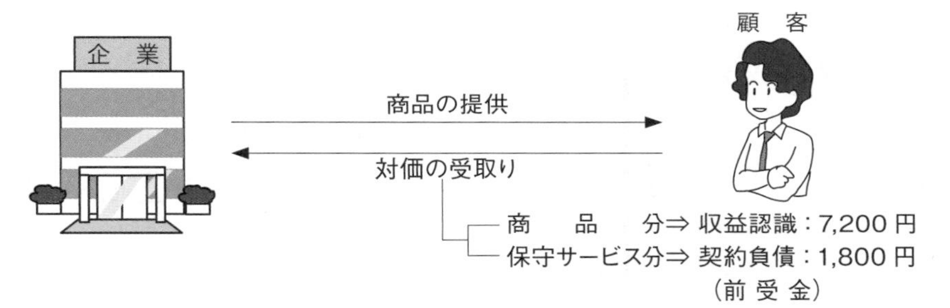

(2)　保守サービスの提供

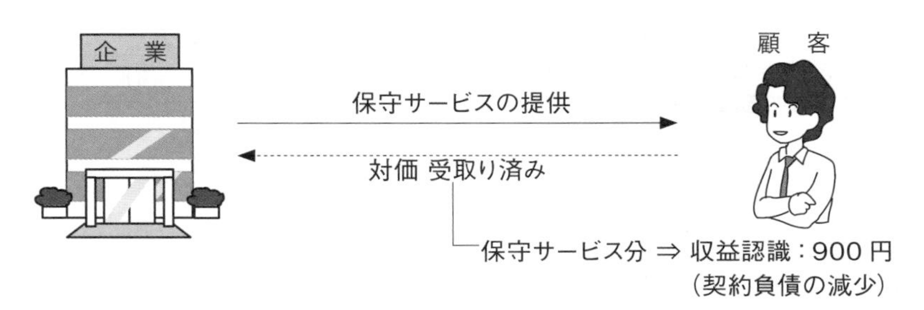

(1) 取引価格の配分

取引価格を，独立販売価格にもとづいて履行義務に配分します。

商品の販売：$\underset{\text{取引価格}}{\underbrace{9{,}000\text{円}}} \times \dfrac{8{,}000\text{円}}{8{,}000\text{円} + 2{,}000\text{円}} = 7{,}200\text{円}$

サービスの提供：$\underset{\text{取引価格}}{\underbrace{9{,}000\text{円}}} \times \dfrac{2{,}000\text{円}}{8{,}000\text{円} + 2{,}000\text{円}} = 1{,}800\text{円}$

(2) 履行義務の充足

① 商品の販売

商品を引渡し顧客の検収が完了した時点（一時点）で収益を計上します。

② サービスの提供

保守サービス※を提供する期間（一定期間）にわたり収益を計上します。
当期に1年分900円[08]を計上します。

08）$1{,}800\text{円} \times \dfrac{12\text{カ月}}{24\text{カ月}}$
=900円

※ 保守サービスとは，商品に故障や不具合が発生したときに，修理担当者にきてもらい対応してもらうサービスをいい，コピー機などの保守があります。保守サービスと似たものに保証サービスがあります。保証サービスのうち，引渡し後に欠陥が見つかり無償で補修を行うといった品質保証の場合には，これまでと同様に引当金（建設業では，完成工事補償引当金）を計上します。
一方，設備点検のアフターサービスなど追加で別途サービスを提供する場合には，独立した履行義務として識別し，独立販売価格にもとづいて取引価格を配分します。

(3) 仕訳

① 取引時（×1年4月1日）

顧客から受取った対価のうち，未だ果たしていない履行義務（サービスの提供義務）は契約負債[09]として処理します。

09）前受金とすることもあります。

（借）	現金	9,000	（貸）	売上	7,200
				契約負債 または（前受金）	1,800

② 決算時（×2年3月31日）

（借）	契約負債	900	（貸）	売上[10]	900

10）金額的に重要な場合には「役務収益」として処理することも考えられます。

工事契約の収益の認識

(1)工事収益の認識

工事収益についても「収益認識に関する会計基準」が適用されます。長期の工事契約については，基本的に一定期間にわたり履行義務が充足されます。

一定期間にわたり充足される履行義務については，履行義務の充足[11]に係る進捗度を見積り，その進捗度にもとづき収益を認識します。

11）ここでの履行義務とは，工事を完成させ顧客に引き渡すことです。

(2)収益認識の要件

工事契約については，履行義務の充足に係る進捗度（工事の進捗度）を合理的に見積ることができる場合にのみ一定の期間にわたり収益を認識します。

一方，進捗度を合理的に見積ることができないが，履行義務を充足する際に発生する費用を回収することが見込まれる場合には，進捗度を合理的に見積ることができるまで原価回収基準により収益を認識します。

工事の進捗度
- 合理的に見積ることができる → **進捗度にもとづき収益を認識**[12]
- 合理的に見積ることができないが[13]発生する費用を回収できる → **原価回収基準により収益を認識**

12） 工事の開始から引渡しまでの期間がごく短い場合（1年以内など）には，一定の期間にわたり収益を認識せず，引き渡した時点で収益を認識することができます。

13） 工事開始当初は工事原価総額を見積れないことがあるからです。

工事の開始当初は工事の進捗度を合理的に見積ることができずに原価回収基準を適用した場合でも，その後，工事の進捗度を合理的に見積ることができるようになった場合には，その期から進捗度にもとづき収益を認識する方法に変更します。

また、工事開始当初は工事の進捗度を合理的に見積ることができないときに、工事の初期段階では収益認識をせずに、工事の進捗度を合理的に見積ることができるようになった時点から進捗度にもとづき収益を認識する方法もあります。

進捗度にもとづき収益を認識する方法

進捗度にもとづき収益を認識する場合には，工事期間の決算日ごとに，工事収益総額，工事原価総額および工事進捗度を合理的に見積り，工事収益総額のうち工事進捗度に応じて工事収益を認識します。

工事進捗度の見積方法として，原価比例法を適用した場合の工事収益の計算方法は，工事進行基準で原価比例法を採用した場合と同じです（1－37ページ参照）。

原価回収基準

原価回収基準とは，履行義務を充足する際に発生する費用のうち，回収することが見込まれる費用の金額で収益を認識する方法をいいます。

工事の進捗度を合理的に見積ることができない場合でも，顧客の都合で工事契約がキャンセルされたときは，顧客に対して発生したコスト分の金額を損害賠償で請求できると考えられます。このことから発生した原価と同額の収益を認識するのが原価回収基準です。

(1)完成時まで工事の進捗度を合理的に見積ることができなかった場合

完成時まで工事の進捗度を合理的に見積ることができなかった場合には，完成時まで原価回収基準を適用します。

取引例２　　原価回収基準１

次の資料にもとづき，各期の工事収益，工事原価および工事利益を答えなさい。

■資料■

1．請負金額 18,000 円
2．この工事について，一定期間にわたり充足される履行義務と判断したが，進捗度を合理的に見積ることができないため，原価回収基準により収益を認識する。
3．工事原価実際発生額　第１期 2,000 円　第２期 7,000 円　第３期 3,000 円
　工事は第３期に完成し，顧客に引き渡した。

（単位：円）

	第１期	第２期	第３期
工事収益	2,000	7,000	9,000
工事原価	2,000	7,000	3,000
工事利益	0	0	6,000

第１期・第２期
　工事原価と同額の工事収益を計上します。
第３期
　工事を完成・引渡した期に残りの工事収益を計上します。
　工事収益：18,000 円－（2,000 円＋ 7,000 円）＝ 9,000 円
　工事収益の金額は各期に配分されますが，工事利益は工事が完成し、工事物件を引渡した期に全額計上されます。

(2)工事の途中で，進捗度を合理的に見積ることができるようになった場合

進捗度を合理的に見積ることができなかった期までは原価回収基準を適用し，進捗度を合理的に見積ることができるようになった期から，一定期間にわたり収益を認識する方法を適用します。

取引例 3　　原価回収基準 2

次の資料にもとづき，各期の工事収益，工事原価および工事利益を示しなさい。

■資料■

1．請負金額 18,000 円
2．この工事について，一定期間にわたり充足される履行義務を判断したが，第 1 期については工事の進捗度を合理的に見積ることができなかったため，原価回収基準を適用する。
　第 2 期より見積工事原価総額 12,000 円が判明し，進捗度を合理的に見積ることができるようになったため，原価比例法により収益を認識する。
3．工事原価実際発生額　第 1 期 2,000 円　第 2 期 7,000 円　第 3 期 3,000 円
　工事は第 3 期に完成し，顧客に引き渡した。

（単位：円）

	第 1 期	第 2 期	第 3 期
工事収益	2,000	11,500	4,500
工事原価	2,000	7,000	3,000
工事利益	0	4,500	1,500

第 1 期
　工事原価と同額の工事収益を計上します。
第 2 期
　原価比例法を用いて工事収益を計上します。

$$18{,}000\text{ 円}\times\frac{2{,}000\text{ 円}+7{,}000\text{ 円}}{12{,}000\text{ 円}}-2{,}000\text{ 円}=11{,}500\text{ 円}$$

第 3 期
　残りの工事収益を計上します。
　工事収益：18,000 円－（2,000 円＋ 11,500 円）＝ 4,500 円

契約負債と契約資産

(1)契約負債

財またはサービスを顧客に移転する前に顧客から対価を受取ったときは，契約負債として貸借対照表に計上します。

この財務諸表の表示に従って仕訳を行う場合，対価（工事代金）を受取った時に契約負債として処理する方法が考えられます。

取引例 4 　　契約負債

次の一連の取引の仕訳を示しなさい。
①工事の請負代金100,000円を現金で受取った。
②工事収益100,000円を計上した。

①対価の受取り時

(借)	現　　　　金	100,000	(貸)	契　約　負　債	100,000

②工事収益計上時

(借)	契　約　負　債	100,000	(貸)	完成工事高	100,000

(2)契約資産

工事物件の引渡し時に顧客に支払義務が発生し法的な債権が発生する契約の場合，工事の進捗に応じて収益を計上したときはまだ法的な債権は発生していません。

しかし，履行した義務と交換に企業が受け取る対価に対する権利は生じるため，契約資産として貸借対照表に計上します。

この財務諸表の表示に従って仕訳を行う場合，顧客の支払義務が確定する前に工事収益を計上したときは，契約資産として処理する方法が考えられます。

取引例 5 契約資産

次の一連の取引の仕訳を示しなさい。
①工事の進捗に応じて工事収益100,000円を計上した。なお，この工事は工事物件の引渡時に顧客に支払義務が発生する契約である。
②工事物件を顧客に引渡し，請負金額300,000円のうち残額200,000円の工事収益を計上した。

①工事収益計上時（法的債権発生前）

（借）	契約資産[14]	100,000	（貸）	完成工事高	100,000

②完成・引渡し時（法的債権発生時）
完成・引渡し時に工事収益の残額を計上するとともに，契約資産の残高を完成工事未収入金に振り替えます[15]。

（借）	契約資産	200,000	（貸）	完成工事高	200,000
（借）	完成工事未収入金	300,000	（貸）	契約資産	300,000

なお，完成工事未収入金と契約資産について区別せず，貸借対照表上，まとめて完成工事未収入金とし，契約資産の残高を注記する方法も認められています。
そのため，従来どおり，完成工事未収入金とする処理も考えられます。
同様に契約負債についても，貸借対照表上，従来どおり未成工事受入金とし，契約負債残高を注記する方法も認められています。

14）あくまで，工事物件の引渡し時に顧客に支払義務が発生する契約であることが前提となっています。
工事の途中でも支払義務の一部が発生する契約である場合には，法的債権発生分は完成工事未収入金となります。

15）または借方と貸方の契約資産を相殺して，以下の処理も考えられます。
（借）完成工事未収入金 300,000
（貸）契約資産 100,000
完成工事高 200,000

コラム 建設業における収益認識の変更点

建設業における収益認識について、従来は「工事契約に関する会計基準」が適用されていました。そして、「収益認識に関する会計基準」が適用されると、「工事契約に関する会計基準」は廃止されます。変更前と変更後でどう変わったかについて、参考としてみておきます。

1. 収益認識の方法

	変更前		変更後
会計基準	「工事契約に関する会計基準」		「収益認識に関する会計基準」
収益認識の方法	工事進行基準	⇨	一定期間にわたり収益を認識する方法
	工事完成基準	⇨	―
	―	⇨	原価回収基準

変更前の工事進行基準では、原価比例法などにより工事の進捗に応じて工事収益を計上していました。変更後の一定期間にわたり収益を認識する方法でも、原価比例法により工事の進捗に応じて工事収益を計上する方法が認められています。「収益認識に関する会計基準」では「工事進行基準」という用語はありませんが、大きく変わるところはありません。

一方、「工事契約に関する会計基準」にあった、工事が完成し目的物の引渡しを行った時点で工事収益を認識する「工事完成基準」は、「収益認識に関する会計基準」では期間が短い場合を除き、認められていません。

また、「工事契約に関する会計基準」では無かった「原価回収基準」が「収益認識に関する会計基準」では認められることになりました。進捗度を合理的に把握できなくても、履行義務の充足において進捗しているという事実を反映するために少なくとも何らかの金額の収益を認識すべきであり、そうした場合、発生したコストの範囲でのみ収益を認識すべきであるという考え方から認められました。

2. 科目

	変更前	変更後
完成・引渡し前の未収額	完成工事未収入金	契 約 資 産
完成・引渡し後の未収額		完成工事未収入金

「工事契約に関する会計基準」では、工事が完成し引き渡したときの未収額だけでなく、「工事進行基準」で工事収益を計上したときの未収額も完成工事未収入金として計上していました。

一方、「収益認識に関する会計基準」では、完成・引渡し時に法的な債権が発生する契約の場合、完成・引渡し前（法的債権発生前）に計上する「契約資産」と、完成・引渡し後（法的債権発生後）に計上する「完成工事未収入金」を区別するようになりました。

Chapter 3
貸借対照表の作成

損益計算書に続いて，今度は貸借対照表です。うまく自己紹介ができるでしょうか。
「利用者にとって，わかりやすいように作ろう。」
大事なことは，明瞭な分類です。資産，負債，純資産の分類はもちろん，各項目についての会計処理を見ていきます。
貸借対照表と損益計算書が深く結びついていることに気づくでしょう。

Section 1　B／Sの貸方で調達した資金を投資した状態が借方。　重要度◈◈◈

貸借対照表の概略

はじめに あなたの会社が決算を迎えました。会社の中には現金や車，それにパソコンなど，いろいろなものがあります。また，机の上には請求書もあります。倉庫には木材やネジもあります。どれも株主の大切なお金を元手にして得たものです。会社の財政状態を明らかにして，利害関係のある人たちにきちんと報告しましょう。

貸借対照表とは

決算日において作成された貸借対照表は，当期と次期をつなぐ橋渡しの役目があります。一方，当期の損益計算書は，決算日をもってその役目を終えます。そして翌日からはまた新しい損益計算を始めます。

次期の損益計算が正しく行えるように，棚卸資産や固定資産，それに有価証券を評価します。経過勘定も貸借対照表を経由して振り替えます[01]。

01）この考え方を動態論といいます。静態論では
資産－負債＝純資産
で，決算日の財産状態の表示を基本目的とします。

様式 貸借対照表にも勘定式と報告式がありますが，建設業法施行規則では，報告式を採用しています。

貸借対照表（報告式）

資産の部	
流動資産	×××
固定資産	×××
繰延資産	×××
資産合計	×××
負債の部	
流動負債	×××
固定負債	×××
負債合計	×××
純資産の部	
資本金	×××
資本剰余金	×××
利益剰余金	×××
自己株式	△×××
評価・換算差額等	×××
新株予約権	×××
純資産合計	×××
負債・純資産合計	×××

貸借対照表（勘定式）

（資産の部）	（負債の部）
流動資産	流動負債 固定負債
固定資産	（純資産の部） 資本金 資本剰余金 利益剰余金
繰延資産	△自己株式 評価・換算差額等 新株予約権

流動性配列法（原則） 資産項目を流動・固定・繰延資産の順に，また負債項目を流動・固定の順に配列します[02]。

02）固定性配列法もありますが，固定資産の占める割合が多い鉄道業や電力業などに限定して採用されています。

総額主義 資産項目と負債および純資産の項目を相殺することを禁じています。有形固定資産についても取得原価から減価償却累計額を控除する記載方式（科目別間接控除方式）を原則としています。

資産項目

個別論点で扱わなかった論点を概観しておきます。

現金預金

(1) 現金の範囲

通貨（外国通貨を含む）

通貨代用証券[03] 他人振出の小切手[04]
配当金領収証
期限到来後の公社債利札など

(2) 小口現金

小払資金係に一定額を前渡しして，月末などに使用明細表を呈示されると，その分だけ補充し，また一定額にする定額資金前渡制（インプレストシステム）が前提となります。

(3) 現金過不足

決算日になっても原因が判明しない場合は雑収入[05]（営業外収益）または雑損失[05]（営業外費用）へ振り替えます。

(4) 当座借越（負債）

決算日に流動負債の短期借入金に振り替えます。他の銀行の当座預金と相殺できません。

> 03）精算表の問題で出題され，現金（預金）に加える処理が問われています。
>
> 04）（長期の）先日付小切手は，受取手形で処理します。その場合，貸倒引当金の設定対象となる点に注意します。
>
> 05）雑収入，雑損失は建設業法の勘定科目。雑益，雑損と同じです。

債権(売上債権　貸付金など)

(1) 一般債権

重大な問題のない債権。

・債権金額に過去の実績に基づいて算定された貸倒引当金の貸倒実績率等を掛けて，貸倒引当金を設定します。

(2) 貸倒懸念債権[06]

弁済が延滞していたり，その可能性が大きい債権。

・個別に計算します。債権額より担保処分額および保証による回収見込額を減額し，残額に対して債務者の財政状態などを考慮して貸倒引当金の設定を行います。

(3) 破産更生債権等[07]

破産など法的事実の有無にかかわりなく，深刻な経営難の債務者に対する債権。

・個別に計算します。債権額より，担保処分額および保証による回収見込額を減額し，残額をそのまま貸倒引当金とします。

> 06）キャッシュ・フロー見積法もありますが省略します。
>
> 07）1年以内に弁済を受けられないことが明らかなものは，営業債権であっても，投資その他の資産に表示します。

負債項目

負債の区分

負債はその発生原因から次のように区分されます。また，債務は金銭支出の有無により金銭債務と非金銭債務に分けられます。

負債
- 営業取引から生じた債務 … 工事未払金や未払金などの金銭債務や未成工事受入金[08]などの非金銭債務
- 財務取引から生じた債務 … 借入金や社債などの金銭債務
- 損益計算から生じた債務 … 適正な期間損益計算のために計上した前受収益・未払費用※や引当金などの非金銭債務

※　前受収益や未払費用は見越負債と呼ばれ，そのうち未払費用は継続してサービスを受ける場合の代金の未払いであり，累積中の債務とも呼ばれます。

08）工事代金の前受金です。完成工事高を計上したときに減少し，金銭の支出はともないません。

経過勘定

前払費用および前受収益は，当期の損益計算から除去し，前払費用は貸借対照表の流動資産および固定資産（1年を超えるもの）に，前受収益は貸借対照表の流動負債に計上します。

未払費用[09]および未収収益は当期の損益計算に含めるとともに，未払費用は貸借対照表の流動負債に，未収収益は貸借対照表の流動資産に計上します。

09）未払費用と未払金
経過勘定は，継続役務提供契約においてのみ計上されます（例として保険料，家賃など）。未払金は販売目的以外のモノの代金や契約の終わったサービスの支払いが済んでないものを指します。
※販売目的→買掛金

負債と資本の区分

(1)負債と資本

貸借対照表の貸方は，負債と資本を表示し，企業に投下された資金の調達源泉を示しています。

負債と資本は企業に対して資金を提供した側（負債の場合は債権者，資本の場合は株主）からみると，企業の資産に対する請求権[10]を表しているといえます。そして，この請求権は一般的に持分といわれます。

10）この請求権は企業が負債を弁済できなかった場合や企業が解散した場合に，行使されます。

(2)持分の分類

持分はその調達源泉の違いにより，債権者持分と出資者持分に区分できます。

① 債権者持分

債権者が企業の資産に対してもっている請求権をいい，それは企業がその所有する資産をもって弁済しなければならない債務を意味するところから，会計上，負債[11]とよばれます。

② 出資者持分

株主・社員などの企業主が企業の資産に対してもっている請求権をいい，それは企業経営の元本を構成するところから会計上，資本[12]とよばれます。

貸借対照表

資　産	負　債	← 債権者持分 ― 債権者
	資　本	← 出資者持分 ― 株　主

11）たとえば，借入金，社債，工事未払金，未成工事受入金などが該当します。

12）資本金や資本準備金などの出資額だけでなく，留保利益である利益準備金，任意積立金，繰越利益剰余金も含まれます。

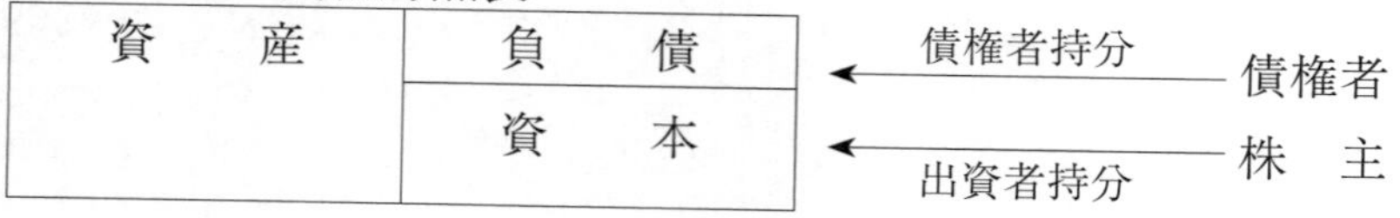

(3) 債権者持分と出資者持分の財務上の差異

債権者持分（負債）と出資者持分（資本）の財務上の差異として，次の３つが挙げられます。

① 資金の利用可能期間の長短

負債は元金の返済期間が契約により定められているため，その資金の利用可能期間に限りがあるのに対し，資本には返済期限はなく，半永久的なものとなります。

② 資金に対する報酬の弾力性の有無ないし程度

負債に対する報酬は一般的に支払利息として，元金に対する一定の割合が契約により定められているため，企業利益の有無にかかわらず支払わなければならないのに対し，資本に対する報酬は配当として，原則として稼得した利益から支払われます。

③ 請求権行使上の順位の差異

負債は元金や利息の支払いにつき，資本に対し優先権をもちます[13)]。

13) 企業が解散した場合，企業に残っている財産はまず債権者に対する債務の弁済にあてられ，その後，株主に分配されます。

コラム 試験は甲子園でもなければオリンピックでもない

甲子園の高校野球を見ていると意外な学校が１回戦、２回戦と勝ち上がっていくにつれて実力をつけて強くなり、最後には優勝してしまう。つまり実力以上のものが出て勝ってしまう、などということが起こるといわれています。しかし試験ではそんなことは起こりえません。

「知らないところが試験会場で急にわかるようになる」なんてことに期待するのは愚かです。また、70点以上をとれば誰でもが合格できる試験なのですから、オリンピックのように参加者の中に、一人の天才がいるとあとの人は、どんな努力をしても勝ちようがない、といったものでもありません。

したがって、実力以上のものを望むことは逆にミスにつながるし、またそうでないと勝てないオリンピックではない、と思うのです。

実力以上は望まず、実力がそのまま出せるようにと、それだけを望む。

こんな姿勢が一番合格に近い心の姿勢だと思います。これでいきましょう。

Section 2 棚卸資産

はじめに あなたの会社は，日々建設工事を行っています。その工事は大規模なものが多いので，工事の途中で決算を迎えることはいつものことです。

「やりかけの工事は，果たして資産なのだろうか。それとも費用か？」

未完成の工事にかかった工事原価は，未成工事支出金勘定で処理し，貸借対照表の資産の部に記載します。いずれは，損益計算書に記載されることになるのですが…。ここでは，費用性資産としての棚卸資産について見ていきましょう。

棚卸資産とは

棚卸資産とは生産および販売活動のために，短期的に費用化するものをいいます。建設業では未成工事支出金・工事材料などが棚卸資産です。また貸借対照表上は，流動資産として記載します。

貸　借　対　照　表

資産の部		
I．流動資産		
⋮		
未成工事支出金	×××	
材料貯蔵品	×××	
⋮		

棚卸資産の取得原価

(1)工事材料 購入した工事材料は，購入代価に付随費用の一部または全部を加算することにより取得原価を算定します。

取得原価 = 購入代価＋付随費用

(2)未成工事支出金 未成工事支出金とは工事に消費した材料費・労務費・経費・外注費の工事原価です[01]。これは，適正な原価計算の手続によって算定された実際製造原価（工事原価）によって取得原価を算定します。

取得原価＝適正な原価計算の手続によって算定された実際製造原価

01）通常の製造業における仕掛品です。

棚卸資産の会計処理

棚卸資産の会計処理について，決算までの一連の流れを見ていきます。

(1)工事材料 工事材料は，購入時と決算時の処理が重要です。

取引例 1　工事材料の会計処理

材料（購入代価 95,000 千円）を購入し，付随費用 5,000 千円とともに現金で支払った。

（仕訳単位：千円）

（借）	未成工事支出金	100,000	（貸）	現　　金	100,000

決算時において次期に繰り越す材料が 30,000 千円あった。

（借）	材料貯蔵品[02]	30,000	（貸）	未成工事支出金	30,000

翌期首の仕訳

（借）	未成工事支出金	30,000	（貸）	材料貯蔵品	30,000

02）期末において未使用の工事材料は，材料貯蔵品勘定で資産として繰り越します。

(2)未成工事支出金

工事原価に算入するべき金額はすべて未成工事支出金勘定で処理し，費用化する時に完成工事原価へ振り替えます。また，期末において繰越しが必要な場合は，未成工事支出金勘定で繰り越します。

取引例２　未成工事支出金の会計処理

ⓐ 期首の未成工事支出金残高は 10,000 千円である。
ⓑ建設用機械装置の減価償却費は 500,000 千円である。
ⓒ退職給付引当金の工事原価分繰入額（退職給付費用）は 200,000 千円である。
ⓓ未成工事支出金の期末残高は 60,000 千円である。

減価償却費の原価算入　（仕訳単位：千円）

（借）	未成工事支出金	500,000	（貸）	機械装置減価償却累計額	500,000

退職給付引当金繰入額（退職給付費用）の原価算入

（借）	未成工事支出金	200,000	（貸）	退職給付引当金	200,000

完成工事原価への振替え

（借）	完成工事原価	650,000	（貸）	未成工事支出金	650,000

未成工事支出金

ⓐ 10,000	650,000 ← 差額 完成工事原価
ⓑ 500,000 ⓒ 200,000	ⓓ 60,000

棚卸資産の評価（工事材料）

(1)棚卸資産の評価と時価の種類

棚卸資産は，決算時に原価と時価（正味売却価額[03]）を比較し，いずれか低いほうをもって，貸借対照表価額とします（低価基準）。

棚卸資産は，将来販売され収益になることから資産として計上していますが，その収益性が低下した場合には，その分，帳簿価額を引き下げるという考え方に基づいています。

> 通常の販売目的（販売するための製造目的を含む。）で保有する棚卸資産は，取得原価をもって貸借対照表価額とし，期末における正味売却価額が取得原価よりも下落している場合には，当該正味売却価額をもって貸借対照表価額とする。
> この場合において，取得原価と当該正味売却価額との差額は当期の費用として処理する。（棚卸資産の評価に関する会計基準.7）

なお，製造業における原材料等のように再調達原価[04]の方が把握しやすく，正味売却価額が当該再調達原価に歩調を合わせて動くと想定される場合には，継続して適用することを条件として，再調達原価によることができます。

03）正味売却価額とは，売価から見積追加製造原価および見積直接経費を控除したものをいいます。

04）再調達原価とは，購買市場における時価に，購入に付随する費用を加算したものをいいます。

(2)適用単位 原価と時価（正味売却価額）を比較する際には，原則として個別品目ごとに行います。ただし，複数の棚卸資産をひとくくりとした単位で行うことが適切と判断されるときには，継続して適用することを条件として，以下のグループ法や一括法が認められています。

・**品目法**

個々の品目ごとに時価が下がったものについて適用します。

・**グループ法**

種類ごとのグループに分けて，時価の小計額が原価の小計額より下がったもののみ適用します。

・**一括法**

すべての品目の取得原価合計額と時価合計額を比較し，時価合計額が取得原価合計額より下がっていたら適用します。

(3)処理方法 前期に計上した簿価切下額の戻入れに関しては，当期に戻入れを行う方法（洗替法）と行わない方法（切放法）のいずれかの方法を棚卸資産の種類ごとに選択適用できます。

・**切放法**

前期末に計上した簿価切下額（評価損）の戻入れを行わないため，当期末には簿価切下後の簿価と期末の時価を比較します。

・**洗替法**

前期末に計上した簿価切下額（評価損）の戻入れ[05]を当期首に行うため，当期末には取得原価と期末の時価を比較します。

05）
前期末
（借）材料評価損×× （貸）材　　料××
当期首
（借）材　　料×× （貸）材料評価損戻入益××

(4)評価損の扱い 収益性の低下による簿価切下額は売上原価（完成工事原価）としますが，棚卸資産の製造に関連し不可避に発生すると認められるときには製造原価（未成工事支出金）として処理します[06]。

なお，収益性の低下に基づく簿価切下額が，臨時の事象[07]に起因し，かつ，多額であるときには，特別損失に計上します。

06）単なる正味売却価額の低下による評価損と品質低下や陳腐化による評価損は，いずれも棚卸資産の収益性の低下を原因とするため，同じ処理をします。

07）臨時の事象とは，重要な事業部門の廃止や災害損失の発生をいいます。

計算例

期末の棚卸資産（材料）の状況は次のとおりである。材料評価損と棚卸減耗損を求めなさい。

工事材料の帳簿棚卸数量 1,000 個（取得価額 @ 1,000 円）
工事材料の実地棚卸数量　900 個（良品 800 個　時価 @ 900 円
　　　　　　　　　　　　　　　　品質低下品 100 個　評価額 @ 700 円）

取得価額 1,000 円
時　　価　900 円
評 価 額　700 円

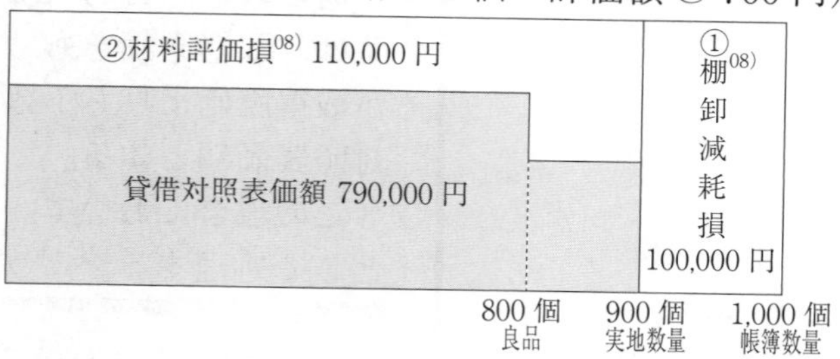

②材料評価損[08] 110,000 円
貸借対照表価額 790,000 円
①棚卸減耗損[08] 100,000 円
800 個 良品
900 個 実地数量
1,000 個 帳簿数量

08）
①棚卸減耗損の計算
1,000円×（1,000個－900個）
＝100,000円
②材料評価損の計算
（1,000円－700円）×100個
＋（1,000円－900円）×800個
＝110,000円

try it 例題 棚卸資産の評価

1.　期末の材料が次のようであった場合,(イ)棚卸減耗損,(ロ)材料評価損,(ハ)材料次期繰越額は,それぞれいくらになるかを計算しなさい。

■資　料■
帳簿棚卸数量　　2,000 個（原価 @ 700 円　　時価 @ 650 円）
実地棚卸数量　　1,900 個（うち 100 個は品質低下のため，1 個当たり 350 円で評価する）

解 答

(イ)　*70,000* 円
(ロ)　*125,000* 円
(ハ)　*1,205,000* 円

解 説

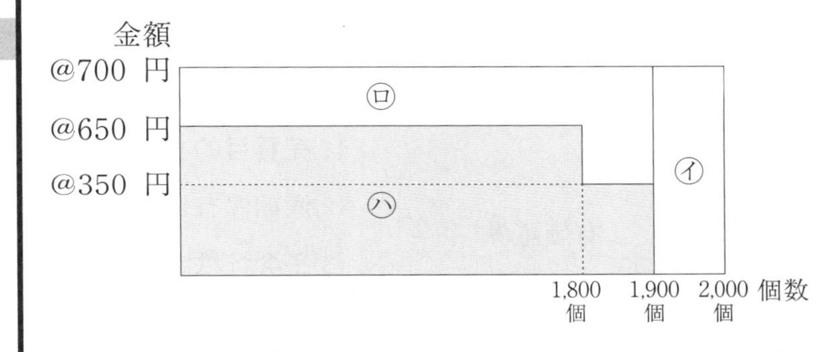

2.　次の棚卸資産の第１期末及び第２期末の評価損（戻入益を除く）の金額を①切放法,②洗替法により求めなさい。

取得原価：単価 @10,000 円　第 1 期末数量　20 個　第 1 期末時価：@9,500 円
　　　　　　　　　　　　　第 2 期末数量　12 個　第 2 期末時価：@8,000 円

解 答

	第１期末	第２期末
①切放法	*10,000* 円	*18,000* 円
②洗替法	*10,000* 円	*24,000* 円

①切放法
第 1 期末：（@9,500 円 − @10,000 円）× 20 個 = △ 10,000 円
第 2 期末：（@8,000 円 − @9,500 円）× 12 個 = △ 18,000 円
切放法では簿価と時価を比較します。
②洗替法
第 1 期末：（@9,500 円 − @10,000 円）× 20 個 = △ 10,000 円
第 2 期末：（@8,000 円 − @10,000 円）× 12 個 = △ 24,000 円
洗替法では取得原価と時価を比較します。

Section 3

同じ株でも目的次第で科目も変わる。 重要度 ◆◆◆◆◆

有価証券

はじめに ■「株でも買ってみようか」――居酒屋のカウンターで友人が言い出しました。
「お金を単に貯金しておくのも，手許に置いておくのも何だしね」
あなたの会社も株式などの有価証券を持っています。すぐに売却する予定のものや，長期間保有するもの，また支配している会社のものまでさまざまです。ここでは，有価証券の分類と評価を中心に見ていきます。

有価証券とは

有価証券とは，株式会社が発行する株式や社債，国や地方公共団体が発行する国債，地方債をいいます。有価証券は保有目的によって，以下の4つに分類されます。

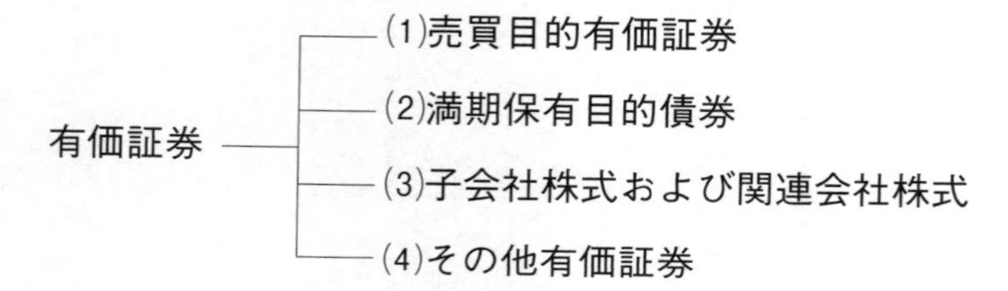

有価証券の分類

保有目的によって分類・表示します。

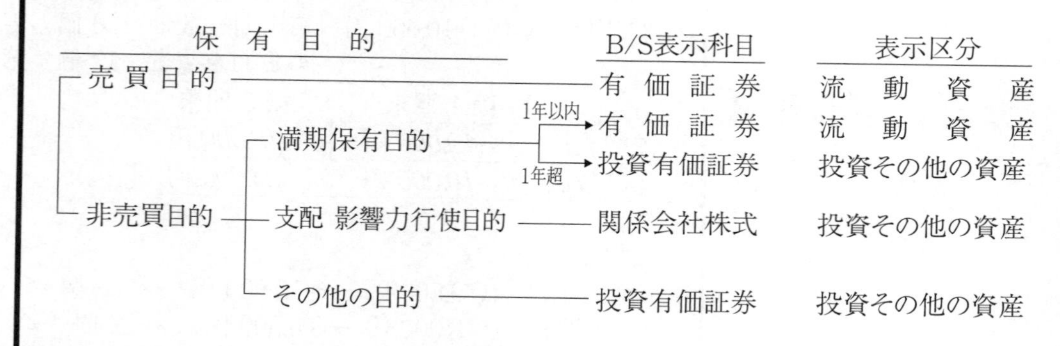

(1)売買目的有価証券 ● 売買目的有価証券とは，時価の変動により利益を得ることを目的として保有する有価証券をいいます。

(2)満期保有目的債券 ● 満期保有目的債券とは，満期まで所有する意図をもって保有する社債その他の債券をいいます[01]。

01）1年以内に満期日が到来する債券は流動資産となります。

(3)子会社株式および関連会社株式

子会社株式および関連会社株式とは，それぞれ子会社[02]，関連会社[03]が発行した株式をいいます。

02）その株式を所有している会社が実質的に支配している会社のことです。

03）その株式を所有している会社が，出資，人事，資金，技術，取引等の関係を通じて，経営方針の決定に重要な影響を与えることができる会社のことです。

(4)その他有価証券

その他有価証券とは，(1)〜(3)以外の有価証券をいい，取引関係を安定させるために保有する，いわゆる持合株式（もちあいかぶしき）などが該当します[04]。

04）その他有価証券のうち，債券に関しては，1年以内に償還日の到来するものは，「有価証券」勘定（流動資産）で表示します。

有価証券の取得原価

有価証券の取得形態により，取得原価の計算方法は異なります。(1)購入と(2)贈与の場合について示します。

(1)購入

有価証券を購入した場合には，購入代価に買入手数料を加算した金額を取得原価とします。

取得原価＝購入代価＋買入手数料

(2)贈与

有価証券の贈与を受けた場合には，これを簿外資産とはしないで時価をもって取得原価とします。

取得原価＝受入有価証券の時価

なお，株式の無償交付を受けた場合には，帳簿価額に変更はありませんが，有価証券の単価を計算しなおします。

$$付替後の単価 = \frac{帳簿価額}{旧所有株式数＋取得株式数}$$

有価証券の評価

すべての有価証券の評価は，その分類に応じて評価します。

	貸借対照表価額（評価方法）	処理方法	評価差額・償却額	
			表示科目	表示区分
売買目的有価証券	時価（時価法）	切放法または洗替法	有価証券評価益（損）[05]	損益計算書・営業外収益または営業外費用
満期保有*目的債券[05]	原則:取得原価（原価法）	——	——	——
	償却原価	償却原価法 定額法	有価証券利息	損益計算書・営業外収益
		償却原価法 利息法		
子会社株式*関連会社株式	取得原価	——	——	——
その他*有価証券[06]	時価	洗替法 全部純資産直入法	評価差額の合計額→その他有価証券評価差額金	貸借対照表・純資産の部
		洗替法 部分純資産直入法	帳簿価額<時価の場合→その他有価証券評価差額金	貸借対照表・純資産の部
			帳簿価額>時価の場合→投資有価証券評価損	損益計算書・営業外費用

*時価があるものについて時価が著しく下落した場合には，回復する見込みがあると認められる場合を除き，時価をもって貸借対照表価額とし，評価差額は当期の損失（特別損失）とします。

05）有価証券の売却損益と評価損益を一括して「有価証券運用益」,「有価証券運用損」という勘定科目で処理することもあります。

06）時価のないものについては，出題の可能性は低いと考えられるので，本テキストでは学習しません。

売買目的有価証券の評価

(1)評価(貸借対照表価額)

売買目的有価証券は，期末時価[07]をもって貸借対照表価額とします。このさいの処理方法として，切放法（きりはなしほう）と洗替法（あらいがえほう）があります[08]。

07）簡単に表現すると，決算日における市場価格です。

(2)評価差額の計算と表示区分

帳簿価額と時価との差額は，当期の損益として，有価証券評価益（損）で処理します。

- 帳簿価額 < 時価 → 有価証券評価益（営業外収益）
- 帳簿価額 > 時価 → 有価証券評価損（営業外費用）

売買目的有価証券については売却することについて制約がなく，評価差額が財務活動の成果と考えられるため，当期の損益として処理します。

08）期末に時価評価を行った次の期の期首に貸借逆の仕訳をして，取得原価に戻すのが洗替法です。

期末
(借)有　価　証　券 ×××
　　(貸)有価証券評価損益 ×××
翌期首
(借)有価証券評価損益 ×××
　　(貸)有　価　証　券 ×××

一方，翌期首に取得原価に戻さないのが切放法です。

満期保有目的債券の評価

(1)評価(貸借対照表価額)

満期保有目的の債券は原則として取得価額をもって貸借対照表価額とします[09]。ただし，債券を債券金額と異なる価額で取得した場合で，かつ取得価額と債券金額との差額が金利の調整と認められるとき[10]は，償却原価法に基づいて算定した価額をもって，貸借対照表価額とします。

原　　則：取得価額
一定の条件のもとで強制適用：償却原価

09) 時価があっても売却することを予定していないので，時価評価はしません。
10) 取得価額と債券金額との差額が，金利の調整と認められない場合には取得価額で評価します。

(2)償却原価法の処理方法

償却原価法とは，取得価額と債券金額との差額を毎期一定の方法で貸借対照表価額（満期保有目的債券勘定の帳簿価額）に加減する方法です。なお，加減した額を償却額といい，加減後の金額を償却原価といいます。

取得価額 ± 償却額 = 償却原価

償却原価法を適用した場合における償却額計上時[11]の仕訳は以下のようになります。

a. 取得価額 < 債券（額面）金額の場合

（借）投資有価証券　×××　（貸）有価証券利息　×××

b. 取得価額 > 債券（額面）金額の場合

（借）有価証券利息　×××　（貸）投資有価証券　×××

11) 定額法の場合は決算時，利息法の場合は利息の受取時に計上します。

(3)償却額の計算方法

償却額の計算方法には，①定額法と②利息法の２種類があります。

① **定額法**

定額法とは，毎期一定の償却額を帳簿価額に加減算する方法です。

＜定額法の計算方法＞

取得価額と債券（額面）金額の差額を，取得日から満期日までの期間の月数（年数）で割り，１カ月（１年）当たりの償却額を算定しその期間の償却額を算定します。

$$（債券（額面）金額－取得価額）\times \frac{当期の所有月数}{取得日から満期日までの月数} = 償却額$$

② **利息法**

利息法とは，帳簿価額[12]に実効利子率[13]を乗じた金額[14]（利息配分額）から，利札による利札受取額を差引いた金額をその期の償却額として，帳簿価額に加減する方法です。

12) 償却原価法適用後は償却原価ともいいます。
13) 実効利子率とは，券面の利子率に償却額（取得原価と額面金額との差額）まで加味した利率を指します。
14) 償却額まで含んだ利息の合計額になります。

<利息法の計算方法>

Step1 帳簿価額に実効利子率を乗じて，その期間に配分される利息額を算定します。

利息配分額 = 帳簿価額 × 実効利子率

Step2 額面金額に券面利子率[15]（クーポンレート）を乗じて，利札受取額を算定します。

利札受取額 = 額面金額 × 券面利子率

Step3 利息配分額から利札受取額を控除して償却額を算定し，当該金額を帳簿価額に加減します。

償　却　額 = 利息配分額 － 利札受取額

15）券面利子率とは，債券の名目利子率（めいもくりしりつ）のことを指します。

取引例1　　満期保有目的債券

当社（決算日3月31日）は×1年4月1日に満期保有目的でA社社債を47,500円（額面50,000円，満期日×6年3月31日，券面利子率年3％，利払日3月末日）で取得し，現金で支払った。なお，額面金額と取得価額との差額は金利の調整と認められ，償却原価法を適用する。①×1年4月1日（取得日），②×2年3月31日（利払日），③×2年3月31日（決算日）の仕訳を定額法・利息法（実効利子率　4.13%）により示しなさい。円未満は四捨五入すること。

定額法

①×1年4月1日（取得日）

（借）	投資有価証券	47,500	（貸）	現　　金	47,500

②×2年3月31日（利払日）

（借）	現　　金	1,500[16]	（貸）	有価証券利息	1,500

③×2年3月31日（決算日）

（借）	投資有価証券	500[17]	（貸）	有価証券利息	500

利息法

①×1年4月1日（取得日）

（借）	投資有価証券	47,500	（貸）	現　　金	47,500

②×2年3月31日（利払日）

（借）	現　　金	1,500[16]	（貸）	有価証券利息	1,500
（借）	投資有価証券	462[18]	（貸）	有価証券利息	462

③×2年3月31日（決算日）

仕訳なし

16）50,000円×3%=1,500円

17）(50,000円－47,500円) $\times \frac{12カ月}{60カ月}$ =500円

18）47,500円×4.13%－50,000円×3%=461.75→462円

その他有価証券の評価

(1)評価(貸借対照表価額)

その他有価証券は時価をもって貸借対照表価額とします。

(2)評価差額の処理

評価差額は，まだ売却していないため実現していません。そこで，貸借対照表の貸借を調整するため，「その他有価証券評価差額金」勘定で処理します。

帳簿価額と時価との差は洗替方式[19]により，全部純資産直入法または部分純資産直入法で処理します。

19）期末に時価評価を行った次の期の期首に貸借逆の仕訳をして，取得原価に戻すのが洗替方式（洗替法）です。
期末
（借）投資有価証券　×××
（貸）その他有価証券評価差額金　×××
翌期首
（借）その他有価証券評価差額金　×××
（貸）投資有価証券　×××
そのため，翌期末には，取得原価と期末時価を比較します。

① 全部純資産直入法

評価差額の合計額を純資産の部の「その他有価証券評価差額金」として計上します。

評価益：	（借）投資有価証券	×××	（貸）その他有価証券評価差額金	×××
評価損：	（借）その他有価証券評価差額金	×××	（貸）投資有価証券	×××

② 部分純資産直入法

時価が簿価を上回る銘柄は純資産の部の評価・換算差額等に「その他有価証券評価差額金」として計上し，時価が簿価を下回る銘柄は当期の損失として「投資有価証券評価損」（営業外費用）として処理します。

評価益：	（借）投資有価証券	×××	（貸）その他有価証券評価差額金	×××
評価損：	（借）投資有価証券評価損	×××	（貸）投資有価証券	×××

取引例２　　その他有価証券

次の資料により決算整理仕訳を①全部純資産直入法と②部分純資産直入法についてそれぞれ示しなさい。

銘　柄	分　類	取得原価	期末時価
A社株式	その他有価証券	5,000円	6,500円
B社株式	その他有価証券	6,000円	5,800円
合　計		11,000円	12,300円

①全部純資産直入法

（借）投資有価証券	1,300[20]	（貸）その他有価証券評価差額金	1,300

②部分純資産直入法

（借）投資有価証券	1,500[21]	（貸）その他有価証券評価差額金	1,500
（借）投資有価証券評価損	200[22]	（貸）投資有価証券	200

20）12,300円－11,000円＝1,300円
21）6,500円－5,000円＝1,500円
22）5,800円－6,000円＝△200円

その他有価証券については事業遂行上等の必要性から売却することに制約を伴うこともあり，評価差額を直ちに当期の損益として処理することは適切ではないため，基本的に純資産に計上します。なお，部分純資産直入法で評価差損について損失として処理するのは保守主義の観点から認められています。

子会社株式・関連会社株式の評価

評価（貸借対照表価額）

● 子会社株式・関連会社株式は原則として取得原価[23]をもって貸借対照表価額とします。

23）子会社株式は当該会社を支配する目的で保有し，関連会社株式は影響力を行使する目的で保有する株式です。したがって，通常は売却しないと考えられるので，時価評価はしません。

強制評価減

強制評価減[24]とは，市場価格のある有価証券の時価の下落が著しい場合に，帳簿価額を時価相当額まで切り下げる評価基準です。

強制評価減の適用を受ける有価証券は，①満期保有目的の債券，②子会社株式および関連会社株式，③その他有価証券のうち市場価格のあるものです[25]。

> 満期保有目的の債券，子会社株式及び関連会社株式並びにその他有価証券のうち，市場価格のない株式等以外のものについて時価が著しく下落したときは，回復する見込があると認められる場合を除き，時価をもって貸借対照表価額とし，評価差額は当期の損失として処理しなければならない。(金融商品に関する会計基準 20)

24）強制評価減の適用要件
①時価の著しい下落
なお，時価の著しい下落とはおよそ取得原価の50%以上下落した場合をいいます。ただし，本試験では問題文に「著しい下落」及び「回復の見込の有無」の指示が入ります。
②回復の見込みなし，または不明

25）売買目的有価証券は，そもそも毎期末に時価で評価されるため，強制評価減の適用を受けません。

実価法（じつかほう）

市場価格のない有価証券のうち株式については，株式の実質価額（実価）が著しく低下した場合，評価損を計上して実質価額を貸借対照表価額としなければなりません。

> 市場価格のない株式等については，発行会社の財政状態の悪化により実質価額が著しく低下したときは，相当の減額をなし，評価差額は当期の損失として処理しなければならない。(金融商品に関する会計基準 21)

株式の実質価額 ＝ 1株当たりの純資産額 $\left(=\dfrac{\text{純資産額}}{\text{発行済株式数}}\right)$

try it 例題 有価証券

1.　以下の取引内容から，各有価証券が貸借対照表上のどの勘定科目に属し，またその取得価額はいくらであるかを答えなさい（科目の分類は建設業法施行規則によること）。

(イ)　売買目的でA社株式（時価@800円）10,000株を購入し，手数料80,000円とともに現金で支払った。
(ロ)　営業資金不足のため，社長より取引所の相場のあるC社株式（発行価額@500円，時価@1,500円）1,000株の贈与を受けた。近日中に売却の予定である。
(ハ)　D社の5年満期の社債（額面総額20,000,000円）を満期まで保有する目的で100円につき95円で取得し，100,000円の手数料とともに証券会社に小切手を交付した。

解答

勘定科目	記号（イ～ホ）	金額
有価証券	イ	*8,080,000* 円
	ロ	*1,500,000* 円
投資有価証券	ハ	*19,100,000* 円

解説

売買目的 ――――→ **有価証券**
満期保有目的（1年超） ――→ **投資有価証券**
(イ)　@800円×10,000株＋80,000円=8,080,000円
(ロ)　@1,500円×1,000株=1,500,000円
(ハ)　20,000,000円×$\frac{@95円}{@100円}$＋100,000円=19,100,000円

2.　有価証券の評価損はいくらかを計算しなさい。

有価証券の期末現在の状況は以下のとおり。
なお，A社株式は時価の下落が著しく，回復の見込みがない。

銘柄	取得原価	時価	摘要
A社株式	3,000,000円	1,000,000円	A社は当社の子会社
B社株式	4,000,000円	3,800,000円	B社は当社の子会社

なお，上記の株式は，すべて取引所に上場されており，その必要な整理は未済である。

解答

関係会社株式評価損　*2,000,000* 円

解説

A社株式……時価の著しい下落のため評価損　2,000,000円計上

有形固定資産

はじめに ■ あなたの会社は規模を拡大し，特にビルの建設については絶大な評価を得ています。街のあちこちにあなたの会社が建てたビルが見受けられます。
「いい仕事をしているなあ」。自画自賛はそれぐらいにして，会社で所有しているビルに注目してみましょう。購入したものや，自ら建設したものまであります。取得原価の決定から，費用化の問題まで，多くの場面が問題となります。ここでは有形固定資産について見てみましょう。

有形固定資産とは

企業が長期にわたり使用する目的で保有する資産のうち，具体的な形を持つ資産を有形固定資産といいます。

有形固定資産の分類

有形固定資産は減価償却をするか否かにより，償却資産（減価償却をする資産）と非償却資産（減価償却をしない資産）とに分けられます。

有形固定資産
- 償却資産… 建物，構築物，機械装置，車両運搬具，備品など
- 非償却資産… 土地[01]，建設仮勘定

01）土地は，いくら利用してもその利用価値が下がらないものと考えられるので減価償却を行いません。

有形固定資産の取得

有形固定資産の取得原価を決定することは，特に償却資産の費用化額の決定につながるため重要です。取得形態により，取得原価の計算方法が異なります。

(1)購入 ● 有形固定資産を購入により取得した場合，購入代価に付随費用[02]を加算した金額をもって取得原価とします。

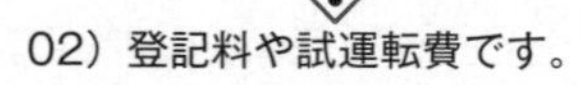

02）登記料や試運転費です。

取得原価＝購入代価＋付随費用

(2)受贈 ● 有形固定資産を，他人から譲り受けた場合，これを簿外資産とせずに，公正な評価額をもって取得原価とします。

取得原価＝時価等を基準とした公正な評価額

(3)現物出資 ● 有形固定資産によって現物出資を受けた場合，受入れた有形固定資産の時価（適正な評価額）をもって取得原価とします。

取得原価＝受入れた固定資産の時価（適正な評価額）

(4)交換

有形固定資産を交換によって取得した場合，交換に供された自己資産の適正な簿価をもって取得原価とします[03]。

03）相手に渡したものが有価証券の場合，有価証券の時価を固定資産の取得原価とすることが認められています。

取得原価＝交換に供された自己資産の適正な簿価

取得原価＝交換に供された有価証券の時価

(5)自家建設

有形固定資産を自社で製造・建設した場合（自家建設），適正な原価計算基準に従って計算された製造原価をもって取得原価とします。

取得原価＝適正な原価計算基準に従って計算された製造原価

建設途中の有形固定資産は,「建設仮勘定」で処理します。これが完成して，はじめて「建物」などの適切な勘定に振り替えます。

利子の原価算入

自家建設においては，建設資金を借入れによってまかなった場合，借入金の利息を取得原価に算入することについて特に容認する規定があります。

原則：財務的費用（支払利息）として取得原価に算入しない。
容認：次の２要件を満たした場合，取得原価に算入することができる。
①借入れがその建設のためのものであることが明らかなこと。
②稼働前の期間に属するものであること。

(6)買換え

有形固定資産を買換えによって取得した場合，下取価額に支払額を加算した金額をもって取得原価とします。

取得原価　＝　下取価額　＋　支払額

下取価額―買換時の帳簿価額 → (＋)固定資産売却益(特別利益)
　　　　　　　　　　　　　 → (－)固定資産売却損(特別損失)

取引例 1　有形固定資産の買換え

期首に自動車（取得原価 800,000 円，減価償却累計額 550,000 円）を下取りに出し，新車 1,000,000 円を購入した。下取価額は 350,000 円であり，下取価額と新車代金の差額を現金で支払った（間接法で記帳している）。よって，このときの仕訳を示しなさい

(借)	車両運搬具	1,000,000	(貸)	車両運搬具	800,000
	減価償却累計額	550,000		現金	650,000
				固定資産売却益	100,000

新車 1,000,000 円	下取価額 350,000 円	帳簿価額 250,000 円
		売却益 100,000 円
	差額支払 650,000 円	

有形固定資産の費用化

有形固定資産の取得原価は，耐用年数にわたり各事業年度に配分します。

(1)減価償却の方法

有形固定資産は，減価償却によって費用配分を行います。減価償却の方法は主に次の4つです[04]。

計算方法
- 定額法
- 定率法
- 級数法
- 生産高比例法

① 定額法

定額法とは，有形固定資産の耐用期間中，毎期均等額の減価償却費を計上する方法です。

$$減価償却費 = (取得原価 - 残存価額) \times \frac{1年^{05)}}{耐用年数}$$

② 定率法

定率法とは，有形固定資産の耐用期間中，毎期，期首の未償却残高（簿価＝取得原価－減価償却累計額）に**一定の償却率**を乗じて減価償却費を計上する方法です。

$$減価償却費 = \underbrace{(取得原価 - 減価償却累計額)}_{期首の簿価} \times 償却率^{06)}$$

③ 級数法

級数法とは，有形固定資産の耐用期間中，毎期一定の額を算術級数的に逓減した減価償却費を計上する方法です。

$$減価償却費 = (取得原価 - 残存価額) \times \frac{期首の残存耐用年数}{{}^{*}総項数^{07)}}$$

$${}^{*}総項数 = \frac{耐用年数 \times (耐用年数 + 1)}{2}$$

04）これにかかわらず，予測困難な事象の発生により臨時に減価償却を行うことがあります。なお，このさいの臨時償却費は特別損失項目となります。

05）期中に取得した場合などは月割計算をします。

06）償却率は通常，問題文に与えられます。

07）1年から耐用年数までの総和を総項数とします。
<例>
耐用年数3年の場合
総項数：3＋2＋1＝6
算式にあてはめると次のとおりです。
$総項数：\frac{3 \times (3+1)}{2} = 6$

取引例2　　減価償却の方法1

前期の期首に一般管理用の備品（取得原価 100,000 円，耐用年数５年，残存価額は取得原価の 10%）を取得した。決算にさいして(1)定額法，(2)定率法（償却率 36.9%），(3)級数法によって減価償却を行った場合の当期末の仕訳を示しなさい。
円未満の端数が生じた場合には四捨五入すること。

(1)定額法

（借）	減価償却費	18,000	（貸）	備品減価償却累計額	18,000

(2)定率法

（借）	減価償却費	23,284	（貸）	備品減価償却累計額	23,284

(3)級数法

（借）	減価償却費	24,000	（貸）	備品減価償却累計額	24,000

(1)定額法

$$\text{(100,000 円} - \text{100,000 円} \times 10\%) \times \frac{1\text{年}}{5\text{年}} = 18{,}000\text{ 円}$$

または100,000円×90%

(2)定率法

前期の減価償却費：100,000 円× 36.9%=36,900 円

当期の減価償却費：(100,000 円－ 36,900 円) × 36.9%=23,283.9 → 23,284 円

(3)級数法

総項数：$\frac{5 \times (5+1)}{2} = 15$

前期の減価償却費：$(100{,}000\text{ 円} - 100{,}000\text{ 円} \times 10\%) \times \frac{5}{15} = 30{,}000\text{ 円}$

当期の減価償却費：$(100{,}000\text{ 円} - 100{,}000\text{ 円} \times 10\%) \times \frac{4}{15} = 24{,}000\text{ 円}$

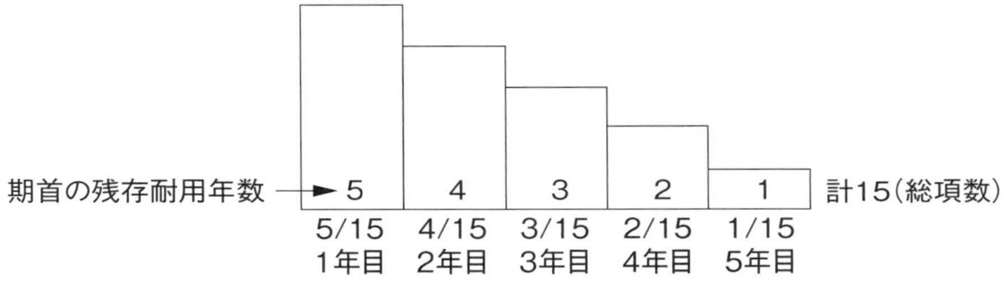

④ 生産高比例法

生産高比例法とは，有形固定資産の耐用期間中，毎期当該資産による**生産または用役の提供の度合に比例**した減価償却費を計上する方法です。

$$\text{減価償却費} = (\text{取得原価} - \text{残存価額}) \times \frac{\text{当期利用量（当期採掘量）}}{\text{総利用可能量（総採掘可能量）}}$$

この方法は，当該有形固定資産の総利用可能高が物理的に確定でき，かつ，減価が主として有形固定資産の利用に比例して発生するもの[08]について適用することが認められています。

08）鉱業用設備，航空機，自動車等。

取引例３　減価償却の方法２

前期の期首に一般管理用の車両運搬具（取得原価 100,000 円，耐用年数５年，可能走行距離は 100,000km，残存価額は取得原価の 10%）を取得した。前期の走行距離は 5,000km，当期の走行距離は 10,000km であった。決算にさいして生産高比例法よって減価償却を行った場合の当期末の仕訳を示しなさい。

(借)	減価償却費	9,000	(貸) 車両運搬具減価償却累計額	9,000

前期の減価償却費：

$$(100{,}000\text{ 円} - 100{,}000\text{ 円} \times 10\%) \times \frac{5{,}000\text{km}}{100{,}000\text{km}} = 4{,}500\text{ 円}$$

当期の減価償却費：

$$(100{,}000\text{ 円} - 100{,}000\text{ 円} \times 10\%) \times \frac{10{,}000\text{km}}{100{,}000\text{km}} = 9{,}000\text{ 円}$$

> ※　有形固定資産の残存価額について
> 　平成19年度の法人税法改正により，平成19年4月1日以降取得し使用を開始した資産については，残存価額をゼロとして計算する方法に改正されました。
> 　ただし，法人税法の試験ではないため，本試験で残存価額をどうするかについては，問題文に指示が入るのでそれに従うようにしてください。

(2)月次原価計算の処理

月次原価計算とは，企業が工事原価にかかわる有形固定資産（機械装置など）について毎月一定額の減価償却費を予定計算して計上することをいいます。

取引例4　減価償却費の原価算入

機械装置（取得原価300,000千円，残高試算表の減価償却累計額85,000千円）を，定率法（20%）により償却する。なお，機械装置の減価償却については月次原価計算で，月額3,400千円の予定計算を実施している。

月次予定計算

（借）	未成工事支出金	3,400	（貸）	機械装置減価償却累計額	3,400

差額の追加計上（期末）

（借）	未成工事支出金	10,360	（貸）	機械装置減価償却累計額	10,360

　この予定計上額と当期の実際発生額とに差額が生じれば，その差額を工事原価に加減します。

〈実際発生額〉 51,160千円 ※1	} 差額10,360千円を追加計上 〈予定計上額〉 40,800千円 ※2

※1　{300,000千円－(85,000千円－40,800千円)}×20%=51,160千円
※2　3,400千円×12カ月=40,800千円

　当期の実際発生額を計算するときに，残高試算表の85,000千円には月次原価計算の額も含まれているので，期首減価償却累計額になおして計算します。また，差額分のみを追加計上します。

有形固定資産の除却

営業のために使用できなくなった固定資産を帳簿から取り除くことを除却といいます。除却された固定資産に評価額がある場合には，これを貯蔵品勘定（資産）で処理します。

評価額と帳簿価額の差は固定資産除却損益で処理します。

取引例５　　有形固定資産の除却

期首に取得原価 100,000 円の機械装置（減価償却累計額 72,000 円）を除却した。スクラップ評価額は 20,000 円であった。

（借）	機械装置減価償却累計額	72,000	（貸）	機　械　装　置	100,000
	貯　蔵　品	20,000			
	固定資産除却損	8,000			

総合償却法

09）個別償却法の簡便法でもあります。

これまで学習してきたものは，個々の資産ごとに減価償却を行う，個別償却法でしたが，いくつかの資産が結合され一体となって用役を提供する資産も少なくありません。その場合には，総合償却法[09]という計算方法を用いることがあります。

平均耐用年数の計算

１つのグループの資産の耐用年数が異なる場合には，以下の方法により平均耐用年数を決定します。

①　**単純平均法**

耐用年数を単純に平均します。

10）一般には加重平均法を用います。

②　**加重平均法**[10]

減価償却総額を１年間の償却額で割ります。

	取得原価	残存価額	耐用年数	総額	１年
Ａ資産	10,000 千円	1,000 千円	３年	9,000 千円	3,000 千円
Ｂ資産	20,000 千円	2,000 千円	５年	18,000 千円	3,600 千円
				27,000 千円	6,600 千円

27,000 千円 ÷ 6,600 千円 ≒ 4.09 → ４年

除却時の処理

個々の資産の未償却残高が不明のため，平均耐用年数の到来前に除却された場合も除却損益は計上されません。

耐用年数の短縮

(1)会計上の見積りの変更

有形固定資産は，購入時にその耐用年数を見積って[11] 減価償却費の計算を行います。しかし，有形固定資産を使用していくにあたり，減価償却計画の設定時において予見することができなかった新技術等の外的事情等により固定資産が機能的に著しく減価[12] することがあります。

このような状況で，有形固定資産の耐用年数の変更（**会計上の見積りの変更**[13]）を行う場合はその変更期間に会計処理を行い，その変更が将来の期間にも影響する場合には将来にわたって会計処理を行います。

定額法の場合

減価償却費 ＝（変更年度の期首簿価－残存価額）÷ 変更後の残存耐用年数
（変更年度の期首簿価－残存価額：要償却額）

改正による影響

耐用年数の短縮や減価償却方法の変更による修正は，従来過年度修正として特別損益で処理（この処理の方法を**キャッチ・アップ方式**といいます。）していましたが，「会計方針の開示，会計上の変更及び誤謬の訂正に関する会計基準」の適用により，当初からの修正として処理せず，当期からの修正として処理（この処理の方法を**プロスペクティブ方式**といいます。）することになりました。

11）これを会計上の見積りといいます。詳しくは，Chapter 1 Section 2をごらんください。

12）たとえば，1日10個製造できる機械を所有していたが，新技術の発明により同じ製品が1日100個製造できる機械が開発された場合が該当します。この「機能」は「能率」と読み替えることができます。

13）当初から予見できていたにもかかわらず，それを採用しなかった場合は「誤謬」に該当し，異なる処理を行います。

取引例6　　耐用年数の短縮 1

次の減価償却に関する決算整理仕訳を示しなさい。

備品（取得原価200,000円，耐用年数6年，残存価額は取得原価の10%）について，前期末までに定額法により3年間減価償却したが，新技術の発明により，機能的価値が著しく減少したため，当期首より残存耐用年数を2年に変更する。なお，記帳方法は間接法によること。

（借）	減価償却費	45,000	（貸）	備品減価償却累計額	45,000

当期首減価償却累計額：$200,000円 \times 0.9 \times \frac{3年}{6年} = 90,000円$

残存価額：$200,000円 \times 10\% = 20,000円$

当期の減価償却費：$\frac{(200,000円 - 90,000円) - 20,000円}{2年} = 45,000円$

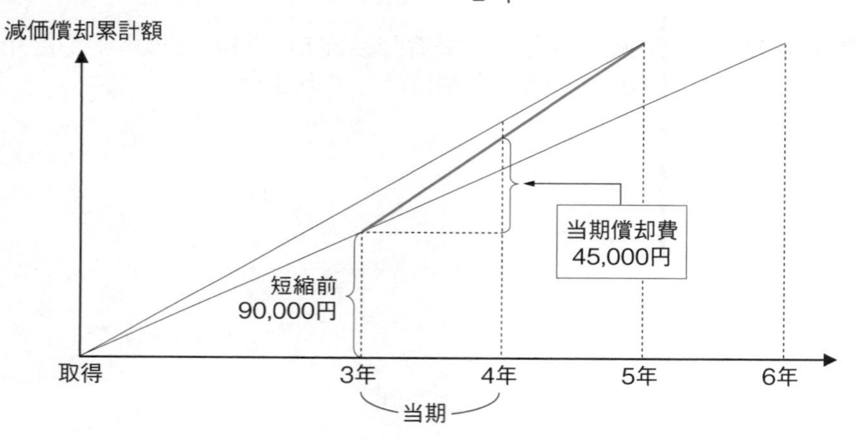

(2)誤謬の訂正 耐用年数の短縮が耐用年数の見積り誤りに起因する場合には，過去の誤謬の訂正に該当するため，修正再表示を行います。

この場合，当期の仕訳では，前期以前の利益の修正額を繰越利益剰余金勘定で処理するとともに，正しい耐用年数にもとづいて減価償却を行います。

取引例７　耐用年数の短縮２

次の減価償却に関する決算整理仕訳を示しなさい。

備品（取得原価200,000円，耐用年数6年，残存価額は取得原価の10%）について，定額法により前期末までに3年間減価償却したが，耐用年数の見積り誤りがあり正しい耐用年数は5年であることが当期に判明したため，誤謬の訂正に係る仕訳と当期の減価償却の仕訳を行う。なお，記帳方法は間接法によること。

①誤謬の訂正

（借）	繰越利益剰余金 減価償却費	18,000	（貸）	備品減価償却累計額	18,000

②当期の減価償却

（借）	減価償却費	36,000	（貸）	備品減価償却累計額	36,000

修正前当期首減価償却累計額：200,000円×0.9×$\frac{3年}{6年}$＝90,000円

修正後当期首減価償却累計額：200,000円×0.9×$\frac{3年}{5年}$＝108,000円

過年度減価償却費の修正額：108,000円－90,000円＝18,000円

当期の減価償却費：200,000円×0.9÷5年＝36,000円

取替法

同種の物品が多数集まって一つの全体を構成し，老朽品の部分的取替を繰り返すことにより全体が維持されるような固定資産については，減価償却法に代わって取替法を適用することが認められています。

老朽化した資産を部分的に新しいものと取り替えたとき，その新しいものの取得原価を取替費（費用）として処理します。取り替える前と後で，その固定資産の簿価に変化はありません。

圧縮記帳

圧縮記帳とは，特定の有形固定資産について，その取得原価を一定額だけ減額（圧縮）し，減額後の価額を貸借対照表価額とする方法です。

> **国庫補助金，工事負担金等で取得した資産については，国庫補助金等に相当する金額をその取得原価から控除することができる。**
> （企業会計原則注解【注 24】）

取引例 8　圧縮記帳

国庫補助金 300,000 円を現金で受け入れた。

（借）	現　　　金	300,000	（貸）	国庫補助金[14]	300,000

建物 1,000,000 円を取得し，代金は現金で支払った。

（借）	建　　　物	1,000,000	（貸）	現　　　金	1,000,000

建物 1,000,000 円について，国庫補助金相当額の圧縮記帳を行った。

（借）	建物圧縮損[15]	300,000	（貸）	建　　　物	300,000

建物の減価償却を行う（残存価額 10%，耐用年数 30 年，定額法）。

（借）	減価償却費	21,000	（貸）	建物減価償却累計額	21,000

（1,000,000 円－ 300,000 円）× 0.9 ÷ 30 年 =21,000 円

圧縮記帳を行うことにより，国庫補助金に対する課税を将来に繰り延べることができます。

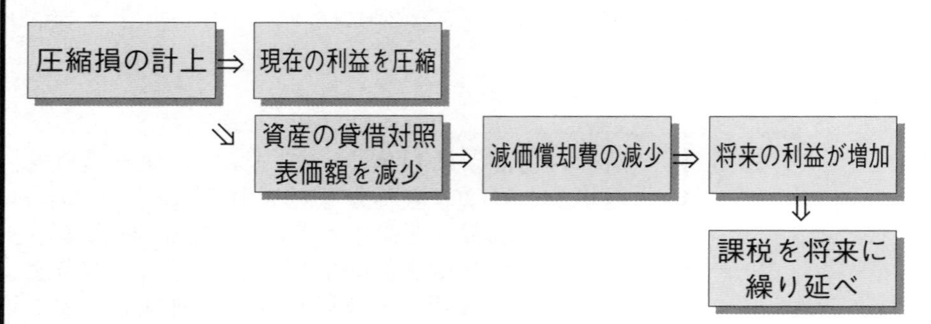

14）特別利益です。
なお，国庫補助金収入とすることもあります。

15）特別損失です。

参考

減価償却方法の変更

減価償却方法の変更

いったん採用した減価償却の方法は，継続性の原則の要請内容から，みだりに変更することはできません。しかし，正当な理由がある場合には，その処理の方法を変更することがあります。

なお，減価償却方法の変更は会計方針の変更に該当するため，本来ならば新たな会計方針を遡及適用しなければならないのですが，減価償却方法の変更は，会計方針の変更と会計上の見積りの変更を区別することが困難な場合に該当するため，会計上の見積りの変更と同様に取扱います[16]。

16）詳しくは，Chapter1Section2 をごらんください。

(1)定額法から定率法への変更

定額法から定率法へ変更した場合，減価償却費は，**変更年度の期首時点での簿価に，残存耐用年数に対応する定率法償却率を掛けて算定します。**

減価償却費＝変更年度の期首簿価×残存耐用年数に対応する定率法償却率

取引例 9 　減価償却・定額法から定率法への変更

次の減価償却に関する決算整理仕訳を示しなさい。

前々期の期首に備品（取得原価 240,000 円，耐用年数 8 年，残存価額は取得原価の 10%）を取得し，定額法により償却を行っていたが，当期（期首減価償却累計額 54,000 円）より定率法（6 年の償却率 31.9%）に変更することにした。なお，記帳方法は間接法によること。

（借）減価償却費　59,334[17]　（貸）備品減価償却累計額　59,334

17）(240,000 円－54,000 円)× 0.319=59,334 円

(2)定率法から定額法への変更

定率法から定額法へ変更した場合，減価償却費は，**変更年度の期首時点での要償却額を，残存耐用年数で割ることで算定します。**

減価償却費 ＝（変更年度の期首簿価－残存価額）÷ 残存耐用年数
（要償却額：変更年度の期首簿価－残存価額）

取引例 10 　減価償却・定率法から定額法への変更

次の減価償却に関する決算整理仕訳を示しなさい。

前々期の期首に備品（取得原価 240,000 円，耐用年数 8 年，残存価額は取得原価の 10%）を取得し，定率法（償却率 25%）により償却を行っていたが，当期（期首減価償却累計額 105,000 円）より定額法に変更することにした。なお，記帳方法は間接法によること。

（借）減価償却費　18,500[18]　（貸）備品減価償却累計額　18,500

18）期首簿価：240,000 円－105,000 円＝135,000 円
（135,000 円－240,000 円×0.1）÷（8 年－2 年）＝18,500 円

try it **例題** **有形固定資産**

A建設株式会社は，本社社屋を自家建設することにした。×7年4月1日に着工し，×9年3月31日に完成（翌期より稼働する）するとして，×8年3月31日に（決算日）におけるこの建設仮勘定の金額はいくらになるかを計算しなさい。なお，この工事の明細は次のとおりである。

〈工事明細〉

(a) 工事用資金

×7年4月1日に5,000,000,000円を借り入れる。

借入期間は5年間で利率は年5％，利払日は9月・3月の末日。なお，建物稼働前の支払利子は，建物の建設原価に算入することにする。

(b) 当期の工事原価の明細

① 工事用資材購入高　2,500,000,000円　これに対して1％に相当する額の割戻しを受け，他に2,000,000円の現金割引きを受けた。

期末に20,000,000円の残材が生じ，これは翌期の工事に使用される。

なお，割戻し，割引きは，次期繰越分には影響を与えないものとする。

②労務費　350,000,000円

③経　費　250,000,000円

解答

建設仮勘定　3305000000円

解説

材料費の計算

2,500,000,000円	
− 25,000,000円	⇐ 2,500,000,000円×1％
− 20,000,000円	
2,455,000,000円	※仕入割引は営業外収益とするため，材料費からは控除しません。

材料費：	2,455,000,000円	
労務費：	350,000,000円	
経　費：	250,000,000円	
計	3,055,000,000円	⇐ 5,000,000,000円×5％
利　子：	250,000,000円	
	3,305,000,000円	

5 その他の資産

はじめに あなたの会社のまわりをよく見渡してください。形のないものは，もちろん見えませんよね。ただし，資産の中には，そんな目に見えないものもあるのです。権利や収益力です。こちらも会社にとっては，かけがえのない資産です。また，特別扱いをされる費用が資産として記載されることがあります。繰延資産です。この繰延資産にはなじみがないかもしれません。では見ていきましょう。

無形固定資産とは

無形固定資産とは，有形固定資産のように具体的なモノや財として存在しないものの，営業活動に貢献する性質をもつ資産をいいます。

無形固定資産は，次の２つに分けることができます。

無形固定資産
- ①法律上の権利：特許権　借地権など
- ②超過収益力：のれん

のれん のれんとは，企業の収益力（収益を獲得する能力）が他の同じ業種の企業の平均収益力を上回る場合の，その超過収益力を資産として計上したものです。ただし，のれんが資産として計上されるのは，他の企業の全体および一部を有償で譲り受けた場合または合併により取得した場合に限られています。

ソフトウェア 研究開発費に該当しないソフトウェアの製作費のなかで，次のものを資産として計上します。

・市場販売目的のソフトウェア：製品マスター製作費
・自社利用目的のソフトウェア：その使用により，将来の収益獲得および費用削減が確実な場合，その製作費または取得原価

無形固定資産の費用化

無形固定資産は，有効期間にわたって取得原価を各事業年度に配分します。費用化額の計算は，残存価額をゼロとした定額法が多く用いられます。

取引例１　無形固定資産の償却

決算にあたり，当期首に取得したのれん 500,000 円について，20 年間の定額法で償却を行う。このときの仕訳を示しなさい。

（借）	のれん償却額	25,000	（貸）	の　れ　ん	25,000

繰延資産とは

繰延資産とは，次の３つの要件を満たした費用を資産計上したものをいいます。

1　すでに代価の支払いが完了し，または支払義務が確定していること。
2　これに対応する役務の提供を受けていること。
3　その効果が将来にわたって発現するものと期待されること。

繰延資産は，換金価値を持ちません。ただし，将来における収益獲得能力を持つことに資産性を認め，資産として貸借対照表に計上することが認められています[01]。

01）計上すること自体，企業の任意とされています。

繰延資産の種類

繰延資産は，換金価値がないため，資産の財産価値を重視する観点から，種類が限定されています。

創　立　費　　株式交付費　　開　業　費
開　発　費　　社債発行費　　新株予約権発行費

(1)創　立　費　会社を設立するために支出した定款作成費，登記料などの費用をいいます。

(2)開　業　費　会社設立後から営業開始までの期間に開業準備のために支出した従業員の給料などの費用をいいます。

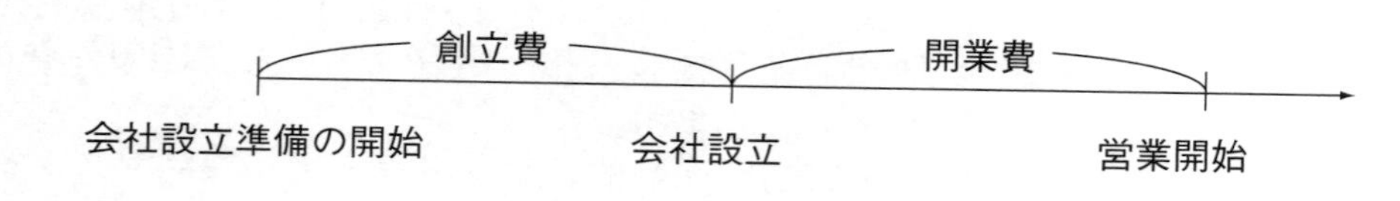

(3)株式交付費　会社設立後，新株発行または自己株式の処分のために直接に支出した金融機関の手数料などの費用をいいます。

(4)社債発行費　社債を発行するために直接に支出した手数料，印刷代などの費用をいいます。

(5)開　発　費　新製品または新技術の研究・新技術または新経営組織の採用・資源の開発・市場の開拓のために特別に支出した金額をいいます。

(6)新株予約権発行費　新株予約権を発行するために直接に支出した費用をいいます。なお，貸借対照表上は社債発行費に含めて表示します。

償却方法と表示区分

繰延資産は，償却の手続によって費用化を行います。

	償却方法	償却費の表示区分
創立費 開業費	5年以内に定額法で償却	営業外費用
株式交付費	3年以内に定額法で償却	
社債発行費	償還までの期間にわたり利息法または定額法で償却[02)]	
新株予約権発行費	3年以内に定額法で償却	
開発費	5年以内に定額法で償却	売上原価または販売費及び一般管理費

02）社債発行費の利息法の計算方法については重要性が低いと思われるため，本書では割愛しています。

取引例２　繰延資産の償却

次の資料をもとに，決算（×9年3月31日）における仕訳を示しなさい。

1. 決算整理前残高試算表

決算整理前残高試算表
×9年3月31日　（単位：円）

創立費	300,000	
開業費	150,000	
株式交付費	90,000	

2. 決算整理事項（前期までの処理は適正に行われている）
①創立費は，×6年4月1日に500,000円支出したものである。
②開業費は，×6年4月1日に250,000円支出したものである。
③株式交付費は，×8年12月1日に90,000円支出したものである。

（借）	創立費償却	100,000[03)]	（貸）	創立費	100,000
（借）	開業費償却	50,000[04)]	（貸）	開業費	50,000
（借）	株式交付費償却	10,000[05)]	（貸）	株式交付費	10,000

03）$500{,}000\text{円} \times \frac{12\text{カ月}}{60\text{カ月}} = 100{,}000\text{円}$

04）$250{,}000\text{円} \times \frac{12\text{カ月}}{60\text{カ月}} = 50{,}000\text{円}$

05）$90{,}000\text{円} \times \frac{4\text{カ月}}{36\text{カ月}} = 10{,}000\text{円}$

繰延資産と前払費用の違い

前払費用とは，前払保険料など，一定の契約に従い継続してサービスの提供を受ける場合に支払われる対価の未消費分を指します。決算時に，いまだ提供されていないサービスに対して支払われる対価を当期の損益から，資産科目に振り替えるのが義務づけられています[06)]。未消費の原価である前払費用に対して繰延資産はすでにサービスを受け，発生費用としての本質をもつため，繰延資産には企業の自主的判断で人為的に決めた償却期間内に均等額以上の償却といった，早期費用化を求められています。

06）前払費用（重要性のあるもの）は資産の認識が強制されています。

try it 例題 無形固定資産と繰越資産

1. 次の文章が正しい場合には○を，正しくない場合には×を記入しなさい。

のれんを無償で譲り受けたときは，公正な評価額をもって取得原価とする。

解答 ×

2. 次の文の（　　）の中に入れるべき適当な用語を下記の用語群の中から選び，所定の欄に記入しなさい。

いわゆる（　1　）資産は，ある支出額の全部をその支出を行った期間のみが負担する（　2　）とすることなく，（　3　）にわたる（　2　）として取り扱われる場合に生じる。この点は（　4　）費用の生じる場合と同様である。

しかし，（　4　）費用は，（　5　）は完了したが，いまだ当期中に提供を受けていない（　6　）の対価たる特徴を有しているが，（　1　）資産は，（　5　）が完了していることは同様であるが，（　6　）そのものは，すでに提供されている場合に生じる。

〈用語群〉

無　形	支　出	収　益	一期間	有　形
前　払	未　払	繰　越	繰　延	役　務
費　用	数期間	損　失	前　受	未　収

解答 1. 繰　延　2. 費　用　3. 数期間　4. 前　払　5. 支　出　6. 役　務

額面金額と発行価額の差額は将来もらえる利息。　重要度◈◈◈◈

社　債

はじめに あなたの会社は，資金繰りが厳しくなってきました。工事の受注は順調なので，倒産の心配はあまりないのですが，まず資金を調達しなければなりません。
「銀行からの借入れや，新株発行による払込みの他にも，いい方法があるだろうか？」
あります。社債を発行して，一般の投資家から大量の資金を集めることができるのです。もちろん，借金であることに変わりはないので，返済（＝償還）や，利息の支払いが問題になります。

社債とは

社債とは，企業が資金を調達するために社債券を発行し，一般大衆から資金を借り入れた場合の債務です。社債は，貸借対照表上，固定負債に表示されます。

〈取引の一巡〉

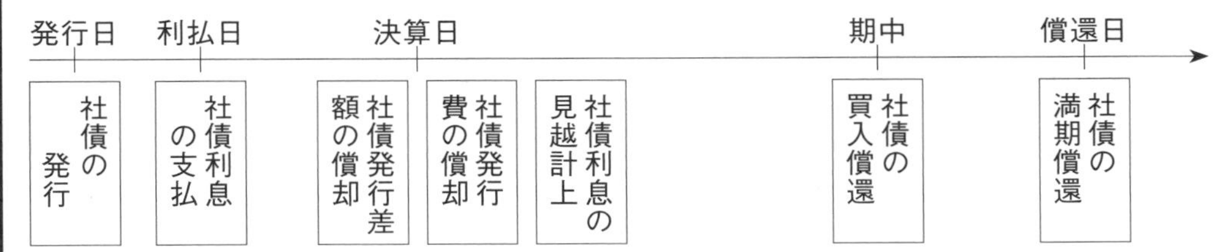

社債の発行

社債の発行形態として，主に次の２形態があります。

①平価発行 ――→ 額面金額　@100 円　＝　発行価額　@100 円
②割引発行 ――→ 額面金額　@100 円　＞　発行価額　@　95 円

取引例 1　　社債の発行

当社（決算日３月31日）は×9年７月１日に，額面総額 1,000,000 円の社債を額面 @100 円につき @95 円，期間　５年，利率年　８％（利払日は６月末と12月末）の条件により発行し，払込金は当座預金とした。なお，社債発行のための費用 60,000 円は小切手を振り出して支払った。

（借）	当座預金	950,000	（貸）	社債	950,000[01]
（借）	社債発行費	60,000	（貸）	当座預金	60,000

取引例 2　　社債利息の支払い

利払日（12月31日）につき利息を支払った。

（借）	社債利息	40,000[02]	（貸）	当座預金	40,000

01）発行価額（払込金額）で社債勘定の貸方に記入します。
$1,000,000円 \times \frac{@95円}{@100円} = 950,000円$

02）$1,000,000円 \times 8\% \times \frac{6カ月}{12カ月} = 40,000$

決算日 ● 決算日（×10年3月31日）を迎えました。

取引例3 社債発行差額の償却

社債発行差額（社債の額面金額と払込金額との差額）50,000円について，償却原価法（定額法）を適用する。

（借）社　債　利　息　7,500[03]　（貸）社　　　　　債　7,500

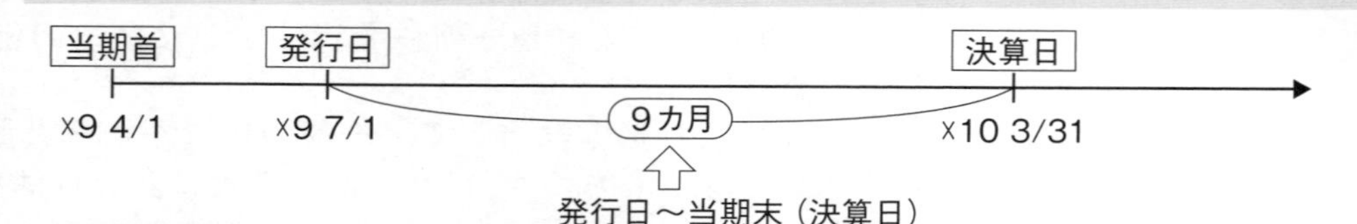

03） $50{,}000\text{円} \times \frac{9\text{カ月}}{60\text{カ月}} = 7{,}500\text{円}$
社債の額面金額と発行価額との差額（発行差額）は，社債の償還までの期間にわたり定額法により償却するとともに社債勘定に加算（割引発行の場合）します。

取引例4 社債発行費の償却

社債発行費 60,000円について，社債の償還期間にわたり定額法により償却を行う。

（借）社債発行費償却　9,000[04]　（貸）社　債　発　行　費　9,000

04） $60{,}000\text{円} \times \frac{9\text{カ月}}{60\text{カ月}} = 9{,}000\text{円}$

取引例5 社債利息の見越計上

直前の利払日（12月31日）の翌日から決算日までの期間に対する社債利息を計上する。

（借）社　債　利　息　20,000[05]　（貸）未払社債利息　20,000

05） $1{,}000{,}000\text{円} \times 8\% \times \frac{3\text{カ月}}{12\text{カ月}}$
$= 20{,}000\text{円}$

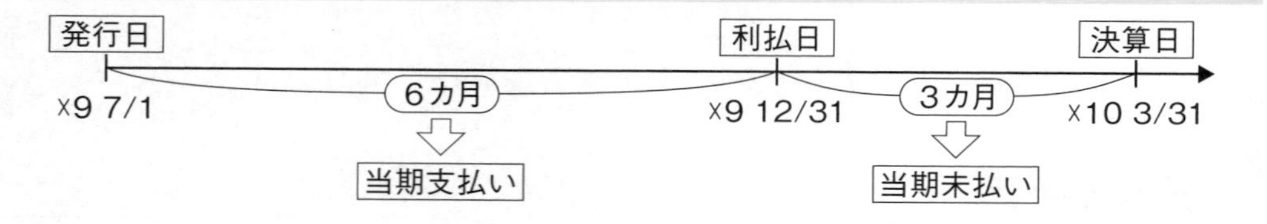

社債の買入償還

社債を発行することにより資金を調達しますが，手元の資金に余裕ができてくると，満期を待たずに市場で社債を買い戻し，償還することがあります。これを買入償還といいます。

（1）買入償還時 ● ①買入償還時の社債の簿価の計算

市場から買い入れて償還した社債について，期首から償還時までの償却額を計上して，社債の簿価を計算しなければなりません。図で示すと次のとおりです。

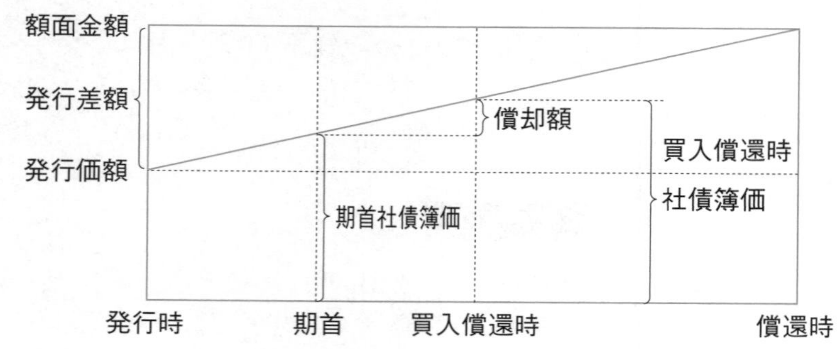

社債の簿価は，以下の計算式で求めます。

社債の簿価 ＝ ①期首社債簿価 ＋ ②当期償却額

① 期首社債簿価 ＝ 発行価額 ＋ 発行差額 × $\frac{\text{発行時～当期首までの月数}}{\text{償還期間の月数}}$

② 当期償却額 ＝ 発行差額 × $\frac{\text{当期首～買入償還時までの月数}}{\text{償還期間の月数}}$

取引例 6-1 社債簿価の計算

×5年7月1日に額面総額 20,000 円，額面 @100 円につき @95 円，期間5年の条件で発行した社債のうち額面総額 4,000 円を×8年12月31日に1口 @98 円（裸相場[06]）で買入償還した。このときの買入償還分の社債の簿価を計算しなさい。なお，償却原価法（定額法）を採用しており，決算日は3月31日である。

3,940 円

06）裸相場とは利息を含まない金額のことをいいます。これに対し，利付相場とは利息を含む金額をいいます。

買入償還した社債の簿価：3,910 円[07] ＋ 30 円[08] =3,940 円

07）期首簿価：
3,800 円＋ 200 円 × $\frac{33\text{カ月}}{60\text{カ月}}$ =3,910 円

08）当期償却額：
200 円 × $\frac{9\text{カ月}}{60\text{カ月}}$ =30 円

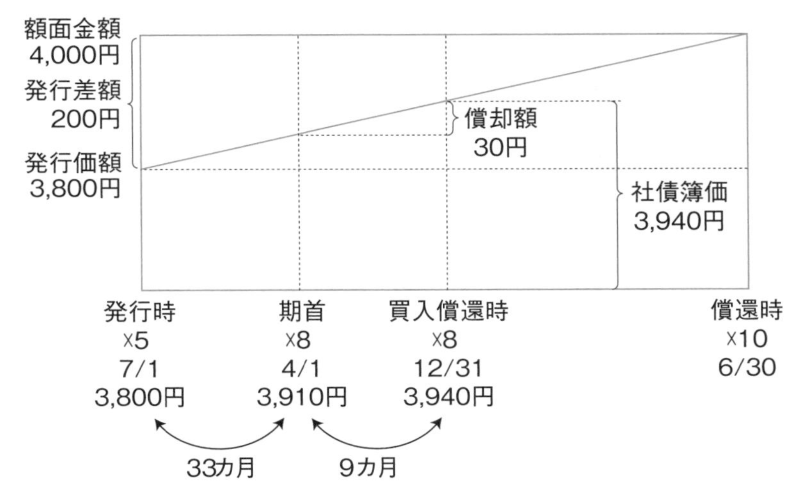

発行価額：4,000 円 × $\frac{@95\text{ 円}}{@100\text{ 円}}$ =3,800 円

発行差額：4,000 円 − 3,800 円 =200 円

②社債償還損益の計算

買入償還した社債の簿価から，買入価額を差し引いた金額が社債償還損益となります。計算式は次のとおりです。

社債の簿価 − 買入価額 ＝ （＋）社債償還益 ／ （−）社債償還損

09) 固定資産（建物，土地，投資有価証券など）や固定負債（社債など）の売買にともなう損益は特別損益項目となります。
ただし，問題の指示により，営業外損益とすることもあります。

なお，損益計算書上，社債償還益は特別利益[09]に，社債償還損は特別損失[09]にそれぞれ表示します。

取引例 6-2 社債償還損益の計算

×5年7月1日に額面総額20,000円，額面@100円につき@95円，期間5年，利率年8％（利払日は6月末と12月末）の条件で発行した社債のうち額面総額4,000円を×8年12月31日に1口@98円（裸相場）で買入償還し，当座預金から支払った。このときに生じる社債償還損益を計算しなさい。
ただし，損なら（－）を，益なら（＋）を金額の前につけなさい。なお，償却原価法（定額法）を採用しており，決算日は3月31日である。

（＋）20円

$$4{,}000\text{円}\times\frac{@98\text{円}}{@100\text{円}}=3{,}920\text{円}$$ … 当座預金から支払われる額

取引例6－1より，買入償還された社債の簿価：3,940円
社債償還損益：3,940円－3,920円=20円（償還益）
なお，買入償還時の仕訳は次のとおりです。

（借）	社債利息	30	（貸）	社債	30
（借）	社債	3,940	（貸）	当座預金	3,920
				社債償還益	20

③社債利息の計算

買入償還した社債に対する経過分（前利払日の翌日から償還日まで）の社債利息を支払います[10]。図で示すと次のとおりです。

10) 償還社債に対する経過期間の利息（端数利息）は，たとえ利払日でなくても償還時に支払います。端数利息は日割計算することもありますが，償還日が月初や月末の場合には月割計算が多く用いられます。

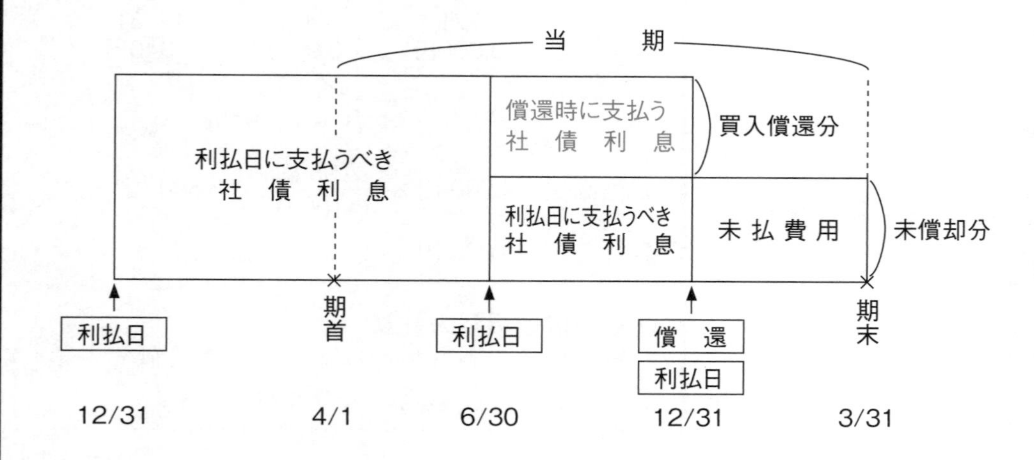

取引例 6-3 社債利息の計算

×5年7月1日に額面総額20,000円，額面@100円につき@95円，期間5年，利率年8％（利払日は6月末と12月末）の条件で発行した社債のうち，額面総額4,000円を×8年12月31日に1口@98円（裸相場）で買入償還し，利息とともに当座預金から支払った。このときに，支払われる利息の額を計算しなさい。

800円

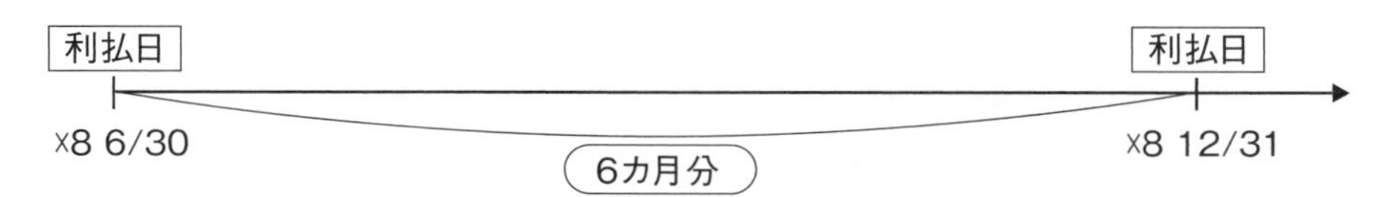

支払われる利息の額：20,000円[11] × 8％ × $\frac{6カ月}{12カ月}$ =800円

11）利払日と買入償還日が一致しているので，社債全額に対する6カ月分の利息を償還金額とともに支払います。

取引例 7-1 買入償還・利息の計算

×5年4月1日に額面総額1,000,000円，額面@100円につき@95円，期間5年，利率年8％（利払日は3月末と9月末）の条件で発行した社債のうち，額面総額200,000円を×8年12月31日に1口@98円（裸相場）で買入償還し，利息とともに当座預金から支払った。このときの仕訳を示しなさい。

なお，償却原価法（定額法）を採用しており，当期は×9年3月31日を決算日とする1年である。

（借）	社債利息	1,500	（貸）	社債	1,500
（借）	社債	197,500	（貸）	当座預金	196,000
				社債償還益	1,500
（借）	社債利息	4,000	（貸）	当座預金	4,000

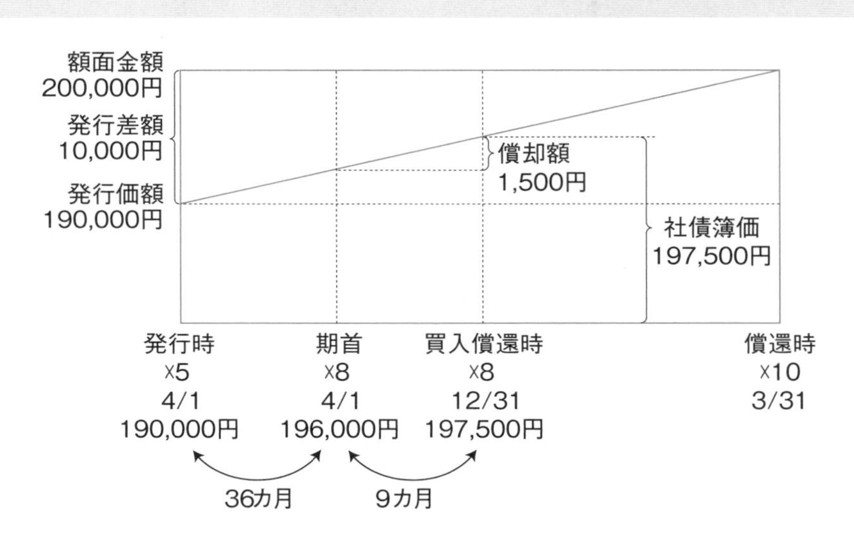

12) 190,000円＋10,000円 $\times \frac{36カ月}{60カ月}$ =196,000円

13) 10,000円 $\times \frac{9カ月}{60カ月}$ =1,500円

14) 利払日と買入償還日が異なるので，買入償還した社債に対する３カ月分の利息のみを支払います。

買入償還した社債の簿価：196,000円[12)] ＋ 1,500円[13)] =197,500円
社債償還損益：197,500円－ 196,000円 =1,500円（償還益）

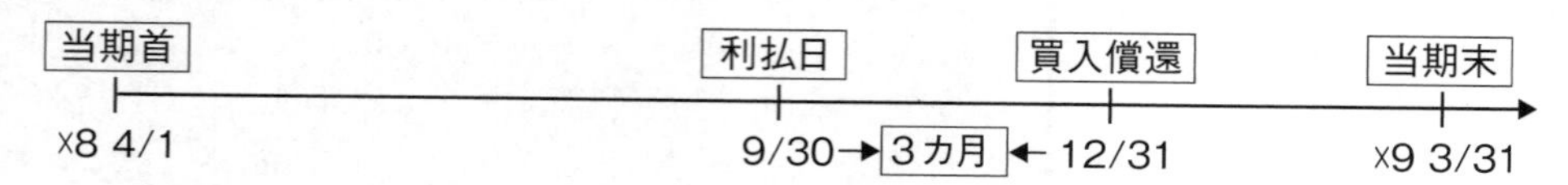

社債利息[14)]：200,000円× 8％ × $\frac{3カ月}{12カ月}$ =4,000円

(2)決算時 ● 残存する社債の償却額の計上および社債利息の計上を行います。

取引例 7-2 　買入償還・決算時の処理

x9年3月31日，決算にあたり，償却原価法（定額法）を適用するとともに，利払日につき利息を小切手を振り出して支払った。このときの仕訳を示しなさい。

（借）	社債利息	8,000	（貸）社債	8,000
（借）	社債利息	32,000	（貸）当座預金	32,000

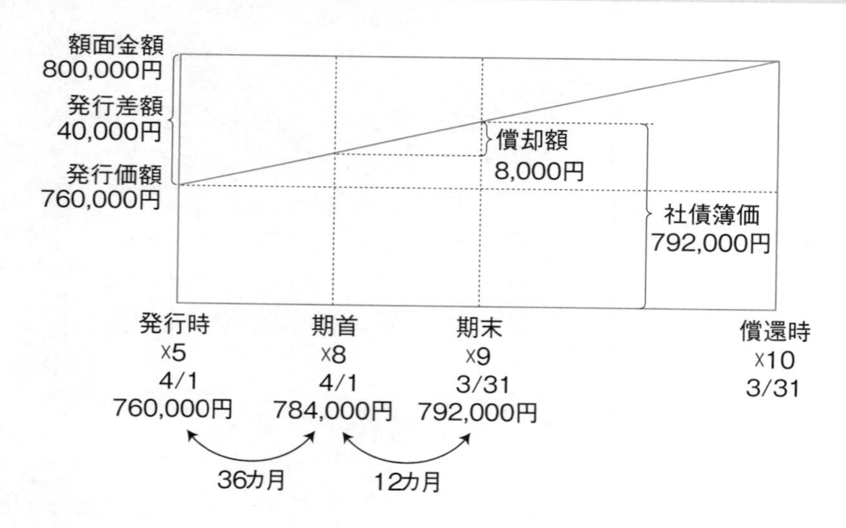

償却額：40,000円× $\frac{12カ月}{60カ月}$ =8,000円

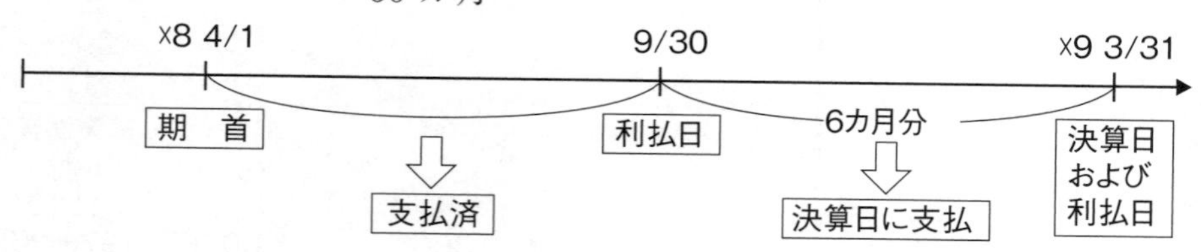

社債利息：800,000円× 8％ × $\frac{6カ月}{12カ月}$ =32,000円

try it 例題 社債の買入償還

Q 次の買入償還に関する仕訳を行いなさい。なお，会計期間は×18年10月1日から×19年9月30日までである。

×16年4月1日に額面総額5,000円，発行価額1口100円につき95円，利率年1％，利払日3月末日および9月末日，期間5年の条件で発行した普通社債のうち，額面総額2,000円を×19年3月31日に1口100円につき99円（裸相場）で買入償還を行った。なお，償却原価法（定額法）を採用している。

解答

（借）	社債利息	*10*	（貸）	社債	*10*
（借）	社債	*1,960*	（貸）	現金預金	*1,980*
	社債償還損	*20*			

解説

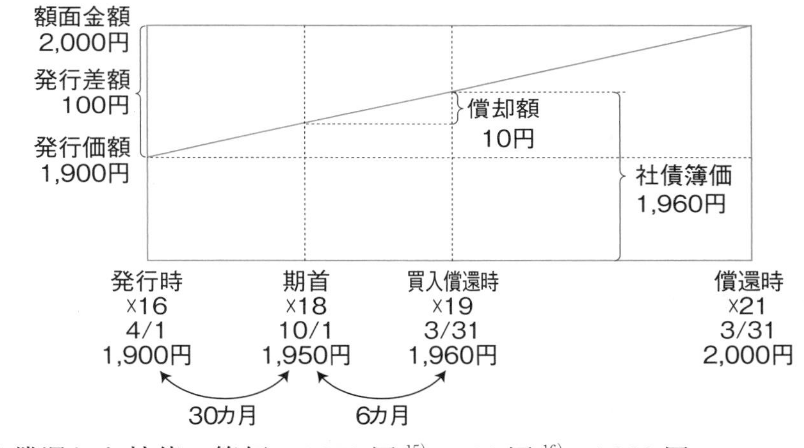

買入償還した社債の簿価：1,950円[15)] ＋ 10円[16)] =1,960円
社債償還損益：1,960円－ 1,980円 = △20円（償還損）

15) $1{,}900\text{円} + 100\text{円} \times \dfrac{30\text{カ月}}{60\text{カ月}}$ $=1{,}950\text{円}$

16) $100\text{円} \times \dfrac{6\text{カ月}}{60\text{カ月}} = 10\text{円}$

新株予約権

新株予約権とは，あらかじめ決められた価額（権利行使価額）で株式を購入できる権利をいいます。

(1)新株予約権の発行

新株予約権を発行したときには，その対価を新株予約権勘定[17)]で処理します。

17) 貸借対照表上の純資産の部に表示します。

取引例8 新株予約権の発行

当期首（×9年4月1日）に，発行総数：20個，発行価額：新株予約権1個につき500,000円で新株予約権を発行し，払込金を当座預金とした。なお，権利行使期間は×9年4月1日から×14年3月31日までであり，新株予約権の発行に係る費用は無視するものとする。

（借）	当座預金	10,000,000	（貸）	新株予約権	10,000,000

(2)新株予約権の行使

新株予約権の行使により新株を発行する場合，新株の発行による資本金組入額は，原則として払込金額（新株予約権含む）の全額とします。なお，払込金額の2分の1は資本金に組み入れないで資本準備金とすることもできます。

取引例9　　新株予約権の行使

×9年10月1日に新株予約権10個が行使され新株を発行した。なお，新株予約権1個につき，2,000株を発行し，払込金は当座預金とした。なお，権利行使価額は1株当たり1,500円である。また，新株予約権の行使による資本金組入額は，会社法規定の最低限度額とする。

(借)	当座預金	30,000,000[18]	(貸)	資本金	17,500,000[20]
	新株予約権	5,000,000[19]		資本準備金	17,500,000

18）2,000株×10個×1,500円=30,000,000円

19）発行価額@500,000円×10個=5,000,000円

20）(30,000,000円+5,000,000円)$\times\frac{1}{2}$=17,500,000円

(3)権利行使期限の到来

発行した新株予約権の権利行使がされずに権利行使期限が到来した場合には，新株予約権戻入益勘定で処理し，特別利益に計上します。

取引例10　　権利行使期限の到来

×14年3月31日になり，新株予約権10個が行使されないまま権利行使期限が到来した。

(借)	新株予約権	5,000,000[21]	(貸)	新株予約権戻入益	5,000,000

21）@500,000円×10個=5,000,000円

新株予約権付社債

新株予約権付社債とは，新株予約権が付与された社債のことをいいます。新株予約権付社債については，新株予約権または社債が消滅した場合を除き，一方のみを分離譲渡することはできません。

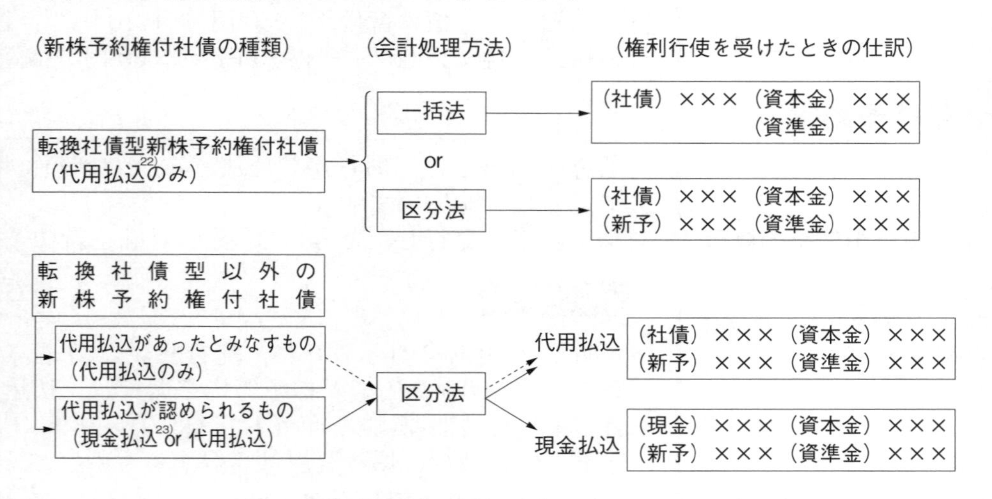

※資本準備金：（資準金），新株予約権：（新予）と省略しています。

22）代用払込とは新株の発行にさいして，金銭等を払い込む代わりに社債を払込みに充てることをいいます。これにより社債がなくなり株式を発行することになります。

23）現金払込とは新株の発行にさいして，金銭等を払い込むことをいいます。

(1)新株予約権付社債の発行

区分法では，社債の発行価額は社債勘定で処理し，また新株予約権の対価については新株予約権勘定で処理します。

取引例 11 区分法

当社（会計期間1年，決算日3月末日）は，×14年4月1日に代用払込が認められる新株予約権付社債（額面総額 5,000,000 円）を発行し，払込金を当座預金とした。社債の発行価額は 4,900,000 円であり，新株予約権の発行価額は 100,000 円である。

（借）	当座預金	4,900,000	（貸）	社債	4,900,000
	当座預金	100,000		新株予約権	100,000

24) 社債勘定で処理することもあります。

一括法では，社債と新株予約権を区分せず一括して新株予約権付社債勘定[24]で処理します。

取引例 12 一括法

当社（会計期間1年，決算日3月末日）は，×14年4月1日に転換社債型新株予約権付社債を発行し，払込金を当座預金とした。発行価額の総額は 3,000,000 円であり，このうち新株予約権の対価部分は 200,000 円である。なお，当社では一括法で処理する。

（借）	当座預金	3,000,000	（貸）	新株予約権付社債	3,000,000

(2)新株予約権の行使

新株予約権が行使されたときには，権利行使時に権利行使した部分に対応する社債金額を資本金または資本金および資本準備金に振り替えます。

取引例 13 区分法

取引例 11 の新株予約権付社債の 80% が行使され，新株 4,000 株を発行し（発行価額は1株当たり 1,000 円），払込金額を当座預金とした。なお，資本金組入額は会社法規定の最低限度額とする。

（借）	当座預金	4,000,000	（貸）	資本金	2,040,000[26]
	新株予約権	80,000[25]		資本準備金	2,040,000

25) 100,000 円× 80% =80,000 円

26) (4,000,000 円＋80,000 円) $\times \frac{1}{2}$ =2,040,000 円

取引例 14 一括法

取引例 12 の転換社債型新株予約権付社債のうち 1,000,000 円について権利行使の請求（代用払込）があったので，新株 1,000 株を発行した（発行価額は1株当たり 1,000 円）。なお，資本金組入額は会社法規定の最低限度額とする。

（借）	新株予約権付社債	1,000,000	（貸）	資本金	500,000[27]
				資本準備金	500,000

27) 1,000,000 円 $\times \frac{1}{2}$ =500,000 円

Section 7

発生可能性の高い費用をあらかじめ計上。　重要度 ◈◈◈◈◈

引当金

はじめに あなたは，いろいろな調整が得意ですか？　ここで出てくる引当金は“費用の期間調整”を得意としています。次期以降に発生する予定の費用を，その発生原因に着目して，当期の費用としてしまうのです。このときの貸方項目が引当金です。では，引当金について見ていきましょう。

引当金とは

引当金とは，将来の費用・損失を当期の費用・損失としてあらかじめ見越計上したときに生じる貸方項目をいいます。引当金は次の4つの要件をすべて満たした場合に計上します[01]。

❶将来の特定の費用または損失であること。
❷費用または損失の発生が当期以前の事象に起因すること。
❸発生の可能性が高いこと。
❹費用または損失の金額を合理的に見積ることができること。

01）企業会計原則注解［注18］

引当金の分類と表示

引当金は貸借対照表の表示上，資産の部の引当金である評価性引当金[02]と負債の部の引当金である負債性引当金に分類されます。

02）評価性引当金とは，資産の帳簿価額の減少額を間接的に控除する，評価勘定としての性格をもつ引当金です。

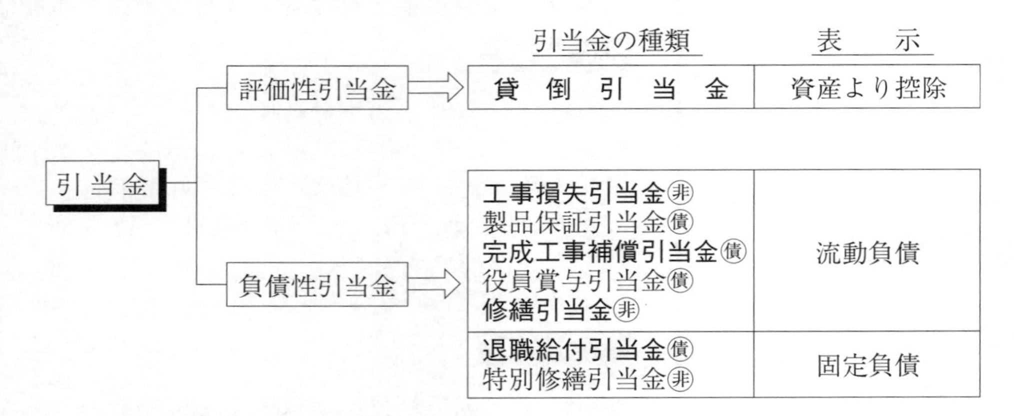

負債性引当金は債務性引当金と非債務性引当金に分類されます。債務性引当金とは，将来，特定の条件が満たされたときに確定する債務に係る引当金をいいます。非債務性引当金とは，債務性がなく，費用または損失を見越し計上するのに伴って貸方に計上された引当金をいいます。

上記の㊝が債務性引当金，㊁が非債務性引当金となります。

主な引当金

ここでは，完成工事補償引当金，修繕引当金，退職給付引当金，賞与引当金，役員賞与引当金，貸倒引当金，および工事損失引当金について見ていきます。

(1)完成工事補償引当金

完成工事補償引当金とは，建設業において契約により工事の引渡後に無償で補修を行う場合の支出に備えて設定される引当金です。

この補修のための支出額は補修が行われた期間の費用とするよりも，その補修の原因となる工事収益を計上した期間の費用とするほうが合理的だという考えにより完成工事補償引当金を計上します[03]。

03）工事進行基準の適用により発生した完成工事高についても引当金の設定対象とします。

取引例 1　完成工事補償引当金の設定

完成工事高に対して 0.1% の完成工事補償引当金を差額補充法により設定した。

〈資料〉　残高試算表の金額：完成工事高　580,000 千円
　　　　　　　　　　　　　　完成工事補償引当金　40 千円

（借）	未成工事支出金	540,000	（貸）	完成工事補償引当金	540,000

580,000 千円× 0.1%=580 千円
580 千円－ 40 千円 =540 千円　完成工事補償引当金繰入額 ⇨ 工事原価に算入（未成工事支出金）

(2)修繕引当金

修繕引当金とは，完成工事高として計上した工事にかかわる機械等の将来の修繕に対して設定される引当金です。

この修繕の原因は購入時から継続して使用することにより発生します。修繕のための費用は修繕時に一括して費用計上するよりも，使用している期間の費用として割り当てるべきだという考えにより計上します。

(3)退職給付引当金

退職給付引当金[04]とは，将来従業員が退職するときに支払われる退職金に備えて，計上される引当金です。

この退職金は従業員の勤労に対して支払われるので，勤続期間に配分することにより適正な期間損益計算ができるという考えにより退職給付引当金を計上します。

04）退職給付会計については，Chapter 3 Section 8で詳しく学習します。

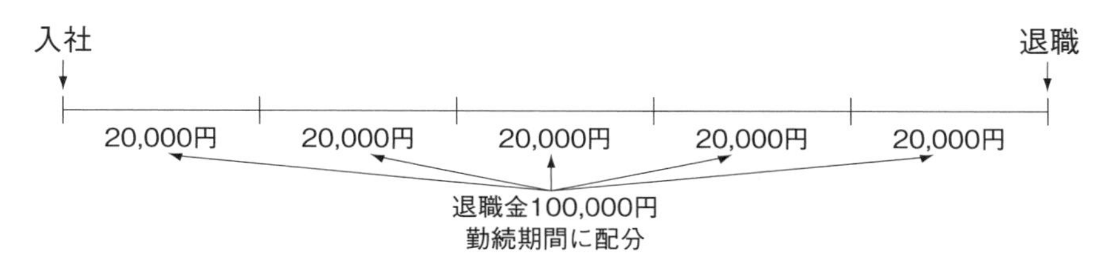

取引例２　　退職給付引当金の予定計上

退職給付引当金について，月次原価計算で月額 300 千円の予定計算を実施し，工事原価に 70%，一般管理費に 30% の割合で計上した。

（借）	未成工事支出金	210,000	（貸）	退職給付引当金	300,000
	販売費及び一般管理費	90,000			

月次原価計算で上記の予定計上がされている場合，期末までに計上されている金額はそれぞれ次のとおりです。

未成工事支出金：210 千円× 12 カ月 =2,520 千円
販売費及び一般管理費：90 千円× 12 カ月 =1,080 千円
退職給付引当金：300 千円× 12 カ月 =3,600 千円

取引例３　　退職給付引当金の期末計上

当期の退職給付引当金の実際繰入額（退職給付費用）は 4,000 千円だった。月次計算との差額を調整する。

（借）	未成工事支出金	280,000	（貸）	退職給付引当金	400,000
	販売費及び一般管理費	120,000			

4,000 千円（実際繰入額）× 70%=2,800 千円……………未成工事支出金

4,000 千円（実際繰入額）× 30%=1,200 千円……………販売費及び一般管理費

予定計上額と実際繰入額との間に差額が生じる場合は，この差額分を未成工事支出金と販売費及び一般管理費の割合に応じて配分します。

未成工事支出金：2,800 千円（実際繰入額）－ 2,520 千円（予定計上額）=280 千円

販売費及び一般管理費：1,200 千円（実際繰入額）－ 1,080 千円（予定計上額）=120 千円

(4)賞与引当金

賞与引当金とは，賞与支給規定などにより，従業員に対して次期に支払われる賞与の見積額について設定される引当金です。

①決算時の処理１

当期負担分を賞与引当金繰入額として費用計上し，貸方に賞与引当金として処理します。

取引例４　　賞与引当金の決算時の処理１

決算にあたり，賞与引当金 30,000 円を設定した。このときの仕訳を示しなさい。

（借）	賞与引当金繰入額	30,000	（貸）	賞 与 引 当 金	30,000

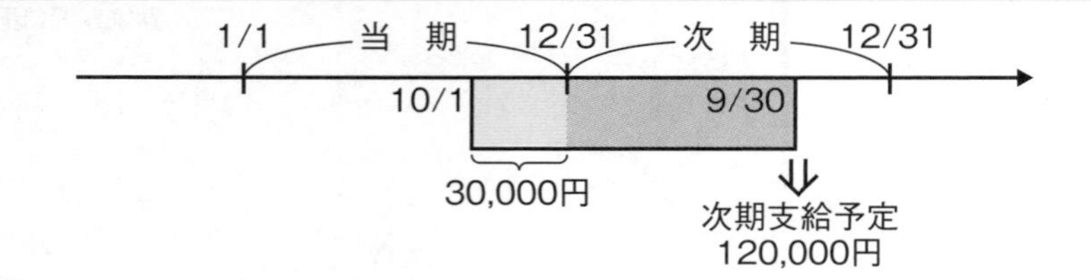

②賞与支給時の処理

実際に賞与を支給したときには，設定していた賞与引当金を取り崩して充当するとともに，当期負担分については賞与（費用）として処理します。

取引例 5 賞与支給時の処理

当期の 10 月 1 日に賞与 120,000 円を現金で支払った。なお賞与引当金 30,000 円が設定されている。このときの仕訳を示しなさい。

（借）	賞与引当金	30,000	（貸）	現　金	120,000
	賞　与	90,000			

③決算時の処理２

取引例 6 賞与引当金の決算時の処理２

決算にあたり，賞与引当金を設定する。当社の会計期間は暦年であり，当期 10 月 1 日から次期 9 月 30 日までの賞与は，次期 10 月 1 日に支払われる。次期の 10 月 1 日には 144,000 円が支払われる予定である。このときの仕訳を示しなさい。

（借）	賞与引当金繰入額	36,000	（貸）	賞与引当金	36,000

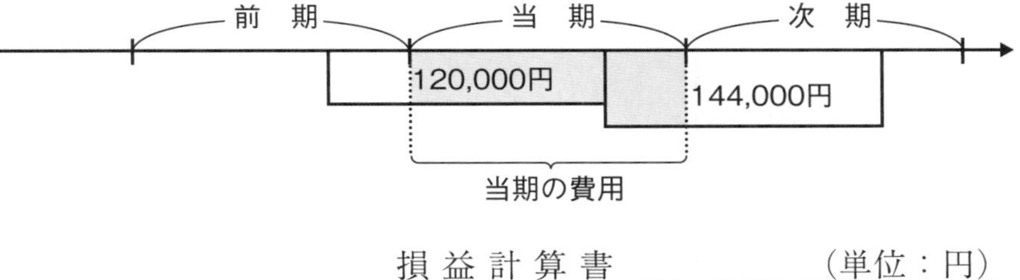

損益計算書　（単位：円）

賞　与	90,000	
賞与引当金繰入額	36,000	

(5)役員賞与引当金

役員賞与引当金とは，役員に対して次期の株主総会の決議を経て支払われる賞与のための引当金です。

役員賞与について，従来の商法では「未処分利益の減少」として処理されていましたが，会社法施行後の役員報酬が費用処理されていることとの整合性から，原則として当期の費用として処理することになりました。

①発生時（決算時）の処理

決算時に（当期分の賞与として）次期に支払われる予定の役員賞与について役員賞与引当金を設定します。

取引例7 発生時の処理

決算にあたり，次期に支払われる予定の役員賞与 30,000 円について，役員賞与引当金を設定した。このときの仕訳を示しなさい。

（借）	役員賞与引当金繰入額	30,000	（貸）	役員賞与引当金	30,000

②株主総会後の支給時の処理

支給時に役員賞与引当金を取り崩します。

取引例8 支給時の処理

次期に開催された株主総会の決議に基づいて，役員賞与 30,000 円を現金で支払った。このときの仕訳を示しなさい。

（借）	役員賞与引当金	30,000	（貸）	現　　　　金	30,000

(6)貸倒引当金

貸倒引当金とは受取手形，完成工事未収入金などの債権のうち次期以降に回収不能となることが予想される分を，あらかじめ費用として計上するための引当金です[05]。

05）貸倒引当金は，資産のマイナスとしての性格をもちます。

建設業法施行規則では，貸倒引当金の貸借対照表上の表示方法として一括控除方式を採用しています。

一括控除方式

受　取　手　形	20,000	
完成工事未収入金	30,000	
貸　倒　引　当　金	△ 1,000	49,000

(7)工事損失引当金

長期にわたる請負工事では収益及び原価の総額の見積りが難しいため，各期の工事原価が当初の見積額を大きく上回ることなどにより，工事原価総額が工事収益総額を超過する（これを工事損失といいます）と見込まれる場合があります。

各工事においてこの工事損失が将来発生すると見込まれる場合には，その金額を工事損失引当金として計上します。

※ここでは，工事進行基準における会計処理のみ，確認していきます。

参考 引当金と未払費用の違い

未払費用とは，一定の契約に従い，継続して役務の提供を受ける場合，すでに提供された役務に対していまだその対価の支払が終らないものをいいます。

引当金（負債性引当金）と未払費用はともに負債ですが，引当金が見積額（確定した金額ではない）であるのに対し，未払費用は金額が契約で確定している（確定債務である）点が主な違いとなります。

取引例9 　工事損失引当金の計上

次の資料に基づき，工事進行基準（原価比例法）による場合の第2期の工事損失引当金の計上仕訳を示しなさい。
・工事請負金額は400,000円，当初の見積総工事原価は380,000円である。
・実際に発生した原価は次のとおりである。
　第1期：96,000円　第2期：219,000円　第3期：105,000円
・原料費の高騰により，第1期末において見積総工事原価を384,000円，第2期末において見積総工事原価を420,000円に修正したが，工事請負金額の改定はなかった。
・工事の完成・引き渡しは第3期末に行われた。

（借）完成工事原価　5,000　（貸）工事損失引当金　5,000
流動負債に計上

06）第1期の仕訳
（借）完成工事原価　96,000（貸）未成工事支出金　96,000
（借）完成工事未収入金　100,000（貸）完成工事高　100,000

07）第2期の仕訳
（借）完成工事原価　219,000（貸）未成工事支出金　219,000
（借）完成工事未収入金　200,000（貸）完成工事高　200,000

第1期

工事収益：$400{,}000\text{円} \times \dfrac{96{,}000\text{円}}{384{,}000\text{円}}$（進捗度0.25）=100,000円[06]

工事利益：100,000円 － 96,000円 = 4,000円

第2期

工事収益：$400{,}000\text{円} \times \dfrac{96{,}000\text{円} + 219{,}000\text{円}}{420{,}000\text{円}}$（進捗度0.75）－100,000円
=200,000円[07]

工事損失：200,000円 － 219,000円 = △19,000円

・工事損失引当金の計上

第2期末において見積総工事原価を420,000円に修正し，工事収益総額である工事請負金額400,000円を上回るため，第3期の工事損失見込額を工事損失引当金として計上します。

第3期の工事損失見込額：

総額で△20,000円の損失が発生し，第1期で工事利益4,000円，第2期で工事損失△19,000円を計上しているため，第3期には残りの△5,000円の損失が見込まれます。

総　額	第1期	第2期	第3期見込額
工事収益　400,000円	工事収益　100,000円	工事収益　200,000円	
工事原価　420,000円	工事原価　96,000円	工事原価　219,000円	
工事損失　△20,000円	工事利益　4,000円	工事損失　△19,000円	工事損失　△5,000円※

※　この△5,000円は将来（第3期）の損失ですが，その原因が原料費の高騰など第2期以前の事象に起因しているため第2期の損失として処理します。

取引例10 工事損失引当金の取崩し

取引例９ の資料に基づき，第３期の工事損失引当金を取り崩した時の仕訳を示しなさい。

(借) 工事損失引当金	5,000	(貸) 完成工事原価	5,000

08）第３期の仕訳
(借) 完成工事原価 105,000 (貸) 未成工事支出金 105,000
(借) 完成工事未収入金 100,000 (貸) 完成工事高 100,000

第３期
工事収益：400,000円 －（100,000円 ＋ 200,000円）＝ 100,000円 [08)]

・工事損失引当金の取り崩し
第３期の工事損失見込額（100,000円－105,000円＝△5,000円）について，工事損失引当金を取り崩します。

(8)偶発債務

偶発債務とは，現在は法律上の債務ではないが，将来一定の条件の発生によって法律上の債務となる可能性をもつものをいいます。
偶発債務の発生原因としては，受取手形の割引または裏書，他社の借入金に対する債務保証，訴訟事件などがあります。

偶発債務の取扱いは次のとおりとなります。

発生可能性	会計上の取扱い
法律上の債務となる確率が低い	財務諸表に注記するのみ（負債は計上しない）
法律上の債務となる確率が高く，金額を見積れる	引当金（負債）を計上する

取引例11

当社は，得意先Ａ社がＢ銀行から借入れた借入金10,000円に対して債務保証をしている。以下の各場合における会計上の取扱いを示しなさい。

(1)Ａ社の財政状態が著しく悪化し，翌期に支払い不能となる確率が高い場合

(借) 債務保証損失引当金繰入	10,000	(貸) 債務保証損失引当金	10,000

(2)Ａ社の財政状態に問題がない場合
財務諸表に注記します。

09）忘れないようにする“メモ”にすぎないので財務諸表には計上されません。

なお，債務保証をおこなった際に，帳簿上，対照勘定法により備忘記録 [09)] を行う場合もあります。

債務保証時

(借) 保証債務見返	10,000	(貸) 保証債務	10,000

偶発債務消滅時

(借) 保証債務	10,000	(貸) 保証債務見返	10,000

try it **例題** **引当金**

1. 資料より貸倒引当金繰入額を求めなさい。

受取手形と完成工事未収入金の期末残高に対して2％の貸倒引当金を計上する（差額補充法）。
残高試算表の金額：受取手形 27,000 千円，
完成工事未収入金 70,000 千円，貸倒引当金 500 千円

解答

貸倒引当金繰入額　*1,440* 千円

解説

（27,000 千円＋ 70,000 千円）× 2％ － 500 千円 =1,440 千円

2. 次の資料により退職給付引当金繰入額（退職給付費用）の追加計上額を求めなさい。ただし，工事原価分と販売費及び一般管理費分に分けて解答しなさい。

従業員の退職給付引当金については，月次原価計算で月額 400 千円の予定計算を実施し，3月まで毎月末に次のような処理をしてきている。

（借）	未成工事支出金	280,000	（貸）	退職給付引当金	400,000
	販売費及び一般管理費	120,000			

当期末に繰り入れるべき退職給付引当金の額は 5,000 千円である。予定計上額と実際繰入額との間に差額が生じれば，この差額は工事原価に 70%，販売費及び一般管理費に 30% の割合で加減される。

解答

退職給付引当金繰入額（退職給付費用）
工事原価分：*140* 千円
販売費及び一般管理費分：*60* 千円

解説

工事原価分：5,000 千円× 70% － 280 千円× 12 カ月 =140 千円
販売費及び一般管理費分：5,000 千円× 30% － 120 千円× 12 カ月 =60 千円

3. 次の資料より，完成工事補償引当金繰入額を求めなさい。

当期の完成工事高に対して 0.1% の完成工事補償引当金を設定する（差額補充法）。
残高試算表の額：完成工事高 460,000 千円，完成工事補償引当金 30 千円

解答

完成工事補償引当金繰入額　430 千円
460,000 千円× 0.1% － 30 千円 =430 千円

退職給付会計

はじめに あなたは退職金がもらえそうですか？ あるいは「いくらぐらい」という目安がたっていますか？ 退職金は，あなたの働いた年数などに応じてもらうものなので，給料の一部後払いとしての性格をもちます。これを会社の側から見てみるとどうでしょうか？ 従業員にとっての権利は，会社にとっての義務と考えることができそうです。よって債務，すなわち貸借対照表に計上する負債の金額を明らかにする必要があります。

退職給付会計とは

退職給付とは，企業が従業員に支給する退職一時金と年金の総称です。退職給付は，従業員の労働に対する後払いの性格をもっています。退職一時金は企業内に引当金の形で蓄えられ，年金は外部機関に基金として積み立てられます。これらの給付に関わる原資についての情報提供を行い[01]，適正な期間損益計算に役立てることを目的とするのが退職給付会計です。

01）割引計算の考え方を取り入れたり，外部への拠出金の時価評価を行ったりします。

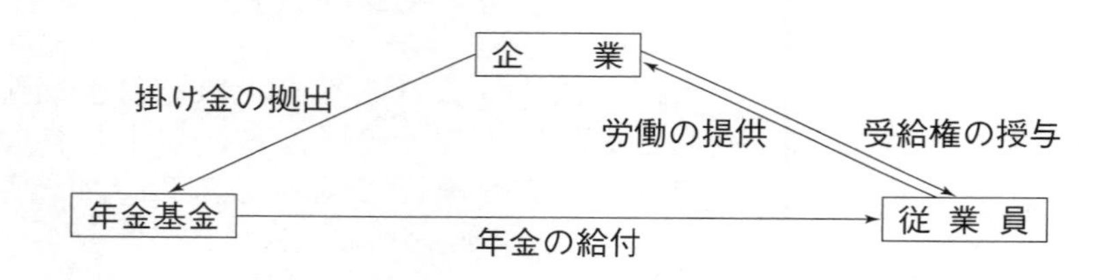

退職給付債務

退職給付債務とは，労働の提供などにより従業員に支給される退職給付のうち，当期末までに発生していると認められるものをいいます。退職給付は，将来の支出であるため，当期末の退職給付を計算するにあたり，割引計算を行います[02]。

02）割引計算を行うにあたっての割引率としては，安全性の高い長期債券の利回りが用いられます。割引率は問題文で与えられます。

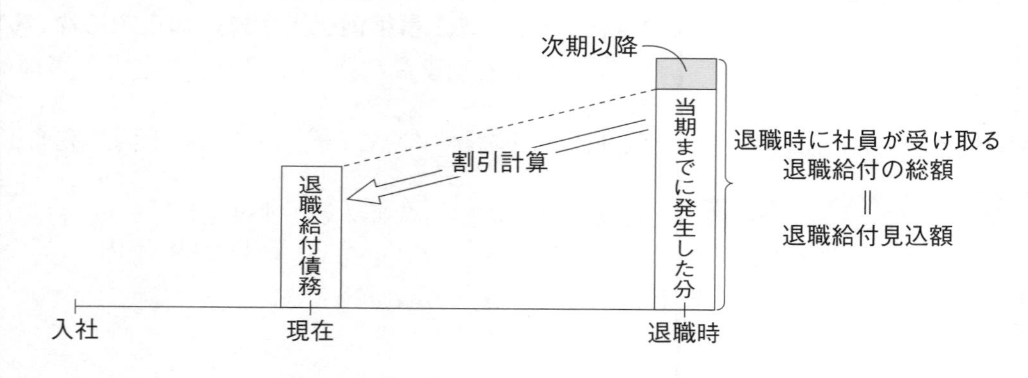

取引例 1　　退職給付債務

甲建設㈱はA氏に係る退職給付費用を計上することにした。A氏は，入社からの勤務期間が当期末で18年である。また，A氏の入社時点から退職までの全勤務期間は20年と見積られている。A氏の退職時点に見込まれる退職給付見込額は1,000万円であるとして，当期末の退職給付債務はいくらになるか。割引率5％として求めなさい（万円未満四捨五入）。

816万円

退職時の退職給付見込額 → 1,000万円
当期末までの期間に属する額 → 900万円

$$1{,}000\text{万円} \times \frac{18\text{年}^{03)}}{20\text{年}} = 900\text{万円}$$

割引計算を行った額[04] → 816万円

$$900\text{万円} \div (1 + 0.05)^2 \fallingdotseq 816.3\cdots \rightarrow 816\text{万円}$$

03）退職給付見込額を全勤務期間で割って求める方法を期間定額基準といいます。

04）20年に対して18年経過し，退職まであと2年であるため，2年分割引計算を行います。

退職給付引当金

退職給付に係る負債を貸借対照表に計上するにあたっては，退職給付引当金という科目を用います。年金を外部に積み立てていない場合には，退職給付債務が退職給付引当金となります。

退職給付引当金＝退職給付債務

ただし，外部機関に基金として年金資産を積み立てている場合には，退職給付債務の全額を貸借対照表に計上することなく，年金資産を差し引いた金額が負債として退職給付引当金となります。

退職給付引当金＝退職給付債務－年金資産

退職給付債務	年金資産（時価）
	退職給付引当金 → B/S の固定負債に計上

なお，積み立てられている年金資産は時価で評価することに注意が必要です。年金資産を拠出した金額で評価してしまうと，運用による増減のリスク[05]が貸借対照表に反映されず，情報提供として不十分になってしまうからです。

05）運用を失敗した場合には，年金資産の減少を通じて退職給付引当金の増加につながります。これは年金資産を時価評価して初めて開示されます。

取引例 2　　年金資産

取引例 1 において，年金資産の拠出額250万円，年金資産の時価280万円とした場合，退職給付引当金はいくらになるか。

536万円

816万円（退職給付債務）－280万円（年金資産の時価）=536万円（退職給付引当金）

退職給付費用

退職給付会計の目的には，適正な期間損益計算があります。損益計算書に計上される当期の費用は，退職給付費用という科目を用います。

退職給付費用を構成するのは，勤務費用と利息費用です。

(1) 勤務費用 当期の労働の対価としての部分を勤務費用といい，退職給付見込額のうち，当期に発生したと認められる額を一定の割引率および残存勤務期間によって計算します。

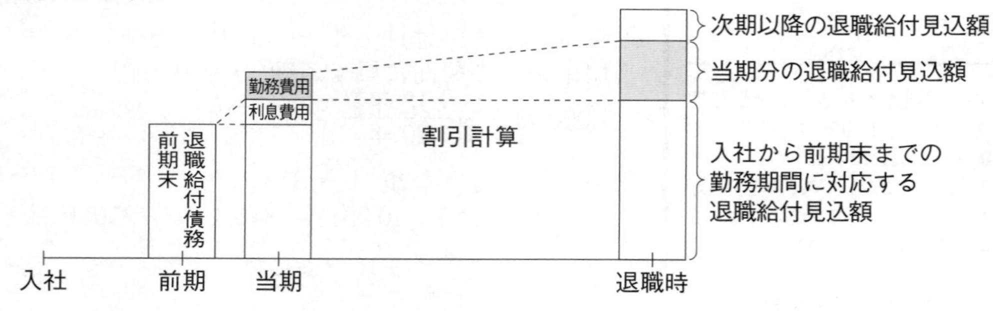

(2) 利息費用 割引計算によって算定された当期首時点の退職給付債務について，当期（1年）の時の経過によって発生する利息部分を利息費用といい，当期首の退職給付債務に割引率を掛けて計算します。

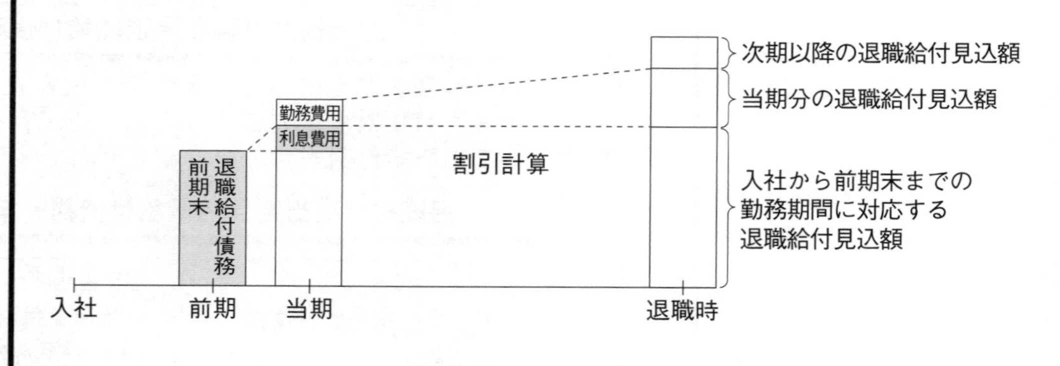

退職給付費用[06)]＝勤務費用＋利息費用

ただし，外部機関に基金として年金資産を積み立てている場合には，年金資産の運用による収益の発生が期待されています。この期待運用収益は，年金資産の時価の上昇につながるため，損益計算上は退職給付費用の減少としての影響を与えます[07)]。

期待運用収益＝期首の年金資産×長期期待運用収益率

退職給付費用＝勤務費用＋利息費用－期待運用収益

06）退職給付費用は，前期末と当期末の退職給付債務の差額です（一括計算）。

07）年金資産の時価の上昇（期待運用収益）は，貸借対照表には退職給付引当金の減少として，損益計算書には退職給付費用の減少として影響を与えます。

取引例３　　退職給付費用

取引例１を用いて，次期の退職給付費用はいくらになるか。また，そのときの仕訳を示しなさい。なお，年金資産の時価は 280 万円，長期期待運用収益率は２％とする（万円未満四捨五入）。

83 万円

（借）退職給付費用　830,000　（貸）退職給付引当金　830,000

1. 勤務費用→ 48 万円
　退職時の当期分の退職給付見込額
　　1,000 万円 ÷ 20 年 =50 万円
　割引計算を行った額
　　50 万円 ÷（1 + 0.05）≒ 47.6…→ 48 万円
2. 利息費用→ 41 万円
　当期末退職給付債務
　　取引例 1 より　816 万円
　利息部分
　　816 万円 × ５％=40.8 → 41 万円
3. 期待運用収益→ 6 万円
　　280 万円 × ２％=5.6 → 6 万円
　∴退職給付費用：48 万円 + 41 万円 − 6 万円 =83 万円

過去勤務費用と数理計算上の差異

退職給付会計には「見積り」による計算が含まれているため，実績との間に「差異」が生じることがあります。

それら差異の処理方法について見ていきましょう。

(1) 過去勤務費用

過去勤務費用とは，退職金規程の変更などにより，従業員が将来受け取ることのできる退職給付額が増減することで発生した，退職給付債務の増減部分をいいます。見積り段階では，この増減部分は会計処理上反映されていません（未認識）。この未認識（みにんしき）過去勤務費用[08]は，原則として平均残存勤務期間内に按分し，各期に退職給付費用として配分します[09]。

08)「未認識」とはいうものの，退職給付債務としては認識されており，退職給付引当金に計上されていない，という意味にすぎません。むしろ「未計上」というべきものです。

09) 按分方法は，原則的には減価償却の定額法とほぼ同じですが，定率法によることも認められています。

取引例４ 過去勤務費用

退職給付水準の改訂により，当期末，従来の見積りと比較して，あるべき退職給付債務が５万円多くなっていることが判明した。当該差異は当期から定額法により５年で費用処理するとして，必要な仕訳を示しなさい。

(借) 退職給付費用	10,000	(貸) 退職給付引当金	10,000

なお，退職給付費用を工事原価に算入する場合，借方は未成工事支出金となります。

(2)数理計算上の差異

数理計算上の差異（すうりけいさんじょう）とは，年金資産の実際の運用収益が当初の予定と異なった場合などに生じます。見積り段階では，この増減部分は会計処理上反映されていません。この未認識数理計算上の差異は，原則として，平均残存勤務期間内に按分し，各期に費用あるいは収益として配分することになります[10]。

10）按分方法は，原則的には減価償却の定額法とほぼ同じで，定率法によることも認められています。

取引例５ 数理計算上の差異

前期末の年金資産の公正な評価額は280万円であった。長期期待運用収益率２％で当期の運用収益を算出したが，実際の運用収益率は１％であった。当該差異は当期[11]から定額法により５年で費用処理するとして，必要な仕訳を示しなさい。

(借) 退職給付費用	5,600[12]	(貸) 退職給付引当金	5,600

11）翌期から処理する場合もあります。問題文の指示に必ず従いましょう。
12）280万円×（2％－1％）÷５年＝5,600円

なお，退職給付費用を工事原価に算入する場合，借方は未成工事支出金となります。

退職一時金と退職年金の支払い

退職一時金と退職年金の支払い

企業内で蓄えられた退職一時金を当社が支払った場合には，退職給付引当金を減らします。
一方，年金基金に積み立てた退職年金を年金基金が支払った場合には，当社では「仕訳なし」[13]となります。

13）厳密には，年金の支払額だけ退職給付債務と年金資産が同額，減少します。
そのため，退職給付引当金には影響しません。

取引例６ 退職一時金と退職年金の支払い

(1)従業員Ｂ氏が退職し，当社は退職一時金300万円を当座預金口座から支払った。
(2)年金基金は退職年金10万円をＢ氏に支払った。

(1)退職一時金の支払い

(借) 退職給付引当金	3,000,000	(貸) 当座預金	3,000,000

(2)退職年金の支払い

仕訳なし

try it **例題** 退職給付会計

Cさんの退職給付に係る以下の資料に基づいて，(1)退職給付費用に係る仕訳，(2)当期末の貸借対照表に計上される退職給付引当金の金額を示しなさい。

1. Cさんは25歳で入社し，60歳で定年退職する。当期末で勤続32年になる。
2. 退職給付見込額は，35,000千円である。退職金は各期間に均等配分される。
3. 割引率は，年５％である。
4. 年金資産の前期末における公正評価額は，20,000千円である。
5. 長期期待運用収益率は，年４％であり，当期はこのとおり運用された。
6. 千円未満は四捨五入する。

解答

（単位：千円）

(1)	(借)	退職給付費用	*1,339*	(貸)	退職給付引当金	*1,339*

（２）　*6,843* 千円

解説

1. 当期に発生した勤務費用
   35,000千円÷35年÷（1.05）^{3}≒863.8千円 → 864千円
2. 当期に発生した利息費用
   $35{,}000\text{千円}\times\frac{31\text{年}}{35\text{年}}\div(1.05)^{4}\fallingdotseq 25{,}503.7\text{千円}$
   → 25,504千円（前期末の退職給付債務）
   25,504千円×５%=1,275.2千円 → 1,275千円
3. 当期に発生した期待運用収益
   20,000千円×４%=800千円
4. 当期の退職給付費用
   864千円（勤務費用）＋ 1,275千円（利息費用）− 800千円（期待運用収益）=1,339千円
5. 当期末貸借対照表の退職給付引当金の金額
   $35{,}000\text{千円}\times\frac{32\text{年}}{35\text{年}}\div(1.05)^{3}=27{,}642.8\text{千円}$
   → 27,643千円（当期末の退職給付債務）
   20,000千円（前期末の年金資産）＋ 800千円（期待運用収益）
   =20,800千円（当期末の年金資産の時価）
   27,643千円 − 20,800千円 =6,843千円
   または，
   期首退職給付引当金：25,504千円（退職給付債務）− 20,000千円（年金資産）=5,504千円
   期末退職給付引当金：5,504千円（期首引当金）＋ 1,339千円（退職給付費用）=6,843千円

Section 9

同じ純資産でも、資本と利益は峻別します。　重要度 ◈◈◈◈

純資産

はじめに あなたの会社が設立されたところを想像してください。株式を発行し，株主資本を集め，利益を獲得し，株主資本をまた増加させます。そして，株主が集まって株主総会を開きます。こうした一連の流れにより，株主資本は増加したり減少したりしますね。ここで株主資本について確認しましょう。

株主資本とは

株主資本とは，貸借対照表の純資産の部のうち評価・換算差額等および新株予約権以外のもの（株主に帰属する部分）をいいます。

(1)株主資本の分類 貸借対照表の純資産の部の表示に関する会計基準，会社計算規則，建設業法施行規則における株主資本の分類は以下のようになります。

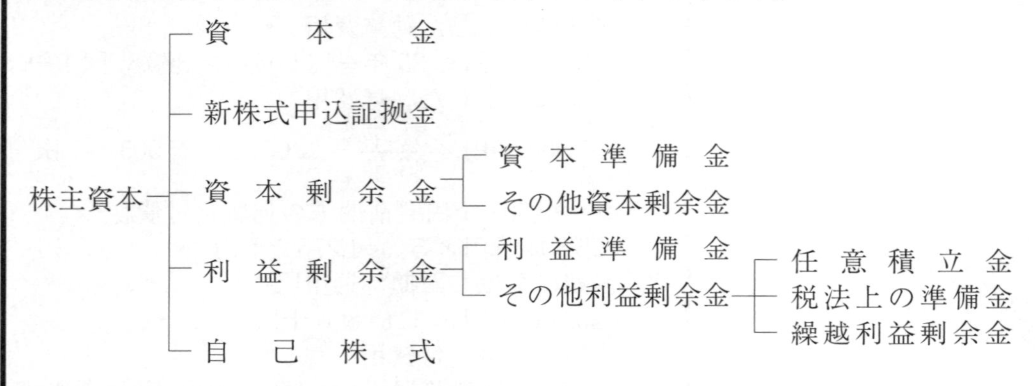

税法上の準備金とは，一定の要件に該当する場合において，税法上その積立てが認められる準備金をいい，その例として海外投資等損失準備金が挙げられます。

海外投資等損失準備金とは，国外で資源開発事業を行っている法人の株式などを取得した場合において，その価格下落や貸倒損失に備えて取得価額の一定割合を準備金として積み立てたものをいいます[01]。

01）リスクが大きく巨額の資金を必要とする資源開発を行っている法人に対する投資を促進させるためのものです。準備金の積立額だけ，税法上，損金（費用）として認められ，その分税金が安くなります。

(2)資本計数の変動

会社法では，株主総会の決議によって期中に株主資本間の振替えをすることができます。これを資本計数の変動といいます。

会社法での資本計数の変動は全部で7パターンあります。

①資本剰余金から資本金への振替え
②資本金から資本剰余金への振替え
③資本剰余金間の振替え
④利益剰余金間の振替え
⑤欠損填補
⑥利益剰余金から資本金への振替え
⑦剰余金の配当

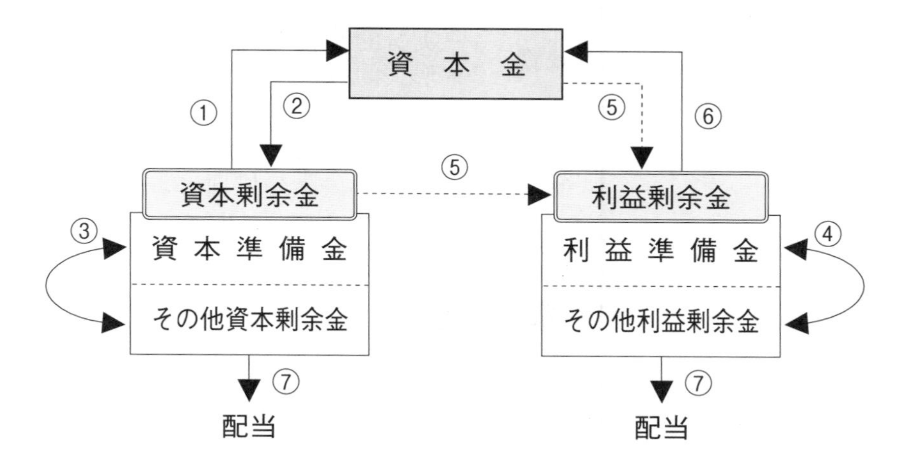

(3)増　資

増資とは，会社設立後，資本金を増加させることをいいます。増資には実質的増資と形式的増資とがあります。

増資─┬実質的増資─会社設立後の株式の発行，組織再編にともなう新株発行
　　　└形式的増資─準備金の資本組入れ，剰余金の資本組入れ

会社法では，最低資本金制度は廃止されましたが，設立の場合や新株の発行価額については，払込価額主義が原則となります。

また，会社法による資本金組入額は，最低で払込金額の２分の１となります。

取引例 1　　実質的増資

K社は，増資をするにあたり，株式3,000株の普通株式を@70,000円で発行し，全額の払込みがあり当座預金とした。なお，２分の１は資本金に組み入れないこととした。

（借）	現　金　預　金	210,000,000	（貸）資　本　金	105,000,000
			資本準備金	105,000,000

@70,000円 × $\frac{1}{2}$ × 3,000株 =105,000,000円　⇨　資本金

@70,000円 × 3,000株 − 105,000,000円 =105,000,000円　⇨　資本準備金

取引例２　　形式的増資

株主総会の決議により資本準備金 18,000,000 円を資本金に組み入れて増資した。

（借）	資本準備金	18,000,000	（貸）	資本金	18,000,000

(4)減　資

減資とは，株式会社の設立後，資本金を減少させることをいいます。減資には実質的減資と形式的減資があります。

減資
- 実質的減資──出資の払戻しによる減資　⇨　純資産の減少あり
- 形式的減資──出資の払戻しのない減資　⇨　純資産の減少なし

なお，実質的減資は会社法では，①資本金から剰余金への振替え，②剰余金の配当という２段階の処理によって行われます。
また，減資の仕訳は，①については資本金減少の効力発生時に，②については配当の効力発生時に行います。

取引例３　　実質的減資

①株主総会の特別決議により，資本金 500,000 円を減資する決議をし，②全額を現金により配当した。なお，準備金の積立は考慮しなくてよい。

①	（借）	資本金	500,000	（貸）	その他資本剰余金	500,000
②	（借）	その他資本剰余金	500,000	（貸）	現金預金	500,000

取引例４　　形式的減資

株主総会決議により，欠損金 1,000,000 円を填補するために，資本金 1,500,000 円を減資することとした。

（借）	資本金	1,500,000	（貸）	繰越利益剰余金	1,000,000
				その他資本剰余金	500,000

通常，資本金・資本剰余金から利益剰余金への振替えはできませんが，欠損填補の場合は例外的に可能となります。

(5)株式分割

株価が高すぎる場合，一般投資家に買いやすくする目的で株式分割を行います。この場合，発行済株式は増加しますが，純資産の増減はありません。

(6)準備金

準備金とは，会社法の規定により積み立てられた準備金で，このうち株式からの払込金額のうち，資本金に組み入れなかった金額を資本準備金といいます。

また，債権者保護の観点から，稼得した利益のうち会社法の規定により企業内部に留保された金額を利益準備金といいます。

原則として剰余金の配当の額の10分の1（要積立額が10分の1より少ないときはその金額）を資本準備金または利益準備金として積み立てなければなりません。

その他資本剰余金からの配当の場合には，資本準備金を，その他利益剰余金からの配当の場合には，利益準備金を積み立てなければなりません。

(7)準備金の取崩し

会社法では，いつでも何回でも株主総会の決議を得て，ゼロまでの範囲で準備金を取り崩すことができます。これを100％準備金減少制度といいます。

会社法では，資本準備金と利益準備金について区別することなく，一括りにしていますが，資本準備金を取り崩した場合には「その他資本剰余金」として処理し，利益準備金を取り崩した場合には，「繰越利益剰余金」として処理します。

取引例5　準備金の取崩し

当社の資本は資本金100,000,000円，資本準備金20,000,000円，利益準備金10,000,000円である。株主総会決議等の手続を得て，資本準備金1,000,000円，利益準備金4,000,000円を取り崩した。

（借）	資本準備金	1,000,000	（貸）	その他資本剰余金	1,000,000
（借）	利益準備金	4,000,000	（貸）	繰越利益剰余金	4,000,000

(8)任意積立金の取崩し

任意積立金には，取締役会において取崩しができるものと，取崩しのために株主総会の承認が必要なものがあります。

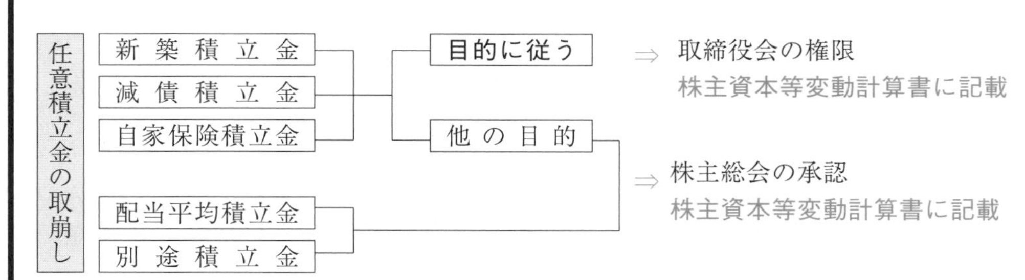

取引例6　任意積立金の取崩し

株主総会の決議により，別途積立金15,000円を取り崩した。

（借）	別途積立金	15,000	（貸）	繰越利益剰余金	15,000

株主資本等変動計算書

資本の計数の変動があった場合には，株主資本等変動計算書にその金額が記載されます。取引例１～６までの金額を記入すると次のようになります。なお，当期首残高および当期末残高，当期純利益については考慮外とします。

株主資本等変動計算書

（単位：千円）

	株主資本							
		資本剰余金		利益剰余金				
					その他利益剰余金			
	資本金	資本準備金	その他資本剰余金	利益準備金	別途積立金	繰越利益剰余金	自己株式	株主資本合計
当期首残高	×××	×××	×××	×××	×××	×××	×××	×××
当期変動額								
新株の発行	105,000	105,000						210,000
準備金の資本組入	18,000	△18,000						0
減資	△ 500		500					0
剰余金の配当			△ 500					△ 500
欠損填補	△1,500		500			1,000		0
資本準備金の取崩		△ 1,000	1,000					0
利益準備金の取崩				△4,000		4,000		0
別途積立金の取崩					△15	15		0
株主資本以外の項目の当期変動額（純額）								0
当期変動額合計	121,000	86,000	1,500	△4,000	△15	5,015		209,500
当期末残高	×××	×××	×××	×××	×××	×××	×××	×××

配当金の処理

(1)剰余金の配当

会社法では，株主総会の普通決議により，一定の場合を除き，いつでも剰余金の配当を行うことができます[02)]。

また，株主への配当を行った場合には，社外流出分の10分の1を配当財源に応じて資本準備金または利益準備金に積み立てる必要があります。ただし，資本準備金と利益準備金の合計額が資本金の4分の1に達していれば積み立てる必要はありません。

なお，その他資本剰余金を配当財源として配当した場合には資本準備金を，その他利益剰余金を配当財源として配当した場合には利益準備金を積み立てることになります。

02）配当の種類
会社法では，金銭による配当以外に，現物配当を行うことができるようになりました。

取引例 7　　剰余金の配当

当社は，当期の 6 月 30 日に開催した株主総会において，剰余金 5,000,000 円（うち，1,000,000 円はその他資本剰余金，4,000,000 円は繰越利益剰余金）の配当が決議された。なお，剰余金配当の効力発生日における当社の資本金は，100,000,000 円，資本準備金 9,000,000 円，利益準備金 12,000,000 円である。

（借）	その他資本剰余金	1,100,000	（貸）	未払配当金	5,000,000
	繰越利益剰余金	4,400,000		資本準備金	100,000
				利益準備金	400,000

① 資本金　100,000,000 円 $\times \frac{1}{4}$ =25,000,000 円 ＞ 準備金合計　21,000,000 円

あと 4,000,000 円積み立てなければならない。

② 配当金　5,000,000 円 $\times \frac{1}{10}$ =500,000 円　① ＞ ②　∴全額積み立てる

③ 利益準備金積立額　4,000,000 円 $\times \frac{1}{10}$ =400,000 円

資本準備金積立額　1,000,000 円 $\times \frac{1}{10}$ =100,000 円

自己株式の処理

(1) 自己株式とは

自己株式とは，発行した株式のうち，会社が取得した自社の株式のことをいいます。

(2) 自己株式の取得

自己株式を取得した場合には，他の有価証券と同様に取得原価で記録します[03]。

03）ただし，取得に要した付随費用は営業外費用とし，自己株式の金額には含めません。

取引例 8　　自己株式の取得

当社で発行している株式 10,000 株のうち，1,000 株を @500 円で買い取り，代金は小切手を振り出して支払った。

（借）	自己株式	500,000	（貸）	当座預金	500,000

(3)決算時

自己株式を期末時点で保有している場合には，純資産の部における控除項目として取得原価で表示します。

貸借対照表

純資産の部	
資　本　金	×××
資本剰余金	×××
⋮	
自　己　株　式	△ 500,000
純資産の部合計	×××

(4)処分時

自己株式を処分した場合には，自己株式の処分の対価と自己株式の取得原価との差額をその他資本剰余金として処理します。

取引例 9　自己株式の処分

当社で保有する自己株式のうち 600 株，帳簿価額 300,000 円を 320,000 円で処分し，代金は小切手で受け取った。

(借)	現　　金	320,000	(貸)	自　己　株　式	300,000
				その他資本剰余金	20,000

(5)消却時

会社は，取締役会の決議等により，保有する自己株式を消却[04]することができます。自己株式を消却した場合はその他資本剰余金を減額します。

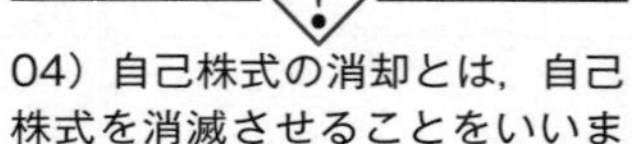

04）自己株式の消却とは，自己株式を消滅させることをいいます。

取引例 10　自己株式の消却

当社で保有する自己株式 400 株，帳簿価額 200,000 円を消却することが取締役会で決議され，消却手続が完了した。

(借)	その他資本剰余金	200,000	(貸)	自　己　株　式	200,000

(6)その他資本剰余金がマイナスになった場合

自己株式の処分および消却によって，その他資本剰余金の残高がマイナス（借方残高）になる場合があります。この場合には，決算において繰越利益剰余金を減額して，マイナスとなったその他資本剰余金をゼロとする処理を行います。

取引例 11　その他資本剰余金の処理

期中に自己株式の処分及び消却を行った結果，決算時におけるその他資本剰余金の金額は 180,000 円の借方残高となった。そのため，決算時に必要な仕訳を行う。

(借)	繰越利益剰余金	180,000	(貸)	その他資本剰余金	180,000

分配可能額の計算

会社法では，分配可能額の計算については，次のようなプロセスを経て計算します。

剰余金の配当までのプロセス
Step1 剰余金の算定
Step2 分配可能額の算定

会社法では，配当の基準となる決算日（最終事業年度末日といいます）から分配の日までに係る一定の剰余金の増減を考慮するという点が特徴的です。

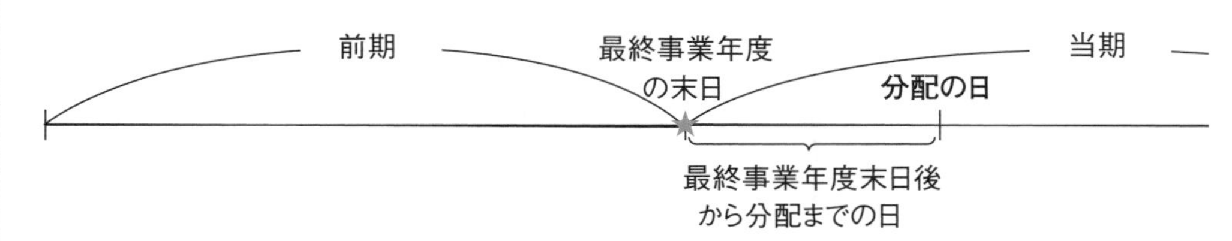

Step1 剰余金の算定

分配可能額算定のための剰余金は，①最終事業年度末日の剰余金を算定し，それに ②最終事業年度の末日から分配の日までの剰余金の増減を加減することにより計算します。

最終事業年度末日の剰余金とは，前期末貸借対照表における「株主資本＋自己株式－資本金－準備金」のことで，言い換えると「その他資本剰余金＋その他利益剰余金」となります。

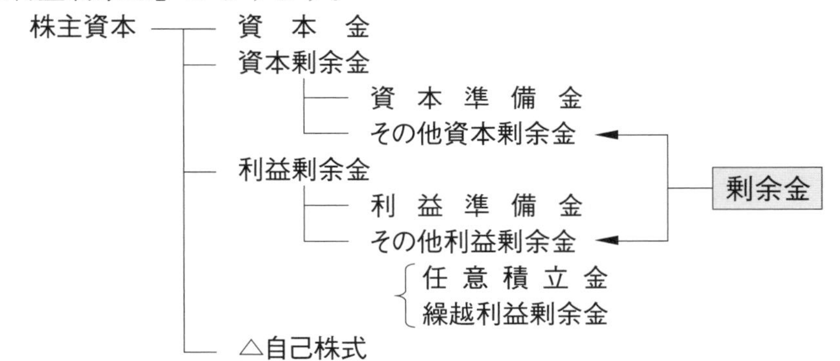

このように算定された最終事業年度末日の剰余金に対して，②最終事業年度末日から分配の日までの剰余金の増減を加減することにより，分配可能額算定のための剰余金が計算されます。

以上をまとめると，分配可能額算定のための剰余金は，以下のような計算式により計算されます。

剰余金の額＝①最終事業年度末日の剰余金
　　　　　＋②最終事業年度末日から分配の日までの剰余金の増減
　　　　　＝剰余金分配時の「その他資本剰余金＋その他利益剰余金」

05）臨時計算書類とは，期首から所定の時期までに確定した損益を分配可能額に含めるために作成される計算書類をいいます。

Step2 分配可能額の算定

剰余金の額を算定したら，次に分配可能額を計算します。分配可能額とは，会社法で規定されている「分配してもよい金額」を意味しています。

また，臨時計算書類[05]を作成する場合と，臨時計算書類を作成しない場合とで計算が変わってきますが，ここでは臨時計算書類を作成しない場合のみを扱います。

分配可能額は，剰余金の額から①分配時の自己株式の帳簿価額，②前期末から分配時までに自己株式を処分した場合における自己株式処分対価の額を控除し，③のれん等調整額などを加減することにより算定します。

これをまとめると，以下のようになります。

分配可能額（臨時計算書類を作成しない場合）
　　＝ 剰余金の金額
　　　－ ①分配時の自己株式の帳簿価額
　　　－ ②前期末から分配時までの自己株式処分対価
　　　± ③のれん等調整額など

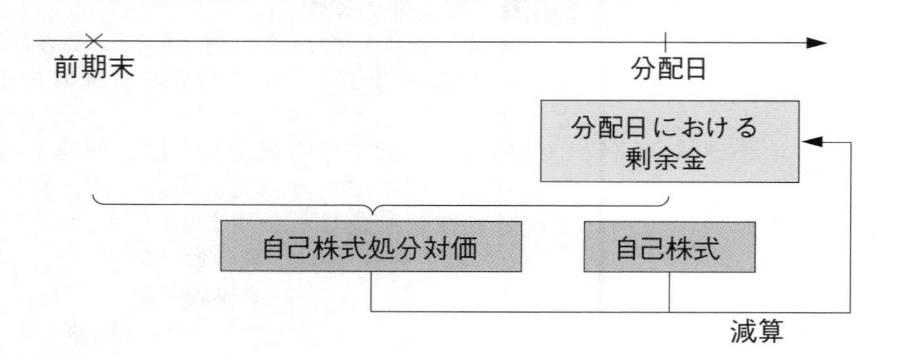

取引例 12　　分配可能額の算定

以下の場合において，×2年9月30日における分配可能額を計算しなさい。
(1)　×2年9月30日における残高試算表

残高試算表
×2年9月30日　（単位：円）

借方	金額	貸方	金額
自己株式	110,000	資本金	5,200,000
		資本準備金	450,000
		その他資本剰余金	505,000
		利益準備金	670,000
		任意積立金	570,000
		繰越利益剰余金	800,000

(2)　前期末から×2年9月30日までの自己株式の取引
①自己株式 130,000 円を取得した。
②自己株式 20,000 円を 25,000 円で処分した。

1,740,000 円

(1)　**剰余金の算定**
×2年9月30日における剰余金
505,000 円＋ 570,000 円＋ 800,000 円 =1,875,000 円
(2)　**分配可能額の算定**
1,875,000 円－分配時の自己株式 110,000 円－自己株式処分対価 25,000 円
=1,740,000 円

のれん等調整額

のれん等調整額＝資産計上ののれん÷２＋繰延資産計上額
次の①～③のいずれかに該当するときは，それぞれの金額を剰余金の額から減額します。
①　のれん等調整額　≦（資本金＋準備金[06]）の場合
剰余金から減額する金額：ゼロ
②　のれん等調整額　>（資本金＋準備金）かつ
のれん等調整額　≦（資本金＋準備金＋その他資本剰余金）の場合
剰余金から減額する金額：のれん等調整額－（資本金＋準備金）
③　のれん等調整額　>（資本金＋準備金＋その他資本剰余金）の場合
イ．のれん÷２　≦（資本金＋準備金＋その他資本剰余金）のとき
剰余金から減額する金額：のれん等調整額－（資本金＋準備金）
ロ．のれん÷２　>（資本金＋準備金＋その他資本剰余金）のとき
剰余金から減額する金額：その他資本剰余金＋繰延資産

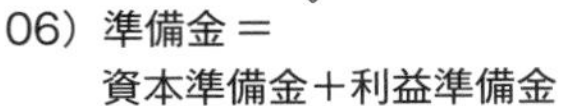

06）準備金＝
資本準備金＋利益準備金

取引例 13 　　のれん等調整額

前期末貸借対照表に計上されたのれんおよび繰延資産が以下の場合について，それぞれ分配可能額を算定しなさい。なお，前期末から分配日まで，株主資本項目に変動はなかった。

前期末貸借対照表
×2年3月31日 　(単位：円)

	資本金	5,200,000
	資本準備金	500,000
	その他資本剰余金	450,000
	利益準備金	740,000
	任意積立金	600,000
	繰越利益剰余金	800,000

① のれん　5,000,000 円
② のれん　13,000,000 円
③ のれん　8,000,000 円 および繰延資産 3,000,000 円
④ のれん　14,000,000 円 および繰延資産 500,000 円

① 1,850,000 円
② 1,790,000 円
③ 1,290,000 円
④ 900,000 円

(1) **剰余金の算定**
その他資本剰余金 450,000 円＋任意積立金 600,000 円
＋繰越利益剰余金 800,000 円 =1,850,000 円

(2) **資本等金額** [07]
資本金 5,200,000 円＋資本準備金 500,000 円＋利益準備金 740,000 円
=6,440,000 円

(3) **分配可能額の算定**
①のれん等調整額：5,000,000 円 ÷ 2 =2,500,000 円
2,500,000 円≦ 6,440,000 円
∴　控除金額　　0 円
∴　分配可能額　1,850,000 円

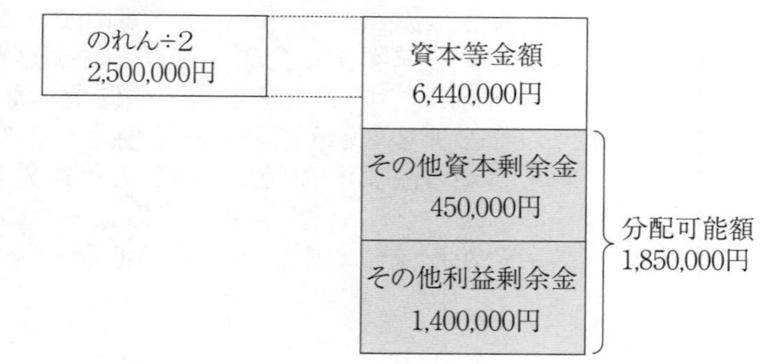

07）分配可能額の計算において，(資本金＋資本準備金＋利益準備金）を資本等金額といいます。

②のれん等調整額：13,000,000 円 ÷ 2 =6,500,000 円

6,440,000 円 <6,500,000 円≦ 6,440,000 円 + 450,000 円 =6,890,000 円

∴　控 除 金 額　6,500,000 円 − 6,440,000 円 =60,000 円

∴　分配可能額　1,850,000 円 − 60,000 円 =1,790,000 円

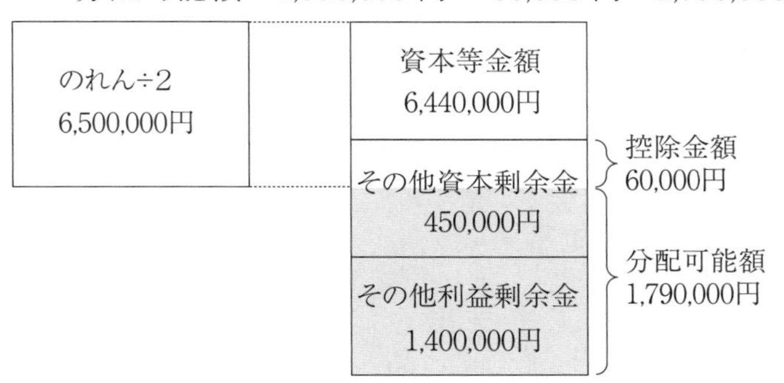

③のれん等調整額：8,000,000 円 ÷ 2 + 3,000,000 円 =7,000,000 円

6,440,000 円 + 450,000 円 =6,890,000 円 <7,000,000 円

8,000,000 円 ÷ 2 =4,000,000 円≦ 6,440,000 円 + 450,000 円 =6,890,000 円

∴　控 除 金 額　7,000,000 円 − 6,440,000 円 =560,000 円

∴　分配可能額　1,850,000 円 − 560,000 円 =1,290,000 円

のれん÷2
4,000,000円
繰延資産
3,000,000円
資本等金額
6,440,000円
その他資本剰余金
450,000円
その他利益剰余金
1,400,000円
控除金額
560,000円
分配可能額
1,290,000円

④のれん等調整額：14,000,000 円 ÷ 2 + 500,000 円 =7,500,000 円

6,440,000 円 + 450,000 円 =6,890,000 円 <7,500,000 円

6,440,000 円 + 450,000 円 =6,890,000 円 <14,000,000 円 ÷ 2 =7,000,000 円

∴　控 除 金 額　450,000 円 + 500,000 円 =950,000 円

∴　分配可能額　1,850,000 円 − 950,000 円 =900,000 円

のれん÷2
7,000,000円
繰延資産
500,000円
資本等金額
6,440,000円
その他資本剰余金
450,000円
その他利益剰余金
1,400,000円
控除金額
450,000円
分配可能額
900,000円
控除金額
500,000円

try it 例題 分配可能額

関東建設株式会社の〈資料Ⅰ〉前期末（3月31日）貸借対照表および〈資料Ⅱ〉前期末以降6月30日現在までの資本取引に関する資料に基づき，6月30日現在の分配可能額を計算しなさい。

〈資料Ⅰ〉前期末貸借対照表

貸借対照表 （単位：千円）

借方	金額	貸方	金額
現金預金	100,000	工事未払金	120,000
完成工事未収入金	135,000	借入金	88,000
有価証券	80,000	資本金	500,000
未成工事支出金	150,000	資本準備金	50,000
材料貯蔵品	74,000	その他資本剰余金	100,000
建物	300,000	利益準備金	22,000
減価償却累計額	△ 24,000	任意積立金	63,000
機械装置	180,000	繰越利益剰余金	82,000
減価償却累計額	△ 45,000	自己株式	△ 25,000
投資有価証券	50,000		
	1,000,000		1,000,000

〈資料Ⅱ〉前期末以降6月30日現在までの資本取引に関する資料

①株主総会決議により，資本準備金 10,000 千円および利益準備金 5,000 千円を剰余金に振り替えた。

②株主総会決議により，任意積立金 20,000 千円を取り崩し，任意積立金 30,000 千円を積み立てた。

③自己株式 22,000 千円を取得した。

④自己株式 15,000 千円を 17,000 千円で処分した。

解答 分配可能額：*213,000* 千円

解説

(1) 前期末以降6月30日現在までの資本取引（仕訳の単位：千円）

①
(借)	資本準備金	10,000	(貸)	その他資本剰余金	10,000
(借)	利益準備金	5,000	(貸)	繰越利益剰余金	5,000

②
(借)	任意積立金	20,000	(貸)	繰越利益剰余金	20,000
(借)	繰越利益剰余金	30,000	(貸)	任意積立金	30,000

③
(借)	自己株式	22,000	(貸)	現金預金	22,000

④
(借)	現金預金	17,000	(貸)	自己株式	15,000
				その他資本剰余金	2,000

(2) 当期6月30日における残高試算表（純資産項目のみ）

残高試算表 （単位：千円）

自己株式	32,000	資本金	500,000
		資本準備金	40,000
		その他資本剰余金	112,000
		利益準備金	17,000
		任意積立金	73,000
		繰越利益剰余金	77,000

(3) 剰余金の算定

前期末（100,000千円＋63,000千円＋82,000千円）
　＋当期変動額（10,000千円＋5,000千円＋2,000千円）=262,000千円
又は
112,000千円＋73,000千円＋77,000千円=262,000千円

(4) 分配可能額の算定

262,000千円－自己株式32,000千円－自己株式処分対価17,000千円
=213,000千円

コラム 必然的な偶然

『必然的な偶然』という話をしましょう。

実は、幸運にも合格した人は口を揃えてこう言います。

『いやー、たまたま前の日に見たところが出てねー、それができたから…』とか、『いやー、たまたま行く途中に見たところが出てねー、それができたから…』と、いかにも偶然に運がよかったかのように。

しかし、私から見るとそれは偶然ではなく、必然です。前の日に勉強しなかったら、試験会場に行く途中に勉強しなかったら、その幸運は起こらなかったのですから。

つまり、最後まで諦めなかった人だけが最後の幸運を手にできる必然性があるということだと思います。

みなさんも諦めずに、最後まで可能性を追求してくださいね。

Chapter 4

キャッシュ・フロー計算書の作成

「キャッシュ・フロー」，「現金の風呂」だったらいいですね（笑）。「キャッシュ・フロー」とは「現金の流れ」です。現金は何といっても日々の取引で一番大事なものですから，やはり気になりますよね。

みなさんは，損益計算のルールから「支出と費用は違う」とか「収入と収益は違う」ということは確認できていると思います。……ということは，損益計算書では「現金の流れ」が把握できないのです。そこで，キャッシュ・フロー計算書を作成して「現金の流れ」を確認していきましょう。もちろん，わかりやすくなくてはなりません。

Section 1　収入と支出を活動別に分けた財務諸表　重要度 ◈◈

キャッシュ・フロー計算書の作成

はじめに ちょっと現金に注目してみましょう。「期首が 1,000 円，期末が 1,300 円なので，300 円増加しています」。これだけでは，何もわかりません。当期の利益が 300 円なのか，それとも借入れを 300 円だけしたのか，おそらくもっと複雑な増減を繰り返しているはずです。それならば分析してみましょう。新しい貴重な情報が得られるかもしれません。いっそのこと，活動別に細分してみてはどうでしょうか？　損益計算書を作成するときにも活動別に区分損益計算を採用していました。どのように区分すればよいのでしょうか？　キャッシュ・フロー計算書の出番です。

キャッシュ・フロー計算書とは

01）手許現金および要求払預金（当座預金・普通預金・通知預金など）をいいます。

02）現金同等物とは，具体的には譲渡性預金，公社債投資信託等です。

キャッシュ・フロー計算書とは，一会計期間におけるキャッシュ・フローの状況を企業が行う主要な活動区分別（営業活動，投資活動，財務活動の区分別）に表示する財務諸表です。キャッシュ・フロー計算書で扱われる資金の範囲は，現金[01]および現金同等物[02]です。

キャッシュ・フロー計算書の基本構造

03）営業活動とは，企業の主たる業務活動をいいます。

04）投資活動とは，固定資産などの長期性資産や株式などの購入や売却による活動をいいます。

05）財務活動とは，企業外部からの資金調達に関連する活動をいいます。

06）外貨建ての現金および現金同等物を換算したときに生じる差額です。

キャッシュ・フロー計算書の基本構造は以下のとおりです。

キャッシュ・フロー計算書

Ⅰ	営業活動[03]によるキャッシュ・フロー	×××
Ⅱ	投資活動[04]によるキャッシュ・フロー	×××
Ⅲ	財務活動[05]によるキャッシュ・フロー	×××
Ⅳ	現金および現金同等物に係る換算差額[06]	×××
Ⅴ	現金および現金同等物の増減額	×××
Ⅵ	現金および現金同等物の期首残高	×××
Ⅶ	現金および現金同等物の期末残高	×××

キャッシュ・フロー計算書の表示区分

キャッシュ・フロー計算書では，企業活動を営業活動，投資活動，および財務活動に分類し，それぞれの活動によるキャッシュ・フローを区分表示しています。

(1)営業活動によるキャッシュ・フロー 営業活動によるキャッシュ・フローには営業収入，営業支出，人件費支出，法人税等の支払額などが分類されます。また営業活動によるキャッシュ・フローの作成方法には直接法と間接法があります。

①直接法 直接法とは，営業収入，原材料等のための支出等，主要な取引ごとにキャッシュ・フローを総額表示する方法です。

07）完成工事未収入金の受取りがあります。

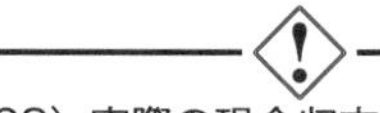

08）実際の現金収支です。

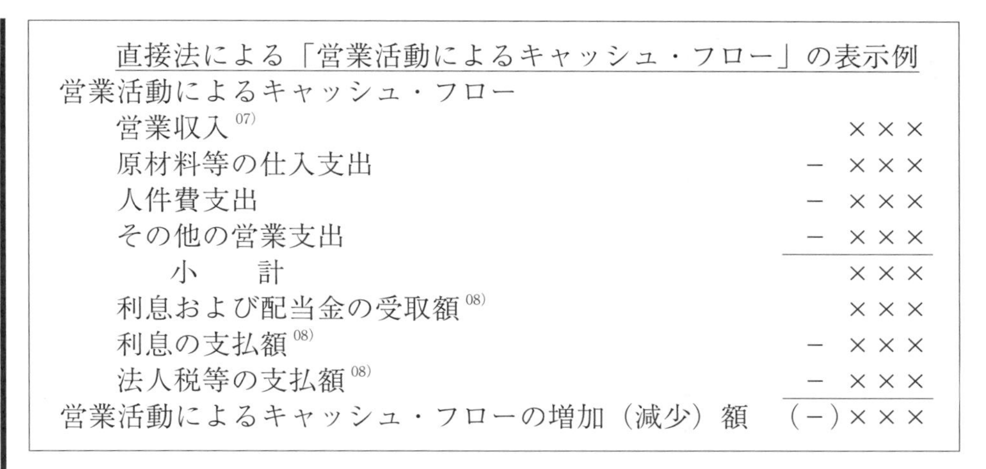

直接法による「営業活動によるキャッシュ・フロー」の表示例

営業活動によるキャッシュ・フロー	
営業収入[07]	×××
原材料等の仕入支出	－×××
人件費支出	－×××
その他の営業支出	－×××
小　計	×××
利息および配当金の受取額[08]	×××
利息の支払額[08]	－×××
法人税等の支払額[08]	－×××
営業活動によるキャッシュ・フローの増加（減少）額	(－)×××

②間接法

間接法とは，税引前当期純利益に非資金損益項目，営業活動に係る資産および負債の増減，営業損益に関係しない損益項目といった調整項目を加減して表示する方法です。

09）非資金損益項目：減価償却費や貸倒引当金繰入額は，損益計算書上，費用計上されていますが，実際に現金を支払ったわけではないので，税引前当期純利益に加算します。

10）営業外損益項目・特別損益項目：営業活動によるキャッシュ・フローを求めるために，営業外損益項目と特別損益項目を損益計算書と逆に加減します。

11）営業資産および負債の増減：利益をキャッシュ・フローに調整するために営業活動に係る資産，負債の増減額を調整します。

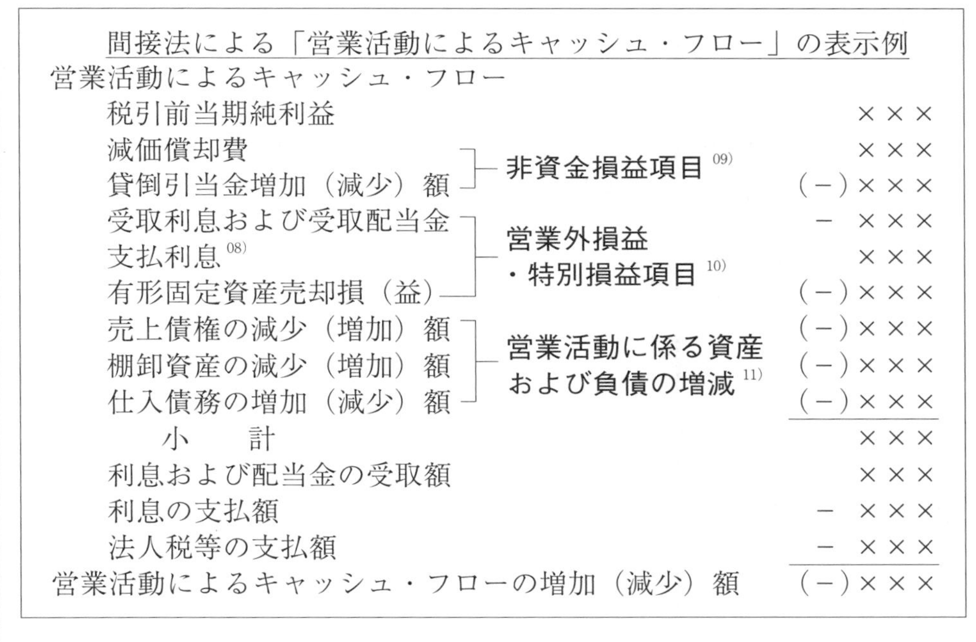

間接法による「営業活動によるキャッシュ・フロー」の表示例

項目	区分	金額
営業活動によるキャッシュ・フロー		
税引前当期純利益		×××
減価償却費	非資金損益項目[09]	×××
貸倒引当金増加（減少）額	非資金損益項目[09]	(－)×××
受取利息および受取配当金	営業外損益・特別損益項目[10]	－×××
支払利息[08]	営業外損益・特別損益項目[10]	×××
有形固定資産売却損（益）	営業外損益・特別損益項目[10]	(－)×××
売上債権の減少（増加）額	営業活動に係る資産および負債の増減[11]	(－)×××
棚卸資産の減少（増加）額	営業活動に係る資産および負債の増減[11]	(－)×××
仕入債務の増加（減少）額	営業活動に係る資産および負債の増減[11]	(－)×××
小　計		×××
利息および配当金の受取額		×××
利息の支払額		－×××
法人税等の支払額		－×××
営業活動によるキャッシュ・フローの増加（減少）額		(－)×××

※　営業資産および営業負債の増減は以下のように調整します。

	増減		キャッシュ・フロー計算書における調整
営業資産	増加額	期末残高＞期首残高	減算（－）
	減少額	期末残高＜期首残高	加算（＋）
営業負債	増加額	期末残高＞期首残高	加算（＋）
	減少額	期末残高＜期首残高	減算（－）

(2)投資活動によるキャッシュ・フロー

投資活動によるキャッシュ・フローには有形（無形）固定資産の取得による支出，有形（無形）固定資産の売却による収入，貸付金の回収による収入，貸付けによる支出などのキャッシュ・フローが分類されます。

「投資活動によるキャッシュ・フロー」の区分の表示例

投資活動によるキャッシュ・フロー	
有価証券の取得による支出	−　×××
有価証券の売却による収入	×××
有形固定資産の取得による支出	−　×××
有形固定資産の売却による収入	×××
貸付けによる支出	−　×××
貸付金の回収による収入	×××
投資活動によるキャッシュ・フロー増加（減少）額	(−)×××

(3)財務活動によるキャッシュ・フロー

財務活動によるキャッシュ・フローには株式発行による収入，配当金の支払いによる支出，社債の発行（借入れ）による収入，社債（借入金）の償還による支出などのキャッシュ・フローが分類されます。[12)]

12）この他に，固定資産を分割払いで購入（割賦購入）したときの分割代金の支払いやファイナンス・リース取引におけるリース料の支払いを，「割賦債務の返済による支出」，「リース債務の返済による支出」として記載します。

「財務活動によるキャッシュ・フロー」の区分の表示例

財務活動によるキャッシュ・フロー	
借入れによる収入	×××
借入金の返済による支出	−　×××
社債の発行による収入	×××
社債の償還による支出	−　×××
株式の発行による収入	×××
財務活動によるキャッシュ・フロー増加（減少）額	(−)×××

利息および配当に係るキャッシュ・フロー

利息および配当金のうち支払利息，受取利息，受取配当金の区分方法は2つあります。(1)利息および配当金の受取額と利息の支払額を営業活動によるキャッシュ・フローの区分で表示する方法と，(2)利息および配当金の受取額を投資活動によるキャッシュ・フローの区分で，利息の支払額を財務活動によるキャッシュ・フローの区分で表示する方法です。

(1)の方法

	営業活動	投資活動	財務活動
受取利息	○		
受取配当金	○		
支払利息	○		
支払配当金			○

(2)の方法

	営業活動	投資活動	財務活動
受取利息		○	
受取配当金		○	
支払利息			○
支払配当金			○

try it **例題** **営業活動によるキャッシュ・フロー**

1. 次の資料に基づいて ①直接法および ②間接法による営業活動によるキャッシュ・フローの区別を完成させなさい。なお,利息の受払いおよび配当金の受取に係るキャッシュ・フローは営業活動によるキャッシュ・フローの区別で表示するものとする。(単位:千円)

資料

前期末売上債権	200	当期完成工事高	1,800	当期末売上債権	240
前期末仕入債務	120	当期仕入高	1,200	当期末仕入債務	100
当期人件費	200				
当期受取利息	40	当期受取配当金	40		
当期支払利息	70				
前期末棚卸資産	20	当期末棚卸資産	40		
前期末未払法人税等	20	当期法人税等	120	当期末未払法人税等	40
減価償却費	200				
前期末貸倒引当金	20	当期貸倒引当金繰入額	10	当期末貸倒引当金	30
有形固定資産売却損	40	税引前当期純利益	180		

解 答

① 直接法での営業活動によるキャッシュ・フロー(単位:千円)

営業収入	*1,760*
原材料等の仕入支出	*− 1,220*
人件費支出	*− 200*
小 計	*340*
利息および配当金の受取額	*80*
利息の支払額	*− 70*
法人税等の支払額	*− 100*
営業活動によるキャッシュ・フロー	*250*

(1) 営業収入

売上債権

借方	貸方
前期末 200千円	回収 1,760千円(差額)
当期完成 1,800千円	
	当期末 240千円

200千円+1,800千円−240千円
=1,760千円

(2) 原材料等の仕入支出

仕入債務

借方	貸方
支払 1,220千円(差額)	前期末 120千円
	当期仕入 1,200千円
当期末 100千円	

120千円+1,200千円−100千円
=1,220千円

(3) 法人税等の支払額

未払法人税等

支払 100千円	前期末 20千円
	当期分 120千円
当期末 40千円	

20千円＋120千円－40千円
＝100千円

(4) 利息および配当金の受取額
40千円＋40千円＝80千円

13) 支出ではない，しかし費用である → 加算

② 間接法での営業活動によるキャッシュ・フロー（単位：千円）

税引前当期純利益	*180*
減価償却費[13]	*200*
貸倒引当金増加額	*10* *1
受取利息および受取配当金	－ *80* *2
支払利息	*70*
有形固定資産売却損	*40*
売上債権の増加額	－ *40* *3
棚卸資産の増加額	－ *20* *4
仕入債務の減少額	－ *20* *5
小　計	*340*
利息および配当金の受取額	*80*
利息の支払額	－ *70*
法人税等の支払額	－ *100*
営業活動によるキャッシュ・フロー	*250*

解 説

＊1　当期末貸倒引当金30千円－前期末貸倒引当金20千円＝10千円
＊2　当期受取利息40千円＋当期受取配当金40千円＝80千円
＊3　当期末売上債権240千円－前期末売上債権200千円＝40千円（資産の増加→減算）
＊4　当期末棚卸資産40千円－前期末棚卸資産20千円＝20千円（資産の増加→減算）
＊5　当期末仕入債務100千円－前期末仕入債務120千円＝△20千円(負債の減少→減算)

例題　投資活動によるキャッシュ・フロー

2. 次の資料に基づいて投資活動によるキャッシュ・フローの区分を完成させなさい。

資料

① 有価証券の取得
当期中に有価証券450千円を取得しその代金を支払った。

② 有価証券の売却
当期中に有価証券300千円（簿価）を売却しその代金はすでに入金されている。なお，当該有価証券の売却に係る有価証券売却益50千円が計上されている。

③ 有形固定資産の取得
当期中に事業用建物を取得しており，建物の代金および付随費用も含む400千円を支払った。

④ 有形固定資産の売却
当期中に不要になった機械装置400千円（取得原価）を売却しその代金はすでに入金されている。なお，当該機械装置に係る売却時までの減価償却累計額は250千円であった。また，当該機械装置の売却に係る固定資産売却損70千円が計上されている。

⑤ 貸付け
当期中に関連会社に200千円を貸し付けた。

解答

投資活動によるキャッシュ・フロー（単位：千円）

有価証券の取得による支出	－ 450 *1
有価証券の売却による収入	350
有形固定資産の取得による支出	－ 400 *2
有形固定資産の売却による収入	80
貸付による支出	－ 200
投資活動によるキャッシュ・フロー	－ 620

解説

＊1　有価証券（簿価）300千円＋有価証券売却益50千円＝350千円

（借）	現　　　金	350	（貸）	有価証券	300
				有価証券売却益	50

＊2　機械装置（取得原価）400千円－減価償却累計額250千円－固定資産売却損70千円＝80千円

（借）	現　　　金	80	（貸）	機械装置	400
	減価償却累計額	250			
	固定資産売却損	70			

例題　財務活動によるキャッシュ・フロー

3.　次の資料に基づいて財務活動によるキャッシュ・フローの区分を完成させなさい。なお，利息の支払いに係る支出は営業活動によるキャッシュ・フローの区分で表示するものとする。

資料

① 借入れとその返済

当期中に取引銀行からの借入金400千円の返済期限が到来したので借入利息20千円を含む420千円を支払った。また，新たに取引銀行から600千円の借入れを行い入金された。

② 社債の発行

当期中に額面総額500千円の社債を発行した。当該社債は100円につき95円の割引発行をしており，また社債発行のための費用5千円を発行時に支払っている。社債発行費については重要性があるとみなし，実質手取額で表示することにしている。

③ 社債の償還

当期中に額面総額250千円の社債の償還期限が到来したので支払った。

④ 配当金の支払い

当期中に行われた定時株主総会の決議により，1株当たり1.5千円の配当金を分配することになり，ただちに支払った。なお配当金の交付対象となる発行済株式数は20株である。

⑤ 自己株式の取得

当期中に自己株式8株を市場から買い入れた。買入価格は1株当たり20千円であり，手数料1株当たり0.5千円とともに支払った。

解答

財務活動によるキャッシュ・フロー（単位：千円）	
借入れによる収入	600
借入金の返済による支出	−400[*1]
社債の発行による収入	470[*2]
社債の償還による支出	−250
配当金の支払い	−30[*3]
自己株式の取得による支出	−164[*4]
財務活動によるキャッシュ・フロー	226

解説

＊1　利息の支払いは含まない。：400千円

＊2　社債額面総額500千円×$\frac{@95円}{@100円}$−社債発行費5千円=470千円

＊3　20株×1.5千円=30千円

＊4　8株×20.5千円=164千円

Chapter 5

財務諸表作成のテクニック

　このChapterは，自己紹介のテクニックの話です。器用な人もいるし，不器用な人もいます。でも大丈夫！　ちょっとしたコツをつかめば，上手く，もれなく，正確な財務諸表が作成できるようになります。イメージとして，損益計算書が「川」，貸借対照表が「湖」です。どちらかに着目すればOK。

Section 1 第５問で毎回出題されています。 重要度 ◈◈◈◈◈

精算表

はじめに ■ 精算表の作成は大変です。タテとヨコが細かく分かれていて迷路に迷い込んだような錯覚に陥る方もいるようです。しかし，弱音をはいてはいけません。作成のテクニックを身につけるだけで，道に迷うことなくゴール（完成）できるようになります。さあ，さっそく挑戦してみましょう。

精算表とは

精算表とは，決算のアウトラインを知るための一覧表です。残高試算表に，決算整理事項などを加味して，損益計算書と貸借対照表を作成するプロセスを示します。

① 決算を行う直前の元帳諸勘定の残高

勘定科目	残高試算表	
	借方	貸方
現金預金	25000	
受取手形	98000	
完成工事未収入金	99000	
貸倒引当金		1000
有価証券	47000	
未成工事支出金	375000	
建物	350000	
建物減価償却累計額		50000
機械装置	300000	
機械装置減価償却累計額		85000
備品	20000	
備品減価償却累計額		5800
建設仮勘定	170000	
その他諸資産	142800	
支払手形		90000
工事未払金		26000
未成工事受入金		9000
完成工事補償引当金		30
社債		229500
借入金		30000
退職給付引当金		15000
その他諸負債		85470
資本金		500000
資本準備金		60000
利益準備金		60000
繰越利益剰余金		30000
完成工事高		470000
販売費及び一般管理費	100000	
その他諸費用	20000	
	1746800	1746800
未払金		
完成工事原価		
社債償還損益		
有価証券利息		
社債利息		
当期純利益		

② 決算整理事項・未処理事項の仕訳を記入

③ 収益・費用の各項目を記入　④ 資産・負債・純資産の各項目を記入

精　算　表

（単位：千円）

整理記入 借方	整理記入 貸方	損益計算書 借方	損益計算書 貸方	貸借対照表 借方	貸借対照表 貸方	
20000				45000		
	20000			78000		▶(1)へ
				99000		
	2540				3540	
	250			46750		
10360 120 430	282410			103500		▶(5)へ
180000				530000		
	24000				74000	
				300000		
	10360				95360	
				20000		
	2250				8050	
	170000					
				142800		
					90000	
					26000	
					9000	
	430				460	
	3300				232800	
					30000	
	1440				16440	▶(2)へ
					85470	
					500000	▶(3)へ
					60000	
10000					50000	
	10000				40000	
			470000			▶(4)へ
2540 24000 2250 1320		130110				▶(5)へ
		20000				
	10000				10000	
282410		282410				▶(5)へ
450		450				
250		250				
2850		2850				
536980	536980	436070	470000	1365050	1331120	⑤ タテの合計を記入
		33930			33930	⑥ 貸借差額＝当期純利益（損益計算書欄，貸借対照表欄で必ず一致する）
		470000	470000	1365050	1365050	

▶記入の概略◀

①決算を行う直前の元帳諸勘定の残高を記入します。（ただし記載されていることが多い）

②決算整理事項・未処理事項の仕訳を記入します。

③収益・費用の各項目を損益計算書欄に記入します。

④資産・負債・純資産の各項目を貸借対照表欄に記入します。

⑤タテの合計を計算記入します。

⑥貸借の差額を計算し，当期純利益または当期純損失を求め，記入します。

(1)資　産 ● 受取手形を例にします。

勘定科目	残高試算表		整理記入		損益計算書		貸借対照表	
	借方	貸方	借方	貸方	借方	貸方	借方	貸方
受取手形	98000			20000			78000	

受取手形　20,000円の決済が未処理。

（借）現金預金	20,000	（貸）受取手形	20,000[01]

01）整理記入欄貸方へ記入します。

(2)負　債 ● 退職給付引当金を例にします。

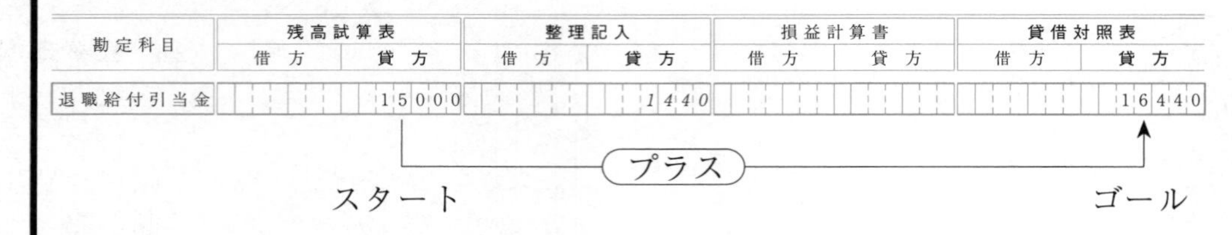

勘定科目	残高試算表		整理記入		損益計算書		貸借対照表	
	借方	貸方	借方	貸方	借方	貸方	借方	貸方
退職給付引当金		15000		1440				16440

退職給付引当金の繰入れ（一般管理費1,320円，工事原価の計上不足120円）。

（借）未成工事支出金	120	（貸）退職給付引当金	1,440[02]
販売費及び一般管理費	1,320		

02）整理記入欄貸方へ記入します。

(3)純資産 ● 資本金を例にします。

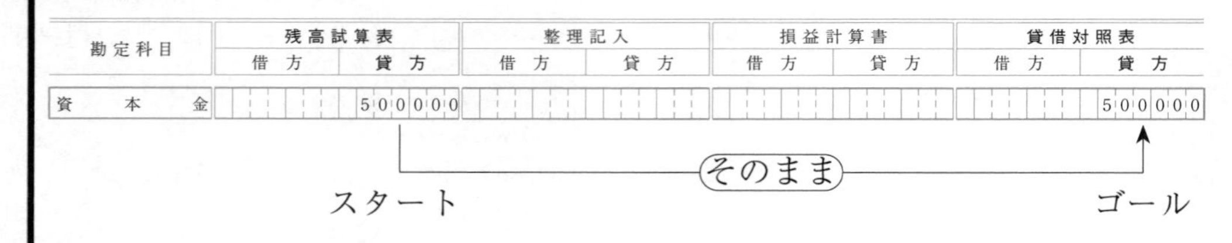

勘定科目	残高試算表		整理記入		損益計算書		貸借対照表	
	借方	貸方	借方	貸方	借方	貸方	借方	貸方
資本金		500000						500000

(4)収　益 ● 完成工事高を例にします。

勘定科目	残高試算表		整理記入		損益計算書		貸借対照表	
	借方	貸方	借方	貸方	借方	貸方	借方	貸方
完成工事高		470000				470000		

(5)費　　用● 完成工事原価と販売費及び一般管理費を例にします。

勘定科目	残高試算表 借方	残高試算表 貸方	整理記入 借方	整理記入 貸方	損益計算書 借方	損益計算書 貸方	貸借対照表 借方	貸借対照表 貸方
未成工事支出金	375000		10360 120 430	282410			103500	
完成工事原価			282410		282410			

①期中において，工事原価は未成工事支出金勘定で処理しています。整理記入を含めた合計額を計算します。

375,000 円＋ 10,360 円＋ 120 円＋ 430 円 =385,910 円

②資料で与えられた未成工事支出金の残高を貸借対照表欄の借方に記入します。

〈未成工事支出金の期末残高は 103,500 円である。〉

③差額を計算して，完成工事原価に振り替えます。

（借）	完成工事原価	282,410	（貸）	未成工事支出金	282,410

385,910 円－ 103,500 円 =282,410 円

④完成工事原価を，損益計算書欄の借方に記入します。

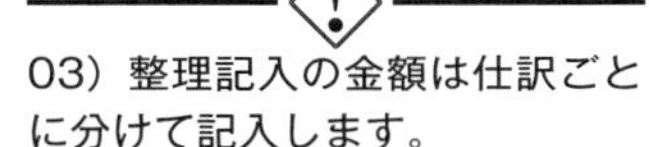

03）整理記入の金額は仕訳ごとに分けて記入します。

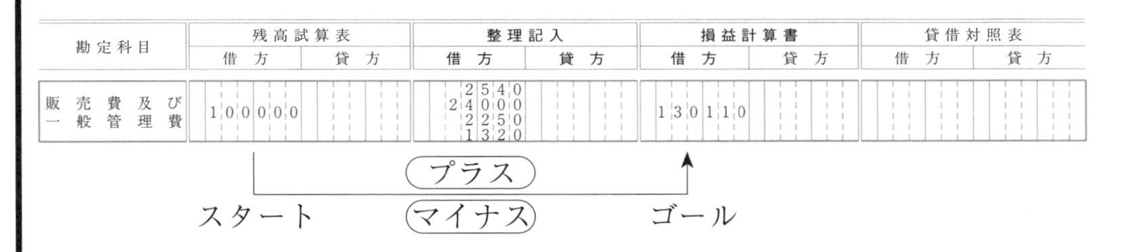

勘定科目	残高試算表 借方	残高試算表 貸方	整理記入 借方	整理記入 貸方	損益計算書 借方	損益計算書 貸方	貸借対照表 借方	貸借対照表 貸方
販売費及び一般管理費	100000		2540 24000 2250 1320		130110			

貸倒引当金　2,540 円の繰入

（借）	販売費及び一般管理費	2,540	（貸）	貸倒引当金	2,540

建物の減価償却費　24,000 円の計上

（借）	販売費及び一般管理費	24,000	（貸）	建物減価償却累計額	24,000

備品の減価償却費　2,250 円の計上

（借）	販売費及び一般管理費	2,250	（貸）	備品減価償却累計額	2,250

退職給付引当金の繰入（一般管理費　1,320 円，工事原価の計上不足　120 円）

（借）	未成工事支出金	120	（貸）	退職給付引当金	1,440
	販売費及び一般管理費	1,320			

計算ミスに気を付けましょう。　重要度◈◈

損益計算書の作成

はじめに ■ 損益計算書は収益と費用を集計して作成します。ということは，フロー（流れ）に着目すれば，すぐ作成できてしまいます。損益計算書の作成テクニックを身につけ，ムダなく，最短距離でゴールできるようになりましょう。ここでは，損益計算書項目の一部を抜き出し，その計算方法を見ていきます。

残高試算表上の金額

残高試算表または元帳残高から，損益計算書項目をピックアップします。

現金預金	4,050	受取手形	8,400	完成工事未収入金	5,000
貸倒引当金	15	有価証券	13,000	未成工事支出金	25,700
建物	16,500	建物減価償却累計額	3,300	機械装置	17,500
機械装置減価償却累計額	3,100	備品	6,500	備品減価償却累計額	1,500
支払手形	800	工事未払金	1,300	未成工事受入金	800
完成工事補償引当金	5	借入金	1,000	退職給付引当金	2,000
資本金	30,000	資本剰余金	800	利益剰余金	3,490
完成工事高	55,000	広告宣伝費	4,200	保険料	2,500
受取配当金	300	支払利息	60		

→ 損益計算書へ

資料の読取り方

(1)貸倒引当金 ● 売上債権に対して1%の貸倒引当金を計上する（差額補充法）。

貸倒引当金繰入額：[8][4][0][0][+][5][0][0][0][×][.][0][1][−][1][5][=] ⇒ 119

(2)減価償却 ● 建物について次の条件に従って減価償却を行う。

	減価償却の方法	耐用年数	残存価額	減価償却費の処理
建物	定額法	30年	10%	一般管理費

建物減価償却費：[1][6][5][0][0][×][.][9][÷][3][0][=] ⇒ 495

(3)有価証券の評価

有価証券の期末現在の状況は以下のとおり。
なお，A 社株式は時価が著しく下落し，回復の見込みがない。

銘　　　　柄	取得原価	時　　価	摘　　　　要
A 社　株　式	3,000 円	1,000 円	A 社は当社の子会社
B 社　株　式	4,000 円	3,800 円	B 社は当社の子会社
C 社　株　式	5,000 円	4,000 円	売買目的有価証券
D 社　株　式	1,000 円	1,500 円	売買目的有価証券

なお，上記の株式は，すべて取引所に上場されており，その必要な整理は未済である。

		評価損	評価益
A 社株式評価額：1,000	⇒	2,000	—
C 社株式評価額：4,000	⇒	1,000	—
D 社株式評価額：1,500	⇒	—	500

(4)完成工事原価の計算

①当期の完成工事高に対して，0.1% の完成工事補償引当金を計上する（差額補充法）
②退職給付引当金の当期繰入額は 300 円であり，このうち 210 円は工事原価，90 円は一般管理費である。
③同社は，材料貯蔵品を購入したときには未成工事支出金勘定で整理し，工事が完成して残材があれば，材料貯蔵品勘定に振り替え，後日その他の工事に使用するときに，改めて未成工事支出金勘定に振り替える処理を行っている。
前期から繰り越された材料貯蔵品はすべて当期に使用され，また次期に繰り越される材料貯蔵品は 430 円である。
④有形固定資産について次の要素に従って減価償却を行う。

	減価償却の方法	耐用年数	残存価額	減価償却費の処理
機械装置	定率法（年率 20%）	10 年	10%	工事原価

⑤未成工事支出金の期末残高は 666 円である。
〈付記事項〉
同社の月次原価計算では，機械装置の減価償却費について月額 170 円，現場作業員の退職給付引当金について月額 17 円の予定計算を実施している。この２項目については，当期の予定計上額と実際発生額に差額が生じた場合には，その差額を工事原価に加減するものとする。

完成工事補償引当金繰入額：5 5 0 0 0 × . 0 0 1 − 5 = ⇒ 50
機械装置減価償却費：1 7 0 × 1 2 M+ 3 1 0 0 0 M- 1 7 5 0 0 + RM × . 2 = ⇒ 3,288
予定計上額：1 7 0 + 1 7 × 1 2 = ⇒ 2,244
完成工事原価：2 5 7 0 0 + 5 0 + 2 1 0 + 3 2 8 8 − 4 3 0 − 2 2 4 4 − 6 6 6 = ⇒ 25,908

Section 3

資産、負債の金額を直接計算できます。　重要度◈◈

貸借対照表の作成

はじめに ■ 貸借対照表は，資産と負債，さらに純資産を集計したものです。ということはストック（蓄積）に着目すればよいのです。貸借対照表の作成テクニックを身につけ，ダイレクトに答えを導き出せるようになってください。ここでは，貸借対照表項目を一部抜き出し，その計算方法を身につけます。

残高試算表上の金額

残高試算表または元帳残高から，貸借対照表項目をピックアップします。

現金預金[01]	4,050	受取手形	8,400	完成工事未収入金	5,000
貸倒引当金	15	有価証券	13,000	未成工事支出金	25,700
建物	16,500	建物減価償却累計額	3,300	機械装置	17,500
機械装置減価償却累計額	3,100	備品	6,500	備品減価償却累計額	1,500
支払手形	800	工事未払金	1,300	未成工事受入金	800
完成工事補償引当金	5	借入金	1,000	退職給付引当金	2,000
資本金	30,000	資本剰余金	800	利益剰余金	3,490
完成工事高	55,000	広告宣伝費	4,200	保険料	2,500
受取配当金	300	支払利息	60		

→ 貸借対照表へ

01）貸借対照表上は現金と当座預金を合わせて「現金預金」として表示します。

資料の読取り方

(1)貸倒引当金 ● 売上債権の期末残高に対して 2% の貸倒引当金を計上する（差額補充法[02]）。

8400×.02= ⇒ 168（受取手形についての貸倒引当金[03]）
5000×.02= ⇒ 100（完成工事未収入金についての貸倒引当金）

02）設定する貸倒引当金の金額さえわかればよいので，設定方法が差額補充法か洗替法かは関係ありません。
03）資産の部に記載
受取手形　8,400
貸倒引当金　△168　8,232

(2)完成工事補償引当金 ● 当期の完成工事高に対して，0.1% の完成工事補償引当金を計上する（差額補充法）。

55000×.001= ⇒ 55（完成工事補償引当金[04]）

04）負債の部に記載します。

(3)減価償却累計額

有形固定資産の減価償却は，次のように行う。

	減価償却の方法	定率または耐用年数	残存価額	減価償却費の処理
建　物	定率法	8％	10%	一般管理費

[1][6][5][0][0][−][3][3][0][0][×][.][0][8][+][3][3][0][0][=] ⇒ 4,356

（建物についての減価償却累計額[05]）

05）資産の部に記載します。
建　物　16,500
減価償却累計額　△4,356　12,144

(4)材料貯蔵品

同社は，材料貯蔵品を購入したときには未成工事支出金勘定で処理し，工事が完成したときに残材があれば，材料貯蔵品勘定に振り替え，後日それを他の工事に使用するときには，改めて未成工事支出金勘定に振り替える処理を行っている。

前期から繰り越された材料貯蔵品は，すべて当期の工事に使用され，また次期に繰り越される材料貯蔵品は 50 円 である。

→ 資産

(5)有価証券

有価証券の期末現在の状況は以下のとおり。

なお，A 社株式は時価が著しく下落し，回復の見込みがない。

銘　柄	取得原価	時　価	摘　要
A 社 株 式	3,000 円	1,000 円	A 社は当社の子会社
B 社 株 式	4,000 円	3,800 円	B 社は当社の子会社
C 社 株 式	5,000 円	4,000 円	売買目的有価証券
D 社 株 式	1,000 円	1,500 円	売買目的有価証券

なお，上記の株式は，すべて取引所に上場されており，その必要な整理は未済である。

	評価額		表　示
A 社株式	1,000	⇒	関係会社株式
B 社株式	4,000	⇒	関係会社株式
C 社株式	4,000	⇒	有 価 証 券
D 社株式	1,500	⇒	有 価 証 券

コラム『論述問題に挑戦しよう』

1級建設業経理士の試験では、3教科ともに第1問で論述問題が出題されます。
どの科目も20点の配点が振られているため、この問題を白紙で提出してしまうと、第2問からの第5問までの4題、80点満点の問題で70点の合格ラインを目指すことになってしまい、かなり厳しい戦いを強いられることになります。

そのため、まず受験生の皆さんに意識して頂きたいことは、「第1問を白紙で提出しない」ということです。

ただ、そのようなアドバイスを聞くと、「過去問の模範解答が覚えられない」というコメントをたくさん頂きますが、これも大きな誤解を含んでいます。

ネットスクールはもちろんのこと、他の学校が公表している模範解答は、あくまでも“模範”でなければならないため、慎重を期して、様々な文献を確認しながら、時間を掛けて複数人でチェックしたものを“模範解答”として公開しています。
それと全く同じものを、本試験という緊張に満ちた環境の中、限られた時間内に、1人で、何も見ずに再現するということは至難の業で、一部の凄い方を除いて、そんな真似をするのは現実的な方法とは言えません。

それでも､1級の各科目の合格率は20～30%台で推移している（高い時は50%近いこともあります）ことを考えれば、模範解答どおり解答が書けなくても、十分に合格できるはずなのです。

また、計算問題や記号問題は基本的に世界が1つしかなく、それ以外の数値や記号を書いてしまえば不正解ですが、論述問題は点数がもらえる答案の“幅”が広いので、部分点をもらえる可能性は高いはずです。
したがって、論述問題は「満点を狙うのは難しいが、努力の分だけ得点できる可能性もある」問題だと言えますし、この論述問題で稼いだ部分点が合否を分けることだって考えられるのです。

合格の可能性を高めるためにも、ぜひ論述問題に挑戦して、白紙にしないように心掛けて下さい。

ネットスクール建設業経理士WEB講座
担当講師　藤本拓也

Chapter 6

特殊論点

あなたは，じっとしていることが苦手です。いろいろなことに挑戦しては，成功と失敗を繰り返しています。「もっと新しいことがしたい！」いつも口(くち)グセのように言っています。
企業にも同じことがいえます。活動の範囲をさまざまな方法によって拡大し，企業グループを結成したりもしています。
今までの知識だけでは，ちょっと足りません。いろいろな場面での会計処理を見てみましょう。

Section 1

大規模な工事を複数の会社で受注した場合の会計。　重要度◈◈◈

共同企業体会計（JV）

はじめに あなたは，仲間と協力して同じ目的を達成しようと考えています。会社を設立するほど大がかりなものではなく，1回限りの目的を果たせれば十分です。資金が必要なので，2人で出し合いますが，あなたのほうが多く出資しています。もちろん，利益も多くもらいたいですよね。「出資に応じた利益を」これが基本です。それでは会計処理を見てみましょう。

共同企業体とは

共同企業体とは，複数の企業が1つの工事を分担して請け負う目的で協定を結んで出資し，結成するものをいい，ジョイント・ベンチャー（JV）ともいわれます。共同企業体はそれ自体が企業としての性格をもつわけではありませんが，会計上は，1つの独立した会計単位として取り扱われます。なお，共同企業体を構成するそれぞれの企業を構成員といいます。また，その構成員のうちの代表者をスポンサー企業，その他の構成員をサブ企業といいます。

共同企業体の会計処理

共同企業体会計は，共同企業体の受注した工事に係る報告書の作成が目的となります。このため，個々の構成員の会計処理からは独立した，共同企業体としての独立会計方式を原則とします。

共同企業体は次のようなプロセスをたどり，共同企業体としての工事を「独立した会計単位」として記録・処理します。また，共同企業体と各構成員との間の会計処理は，各構成員の出資比率に基づいて行われます。

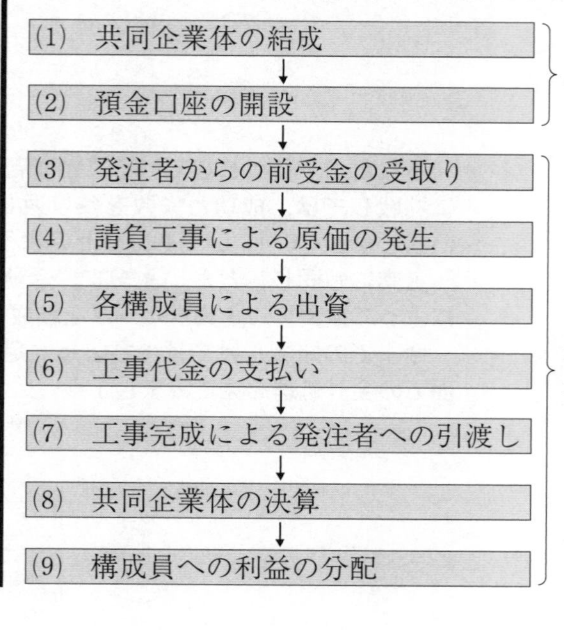

(1) 共同企業体の結成

（以下では
ＴＫ共同企業体……ＪＶ
Ｔ建設会社…………Ｔ社
Ｋ建設会社…………Ｋ社
と表示する）

共同企業体として契約を結ぶだけなので，簿記上の取引（財産変動）は特になく，会計処理の必要はありません。

ただし，契約にさいして共同企業体の名称，代表者，出資割合など共同企業体の結成に主要な内容が決まります。

名　　称	TK 共同企業体（JV）	
代 表 者	T 建設株式会社（スポンサー企業）	
出資割合	T 建設株式会社	60%
	K 建設株式会社（サブ企業）	40%

TK 共同企業体の協定が締結されました。それでは順次 TK 共同企業体の取引を見ていきましょう。

(2) 預金口座の開設

工事発注者，スポンサー企業，サブ企業，下請企業間の資金取引は預金口座を通して行われるため，預金口座を開設します。しかし，簿記上の取引ではないので会計処理の必要はありません。

(3) 発注者からの前受金の受取り

共同企業体は発注者から資金を受け取ります。これは，共同企業体にとって前受金としての性質をもち，通常の請負工事と同様に未成工事受入金勘定で処理します。

前受金を受け取ったときはまず，JV の取引として処理をします。構成員への分配をしない場合には，構成員が JV に出資したことと実質的に同一なので，各構成員は JV 出資金勘定を用いて処理します。

取引例 1　（構成員へ分配しないケース）

発注者の M 株式会社より，JV の当座預金口座に 200,000 円が前受金として振り込まれた。なお，構成員への分配は行わない。
JV 工事の内容
　工事の請負契約価額　600,000 円
　工事原価見積額　　　450,000 円
　工事総利益　　　　　150,000 円
　出資割合
　　T 社　60%　K 社　40%

JV の仕訳

（借）	当座預金	200,000	（貸）未成工事受入金	200,000

T 社の仕訳

（借）	JV 出資金	120,000	（貸）未成工事受入金	120,000

K 社の仕訳

（借）	JV 出資金	80,000	（貸）未成工事受入金	80,000

なお，構成員への分配をする場合には，構成員は前受金の受取り時には仕訳をせず，実際に構成員に分配されたときに仕訳をします。このとき共同企業体では，〇〇社出資金勘定を用いて処理します[01]。

01) ①前受金振込時
JVの仕訳
（借）当　座　預　金 200,000
　（貸）未成工事受入金 200,000
T社及びK社　仕訳なし
②分配時
JVの仕訳
（借）T社出資金 120,000
　K社出資金 80,000
　（貸）当　座　預　金 200,000
T社
（借）当　座　預　金 120,000
　（貸）未成工事受入金 120,000
K社
（借）当　座　預　金 80,000
　（貸）未成工事受入金 80,000

(4)請負工事による原価の発生

共同企業体で請負工事による原価が発生した場合には，未成工事支出金勘定，工事未払金勘定で処理します。また，同時に構成員に出資の請求をするので，各構成員は出資割合に応じた額を未成工事支出金勘定と工事未払金勘定で処理します。

取引例２　　工事原価発生時の処理

工事原価 450,000 円が発生したので，JV はこの原価に対して各構成員に出資の請求をした。

JVの仕訳

（借）	未成工事支出金	450,000	（貸）	工事未払金	450,000

T社の仕訳

（借）	未成工事支出金	270,000	（貸）	工事未払金	270,000

K社の仕訳

（借）	未成工事支出金	180,000	（貸）	工事未払金	180,000

(5)各構成員による出資

共同企業体の結成にさいして定められた出資割合に応じて，各構成員が出資します。このとき共同企業体は，各構成員からの出資金を○○社出資金勘定で処理し，各構成員はJV出資金勘定で処理します。

取引例３ 構成員による出資

取引例２の工事原価450,000円を支払うため，前受金を充当しても足りない部分250,000円について各構成員が小切手を振り出して出資し，JVの預金口座へ振り込んだ。

JVの仕訳

(借)	当座預金	250,000	(貸)	T社出資金	150,000
				K社出資金	100,000

T社の仕訳

(借)	JV出資金	150,000	(貸)	当座預金	150,000

K社の仕訳

(借)	JV出資金	100,000	(貸)	当座預金	100,000

(6)工事代金の支払い

共同企業体が支払いを行ったときに各構成員も工事未払金を減少させる処理をします。貸方はJV出資金勘定で処理します。

取引例４ 工事代金の支払い

JVは取引例３の工事原価450,000円を小切手で支払った。

JVの仕訳

(借)	工事未払金	450,000	(貸)	当座預金	450,000

T社の仕訳

(借)	工事未払金	270,000	(貸)	JV出資金	270,000

K社の仕訳

(借)	工事未払金	180,000	(貸)	JV出資金	180,000

(7)工事完成による発注者への引渡し

請負工事が完成し，その引渡しを完了したときに，共同企業体としての工事収益を計上します。このとき，共同企業体としての完成工事原価も併せて計上します。

取引例５　完成・引渡し

JVは，工事が完成したので検査を受け発注者へ引き渡した。なお，当該工事の請負契約価額は600,000円であり，先に前受金200,000円を受け取っている。また，工事原価の実際発生額は，累計で450,000円であった。

JVの仕訳

（借）	未成工事受入金	200,000	（貸）	完成工事高	600,000
	完成工事未収入金	400,000			
（借）	完成工事原価	450,000	（貸）	未成工事支出金	450,000

T社の仕訳

仕　訳　な　し

K社の仕訳

仕　訳　な　し

(8)共同企業体の決算

共同企業体は，工事が完成し引渡しが完了した時点で共同企業体としての決算をしなければなりません。このとき各構成員へ速やかに報告されるので，各構成員は共同企業体が計上した完成工事高，完成工事原価，完成工事未収入金を出資割合に応じて処理します。また，共同企業体は収益，費用，構成員の出資額から未払分配金を計上します。

取引例６　決　算

JVは決算を迎えたので適正な処理を行う。

JVの仕訳

（借）	完成工事高	600,000	（貸）	完成工事原価	450,000
	T社出資金	150,000		未払分配金	400,000[02]
	K社出資金	100,000			

T社の仕訳

（借）	未成工事受入金	120,000[04]	（貸）	完成工事高	360,000[03]
	完成工事未収入金	240,000			
（借）	完成工事原価	270,000[05]	（貸）	未成工事支出金	270,000

K社の仕訳

（借）	未成工事受入金	80,000	（貸）	完成工事高	240,000
	完成工事未収入金	160,000			
（借）	完成工事原価	180,000	（貸）	未成工事支出金	180,000

02）取引例３によって各社から出資を受けた150,000円、100,000円と工事利益150,000円の合計400,000円を各社に分配することになります。

03）600,000円×60%＝360,000円

04）200,000円×60%＝120,000円

05）450,000円×60%＝270,000円

(9)構成員への利益の分配

共同企業体は，発注者から請負代金が入金されたら，これを構成員に分配します。この分配も出資割合に応じて行われます。

取引例 7　　利益の分配

発注者から完成工事未収入金 400,000 円の入金があったので構成員の当座預金口座に分配した。

JV の仕訳

（借）	当座預金	400,000	（貸）	完成工事未収入金	400,000
（借）	未払分配金	400,000	（貸）	当座預金	400,000

T 社の仕訳

（借）	当座預金	240,000	（貸）	完成工事未収入金	240,000

K 社の仕訳

（借）	当座預金	160,000	（貸）	完成工事未収入金	160,000

決算報告書の作成

共同企業体は，すべての総勘定元帳が締め切られると，決算報告書の作成を行います。TK 共同企業体が作成した損益計算書および完成工事原価報告書を受け，構成員である T 社，K 社は，その出資割合に基づき損益計算書および完成工事原価報告書を作成します。

なお，共同企業体は工事が完了し目的物の引渡しが終了すると解散するので，ストックは存在しません。したがって貸借対照表は作成しません。

TK 共同企業体，T 社，K 社の JV 工事に関する損益計算書を作成すると，次のようになります。なお，会計期間 1 年（x19 年 4 月 1 日～x20 年 3 月 31 日）とし，決算日は両者とも同一としています。

TK 共同企業体

損益計算書　(単位：円)

自x19 年 4 月 1 日　至x20 年 3 月 31 日

I	完成工事高	(600,000)
II	完成工事原価	(450,000)
	JV 工事利益	(150,000)

T 建設会社

損益計算書　(単位：円)

自x19 年 4 月 1 日　至x20 年 3 月 31 日

I	完成工事高	(360,000)
II	完成工事原価	(270,000)
	JV 工事利益	(90,000)

K 建設会社

損益計算書　(単位：円)

自x19 年 4 月 1 日　至x20 年 3 月 31 日

I	完成工事高	(240,000)
II	完成工事原価	(180,000)
	JV 工事利益	(60,000)

try it

例題　共同企業体の会計処理

次の建設工事に関する資料により，共同企業体および構成員の行うべき仕訳を示すとともに，それぞれのJV損益計算書を作成しなさい。

〈資　料〉

1．JVは出資比率A建設会社60%，B建設会社40%とし，A建設会社をスポンサー企業とした協定の下に結成されたものである（請負契約価額750,000千円，総工事原価600,000千円）。
2．JVに係る会計処理は独立会計方式を採用している。
3．当該JVの会計期間は1年（x19年1月1日～x19年12月31日）とし，A建設会社，B建設会社の決算日は両者ともに同一である。なお，消費税は考慮しない。
4．JVに関する取引
　①　工事発注者から工事代金の3分の1にあたる250,000千円が共同企業体の当座預金口座に振り込まれた（構成員への分配は行わない）。
　②　工事原価600,000千円が発生した。これにつき構成員に出資の請求をした。
　③　②の工事原価600,000千円を支払うため，前受金250,000千円を充当しても足りない分350,000千円について各構成員が出資割合に応じて小切手を振り出して出資し，JVの当座預金口座に振り込んだ。
　④　JVは②の工事原価600,000千円を小切手を振り出して支払った。
　⑤　工事が完成し，発注者に引き渡した（請負契約価額750,000千円，実際総工事原価は600,000千円であった）。
　⑥　JVの決算を実施した。
　⑦　工事代金の残額500,000千円が入金されたので構成員の当座預金口座に分配した。

JV　損益計算書　（単位：千円）

完成工事原価	(　　)	完成工事高	(　　)
JV工事利益	(　　)		
	(　　)		(　　)

A社　損益計算書　（単位：千円）

完成工事原価	(　　)	完成工事高	(　　)
JV工事利益	(　　)		
	(　　)		(　　)

B社　損益計算書　（単位：千円）

完成工事原価	(　　)	完成工事高	(　　)
JV工事利益	(　　)		
	(　　)		(　　)

解答

〈JV の処理〉　　(単位：千円)

	借方科目	金額	貸方科目	金額
①	当座預金	250,000	未成工事受入金	250,000
②	未成工事支出金	600,000	工事未払金	600,000
③	当座預金	350,000	A社出資金	210,000
			B社出資金	140,000
④	工事未払金	600,000	当座預金	600,000
⑤	未成工事受入金	250,000	完成工事高	750,000
	完成工事未収入金	500,000		
	完成工事原価	600,000	未成工事支出金	600,000
⑥	完成工事高	750,000	完成工事原価	600,000
	A社出資金	210,000	未払分配金	500,000
	B社出資金	140,000		
⑦	当座預金	500,000	完成工事未収入金	500,000
	未払分配金	500,000	当座預金	500,000

〈A 建設会社の処理〉　　(単位：千円)

	借方科目	金額	貸方科目	金額
①	JV出資金	150,000	未成工事受入金	150,000
②	未成工事支出金	360,000	工事未払金	360,000
③	JV出資金	210,000	当座預金	210,000
④	工事未払金	360,000	JV出資金	360,000
⑤	仕訳なし			
⑥	未成工事受入金	150,000	完成工事高	450,000
	完成工事未収入金	300,000		
	完成工事原価	360,000	未成工事支出金	360,000
⑦	当座預金	300,000	完成工事未収入金	300,000

〈B 建設会社の処理〉　　(単位：千円)

	借方科目	金額	貸方科目	金額
①	JV出資金	100,000	未成工事受入金	100,000
②	未成工事支出金	240,000	工事未払金	240,000
③	JV出資金	140,000	当座預金	140,000
④	工事未払金	240,000	JV出資金	240,000
⑤	仕訳なし			
⑥	未成工事受入金	100,000	完成工事高	300,000
	完成工事未収入金	200,000		
	完成工事原価	240,000	未成工事支出金	240,000
⑦	当座預金	200,000	完成工事未収入金	200,000

JV 損益計算書 (単位：千円)

完成工事原価	(600,000)	完成工事高	(750,000)
JV工事利益	(150,000)		
	(750,000)		(750,000)

A社 損益計算書 (単位：千円)

完成工事原価	(360,000)	完成工事高	(450,000)
JV工事利益	(90,000)		
	(450,000)		(450,000)

B社 損益計算書 (単位：千円)

完成工事原価	(240,000)	完成工事高	(300,000)
JV工事利益	(60,000)		
	(300,000)		(300,000)

コラム わかった気になっちゃいけない！

実力がつくお問題の解き方をお伝えしましょう。

①まず、とにかく解く
このとき、自信がないところも想像を働かせて、できる限り解答用紙を埋める。

②次に、採点をして解説を見る
このとき、自分が解答できなかったところまで含めて、すべての解説に
目を通しておく。
ここでわかった気になって、次の問題に行くと、これまでの努力が水泡に帰す。
分かった気になっただけでは、試験での得点にはならない。
だから、これをやってはいけない！

③すぐに、もう一度“真剣に”解く。
ここで、わかっているからと気を抜いて解いてはいけない。
真剣勝負で解く。そうすればわかっている所は、頭に定着するし、
わかっていないところも「わかっていない」ことがはっきりする。

④最後に、わかっていないところを復習しておく。
つまり、勉強とは「自分がわかっている所と、わかっていないところを
峻別する作業」なのです。
こうして峻別して、わかっていないところをはっきりさせておけば、
試験前の総復習もしやすく、確実に実力をつけていくことができますよ。

Section 2　子会社に資産を高値で売却しても連結上利益を計上できません。　重要度 ◈◈◈◈

連結財務諸表

はじめに ■ 親会社と子会社によって企業グループが組織されています。各会社は，別々の財務諸表を作成しますが，知りたがりの利害関係者は，「企業グループ全体では，どうなっているのだろう？」などと考えます。こんな要求に応えるのが連結財務諸表です。どのように親会社と子会社を連結したらよいでしょうか？

連結財務諸表とは

連結財務諸表とは，支配従属関係にある２以上の会社からなる企業集団を単一の組織体とみなして，親会社[01]が当該企業集団の財政状態，経営成績およびキャッシュ・フローの状況を総合的に報告する財務諸表です。

- 連結財務諸表
  - 連結貸借対照表
  - 連結損益計算書
  - 連結包括利益計算書
  - 連結株主資本等変動計算書
  - 連結キャッシュ・フロー計算書
  - 連結附属明細表

01）支配する会社を親会社，従属する会社を子会社といいます。

連結子会社の範囲

親会社は連結財務諸表を作成するさい，原則としてすべての子会社を連結の範囲に含めなければなりません。

(1)　子会社の判定基準

子会社の範囲は，実質的に他の企業の意思決定機関[02]を支配しているかどうかで判断する，支配力基準が採用されています。具体的な判断基準は以下のとおりです。なお，支配を始めた日を支配獲得日といいます。子会社は原則として連結の対象となります。

①　他の企業の議決権の過半数を所有している[03]。
②　議決権が50%以下であっても，高い議決権を有しており，かつ当該会社の意思決定機関を支配している一定の事実[04]が認められる。

02）株主総会，取締役会を指します。
03）議決権の過半を有していても，破産会社・更生会社等で，かつ，有効な支配従属関係が存在しない場合，当該会社は子会社に該当しません。
04）S社取締役会の過半数をP社からの派遣で占める場合，S社借入金の過半をP社からの借入れで占めている場合など。

(2) 非連結子会社

子会社のうち以下に該当するものは，非連結子会社となり，非連結子会社は持分法[05]の適用対象となります。

05）持分法については，連結財務諸表の最後の「参考」で扱っています。

①強制：連結範囲に含めてはならない。
(i)支配が一時的であると認められる子会社。
(ii)連結することで利害関係者の判断を著しく誤らせるおそれがある子会社。
②容認：連結範囲に含めないことができる。
(iii)重要性の乏しい子会社。

連結財務諸表作成の一般原則

連結財務諸表を作成するさいには連結財務諸表に関する会計基準に従います。このうち一般原則には次の内容が定められています。

1. 真実性の原則

「連結財務諸表は，企業集団の財政状態，経営成績及びキャッシュ・フローの状況に関して真実な報告を提供するものでなければならない」

2. 個別財務諸表基準性の原則

「連結財務諸表は，企業集団に属する親会社及び子会社が一般に公正妥当と認められる企業会計の基準に準拠して作成した個別財務諸表を基礎として作成[06]しなければならない」

06）連結財務諸表作成の基礎となる個別財務諸表は正規の簿記の原則，剰余金区別の原則，保守主義の原則，単一性の原則といった各原則に従って作成されています。したがって，これらの各原則は基準性の原則に含まれているといわれます。

3. 明瞭性の原則

「連結財務諸表は，企業集団の状況に関する判断を誤らせないよう，利害関係者に対し必要な財務情報を明瞭に表示するものでなければならない」

4. 継続性の原則

「連結財務諸表作成のために採用した基準及び手続は，毎期継続して適用し，みだりにこれを変更してはならない」

連結決算日

連結財務諸表作成にあたっての会計期間は１年であり，親会社の決算日を連結決算日[07]とします。親会社と子会社の決算日が異なるときは次の処理を行います。

07）連結財務諸表作成上の決算日のことです。

原則　子会社は連結決算日に正規の決算に準ずる合理的な手続により決算を行う（仮決算）。

容認　親会社と子会社の決算日の差異が３カ月以内の場合は，子会社の正規の決算を連結決算日における決算とみなすことができる（みなし決算）。

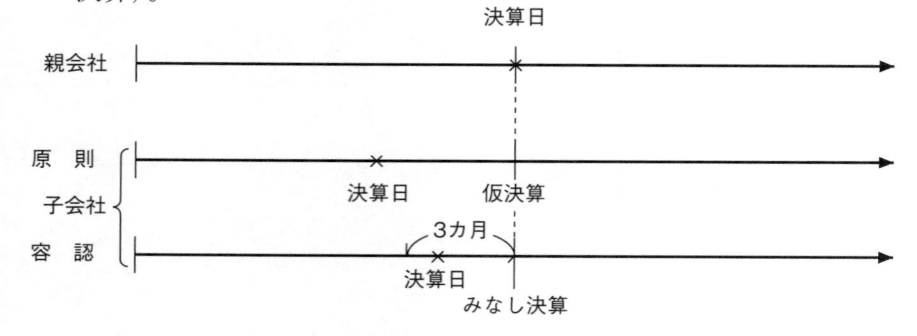

2計算書方式

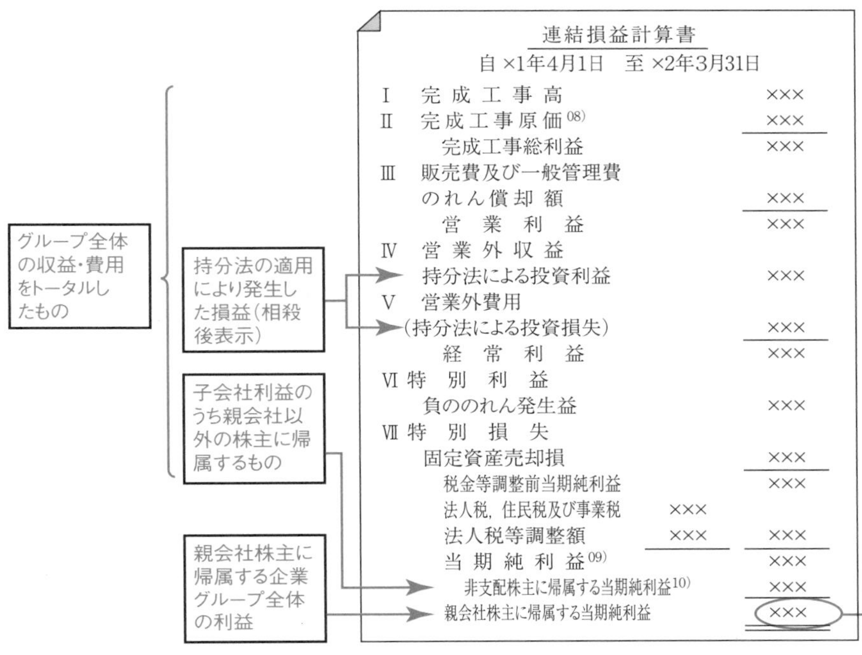

連結損益計算書
自 ×1年4月1日　至 ×2年3月31日

Ⅰ　完成工事高		×××
Ⅱ　完成工事原価 08)		×××
完成工事総利益		×××
Ⅲ　販売費及び一般管理費		
のれん償却額		×××
営業利益		×××
Ⅳ　営業外収益		
持分法による投資利益		×××
Ⅴ　営業外費用		
(持分法による投資損失)		×××
経常利益		×××
Ⅵ　特別利益		
負ののれん発生益		×××
Ⅶ　特別損失		
固定資産売却損		×××
税金等調整前当期純利益		×××
法人税，住民税及び事業税	×××	
法人税等調整額	×××	×××
当期純利益 09)		×××
非支配株主に帰属する当期純利益 10)		×××
親会社株主に帰属する当期純利益		×××

連結包括利益計算書

当期純利益		×××
その他の包括利益:		
その他有価証券評価差額金		×××
繰延ヘッジ損益		×××
その他の包括利益合計		×××
包括利益		×××
(内訳)		
親会社株主に係る包括利益		××
非支配株主に係る包括利益		××

08）科目の集約性を重視し，完成工事原価は計算過程を示さずに一括して表示します。
09）非支配株主に帰属する当期純利益も含めた税引後の利益に相当します。
10）非支配株主に帰属する当期純利益 → 利益のマイナス

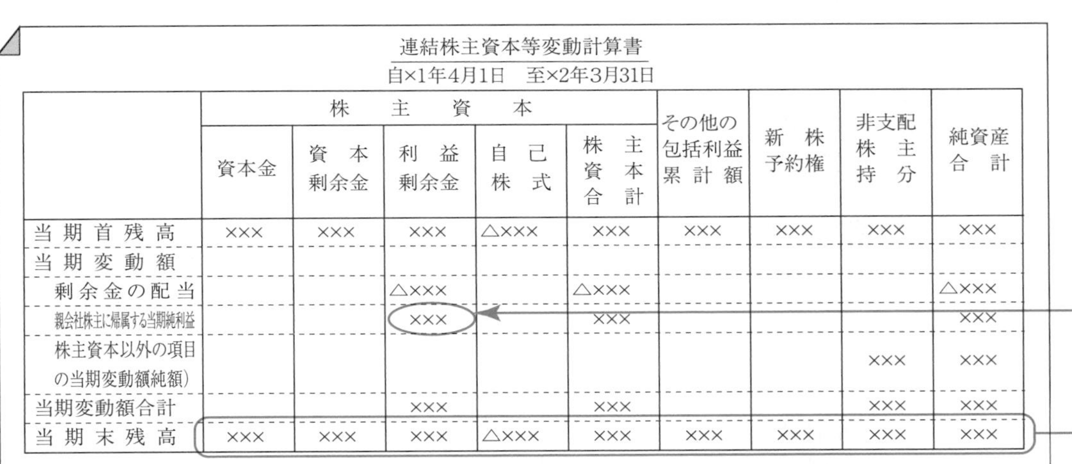

連結株主資本等変動計算書
自×1年4月1日　至×2年3月31日

	株主資本					その他の包括利益累計額	新株予約権	非支配株主持分	純資産合計
	資本金	資本剰余金	利益剰余金	自己株式	株主資本合計				
当期首残高	×××	×××	×××	△×××	×××	×××	×××	×××	×××
当期変動額									
剰余金の配当			△×××		△×××				△×××
親会社株主に帰属する当期純利益			×××		×××				×××
株主資本以外の項目の当期変動額純額)								×××	×××
当期変動額合計			×××		×××			×××	×××
当期末残高	×××	×××	×××	△×××	×××	×××	×××	×××	×××

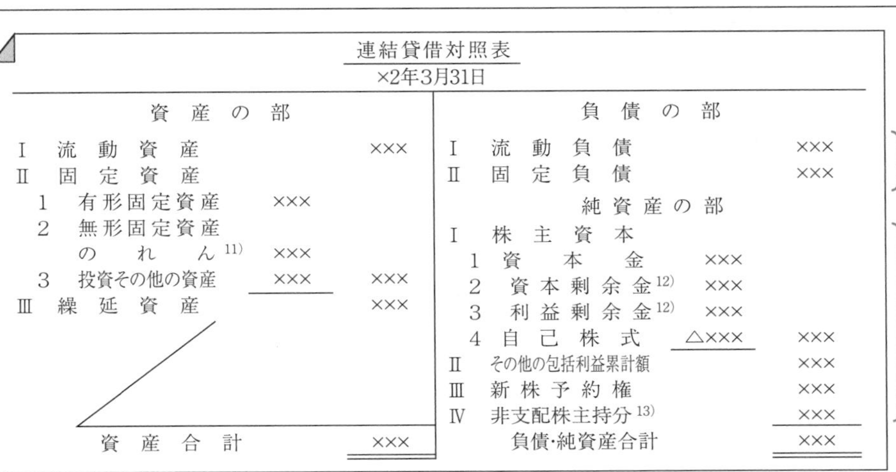

連結貸借対照表
×2年3月31日

資産の部			負債の部		
Ⅰ　流動資産		×××	Ⅰ　流動負債		×××
Ⅱ　固定資産			Ⅱ　固定負債		×××
1　有形固定資産	×××		純資産の部		
2　無形固定資産			Ⅰ　株主資本		
のれん 11)	×××		1　資本金	×××	
3　投資その他の資産	×××	×××	2　資本剰余金 12)	×××	
Ⅲ　繰延資産		×××	3　利益剰余金 12)	×××	
			4　自己株式	△×××	×××
			Ⅱ　その他の包括利益累計額		×××
			Ⅲ　新株予約権		×××
			Ⅳ　非支配株主持分 13)		×××
資産合計		×××	負債・純資産合計		×××

11）親会社の投資と子会社の資本を相殺したときの差額です。
12）内訳を表示せずにまとめて示します。
13）純資産の部の内訳項目として表示します。

連結財務諸表の作成

14）親会社の「投資」と子会社の「資本」です。

連結財務諸表は，親会社と子会社の財務諸表に基づき次の順序で作成します。

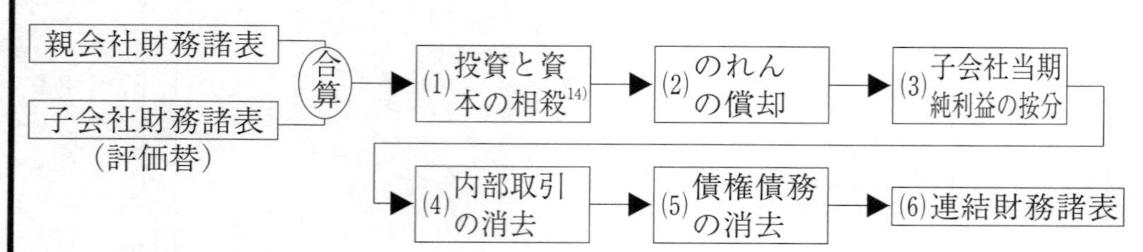

ここでは，T社がK社の株式を×9年3月31日（前期末）に取得しK社を子会社とし，×10年3月31日（当期末）の連結財務諸表を作成するという前提で見ていきます。なお，以下の連結財務諸表を作成するための仕訳（連結修正仕訳）は連結財務諸表を作成するために「連結精算表」上で行い，会社の帳簿には反映されません。そのため，翌期には前期以前に行った仕訳をもう一度行うことになります。

T社損益計算書

自×9年4月1日　至×10年3月31日（単位：円）

借方	金額	貸方	金額
完成工事原価	138,000	完成工事高	166,000
販売費及び一般管理費	18,000		
当期純利益	10,000		
	166,000		166,000

K社損益計算書

自×9年4月1日　至×10年3月31日（単位：円）

借方	金額	貸方	金額
完成工事原価	66,000	完成工事高	80,000
販売費及び一般管理費	11,000		
当期純利益	3,000		
	80,000		80,000

T社株主資本等変動計算書

	資本金	利益剰余金
当期首残高	500,000	70,000
当期純利益	−	10,000
当期末残高	500,000	80,000

K社株主資本等変動計算書

	資本金	利益剰余金
当期首残高	100,000	17,000
当期純利益	−	3,000
当期末残高	100,000	20,000

T社貸借対照表

×10年3月31日（単位：円）

借方	金額	貸方	金額
現金預金	88,000	支払手形	100,000
受取手形	111,000	工事未払金	90,000
完成工事未収入金	141,000	その他諸負債	130,000
棚卸資産	150,000	資本金	500,000
貸付金	60,000	利益剰余金	80,000
K社株式	100,000		
その他諸資産	250,000		
	900,000		900,000

K社貸借対照表

×10年3月31日（単位：円）

借方	金額	貸方	金額
現金預金	43,000	支払手形	50,000
受取手形	88,000	工事未払金	50,000
完成工事未収入金	20,000	借入金	50,000
棚卸資産	69,000	その他諸負債	30,000
その他諸資産	80,000	資本金	100,000
		利益剰余金	20,000
	300,000		300,000

(1)投資と資本の相殺

親会社の子会社に対する投資と，子会社の資本を相殺消去せずに合算してしまうと，投資・資本の過大計上になります。企業集団としての観点から，投資と資本を相殺します（なお，取引例での仕訳の単位は円とします）。

なお，投資と資本の相殺によって生じる差額は，借方に生じた場合にはのれん（無形固定資産）で処理し，貸方に生じた場合には負ののれん発生益（特別利益）で処理します。

取引例 1 投資と資本の相殺

T 社は K 社の発行済株式数の 80% の株式を×9 年 3 月 31 日に 100,000 円で取得した。そのときの K 社の資本は資本金　100,000 円，利益剰余金 17,000 円であった。

(借)			(貸)		
	資本金当期首残高[15]	100,000		K　社　株　式	100,000
	利益剰余金当期首残高[15]	17,000		非支配株主持分当期首残高[15]	23,400[16]
	の　れ　ん	6,400			

資　本　金	100,000
利益剰余金	17,000
	117,000

117,000 円× 80% =93,600 円 ◀ 差額 6,400 円 ▶ 100,000 円（投資）
⬇
のれん[17]

117,000 円× 20% =23,400 円（非支配株主持分）[17] ※

※　子会社の資本のうち，親会社（支配株主）に帰属する金額を親会社持分といい，親会社以外の株主（非支配株主）に帰属する金額を非支配株主持分といいます。

15）ここでは，×10 年 3 月 31 日の財務諸表を作ろうとしているので，科目の後ろに「当期首残高」を付けています。
16）(100,000 円＋17,000 円) × 20%=23,400 円
17）子会社の純資産に対する外部持分（20%）を非支配株主持分とし，相殺によって生じる貸借差額は，のれんで処理します。

(2)のれんの償却

借方に生じたのれんは，20 年以内に定額法などにより償却し，償却額は連結損益計算書に記載します。

取引例 2 のれんの償却

のれんは，発生年度の翌期（×10 年 3 月 31 日）より 20 年間で均等償却する。

(借)	のれん償却額	320[18]	(貸)	の　れ　ん	320

18）6,400 円÷ 20 年 =320 円

(3)子会社純利益の按分

子会社の当期純利益のうち，外部持分（20%）に相当する金額を，非支配株主持分に加算します。このときの相手勘定として，非支配株主に帰属する当期純利益を用います。

取引例 3 子会社純利益の按分

K 社の当期純利益は 3,000 円である。

(借)	非支配株主に帰属する当期純利益	600[19]	(貸)	非支配株主持分当期変動額	600

19）3,000 円× 20%=600 円

(4)内部取引の消去・未実現利益の消去

企業集団としての取引規模を適正に示すという観点から，以下の点について修正仕訳を行います。

①連結会社相互間の取引の相殺消去

親会社と子会社の取引（材料の販売など）を相殺・消去します。

②未実現利益の消去

連結会社間で棚卸資産などの売買を行った場合，企業グループでは棚卸資産を保有していることは変わらないので，その棚卸資産に付加された利益は企業グループ外に販売されるまで未実現の利益となります。

したがって，未実現の利益は連結上全額消去しなければなりません。

なお，未実現利益が生じるケースは次の２つがあります。

イ　**ダウン・ストリーム**

親会社が販売者，子会社が購入者となる場合をいいます。このとき，親会社が利益を付加しているので，未実現利益の消去については親会社が全額負担します。

ロ　**アップ・ストリーム**

子会社が販売者・親会社が購入者となる場合をいいます。このとき，子会社が利益を付加しているので，未実現利益の消去については，子会社の持分比率に応じて親会社と非支配株主が負担します。

取引例４　内部取引の相殺・未実現利益の消去

Ｋ社（子会社）は，Ｔ社（元請，親会社）から受注した工事（完成工事高 25,000 円，完成工事原価 23,500 円）を期中に完成しＴ社に引き渡した。なお，Ｔ社の元請工事は期末時点で未完成である。

内部取引の相殺・消去

（借）	完成工事高	25,000	（貸）	完成工事原価	25,000

未実現利益の消去[20]

（借）	完成工事原価	1,500[21]	（貸）	棚卸資産 未成工事支出金	1,500
（借）	非支配株主持分当期変動額	300[22]	（貸）	非支配株主に帰属する当期純利益	300

20）子会社が利益を付している（アップ・ストリーム）ので，非支配株主にも負担させます。
仮に親会社が利益を付している場合には，以下の仕訳だけとなります。
（借）完成工事原価　1,500
　（貸）棚　卸　資　産　1,500

21）25,000 円－ 23,500 円＝1,500 円

22）1,500 円× 20%=300 円

(5)債権債務の消去

親子会社間の債権と債務は，企業集団としての観点から，内部的な債権と債務として相殺消去します。

取引例５　債権債務の消去

Ｋ社の借入金 50,000 円は，すべてＴ社からのものである。またＫ社の完成工事未収入金のうち 10,000 円はＴ社に対するものである。

（借）	借入金	50,000	（貸）	貸付金	50,000
（借）	工事未払金	10,000	（貸）	完成工事未収入金	10,000

(6)連結財務諸表

これまでの仕訳をすべて集計して連結貸借対照表および連結損益計算書を作成します。ここでは，連結キャッシュ・フロー計算書を省略しています。

連結損益計算書 23)

自×9年4月1日　至×10年3月31日　（単位：円）

借方	金額	貸方	金額
完成工事原価	180,500	完成工事高	221,000
販売費及び一般管理費	29,000		
のれん償却額	320		
非支配株主に帰属する当期純利益	300		
親会社株主に帰属する当期純利益	10,880		
	221,000		221,000

連結株主資本等変動計算書 23)　（単位：円）

	資本金	利益剰余金	非支配株主持分
当期首残高	500,000	70,000	23,400
親会社株主に帰属する当期純利益	–	10,880	–
株主資本以外の項目の当期変動額	–	–	300
当期変動額合計	–	10,880	300
当期末残高	500,000	80,880	23,700

連結貸借対照表 23)

×10年3月31日　（単位：円）

資産	金額	負債・純資産	金額
現金預金	131,000	支払手形	150,000
受取手形	199,000	工事未払金	130,000
完成工事未収入金	151,000	その他諸負債	160,000
棚卸資産	217,500	資本金	500,000
貸付金	10,000	利益剰余金	80,880
その他諸資産	330,000	非支配株主持分	23,700
のれん	6,080		
	1,044,580		1,044,580

23）各項目の計算

完成工事高
166,000円＋80,000円－25,000円＝221,000円

完成工事原価
138,000円＋66,000円－25,000円＋1,500円＝180,500円

非支配株主に帰属する当期純利益
600円－300円＝300円

親会社株主に帰属する当期純利益：
貸借差額より

資本金当期首残高
500,000円＋100,000円－100,000円＝500,000円

利益剰余金当期首残高
70,000円＋17,000円－17,000円＝70,000円

非支配株主持分当期変動額
600円－300円＝300円

完成工事未収入金
141,000円＋20,000円－10,000円＝151,000円

棚卸資産
150,000円＋69,000円－1,500円＝217,500円

貸付金
60,000円－50,000円＝10,000円

のれん
6,400円－320円＝6,080円

工事未払金
90,000円＋50,000円－10,000円＝130,000円

子会社の資産・負債の評価替え

投資と資本の相殺を行うときには，まず子会社の資産・負債を時価評価する必要があります。原価と時価が同じ場合は，取引例1のようになりますが，異なる場合は全面時価評価法を適用し，子会社の資産および負債のすべてを時価により評価替えします（全面時価評価法）。

取引例6　子会社B/Sの時価評価

A社（親会社）がB社（子会社）の発行済株式の70%を×1年3月31日に4,500円で取得した。同日の両社の貸借対照表は以下のとおりである。なお同日のB社の諸資産の時価は12,000円，諸負債の時価は6,000円である。×1年3月31日の株式取得時の資本連結についての仕訳を示しなさい。

A社貸借対照表(単位：円)

諸資産	95,500	諸負債	50,000
B社株式	4,500	資本金	30,000
		利益剰余金	20,000
	100,000		100,000

B社貸借対照表(単位：円)

諸資産	10,000	諸負債	5,000
		資本金	3,000
		利益剰余金	2,000
	10,000		10,000

（借）	諸資産	2,000	（貸）	諸負債	1,000
				評価差額[26]	1,000
（借）	資本金[24]	3,000	（貸）	B社株式	4,500
	利益剰余金[24]	2,000		非支配株主持分[24]	1,800[25]
	評価差額[26]	1,000			
	のれん	300[27]			

24)「×1年3月31日の仕訳を示しなさい」とあるため，科目に前期末残高を付けていません。
25) (3,000円＋2,000円＋1,000円) × 30% =1,800円
26) 評価剰余金とすることもあります。
27) 4,500円－ (3,000円＋2,000円＋1,000円) × 70%=300円

包括利益

(1)包括利益とは

包括利益[28]とは，ある企業の特定期間の財務諸表において認識された純資産の変動額のうち，当該企業の純資産に対する持分所有者との直接的な取引によらない部分をいいます。

持分所有者とは，株主と新株予約権者，非支配株主のことを指します。

直接的な取引とは，新株の発行，剰余金の配当，新株予約権の発行などです。資本取引に近いものとイメージすると理解しやすくなります。

28）包括利益には，個別財務諸表における包括利益と連結財務諸表における包括利益がありますが，連結財務諸表における包括利益に関する規定のみ平成23年３月期から適用されるため，ここでは連結財務諸表における包括利益のみみていきます。

包括利益の例　当期に100円の新株の発行を行い，資本金が100円増加した場合

前期末連結B/S

資　産	負　債
	純資産 700

当期末連結B/S

資　産	負　債
	純資産 1,400

①純資産の変動額700

②持分所有者との直接的な取引　100

③包括利益　600

①純資産の変動額：1,400円－ 700円 =700円
②持分所有者との直接的な取引：100円
③包括利益：700円－ 100円 =600円

(2)包括利益の構成

包括利益は，親会社株主に帰属する当期純利益と，子会社の利益のうちの非支配株主に帰属する当期純利益と，その他の包括利益から構成されています。

その他の包括利益

包括利益のうち，当期純利益に含まれない部分をその他の包括利益といいます。具体例としては，以下の項目の当期変動額が該当します。

・その他有価証券評価差額金
・繰延ヘッジ損益
・為替換算調整勘定[29]
・退職給付に係る調整額　　など

つまり，個別貸借対照表で「評価・換算差額等」に計上されていたものの当期変動額がその他の包括利益に該当することとなります。

また，「その他の包括利益」という利益が連結財務諸表で表示されることとなったため，個別貸借対照表や個別株主資本等変動計算書で「評価・換算差額等」として表示していたものは，連結貸借対照表と連結株主資本等変動計算書では「その他の包括利益累計額」として表示されることになります[30]。

29）為替換算調整勘定については，本書のChapter 6 Section 5をごらんください。

30）個別上では，引き続き「評価・換算差額等」として表示されるため，個別と連結で表示区分が異なる点に注意してください。

その他の包括利益の例　　当期に親会社でその他有価証券評価差額金が100円生じた場合
新株の発行や剰余金の配当はないものとする。

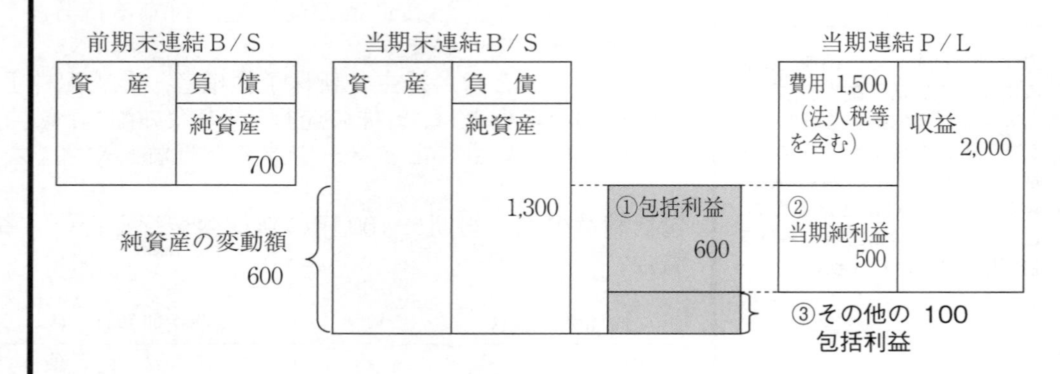

①包括利益：1,300円－700円=600円
②当期純利益：2,000円－1,500円=500円
③その他の包括利益：600円－500円=100円

包括利益の表示方法

(1)表示方法　包括利益を表示する形式には大きく分けて2計算書方式と1計算書方式の2つがあり，**いずれかの方法を選択**して[31]包括利益を表示します。

31）どちらか一方が原則的な方法という訳ではありません。

(2)2計算書方式　2計算書方式では，連結損益計算書において親会社株主に帰属する当期純利益を計算し，それとは別に**連結包括利益計算書**[32]を作成し，当期純利益にその他の包括利益を加減することで包括利益を計算・表示します。

32）包括利益計算書は，英語で"Statement of comprehensive income"というため，C/Iと略すこともあります。

33）その他の包括利益は原則として税効果を控除した金額で表示します。

34）いずれの形式でも，包括利益の内訳として，親会社株主に係る包括利益と非支配株主に係る包括利益を表示します。これを付記（ふき）といいます。

連結損益計算書

	×××
税金等調整前当期純利益	×××
法人税等	×××
当期純利益	×××
非支配株主に帰属する当期純利益	×××
親会社株主に帰属する当期純利益	×××

（当期純利益 → 連結包括利益計算書の当期純利益へ）

連結包括利益計算書

当期純利益	×××
その他の包括利益[33]:	
その他有価証券評価差額金	×××
繰延ヘッジ損益	×××
その他の包括利益合計	×××
包括利益	×××
（内訳[34]）	
親会社株主に係る包括利益	××
非支配株主に係る包括利益	××

(3) 親会社株主と非支配株主に係る包括利益

連結損益計算書における当期純利益を非支配株主に帰属する当期純利益と親会社株主に帰属する当期純利益に分けたように，包括利益およびその他の包括利益も非支配株主に係る包括利益と親会社株主に係る包括利益の２つに分けることができます。

その他有価証券評価差額金の当期変動額のうち，親会社計上分は，全額が親会社株主に係る包括利益となります。

子会社計上分は，持分比率に応じて親会社株主に係る包括利益となる部分と非支配株主に係る包括利益となる部分に分けられます。

その他の包括利益としてその他有価証券評価差額金が生じた場合，以下のようなイメージ図になります。

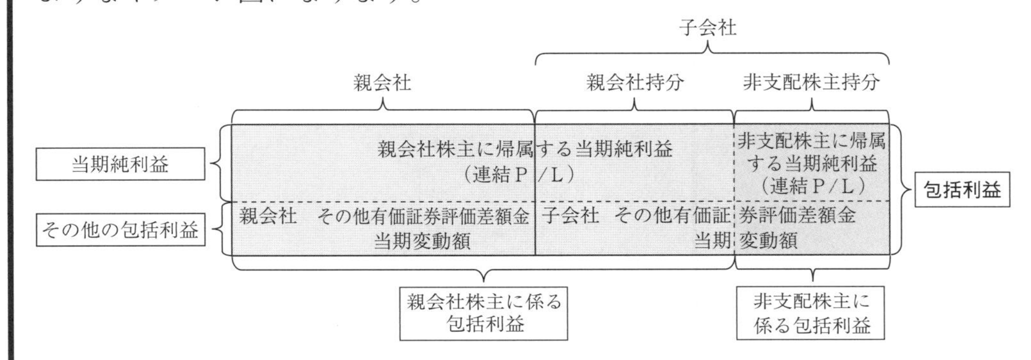

また，連結株主資本等変動計算書と連結貸借対照表のひな型は以下のようになります。

連結株主資本等変動計算書

	株主資本		その他の包括利益累計額	非支配株主持分
	資本金	利益剰余金	その他有価証券評価差額金	
当期首残高	×××	×××	×××	×××
新株の発行	×××			
親会社株主に帰属する当期純利益		×××		
株主資本以外の項目の当期変動額			×××	×××
当期末残高	×××	×××	×××	×××

連結貸借対照表

負債合計	×××
純資産の部	
Ⅰ　株主資本	
1　資本金	×××
2　利益剰余金	×××
Ⅱ　その他の包括利益累計額	
1　その他有価証券評価差額金	×××
Ⅲ　非支配株主持分	×××

取引例７　　包括利益の計算

以下の資料に基づき，NS社の連結財務諸表における当期の包括利益を計算しなさい。なお，税効果会計は無視する。また，当期に子会社の資本金及び新株予約権の変動，剰余金の配当はなかった。

【資料】

1. 連結株主資本等変動計算書　　（単位：円）

	株主資本			その他の包括利益累計額[35]	新株予約権	非支配株主持分	純資産合計
	資本金	利益剰余金	株主資本合計	その他有価証券評価差額金			
当期首残高	10,000	4,000	14,000	500	200	300	15,000
当期変動額							
新株の発行	5,000		5,000				5,000
親会社株主に帰属する当期純利益		3,000	3,000				3,000
株主資本以外の項目の当期変動額（純額）				600	400	1,000	2,000
当期末残高	15,000	7,000	22,000	1,100	600	1,300	25,000

2. 連結損益計算書（一部）

（単位：円）

税金等調整前当期純利益	7,000
法人税等	3,000
当期純利益	4,000
非支配株主に帰属する当期純利益	1,000
親会社株主に帰属する当期純利益	3,000

3. その他の事項

(1) NS社（親会社）は期中に新株を発行し，5,000円が払い込まれた。

(2) NS社（親会社）は期中に新株予約権を発行し，400円が払い込まれた。

(3) その他有価証券評価差額金はNS社（親会社）が保有しているその他有価証券にかかるものであり，当期に有価証券の売却は行っていない。

連結財務諸表における包括利益　4,600円

35）連結株主資本等変動計算書なので，「評価・換算差額等」ではなく「その他の包括利益累計額」と表示します。

連結財務諸表における包括利益は以下の式により求めることができます。

包括利益 ＝ 当期純利益 ＋ その他の包括利益

このうち，その他の包括利益はその他有価証券評価差額金の当期変動額600円のみであるため，上記の式にあてはめると包括利益が計算できます。

包括利益 ＝ 4,000円（当期純利益） ＋ 600円（その他の包括利益） ＝ 4,600円

また，包括利益の意義から以下の式により包括利益を求めることもできます。

包括利益 ＝ 純資産の増加額 － 持分所有者との直接的な取引による影響額

持分所有者との直接的な取引は，新株の発行 5,000 円と新株予約権の発行 400 円なので，純資産の増加額からこの２つの金額を除くことでも包括利益を求めることができます。

包括利益 ＝(25,000 円 － 15,000 円) － (5,000 円 ＋ 400 円)＝4,600 円
（25,000 円 － 15,000 円：純資産の増加額　5,000 円 ＋ 400 円：持分所有者との直接的な取引）

取引例８　　２計算書方式

Ｐ社は×１年３月 31 日にＳ社発行済株式の 70% を取得し支配した。×２年度（×２年４月１日～×３年３月 31 日）の以下の資料にもとづき，２計算書方式による連結包括利益計算書を作成し，親会社株主に係る包括利益と非支配株主に係る包括利益の金額を付記しなさい。なお，その他有価証券はＰ社のみ保有しているものとし，税効果会計は適用しない。

【資料】

1. 連結損益計算書

連結損益計算書（単位:円）

Ⅰ	売上高	45,000
Ⅱ	売上原価	20,000
Ⅲ	販売費及び一般管理費	15,000
	税金等調整前当期純利益	10,000
	法人税等	4,000
	当期純利益	6,000
	非支配株主に帰属する当期純利益	1,500
	親会社株主に帰属する当期純利益	4,500

2. その他有価証券に関する資料

Ｐ社は×１年４月１日に甲社株式を 3,000 円で購入し，その他有価証券に分類している。

前期末（×２年３月 31 日）と当期末（×３年３月 31 日）の時価は次のとおりであった。

	前期末	当期末
甲社株式時価	3,500 円	4,200 円

なお，当期においてその他有価証券の追加取得及び売却は行っていない。

連結包括利益計算書　（単位：円）

当期純利益	6,000
その他の包括利益：	
その他有価証券評価差額金	700
包括利益	6,700
（内訳）	
親会社株主に係る包括利益	5,200
非支配株主に係る包括利益	1,500

1. その他の包括利益の計算

その他の包括利益となるその他有価証券評価差額金の金額は，次のように計算します。

前期末（×２年３月31日）

（借）	投資有価証券	500[36]	（貸）	その他有価証券評価差額金	500

当期首（×２年４月１日）

（借）	その他有価証券評価差額金	500	（貸）	投資有価証券	500

当期末（×３年３月31日）

（借）	投資有価証券	1,200[37]	（貸）	その他有価証券評価差額金	1,200

その他の包括利益：1,200円－500円=700円

2. 親会社株主に係る包括利益と非支配株主に係る包括利益の計算

その他有価証券評価差額金は親会社であるＰ社に帰属するものであるため，その当期変動額であるその他の包括利益はすべて親会社株主に係る包括利益となり，非支配株主に係る包括利益の金額は非支配株主に帰属する当期純利益と一致することになります。

親会社株主に係る包括利益：4,500円（親会社株主に帰属する当期純利益）＋700円（その他の包括利益）＝5,200円

非支配株主に係る包括利益：1,500円（非支配株主に帰属する当期純利益）

36）3,500円－3,000円=500円

37）4,200円－3,000円＝1,200円

(4) 1計算書方式

１計算書方式では，連結損益及び包括利益計算書という１つの計算書で当期純利益の表示と包括利益の表示を行います。【取引例８】を１計算書方式で表示すると以下のようになります。

連結損益及び包括利益計算書　（単位：円）

Ⅰ　売上高	45,000
Ⅱ　売上原価	20,000
Ⅲ　販売費及び一般管理費	15,000
税金等調整前当期純利益	10,000
法人税等	4,000
当期純利益	6,000[38]
（内訳）	
親会社株主に帰属する当期純利益	4,500[39]
非支配株主に帰属する当期純利益	1,500[40]
その他の包括利益：	
その他有価証券評価差額金	700
包括利益	6,700
（内訳）	
親会社株主に係る包括利益	5,200
非支配株主に係る包括利益	1,500

38）１計算書方式と２計算書方式は表示形式が異なるだけなので，包括利益の計算過程はどちらも同じものとなります。

39）いったん親会社株主に帰属する当期純利益は表示しなければなりません。

40）非支配株主に帰属する当期純利益も表示します。

(5)親会社株主に帰属する当期純利益との関係

包括利益が表示されるようになっても，これまで計算されてきた親会社株主に帰属する当期純利益の重要性が低くなる訳ではありません。

包括利益に関する情報と親会社株主に帰属する当期純利益に関する情報をあわせて利用することにより，企業活動の成果についての情報の全体的な有用性を高めることが，包括利益の表示を導入することの目的と考えられています。

連結上の退職給付会計

(1)個別上の退職給付会計と連結上の退職給付会計の違い

退職給付会計の改正[41]により，連結財務諸表上「未認識数理計算上の差異」や「未認識過去勤務費用」はその他の包括利益として計上されることになりました。なお，個別財務諸表上は当面の間適用しないことになります。

退職給付会計で連結と個別で処理が異なるのは，差異の取り扱いと表示方法だけです。したがって，その部分だけを連結修正仕訳として調整すれば，連結財務諸表上のあるべき退職給付の処理になります。

差異の取り扱いの違いを数値例で示すと次のとおりになります。

< 数値例 >

退職給付費用　　　6,100 円　当期末実際退職給付債務 57,000 円
当期末実際年金資産 31,000 円
当期に数理計算上の差異 500 円（借方差異）が発生（翌期より償却）
税効果は考慮しない。

41）退職給付の会計基準としては，これまで「退職給付に係る会計基準」に従って会計処理を行ってきましたが，平成 24 年５月に新たに「退職給付に関する会計基準」が公表されました。これにより，連結財務諸表上，退職給付に関する表示科目及び差異の会計処理が変更されました。

42）連結包括利益計算書の「退職給付に係る調整額」が，連結貸借対照表，連結株主資本等変動計算書の「退職給付に係る調整累計額」の当期変動額になります。

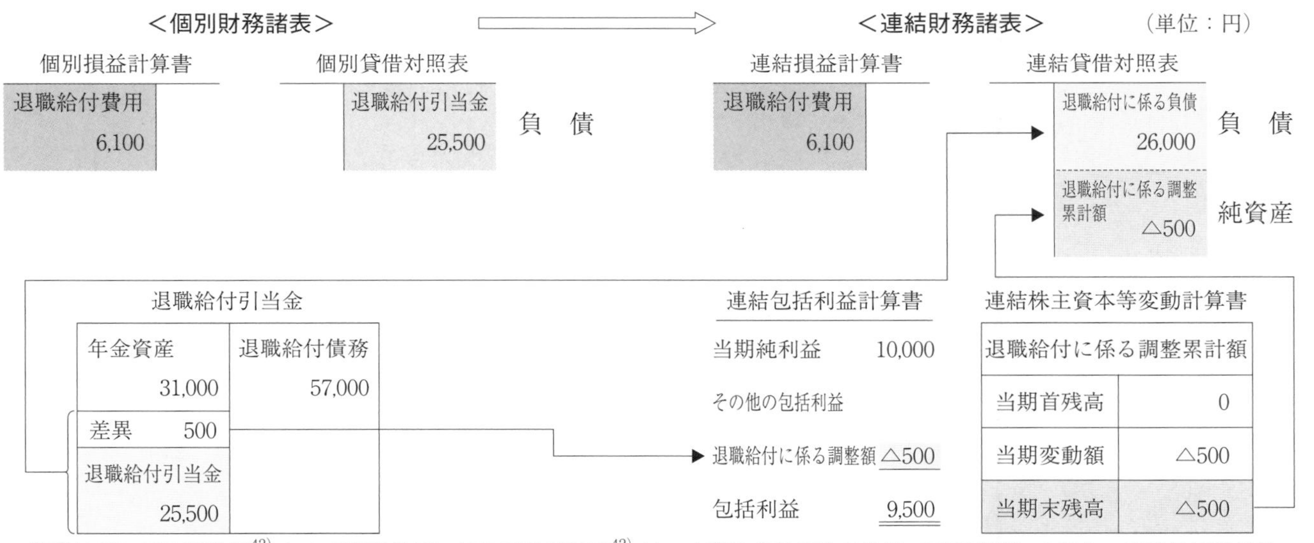

退職給付に係る調整額[42]および退職給付に係る調整累計額[42]は，未認識差異が借方差異（不利差異）の場合，連結包括利益計算書および連結株主資本等計算書は△をつけ表示します。

P/L 項目である退職給付費用 6,100 円は個別損益計算書と連結損益計算書で変わりません。

個別貸借対照表上は，差異を除いた金額 25,500 円が「退職給付引当金」として計上されます。一方，連結財務諸表上は，差異も含めた金額 26,000 円が「退職給付に係る負債」として計上されるとともに，差異の未償却分 500 円がその他の包括利益として計上され，連結貸借対照表上「退職給付に係る調整累計額」として計上されます。

	個別貸借対照表	連結貸借対照表
未認識(未償却)の差異	計上されない	「退職給付に係る調整累計額」で計上される
表示科目	退職給付引当金	退職給付に係る負債
	前払年金費用	退職給付に係る資産

(2)退職給付会計に関する連結修正仕訳

差異が当期から発生した場合の連結修正仕訳は，以下の２つです。

①個別財務諸表で計上していた退職給付引当金を退職給付に係る負債へ振り替える。

②個別上で未認識分の差異を退職給付に係る負債として計上する。

１つめの仕訳で科目を振り替え，２つめの仕訳で個別貸借対照表で計上していなかった差異を連結財務諸表で計上します。

この２つの仕訳を行うことで，個別財務諸表上の退職給付会計の数値から連結財務諸表上でのあるべき退職給付会計の数値になります。

前ページと同じ数値例で見てみましょう。

取引例９ 連結上の退職給付会計１

次の資料に基づき，退職給付に係る連結修正仕訳を示し，連結財務諸表を示しなさい。なお，税効果は考慮しない。

当期末実際退職給付債務　57,000 円　当期末実際年金資産　31,000 円

退職給付費用　6,100 円

当期に数理計算上の差異 500 円（借方差異）が発生（翌期より 10 年で償却）。

個別貸借対照表には退職給付引当金 25,500 円が計上されている。

当期純利益は 10,000 円とする。

個別貸借対照表　（単位：円）

	退職給付引当金　25,500

（借）	退職給付引当金	25,500	（貸）	退職給付に係る負債	25,500
（借）	退職給付に係る調整額	500	（貸）	退職給付に係る負債	500

連結包括利益計算書	
当期純利益	10,000
その他の包括利益	
退職給付に係る調整額	△ 500
包括利益	9,500

連結株主資本等変動計算書	
退職給付に係る調整累計額	
当期首残高	0
当期変動額	△ 500
当期末残高	△ 500

連結貸借対照表　（単位：円）

	退職給付に係る負債	26,000
	退職給付に係る調整累計額	△ 500

取引例９では差異が当期に発生し，翌期から償却していく場合でした。仮に，当期から差異を償却した場合は，個別上でも差異の一部が（借）退職給付費用（貸）退職給付引当金として認識されています。その認識分だけ，取引例９と比べて「退職給付に係る調整額」も増減します。

取引例 10　　連結上の退職給付会計２

次の資料に基づき，退職給付に係る連結修正仕訳を示し，連結財務諸表を示しなさい。なお，税効果は考慮しない。

当期末実際退職給付債務 57,000 円，当期末実際年金資産 31,000 円
退職給付費用 6,150 円
当期に数理計算上の差異 500 円（借方差異）が発生（当期より 10 年で償却）
個別貸借対照表には退職給付引当金 25,550 円が計上されている。
当期純利益は 10,000 円とする。

個別貸借対照表　（単位：円）

	退職給付引当金	25,550

（借）	退職給付引当金	25,550	（貸）	退職給付に係る負債	25,550
（借）	退職給付に係る調整額	450[43]	（貸）	退職給付に係る負債	450

43）500 円－ 500 円÷ 10 年 =450 円

連結包括利益計算書	
当期純利益	10,000
その他の包括利益	
退職給付に係る調整額	△ 450
包括利益	9,550

連結株主資本等変動計算書	
退職給付に係る調整累計額	
当期首残高	0
当期変動額	△ 450
当期末残高	△ 450

44）25,550 円 ＋ 450 円 =26,000 円

連結貸借対照表 （単位：円）

	退職給付に係る負債	26,000 [44)]
	退職給付に係る調整累計額	△ 450

取引例 9 との比較のために勘定連絡図を示しておきます。

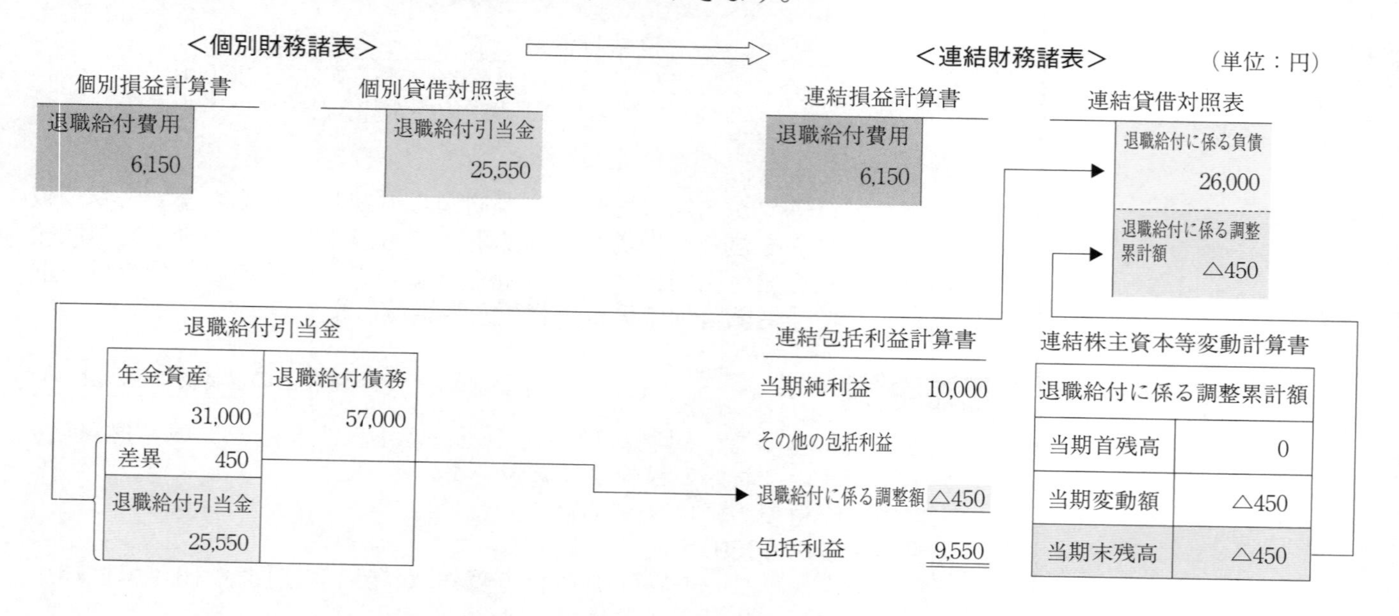

try it **例題** 連結貸借対照表の作成

1．次の資料により，×10年3月31日の連結貸借対照表を作成しなさい。

〈資料Ⅰ〉個別貸借対照表

T社貸借対照表
×10年3月31日 (単位：円)

借方	金額	貸方	金額
現金預金	64,000	支払手形	232,000
受取手形	80,000	工事未払金	58,000
完成工事未収入金	85,000	その他諸負債	85,000
未成工事支出金	77,000	資本金	100,000
貸付金	44,000	利益剰余金	25,000
投資有価証券	50,000		
その他諸資産	100,000		
	500,000		500,000

K社貸借対照表
×10年3月31日 (単位：円)

借方	金額	貸方	金額
現金預金	8,000	支払手形	14,000
受取手形	10,000	工事未払金	14,000
完成工事未収入金	15,000	借入金	20,000
未成工事支出金	22,000	その他諸負債	10,000
その他諸資産	45,000	資本金	30,000
		利益剰余金	12,000
	100,000		100,000

〈資料Ⅱ〉取引状況

(1) T社はK社の発行済株式数の60％の株式を，×9年3月31日に25,000円で取得した。取得時のK社の資本は，資本金30,000円 利益剰余金10,000円であった（両社の会計期間は4月1日～3月31日）。K社株式は投資有価証券として表示されている。
(2) のれんは発生年度の翌年から，20年間で均等償却する。
(3) K社の借入金のうち，15,000円はT社からのものである（利息は無視）。
(4) T社の完成工事未収入金のうち，5,000円はK社に対するものである。
(5) K社の当期純利益は2,000円であり，当期中に配当を行っていない。

連結貸借対照表
×10年3月31日
(単位:円)

現金預金	72,000	支払手形	246,000
受取手形	90,000	工事未払金	( )
完成工事未収入金	( )	借入金	( )
未成工事支出金	( )	その他諸負債	95,000
貸付金	( )	資本金	( )
投資有価証券	( )	利益剰余金	( )
その他諸資産	145,000	( )	( )
( )	( )		
	( )		( )

解答

連結貸借対照表[41)]
×10年3月31日
(単位:円)

現金預金	72,000	支払手形	246,000
受取手形	90,000	工事未払金	(*67,000*)
完成工事未収入金	(*95,000*)	借入金	(*5,000*)
未成工事支出金	(*99,000*)	その他諸負債	95,000
貸付金	(*29,000*)	資本金	(*100,000*)
投資有価証券	(*25,000*)	利益剰余金	(*26,150*)
その他諸資産	145,000	(非支配株主持分)	(*16,800*)
(のれん)	(*950*)		
	(*555,950*)		(*555,950*)

解説

連結貸借対照表を作成するための仕訳を示します。

①投資と資本の相殺

(借)	資本金当期首残高	30,000	(貸)	投資有価証券	25,000
	利益剰余金当期首残高	10,000		非支配株主持分当期首残高	16,000
	のれん	1,000			

②のれんの償却

(借)	のれん償却額	50	(貸)	のれん	50

1,000円÷20年=50円

③債権債務の消去

(借)	借入金	15,000	(貸)	貸付金	15,000
(借)	工事未払金	5,000	(貸)	完成工事未収入金	5,000

④子会社純利益の按分

(借)	非支配株主に帰属する当期純利益	800	(貸)	非支配株主持分当期変動額	800

2,000円×40%=800円

41) 各項目の計算
完成工事未収入金
85,000円+15,000円−5,000円
=95,000円
貸付金
44,000円−15,000円=29,000円
投資有価証券
50,000円−25,000円=25,000円
のれん
1,000円−50円=950円
工事未払金
58,000円+14,000円−5,000円
=67,000円
借入金
20,000円−15,000円=5,000円
資本金
100,000円+30,000円
−30,000円=100,000円
利益剰余金
貸借差額より求めます。
非支配株主持分
16,000円+800円=16,800円

try it 例題 子会社B/Sの時価評価

Q

2. ×20年3月31日にA社がB社(発行済株式数 10,000株)株式の60%(6,000株)を 6,500円で取得した。同日の両社の貸借対照表は次のとおりであった。また,B社資産の公正価値を 9,000円として同日の資本連結の仕訳を示しなさい。

A社貸借対照表(単位:円)

B社株式	6,500	負　債	10,000
その他諸資産	39,700	資本金	21,000
		利益剰余金	15,200
	46,200		46,200

B社貸借対照表(単位:円)

諸資産	7,000	負　債	3,000
		資本金	3,000
		利益剰余金	1,000
	7,000		7,000

(単位:円)

借　方	貸　方

解答

(借)	諸資産	2,000[42]	(貸)	評価差額	2,000
(借)	資本金	3,000	(貸)	B社株式	6,500
	利益剰余金	1,000		非支配株主持分	2,400[43]
	評価差額	2,000			
	のれん	2,900[44]			

42) 9,000円－7,000円 =2,000円
43) (3,000円＋1,000円＋2,000円)×40% =2,400円
44) 6,500円－(3,000円+1,000円+2,000円)×60% =2,900円

Chapter6

参考

持分法について

持分法の意義

45）他の企業の議決権の20%以上を取得されている関連会社や非連結子会社が対象となります。

持分法とは，投資会社の被投資会社[45]に対する投資額（投資勘定で処理）を評価するにあたり，被投資会社の活動に応じてその投資勘定を各期ごとに修正していく方法です。

なお，持分法は，被投資会社に対する投資会社持分の変動を連結上反映する方法です。したがって，他の連結子会社がすでに存在して連結財務諸表を作成していることが前提となります。

持分法の処理

(1)投資差額の算定

連結会計と異なり投資と資本の相殺は行いませんが，投資差額（のれん・負ののれん）の算定は行います。

投資額 －（被投資会社の資本×投資会社持分割合）＝＋のれん
－負ののれん

ここでは，T社がA社の株式を×9年3月31日（前期末）に取得しA社を関連会社とし，×10年3月31日（当期末）の連結財務諸表を作成するという前提で見ていきます。

T社貸借対照表
×10年3月31日

A　社　株　式	50,000

取引例1　　投資差額の算定

T社はA社の発行済株式数の30%の株式を×9年3月31日に50,000円で取得し，持分法を適用することとした。そのときのA社の資本は資本金120,000円，利益剰余金30,000円であった。

仕　訳　な　し

資　本　金	120,000
利益剰余金	30,000
	150,000

150,000円×30%=45,000円 ←差額5,000円→ 50,000円（投資）

↓ のれん

(2)のれんの償却

連結会計と同様に，発生後20年以内に定額法などの方法により償却します。

取引例2 のれんの償却

のれん5,000円を発生年度の翌年度から20年間で均等償却する。

（借）	持分法による投資損益	250[46]	（貸）	A社株式	250

46）5,000円÷20年=250円

(3)当期純利益の振替え

投資後に被投資会社が当期純利益を計上した場合，当該当期純利益のうち投資会社持分に相当する額を持分法による投資損益として計上するとともに，同額を投資勘定に加減します。

取引例3 当期純利益の振替え

A社の当期純利益は20,000円である。

（借）	A社株式	6,000[47]	（貸）	持分法による投資損益	6,000

47）20,000円×30%
=6,000円

(4)連結財務諸表

持分法を適用した場合，連結財務諸表上は，連結貸借対照表上，投資勘定が計上され，連結損益計算書上，持分法による投資利益（損失）が計上されます。

連結貸借対照表
×10年3月31日

A社株式	55,750[48]

連結損益計算書
自×9年4月1日　至×10年3月31日

持分法による投資利益	5,750[49]

48）50,000円－250円
＋6,000円=55,750円
49）6,000円－250円
=5,750円

コラム　工事進行基準を悪用！東芝不正経理事件（2015年）

請負金額200億円、見積総工事原価120億円、当期発生原価30億円としたとき、当期の工事収益は次のように計算しますね。

$$正しい工事収益=200億円\times\frac{30億円}{120億円}=50億円$$

「これでは利益が足りない！チャレンジしろ！」と言われた社員は見積総工事原価を下げにかかります。仮に見積総工事原価を100億円に下げたとすると、当期の工事収益は次のようになります。

$$不正な工事収益=200億円\times\frac{30億円}{100億円}=60億円$$

“チャレンジ”の結果、工事収益は10億円アップし、さらに当期発生工事原価は30億円のままなので、そのまま当期の工事利益のアップとして処理することになります。

これは、明らかに『不正』ですね。

Section 3

税引前利益と法人税等を税率で対応させる手続き。　重要度 ◈◈◈

税効果会計

はじめに ここで扱うのは節税のテクニックではありません。税金はしっかりと払ってください。納税者番付にのる必要はありませんが…。税金の計算の基礎となるのは，収入・支出ではありません。会計上の税金は収益・費用から計算され，税務上の税金は益金と損金から計算されます。会計上の税金（法人税等）と税務上の税金（法人税等）の相違・ズレを調整するのが税効果会計です。両者は無関係ではないのでチャレンジしてみましょう。

税効果会計とは

税効果会計とは，会計上の収益または費用と課税所得計算上の益金または損金の認識時点の相違[01]等により，企業会計上の資産または負債の額と課税所得計算上の資産または負債の額に相違がある場合において，法人税等を適切に期間配分することにより，税引前当期純利益と法人税等を合理的に対応させることを目的とする手続です。

01）会計は，適正な期間損益計算を目的として，収益から費用を引いて利益を計算します。
一方，税務は，適正な税金額の計算を目的として，益金から損金を引いて課税所得を計算します。このように目的が異なるため，利益と課税所得は一致しません。

税効果会計の処理方法

会計上と税務上の差異には，一時差異と永久差異[02]があります。このうち税効果会計の対象になるのは一時差異です。

一時差異：貸借対照表に計上されている資産および負債の金額と課税所得計算上の資産および負債の金額との差額をいいます。

- 将来減算一時差異：一時差異が解消するとき，その期の課税所得を減額[03]する効果をもつものをいいます。
- 将来加算一時差異：一時差異が解消するとき，その期の課税所得を増額[03]する効果をもつものをいいます。

会計上の資産の額 < 税務上の資産の額
会計上の負債の額 > 税務上の負債の額
→ 将来減算一時差異 ⇒ 繰延税金資産

会計上の資産の額 > 税務上の資産の額
会計上の負債の額 < 税務上の負債の額
→ 将来加算一時差異 ⇒ 繰延税金負債

02）永久差異とは，会計上の税引前当期純利益計算では費用または収益として計上されるが，課税所得の計算上は永久に損金または益金に算入されない差異のことです。
例として，交際費や寄付金，受取配当金などがあります。

03）逆を言えば，将来減算一時差異は，差異が発生するときに課税所得を増額し，将来加算一時差異は，差異が発生するときに課税所得を減額します。

繰延法と資産負債法

税効果会計の方法には，理論上，繰延法と資産負債法があります。

繰延法とは，会計上の収益・費用の額と税務上の益金・損金の額との差異のうち，期間差異について，発生した年度の当該差異に対する税金軽減額または税金負担額を差異が解消する年度まで貸借対照表上，繰延税金資産または繰延税金負債として計上する方法です。

資産負債法とは，会計上の資産・負債の額と税務上の資産・負債の額との差異のうち一時差異について，差異が解消されるときに税金を減額または増額させる効果がある場合に，当該差異の発生年度にそれに対応する繰延税金資産または繰延税金負債を計上する方法です。

04)「税効果会計に係る会計基準」では，資産負債法が採用されています。

05) 税率の変更があった場合，過年度に計上していた繰延税金資産・負債を変更後の税率で再計算し，再計算による調整額は法人税等調整額で処理します。

	繰　延　法	資産負債法[04]
認識	損益計算書	貸借対照表
差異	会計上の収益及び費用 税務上の益金及び損金	会計上の資産及び負債 税務上の資産及び負債
税率変更時の過年度修正	なし	あり[05]
資産の評価替え	一時差異なし	一時差異あり

表示方法

(1)　貸借対照表

繰延税金資産は固定資産（投資その他の資産）に，繰延税金負債は固定負債に表示します。

繰延税金資産と繰延税金負債がある場合には，相殺して表示します。

(2)　損益計算書

当期の法人税等の額の下に，法人税等調整額を加減したものを，税引前当期純利益（純損失）から控除します。

⋮

税引前当期純利益		×××
法人税，住民税及び事業税	×××	
法人税等調整額	×××	×××
当期純利益		×××

取引例 1　　将来減算一時差異に係る税効果

以下の条件に基づき，第1期および第2期に必要な仕訳を示しなさい。
① 第1期において棚卸資産について会計上200千円の評価損を計上したが，税務上この評価損は損金算入されなかった。
② この棚卸資産は第2期に売却され，第1期に計上した会計上の評価損が税務上損金算入された。
③ 各期の税効果会計適用前の損益計算書（一部）は以下のとおりである。
④ 実効税率は46%とする。

	第1期	第2期	(単位:千円)
税引前当期純利益	2,000	2,000	
棚卸資産評価損	200	△200	
課　税　所　得	2,200	1,800	
法　人　税　等	1,012	828	

第1期　　（仕訳単位：千円）

（借）	繰延税金資産	92	（貸）	法人税等調整額	92[06]

第2期

（借）	法人税等調整額	92[06]	（貸）	繰延税金資産	92

06）200千円×46%=92千円

この場合，会計上の棚卸資産の計上額は税務上の計上額よりも小さくなり，将来減算一時差異が生じます。したがって税効果会計を適用する必要があります。その結果，第1期の損益計算書上で法人税等調整額として計上し，貸借対照表上で繰延税金資産として計上します。

なお，税効果会計を適用した結果，損益計算書は以下のようになります。税効果会計適用後の法人税等は，税引前当期純利益に対応する金額となっています[07]。

07）将来加算一時差異は，将来減算一時差異と反対の効果を持ち，繰延税金負債を計上することになります。

	第1期		第2期		(単位:千円)
税引前当期純利益		2,000		2,000	
法人税，住民税及び事業税	1,012		828		
法人税等調整額	△92	920	92	920	
当　期　純　利　益		1,080		1,080	

その他有価証券と税効果会計

有価証券のうち，その他有価証券を期末に時価評価するにあたり，税効果会計を適用する場合があります。

(1) 評価差益が生じた場合

その他有価証券の時価評価にあたり，評価差益が生じている場合，全部純資産直入法と部分純資産直入法のいずれを採用した場合でも，「その他有価証券評価差額金」が純資産の部の評価・換算差額等の区分に直接計上されます。その他有価証券の評価差益は税法上，益金不算入となるため，将来加算一時差異に分類されます。

なお，その他有価証券の評価差益は損益項目ではない（純資産の項目です）ので，損益に対する調整項目である「法人税等調整額」は用いません。評価差益に税率を掛けた金額を繰延税金負債として計上します。

取引例 2-1 その他有価証券・税効果会計 1

当社が保有するその他有価証券（取得原価 2,000 円）の期末時価は 2,800 円であった。税効果会計を適用した上で，当該その他有価証券に関する時価評価の仕訳を示しなさい。なお，法人税等の実効税率は 40% とする。

（借）	投資有価証券	800	（貸）	繰延税金負債	320[08]
				その他有価証券評価差額金	480

08）（2,800 円－2,000 円）× 40%=320 円

(2) 評価差損が生じた場合

その他有価証券の評価差損は損金不算入となり，将来減算一時差異に分類されます。処理方法は以下のとおりになります。

①全部純資産直入法を採用した場合

評価差損は損益項目ではないので「法人税等調整額」は用いず，評価差損に税率を掛けて繰延税金資産を計上します。

②部分純資産直入法を採用した場合

評価差損は費用となるため，評価差損の額に税率を掛けて繰延税金資産とし，相手勘定は「法人税等調整額」を用いて調整します。

取引例 2-2 その他有価証券・税効果会計 2

当社が保有するその他有価証券（取得原価 2,000 円）の期末時価は 1,200 円であった。税効果会計を適用した上で，当該その他有価証券に関する時価評価の仕訳を示しなさい。なお，法人税等の実効税率は 40% とし，①全部純資産直入法，②部分純資産直入法によること。

①全部純資産直入法

（借）	繰延税金資産	320	（貸）	投資有価証券	800
	その他有価証券評価差額金	480			

②部分純資産直入法

（借）	投資有価証券評価損	800	（貸）	投資有価証券	800
（借）	繰延税金資産	320	（貸）	法人税等調整額	320

Chapter6

その他有価証券について税効果会計を適用した場合の処理をまとめると，次のようになります。

全部純資産直入法	評価差益	(借) 投資有価証券 ××× (貸) 繰延税金負債 × その他有価証券評価差額金 ××
	評価差損	(借) 繰延税金資産 × (貸) 投資有価証券 ××× その他有価証券評価差額金 ××
部分純資産直入法	評価差益	(借) 投資有価証券 ××× (貸) 繰延税金負債 × その他有価証券評価差額金 ××
	評価差損	①評価差損は当期の損失として処理します。 (借) 投資有価証券評価損 ××× (貸) 投資有価証券 ××× ②評価差損は将来減算一時差異として税効果会計を適用します。 (借) 繰延税金資産 × (貸) 法人税等調整額 ×

評価差益の場合は，全部純資産直入法でも部分純資産直入法でも同じ仕訳となります。

try it 例題 税効果会計

下記の資料に基づき，次の問いに答えなさい。

(1) X社の第1期における（将来加算または減算）一時差異および繰延税金（資産または負債）の金額を計算しなさい。
(2) X社の第2期の第1期と第2期の税効果会計にかかわる仕訳をしなさい。

■資　料■

① X社は第1期において会計上，完成工事補償引当金を1,500千円計上したが，このうち700千円は税務上損金算入が認められないため，課税所得の計算上加算した。
② 第2期においてX社は第1期の完成引渡しに係る補償工事を行い，第1期に加算した700千円が税務上損金算入された。
③ 税率は40%とする。

解答

(1) 将来減算一時差異　*700* 千円
繰延税金資産　*280* 千円（=700千円×40%）
(2) 第1期（借）繰延税金資産　*280,000*　（貸）法人税等調整額　*280,000*
第2期（借）法人税等調整額　*280,000*　（貸）繰延税金資産　*280,000*

企業結合

はじめに 近年，企業合併が我々の身近でも次々と起こってきています。これは金融の自由化に伴い企業間競争が激しくなったため，本社経費の削減等，より効率的な展開を狙ってのものといえるでしょう。では，このような場合に吸収する会社はどのような会計処理を行うのでしょうか。

企業結合とは

企業結合とは，「ある企業（またはある企業を構成する事業）と，他の企業（または他の企業を構成する事業）とが一つの報告単位に統合[01]すること」をいいます。

企業結合には，合併，株式交換や子会社化などがあります。ここでは，企業結合の一つである合併について学習していきます。

01）ある企業とある企業がまとまって一つの財務諸表を作ることをいいます。

企業結合の会計処理（パーチェス法）[02]

「企業結合に関する会計基準」では，企業結合は，原則として一方の企業（取得企業）による他方の企業（被取得企業）の取得，つまり資産購入と同様に考えて，パーチェス法による処理を行います[03]。

02）「パーチェス（purchase）＝購入すること」。つまり，通常の資産購入（取得）と同様に処理する方法です。

03）企業結合にはパーチェス法を適用しない取引もありますが，これらは出題可能性が低いため，本書では扱っていません。

(1)パーチェス法の意義

パーチェス法とは，取得企業が被取得企業からの受入資産・負債の取得原価を，原則として支払対価（現金・株式等）の時価（公正価値）とする方法です。

(2)パーチェス法の処理

①取得原価の算定

取得企業が被取得企業の取得原価を算定するさいには，取得企業が被取得企業（の株主）に交付した支払対価の企業結合日における時価を基準とします。具体的には，支払対価が現金であれば現金支出額，取得企業株式であれば当該交付株式の時価となります[04]。

04）この場合の時価とは，支払対価となる財の時価と取得した事業の時価のうち，より高い信頼性をもって測定可能な時価のことです。

	支払対価	
	現金	株式
取得原価	現金支払額	交付株式の時価（増加資本）

Chapter6

05）通常の新株発行と異なり，企業結合に伴う新株発行の払込資本は「その他資本剰余金」となる場合もあります。問題文の指示に従ってください。

支払対価のうち株式を交付した部分は，払込資本として資本金・資本準備金・その他資本剰余金[05]となります。これらの金額の内訳は，契約に基づいて決定します。

取引例 1　　被取得企業の取得原価の算定

A 社は B 社を吸収合併した。この合併は A 社が取得企業となる。A 社が取得した B 社の資産・負債の取得原価を求めなさい。

B 社の諸資産：簿価 200,000 千円　時価 210,000 千円
B 社の諸負債：簿価　70,000 千円　時価　70,000 千円
A 社（取得企業）の交付株式数：3,000 株
A 社株式の時価（公正価値）：1 株 50 千円

150,000 千円[06]

06）50 千円× 3,000 株
＝150,000 千円

②受入資産・負債の評価

取得企業は，被取得企業から受け入れる資産・負債を，企業結合日時点における時価[07]で評価します。

07）固定資産を取得したときに時価で評価するのと同様に，企業そのものを取得したときも，資産・負債は時価評価します。

取引例 2　　被取得企業の資産・負債の評価

A 社は B 社を吸収合併した。この合併は A 社が取得企業となる。A 社が受け入れる B 社の諸資産・諸負債の評価額を求めなさい。

B 社の資産・負債	帳簿価額	時　価
建　　物：	1,480,000 千円	1,350,000 千円
繰延資産：	90,000 千円	0 千円
借 入 金：	300,000 千円	300,000 千円
未払法人税等：	400,000 千円	400,000 千円

諸資産：1,350,000 千円
諸負債：　700,000 千円

③のれんの算定

被取得企業の取得原価が，受入資産・負債の純額（時価）を上回る場合には，当該超過額を「のれん」といいます。反対に下回る場合には，当該不足額を「負ののれん」といいます。両者は会計処理が異なるため，注意が必要です。

被取得企業B／S

資産（時価）	負債（時価）		取得原価
	資産･負債の純額（時価）		支払対価（時価）
	のれん		

・取得原価　＞　資産･負債の純額（時価）
　　　　　　　　　　⇒　のれん（無形固定資産）計上
・取得原価　＜　資産･負債の純額（時価）
　　　　　　　　　　⇒　負ののれん発生益（特別利益）計上

取引例 3　　パーチェス法の会計処理

A 社は×2 年 3 月 31 日に B 社を吸収合併し，B 社の株主に対し，A 社は新株を交付した。この合併は, A 社が取得企業となる。A 社株式の時価（公正価値）は，1 株 50 千円（1 株当たりの資本金組入額も同額）である。以下の資料により，合併の仕訳を示しなさい。
(1)　新株を 3,000 株交付した場合
(2)　新株を 2,500 株交付した場合

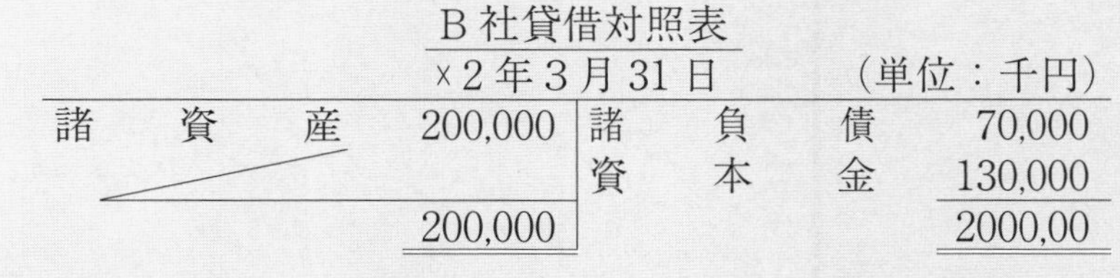

B 社貸借対照表
×2 年 3 月 31 日　　（単位：千円）

諸資産	200,000	諸負債	70,000
		資本金	130,000
	200,000		2000,00

（注）諸資産の公正価値は 210,000 千円，諸負債の公正価値は 70,000 千円である。　（仕訳単位：千円）

(1)　新株を 3,000 株交付した場合

（借）	諸資産	210,000	（貸）諸負債	70,000
	のれん	10,000[09)	資本金	150,000[08)

(2)　新株を 2,500 株交付した場合

（借）	諸資産	210,000	（貸）諸負債	70,000
			資本金	125,000[10)
			負ののれん発生益	15,000[11)

08）50 千円× 3,000 株 =150,000 千円

09）150,000 千円－（210,000 千円－ 70,000 千円）=10,000 千円

10）50 千円× 2,500 株 =125,000 千円

11）125,000 千円－（210,000 千円－ 70,000 千円）=△ 15,000 千円

12)『のれん』が計上される場合，その企業の価値よりも超過収益力の分だけ高い値段で買ったことになります。

13) 従来は『のれん』との対称性を重視し，負債計上・規則的償却をしていましたが，負債の定義に合致しないため，発生時に異常利益として処理することになりました。

14) 10,000千円÷20年
=500千円

(i)のれんの処理

のれんが生じた場合，のれん勘定[12]として無形固定資産に計上し，20年以内に定額法などにより規則的に償却します。このとき，償却額はのれん償却額勘定として販売費及び一般管理費に計上します。ただし，のれんの金額が少ない場合，資産とせずに発生時に費用処理することもできます。

(ii)負ののれんの処理

負ののれんが生じた場合，負ののれん発生益勘定として，発生時に特別利益に計上[13]します。

取引例 4　　のれんの償却

吸収合併により計上したのれん10,000千円を20年（定額法）で償却する。このときの仕訳を示しなさい。　（仕訳単位：千円）

（借）	のれん償却額	500[14]	（貸）	のれん	500

try it **例題** **企業結合**

A社は×2年3月31日にB社を吸収合併することとなった。よって次の資料により，⑴合併受入仕訳を示すとともに，⑵合併後の貸借対照表を完成させなさい。なお，「企業結合に関する会計基準」を適用すること。

〈資料１〉合併直前の貸借対照表

A社貸借対照表
×2年3月31日（単位：千円）

流動資産	900,000	流動負債	650,000
固定資産	1,400,000	資本金	1,750,000
繰延資産	100,000		
	2,400,000		2,400,000

B社貸借対照表
×2年3月31日（単位：千円）

流動資産	420,000	流動負債	500,000
固定資産	1,200,000	資本金	1,200,000
繰延資産	80,000		
	1,700,000		1,700,000

〈資料２〉合併に関する事項

1．この合併はA社が取得企業となる。

2．B社の資産・負債の公正価値（時価）は次のとおりである。

流動資産：商品　簿価　80,000千円　　時価　90,000千円
固定資産：建物　簿価 500,000千円　　時価 520,000千円
　　　　　土地　簿価 700,000千円　　時価 740,000千円
繰延資産：合併にあたり引き継がない。
流動負債：簿価と時価は一致している。

3．A社はB社の株主に対して，新株20,000株を交付した。

4．A社株式の合併時の時価は1株61,000円（1株当たり資本金組入額も同額）である。

⑴　合併受入仕訳　　（仕訳単位：千円）

借　　方	貸　　方

⑵　合併後貸借対照表

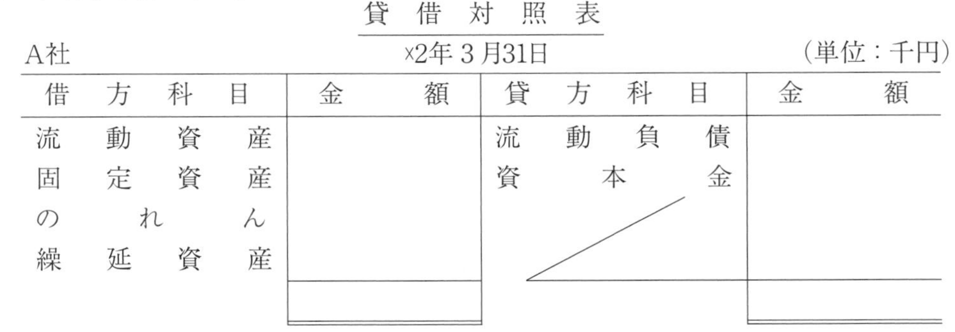

貸借対照表

A社　×2年3月31日　（単位：千円）

借方科目	金額	貸方科目	金額
流動資産		流動負債	
固定資産		資本金	
のれん			
繰延資産			

解答

(1) 合併受入仕訳　　　　　　　　　　　　　　　　（仕訳単位：千円）

（借）流動資産	*430,000*	（貸）流動負債	*500,000*
固定資産	*1,260,000*	資本金	*1,220,000*
の れ ん	*30,000*		

(2) 合併後貸借対照表

貸借対照表

A社　　　　　　　×2年3月31日　　　　　　（単位：千円）

借方科目	金額	貸方科目	金額
流動資産	*1,330,000*	流動負債	*1,150,000*
固定資産	*2,660,000*	資本金	*2,970,000*
の れ ん	*30,000*		
繰延資産	*100,000*		
	4,120,000		*4,120,000*

解説

1. B社の資産・負債の公正価値（時価）

流動資産：420,000千円＋(90,000千円－80,000千円)=430,000千円

固定資産：1,200,000千円＋(520,000千円－500,000千円)＋(740,000千円－700,000千円)
=1,260,000千円

繰延資産：0千円　　流動負債：500,000千円

資産・負債の公正価値の純額：

430,000千円＋1,260,000千円－500,000千円=1,190,000千円

2. B社の取得原価（増加する資本）

@61,000円×20,000株=1,220,000千円

3. のれんの算定

1,220,000千円－1,190,000千円=30,000千円

Section 5

為替レートが変動すると収入と支出も変動する。　重要度◈◈◈◈

外貨換算会計

はじめに あなたの会社もいよいよ海外進出です。“取引は海を越えて”ということは，通貨単位も円だけでは済まなくなります。しかし，帳簿も財務諸表もすべて円単位。なんとかして円に直さなくては。新聞やテレビのニュースを見ていると，「今日の為替レートは…」。いったい，いつの，どの為替レートを使えばよいのでしょうか。また，差額が生じてしまったら，いったいどう処理すればよいのでしょうか。

外貨建取引とは

外貨建取引とは，取引価額が外国通貨の単位で表示される取引をいいます。外貨建取引を行った場合，会計帳簿に記録するためには円に直す（これを換算といいます）必要があります。

工事未払金　2,000ドル　⇨　記録ができない。

円建の金額＝為替レート×外貨建の金額

工事未払金　120円／ドル×2,000ドル＝240,000円　⇨　記録ができる

取引の一巡 外貨建取引では，取引時の外貨建の金額を取引時の為替レートで換算します。

取引例　　外貨建取引

次の一連の取引の仕訳を示しなさい。
①工事用資材1,000ドルを掛けで輸入した(輸入時の為替レート:1ドル120円)。
②工事未払金1,000ドルを現金で決済した(決済時の為替レート:1ドル117円)。

①(借)	未成工事支出金	120,000	(貸)	工事未払金	120,000[01]
②(借)	工事未払金	120,000	(貸)	現金	117,000[02]
				為替差益	3,000

現金の支払額は決済時の為替レートで換算します。一方，工事未払金は輸入時に確定した額で減少させます。輸入時と決済時の為替レートが異なっているため，両者の金額は一致しません。この為替レートの変動から生じる差額は為替差益（為替差損）として処理します[03]。

01）120円×1,000ドル＝120,000円
02）117円×1,000ドル＝117,000円
03）このように輸入取引と決済取引を別個の取引として処理する方法を二取引基準といいます。一方，これらの取引を一つの取引として，換算差額を原材料の修正として処理する方法を一取引基準といいます。

Chapter6

換算方法

外貨建金額を円建に直す換算方式として次の考え方があります。

(1) 流動・非流動法

流動項目には決算時の為替レートを，非流動項目には取得時または発生時の為替レートを選択適用する換算方法です。

(2) 貨幣・非貨幣法

貨幣項目については決算時の為替レートを，非貨幣項目には取得時または発生時の為替レートを選択適用する換算方法です。※

(3) テンポラル法

取得時または発生時の価額（原価）で記録されている資産および負債については取引時または発生時の為替レートを，決算時の価額（時価）で記録されている資産および負債については決算時の為替レートを選択適用する換算方法です。

(4) 決算日レート法

すべての財務諸表項目について決算時の為替レートを適用する換算方法です。

※　貨幣項目とは，最終的に現金化するか，現金での支払いが予定される項目をいいます。
　　非貨幣項目とは，貨幣項目以外の項目をいいます。

期末の換算

外貨建取引に影響を与える為替レートの変動を考慮して，決算期末に外貨建資産・負債の換算を行います。

期末の換算について「外貨建取引等会計処理基準」は次の方法を示しています。

CR：決算時のレート
（カレントレート）
HR：取得時または
発生時のレート
（ヒストリカルレート）
AR：期中平均レート
（アベレージレート）

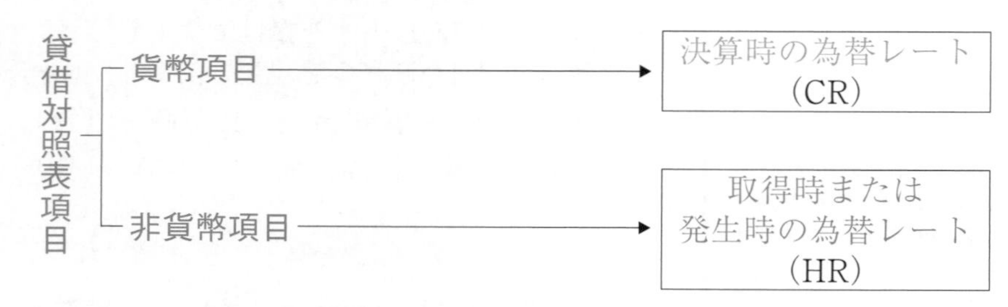

CR で換算…通貨・預金・完成工事未収入金・受取手形・貸付金・工事未払金・支払手形・借入金など

HR で換算…材料貯蔵品・未成工事支出金・有形固定資産など

決算時の為替レートで換算を行った項目については，取引発生時に記録した円貨額と換算後の金額との差額を為替差益（為替差損）として処理します。また，損益計算書の表示区分は以下のとおりです。

為替差益　⇨　営業外収益[04)]

為替差損　⇨　営業外費用[04)]

04）ただし，異常な為替差損益は特別損益とします。

在外支店の財務諸表項目の換算

外国に支店を持っている場合，支店の財務諸表は外国通貨単位で表示されています。したがって，本支店合併財務諸表を作成するためには，円貨への換算が必要になります。在外支店の財務諸表項目の換算方法は，基本的には本店における換算方法と同じであり，次に示すとおりです。

財務諸表項目	為替レート
通貨	…………決算時の為替レート（CR）
金銭債権債務	…………決算時の為替レート（CR）
有価証券	…………決算時の為替レート（CR）
棚卸資産・有形固定資産	…………取得時の為替レート（HR）
費用および収益	…………計上時の為替レート（HR） （または期中の平均レート（AR））[05]
本店勘定[06]	…………個々の本支店間取引について取引発生時の為替レート

05）収益および費用に関しては，一部の項目につき期中平均レートを用いることが認められています。
一部の項目として，次のものがあげられます。
・完成工事高
・完成工事原価
・販売費

06）本店における支店勘定の金額と一致します。

07）CR…決算時の為替レート
HR…取得時の為替レート
AR…期中平均レート

換算例 1

勘定科目	外貨建試算表（ドル）		換算レート[07]	円建試算表（円）	
現金預金	6,000		120（CR）	720,000	
完成工事未収入金	22,000		120（CR）	2,640,000	
有価証券	15,000		120（CR）	1,800,000	
有形固定資産	70,000		115（HR）	8,050,000	
工事未払金		10,000	120（CR）		1,200,000
長期借入金		10,000	120（CR）		1,200,000
本店		80,000	—		9,000,000
完成工事高		50,000	119（AR）		5,950,000
完成工事原価	30,000		119（AR）	3,570,000	
減価償却費	5,000		115（HR）	575,000	
販売費	2,000		119（AR）	238,000	
	150,000	150,000		17,593,000	17,350,000
					243,000 ⇦為替差益
				17,593,000	17,593,000

※本店における支店勘定残高は 9,000,000 円

貸借対照表

現金預金	720,000	工事未払金	1,200,000
完成工事未収入金	2,640,000	長期借入金	1,200,000
有価証券	1,800,000	本店	9,000,000
有形固定資産	8,050,000	当期純利益	1,810,000 ⇦差額
	13,210,000		13,210,000

（同額）[08]

損益計算書

完成工事原価	3,570,000	完成工事高	5,950,000
減価償却費	575,000	為替差益	243,000
販売費	238,000		
当期純利益	1,810,000		
	6,193,000		6,193,000

08）当期純利益は貸借対照表の貸借差額で求めます。この当期純利益を損益計算書に記載し，損益計算書の貸借差額で為替差益または為替差損を求めます。

在外子会社の財務諸表項目の換算

外国に子会社を持っている場合，子会社の財務諸表は外国通貨単位で表示されています。したがって，連結財務諸表[09]を作成するためには，円貨への換算が必要になります。

09）企業集団の財務諸表です。(Section2 参照)

財務諸表項目		為替レート
資産および負債		決算時の為替レート（CR）
純資産	親会社による株式取得時の項目	株式取得時の為替レート（HR）
	親会社による株式取得後に生じた項目	発生時の為替レート（HR）
収益および費用		原則として期中平均為替レート（AR） 決算時の為替レートでも可（CR）

※ただし親子会社間取引から生じる項目については，親会社が用いる換算レートにより換算します。この場合に生じた差額は，為替差損益として処理します。

換算例２

勘定科目	外貨建試算表（ドル）		換算レート	円建試算表（円）	
現金預金	5,000		120（CR）	600,000	
完成工事未収入金	20,000		120（CR）	2,400,000	
有価証券	12,000		120（CR）	1,440,000	
有形固定資産	60,000		120（CR）	7,200,000	
工事未払金		8,000	120（CR）		960,000
社債		20,000	120（CR）		2,400,000
資本金		60,000	118（HR）		7,080,000
完成工事高		50,000	119（AR）		5,950,000
完成工事原価	35,000		119（AR）	4,165,000	
減価償却費	4,000		119（AR）	476,000	
販売費	2,000		119（AR）	238,000	
	138,000	138,000		16,519,000	16,390,000
					129,000 ⇨差額[10]
				16,519,000	16,519,000

10）換算による差額は為替換算調整勘定で処理します。これは純資産の部に表示します。

損益計算書

完成工事原価	4,165,000	完成工事高	5,950,000
減価償却費	476,000		
販売費	238,000		
差額⇨当期純利益[11]	1,071,000		
	5,950,000		5,950,000

11）当期純利益は損益計算書の貸借差額で求めます。

貸借対照表

現金預金	600,000	工事未払金	960,000
完成工事未収入金	2,400,000	社債	2,400,000
有価証券	1,440,000	資本金	7,080,000
有形固定資産	7,200,000	当期純利益	1,071,000
		為替換算調整勘定	129,000
	11,640,000		11,640,000

try it **例題** **外貨換算会計**

1. 次の文章が正しい場合には○を, 正しくない場合には×をそれぞれ記号で記入しなさい。

外貨建金銭債権債務については, 決算時には決算時の為替相場による円換算額を付する。

解 答

○

2. 次の資料に基づき, 決算時の貸借対照表に計上されるそれぞれの金額と, 損益計算書に計上される為替差損益の金額を求めなさい。

〈資　料〉

	金　額	取得日レート
工事未払金	52,500,000円	1ドル=105円
短期貸付金	3,270,000円	1ドル=109円

なお決算時レートは1ドル=110円

解 答

貸借対照表の金額

工事未払金	*55,000,000*円
短期貸付金	*3,300,000*円

損益計算書

為替差損	*2,470,000*円

解 説

	決算時レートによる換算額	為替差損益
工事未払金	(52,500,000円÷105円/ドル)×110円/ドル=55,000,000円 (500,000ドル)	△2,500,000円(差損)
短期貸付金	(3,270,000円÷109円/ドル)×110円/ドル=3,300,000円 (30,000ドル)	+30,000円(差益)
		△2,470,000円(差損)

Section

お金を借りて(リース債務)、資産(リース資産)を買った。　重要度◈◈

6 リース会計

はじめに あなたの会社は，備品や機械，いろいろな資産をリースしています。「これはリースだから貸借対照表には載せないんですよね」。本当にそれでよいのでしょうか？
リースとはいえ，営業活動の中心を占める資産などは，しっかりと貸借対照表に記載し，さらには減価償却までも行ったほうがよいような気もするのですが…。

リース取引

リース取引とは，物件の借手が貸手から一定期間にわたり有形固定資産を使用する権利を与えられ，使用料を支払う取引をいいます。

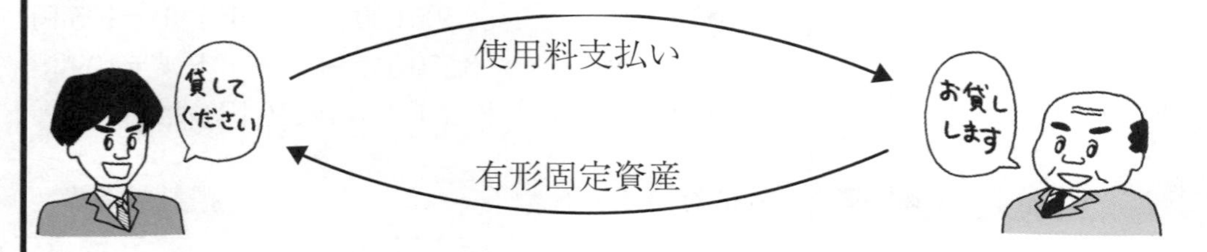

リース取引には，ファイナンス・リース取引とオペレーティング・リース取引とがあります。

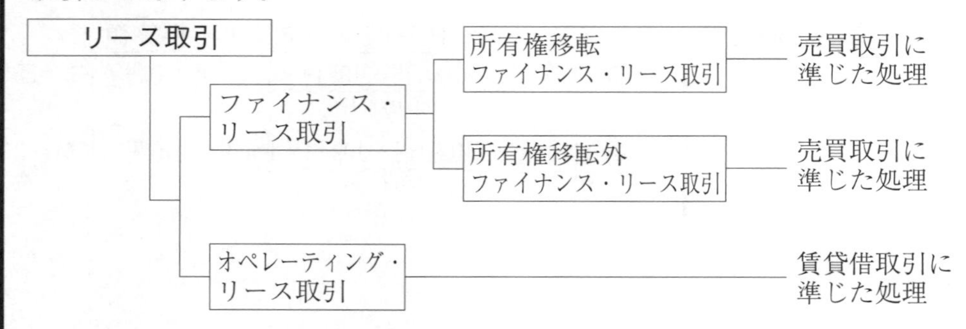

(1)ファイナンス・リース取引 ファイナンス・リース取引とは，次の２つの要件を満たす取引です[01]。
①リース期間の途中で，リース契約を解除できないこと。
②借手がリース物件（有形固定資産）から受ける利益を実質的に享受することができ，リース物件の使用コストを実質的に負担すること。

01）借手側の処理が中心になります。

会計処理 (1) リース取引開始日
借手は，通常の売買取引に係る方法に準じた方法により，リース物件とこれに係る債務をリース資産及びリース債務として計上します。リース資産及びリース債務の計上額は，原則として，リース料総額からこれに含まれている利息相当額の合理的な見積額を控除する方法によります。当該利息相当額については，原則として，リース期間にわたり利息法により配分します[02]。

02）リース資産総額に重要性が乏しいと認められる場合には，利息相当額の総額をリース期間中の各期に配分する方法として，定額法を採用することができます。

(2) 決算日

リース資産の償却期間は以下のようになります。

	耐用年数	残存価額
所有権移転ファイナンス・リース	経済的耐用年数（自己資産と同様）	通常10%（自己資産と同様）[03]
所有権移転外ファイナンス・リース	リース期間	原則ゼロ

03）残存価額をゼロとすることもあります。問題文の指示に従ってください。

取引例 1　ファイナンス・リース取引

①建設用機械をリースで借用（経済的耐用年数６年，残存価額 10%）
②リース期間５年。なお，リース期間経過後，所有権は借手に移転する。
③リース料総額 10,000 円（現金で支払った。うち利息 500 円は定額法により計上）
④リース料等は年１回，毎期末均等額払い

（借）	リース資産	9,500[04]	（貸）	リース債務	9,500
（借）	リース債務	1,900[07]	（貸）	現金	2,000[05]
	支払利息	100[06]			
（借）	未成工事支出金 リース資産減価償却費	1,425[08]	（貸）	リース資産減価償却累計額	1,425

04）10,000 円－ 500 円 =9,500 円
05）10,000 円÷５年 =2,000 円
06）500 円÷５年 =100 円
07）2,000 円－ 100 円 =1,900 円
08）9,500 円× 0.9 ÷６年 =1,425 円

(2) オペレーティング・リース取引

オペレーティング・リース取引とは，リース取引のうちファイナンス・リース取引以外の取引です。賃貸借取引と同様に処理し，注記によって会計情報を提供します。

取引例 2　オペレーティング・リース取引

①備品をリースで借用
②リース期間５年
③リース料総額 8,000 円（現金で支払った。うち利息 500 円）
④リース料等は年１回，毎期末均等額払い

（借）	支払リース料	1,600[09]	（貸）	現金	1,600

09）8,000 円÷５年 =1,600 円

例題　リース会計

Q　次のリース取引に関して，決算時の減価償却に関する仕訳を示しなさい。

①建設用機械をリースで借用（経済的耐用年数 12 年，残存価額 10%）
②リース期間 10 年。なお，リース期間経過後，リース資産を貸手に返却する。
③リース料総額 50,000 円（利息 8,000 円は定額法により計上）
④リース料等は年１回，毎期末均等額払い

解答

（借）	未成工事支出金	*4,200*	（貸）	リース資産減価償却累計額	*4,200*

解説

（50,000 円－ 8,000 円）÷ 10 年 =4,200 円

Section 7　値段が安い(高い)ときに買う(売る)予約をしててよかった！　重要度◈◈

デリバティブ

はじめに 次から次へと金融のシステムは発展していきます。自分の持っている資金は，金庫に保管するばかりではなく，上手に運用したいものです。預金するのもよし，有価証券に投資するのもよし，さらには金融派生商品（デリバティブ）というのも魅力的です。さて，金融派生商品とは何でしょうか？ そして会計処理は？

デリバティブとは

デリバティブとは「金融派生商品（きんゆうはせいしょうひん）」と訳され，株式，債券といった金融商品から副次的に生まれた金融商品をいいます。

デリバティブ取引には，先物取引（さきものとりひき）（先渡取引（さきわたしとりひき）），スワップ取引，オプション取引などがあります。

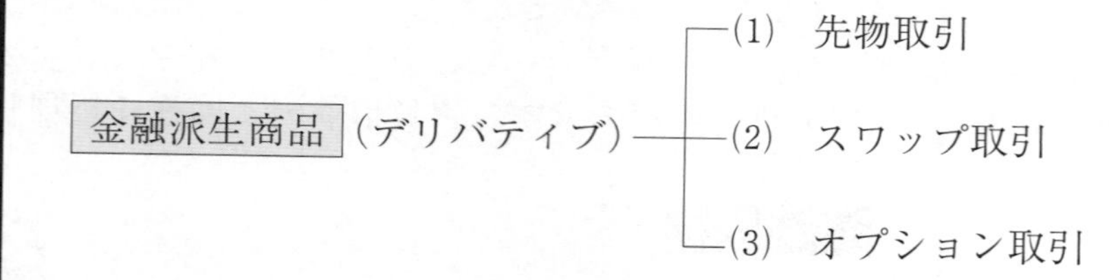

(1)デリバティブ取引の会計処理 デリバティブ取引では，取引によって生じる債権・債務の純額を金利スワップ資産（勘定）や先物取引差金（さきものとりひきさきん）（勘定），オプション資産（勘定）などの資産・負債として捉え，**期末には時価で評価**し，評価差額は原則として**当期の損益**として処理します。

(2)先物取引

先物取引とは，将来の一定の期日において，先に取り決めていた価格で売買することを約束する契約をいいます[01]。

01）先物取引の対象となるものには，貴金属（金など）や農産物（とうもろこしなど），金融商品（株式や債券）などがありますが，ここでは債券先物取引について見ていきます。
債券先物取引は，現物の商品の価格変動リスクを回避（ヘッジといいます）するために行われることが多いので，設けられた売買期間内に反対売買をすることによって決済するのが一般的です。

取引例 1　　先物取引

以下の取引の仕訳を示しなさい。
①契約時（×２年１月20日）
　国債先物10,000円を額面@100円につき@98円で売り建て[02]，委託証拠金として500円を現金で支払った。
②決算時（×２年３月31日）
　同日における国債先物の相場（時価）は，額面@100円につき@96円であった。
③翌期首（×２年４月１日）
　期首につき必要な仕訳を行う。
④決済時（×２年５月20日）
　反対売買を行い，差金は現金で決済した。なお，同日の国債先物の相場（時価）は，額面@100円につき@95円であった。

02）値下がりを予想するときには売り建て（売り注文）を行い，値上がりを予想するときには買い建て（買い注文）を行います。

①契約時（×２年１月20日）

（借）	先物取引差入証拠金	500	（貸）	現　　　金	500

②決算時（×２年３月31日）

（借）	先物取引差金	200	（貸）	先物損益	200[03]

③翌期首（×２年４月１日）

（借）	先物損益	200	（貸）	先物取引差金	200

④決済時（×２年５月20日）

（借）	現　　　金	500	（貸）	先物取引差入証拠金	500
（借）	現　　　金	300	（貸）	先物損益	300[04]

03）決算時点では，この国債は@96円で売買されているので，市場から@96円で買い，契約した@98円で売れば，この時点で@2円（@98円－@96円）の利益が生じています。

$$10,000円 \times \frac{@2円}{@100円} = 200円$$

04）
$$10,000円 \times \frac{@98円 - @95円}{@100円}$$
$=300円$

①契約時（×２年１月20日）
　契約にあたって，差し入れた委託証拠金は先物取引差入証拠金（資産）[05]で処理します。
②決算時（×２年３月31日）
　決算時には，先物相場の変動によって生じた損益を先物損益（営業外収益または営業外費用）で処理し，相手勘定は先物取引差金で処理します。
③翌期首（×２年４月１日）
　翌期首には，決算時の仕訳の逆仕訳を行います。
④決済時（×２年５月20日）
　委託証拠金を回収するとともに，契約時から決済時までに生じた先物相場の変動による損益を，先物損益で処理します。

05）貸借対照表上は一年基準で流動資産または固定資産に分類します。

(3)スワップ取引

「スワップ」とは「交換する」という意味であり，スワップ取引とは将来の収入と支出を交換する取引をいいます。また，金利スワップ取引とは，相対取引(あいたいとりひき)[06]により**固定金利と変動金利とを交換する取引**をいいます。

06）市場を通して取引するのではなく，個別に相手を見つけて取引を行います。金利スワップの場合，多くは銀行と契約します。

取引例２　スワップ取引

以下の取引の仕訳を示しなさい。
①契約時（×１年４月１日）
　Ａ銀行より10,000円（借入期間：３年，利率：年２％の固定金利）を現金で借り入れた。また，今後，金利の低下が見込まれるため，Ｂ銀行と想定元本[07] 10,000円に対して変動金利を支払い，固定金利（２％）を受け取る内容の金利スワップ契約を締結した。なお，利払日はＡ銀行，Ｂ銀行ともに３月31日である。
②利払日（×２年３月31日）
　利払日につき，利息の処理を行う。なお，変動金利は１％であり，利息の支払い及び受け取りは現金で行っている。
③決算時（×２年３月31日）
　同日における金利スワップの時価は400円(金利スワップ資産)である。

07）想定元本とはスワップ取引の利息を計算する際に基準となる金額をいいます。

①契約時（×１年４月１日）

（借）	現金	10,000	（貸）	長期借入金	10,000

②利払日（×２年３月31日）

（借）	支払利息	100[08]	（貸）	現金	100

③決算時（×２年３月31日）

（借）	金利スワップ	400	（貸）	金利スワップ差損益	400

08）Ａ銀行に対する支払利息：
　10,000円×2%=200円
　Ｂ銀行に対する支払利息：
　10,000円×1%=100円
　Ｂ銀行からの受取利息：
　10,000円×2%=200円
　正味の利息：
　200円＋100円－200円
　=100円（支払利息）

①契約時（×１年４月１日）
　金利スワップ取引の処理は行いませんが，借入金の処理は行います。
②利払日（×２年３月31日）
　固定金利と変動金利の差から生じる利息分のみ支払った（または受け取った）として処理します。
③決算時（×２年３月31日）
　決算時においては，金利スワップを時価で評価します。なお，相手勘定は金利スワップ差損益（営業外収益または営業外費用）で処理します。

(4)オプション取引

オプション取引とは，将来の一定の期日までにあらかじめ定められた価格で，証券等を買い付ける（売り付ける）**権利を売買する取引**です。

オプションには「買う権利」と「売る権利」があり，「買う権利」のことを，コール・オプション，「売る権利」のことをプット・オプションといいます。

1　コール・オプションの購入

参考 **プット・オプションの購入**
プット・オプションの購入の処理はコール・オプションの購入と基本的に同じです。

①プット・オプションを9,000円で購入し、現金を支払った。
（借）買建オプション 9,000
（貸）現　　金 9,000
②決算時の時価は12,000円であった。
（借）買建オプション 3,000
（貸）オプション差損益 3,000
[繰延ヘッジ※を適用する場合]
（借）買建オプション 3,000
（貸）繰延ヘッジ損益 3,000
※ヘッジ会計は1-187参照

取引例 3　　オプション取引 1

以下の取引の仕訳を示しなさい。
①購入時（×２年２月１日）
投機目的で，今後の株価上昇が見込まれるＣ社株式のコール・オプション（権利行使価格 @1,000 円で 100 株を購入できる権利）を 9,000 円で購入し，現金で支払った。権利行使日は×２年８月末日である。
②決算時（×２年３月 31 日）
同日におけるＣ社株式のコール・オプションの時価は 12,000 円である。
③翌期首（×２年４月１日）
期首につき必要な仕訳を行う。
④権利行使時（×２年８月 31 日）
同日の株式の時価が @1,200 円であったため権利行使し，反対売買（権利行使価格で株式を取得すると同時に時価で売却）により時価と権利行使価格との差額 20,000 円を現金で受け取った。

①購入時（×２年２月１日）

（借）	買建オプション	9,000	（貸）	現　金	9,000

②決算時（×２年３月 31 日）

（借）	買建オプション	3,000	（貸）	オプション差損益	3,000[09]

③翌期首（×２年４月１日）

（借）	オプション差損益	3,000	（貸）	買建オプション	3,000

④権利行使時（×２年８月 31 日）

（借）	現　金	20,000	（貸）	買建オプション	9,000
				オプション差損益	11,000[10]

09）12,000円－9,000円＝3,000円

10）オプション取引の決済により，現金受取額20,000円とオプション簿価9,000円との差額が損益となります。

①購入時（×２年２月１日）
支払ったコールオプション料は買建オプション（資産）で処理します。
②決算時（×２年３月 31 日）
決算時には，オプションを時価で評価し，評価差額をオプション差損益（営業外収益または営業外費用）で処理し，相手勘定は買建オプションで処理します。
③翌期首（×２年４月１日）
翌期首には，決算時の仕訳の逆仕訳を行います。
④権利行使時（×２年８月 31 日）
株式の時価が権利行使価格を上回ったため，権利行使します。そして，株式の購入と売却による正味の損益をオプション差損益で処理します。

参考 プット・オプションの売却
プット・オプションの売却の処理はコール・オプションの売却と基本的に同じです。

①プット・オプションを 9,000 円で売却し、現金を受け取った。
(借) 現　　金 9,000
　　(貸) 売建オプション 9,000
②決算時の時価は 12,000 円であった。
(借) オプション差損益 3,000
　　(貸) 売建オプション 3,000

2　コール・オプションの売却

取引例 4　　　オプション取引 2

以下の取引の仕訳を示しなさい。
①売却時（× 2 年 2 月 1 日）
C 社株式のコール・オプション（権利行使価格 @1,000 円で 100 株購入できる権利）を 9,000 円で売却し，現金で受け取った。権利行使日は× 2 年 8 月末日である。
②決算時（× 2 年 3 月 31 日）
同日における C 社株式のコール・オプションの時価は 12,000 円である。
③翌期首（× 2 年 4 月 1 日）
期首につき必要な仕訳を行う。
④権利行使を受けた時（× 2 年 8 月 31 日）
同日の株式の時価が @1,200 円でありコール・オプションの購入者より権利行使を受け，反対売買（時価で取得すると同時に権利行使価格で引き渡し）により時価と権利行使価格との差額 20,000 円を現金で支払った。

①売却時（× 2 年 2 月 1 日）

(借)	現　　金	9,000	(貸)	売建オプション	9,000

②決算時（× 2 年 3 月 31 日）

(借)	オプション差損益	3,000	(貸)	売建オプション	3,000[11]

③翌期首（× 2 年 4 月 1 日）

(借)	売建オプション	3,000	(貸)	オプション差損益	3,000

④権利行使を受けた時（× 2 年 8 月 31 日）

(借)	売建オプション	9,000	(貸)	現　　金	20,000
	オプション差損益	11,000[12]			

11) 12,000 円（負債時価）− 9,000 円（負債簿価）=3,000 円

12) オプション取引の決済により、現金支払額とオプション簿価 9,000 円との差額が損益となります。

①売却時（× 2 年 2 月 1 日）
売却にあたって，受け取ったコールオプション料は売建オプション（負債）で処理します。
②決算時（× 2 年 3 月 31 日）
決算時には，オプションを時価評価し，評価差額をオプション差損益（営業外損益または営業外費用）で処理し，相手勘定は売建オプションで処理します。
③翌期首（× 2 年 4 月 1 日）
翌期首には，決算時の仕訳の逆仕訳を行います。
④権利行使を受けた時（× 2 年 8 月 31 日）
株式の購入と売却による正味の損益をオプション差損益で処理します。

ヘッジ会計

ヘッジとは，「**回避する**」という意味であり，「**損失を回避するための取引**」をヘッジ取引といいます。例えば，現物（げんぶつ）の国債を購入したときに，反対に国債先物取引を行うことによって，国債の時価変動リスクを回避することができます。このように，ヘッジ対象（現物の国債など）の価格変動リスク等を回避するために，デリバティブ取引（債券先物など）をヘッジ手段として用いる取引をヘッジ取引といいます。

(1)ヘッジ会計とは

ヘッジ取引のうち一定の要件を満たしたものについては，ヘッジ会計を適用することができます。ヘッジ会計とは，ヘッジ対象（現物の国債など）に係る損益とヘッジ手段（債券先物など）に係る損益を**同一の会計期間に認識**する処理をいい，**ヘッジの効果を財務諸表に反映させる**ことを目的としています。

(2)ヘッジ会計の必要性

ヘッジ手段であるデリバティブ取引については，原則的な処理方法によれば時価評価され損益が認識されることとなりますが，ヘッジ対象がその他有価証券のように相場変動が損益に反映されない場合[13]には，両者の損益が期間的に対応しなくなり，ヘッジ対象の相場変動等による損失の可能性がヘッジ手段によってカバーしているという経済的実態が財務諸表に反映されないこととなります。

このため，ヘッジ対象及びヘッジ手段に係る損益を同一の会計期間に認識し，ヘッジの効果を財務諸表に反映させるヘッジ会計が必要となります。

13）その他有価証券の評価差額は，部分純資産直入法で評価差損が生じている場合を除き，純資産に計上されます。Chapter 3 section 3有価証券を参照。

(3)ヘッジ会計の処理

ヘッジ会計の処理には，繰延ヘッジ（原則）と時価ヘッジ（容認）があります。

繰延ヘッジ：ヘッジ手段（債券先物など）に係る損益を繰り延べる方法

	当期	翌期以降	売却時
ヘッジ対象（その他有価証券）	純資産に計上	純資産に計上	売却損益

	当期	翌期以降	決済時
ヘッジ手段（先物取引）	損益を繰延べ（繰延ヘッジ損益）	損益を繰延べ	決済損益

時価ヘッジ：ヘッジ対象（現物の国債など）に係る損益を当期に認識する方法[14]

	当期	翌期以降	売却時
ヘッジ対象（その他有価証券）	損益を認識（投資有価証券評価損益）	損益を認識	売却損益

	当期	翌期以降	売却時
ヘッジ手段（先物取引）	損益を認識	損益を認識	決済損益

14）時価ヘッジが適用できるのは，現在，ヘッジ対象がその他有価証券の場合だけです。

取引例 5　　ヘッジ会計

以下の取引について，ヘッジ会計（繰延ヘッジ）を適用する場合の仕訳を示しなさい。税効果会計は適用しないものとする。
①契約時（×２年１月20日）
国債（額面10,000円）を9,700円で購入し，代金は現金で支払った。この国債はその他有価証券として保有し，全部純資産直入法を適用する。
また，時価の変動リスクを回避するため，国債先物（額面10,000円）を9,800円で売り建て，委託証拠金として500円を現金で支払った[15)]。
②決算時（×２年３月31日）
決算時における国債の時価は9,500円，国債先物の時価は9,620円であった。
③翌期首（×２年４月１日）
期首につき必要な仕訳を行う。
④決済時（×２年５月20日）
上記国債を9,500円で売却し，代金は現金で受け取った。また，国債先物について反対売買を行い，差金は現金で決済した。なお，決済時の国債先物の時価は9,500円であった。

①契約時（×２年１月20日）

（借）	投資有価証券	9,700	（貸）	現金	9,700
（借）	先物取引差入証拠金	500	（貸）	現金	500

②決算時（×２年３月31日）

（借）	その他有価証券評価差額金	200	（貸）	投資有価証券	200[16)]
（借）	先物取引差金	180[17)]	（貸）	繰延ヘッジ損益	180

③翌期首（×２年４月１日）

（借）	投資有価証券	200	（貸）	その他有価証券評価差額金	200
（借）	繰延ヘッジ損益	180	（貸）	先物取引差金	180

④決済時（×２年５月20日）

（借）	現金	9,500	（貸）	投資有価証券	9,700
	投資有価証券売却損益	200[18)]			
（借）	現金	500	（貸）	先物取引差入証拠金	500
（借）	現金	300	（貸）	投資有価証券売却損益（先物損益）	300[19)]

②決算時（×２年３月31日）
ヘッジ対象（その他有価証券）とヘッジ手段（先物取引）を時価評価します。ヘッジ手段の損益は繰延ヘッジ損益（B/S純資産の部）とします。
④決済時（×２年５月20日）
その他有価証券の売却と先物取引の決済の処理をします。ここで，ヘッジ取引はヘッジ対象のリスクを回避するために行われるため，通常，ヘッジ対象で生じた損益の勘定と同じ勘定（この例では投資有価証券売却損益）で処理します。

15）ここではヘッジ手段として先物取引を用いている取引を例に挙げていますが，スワップ取引やオプション取引でも，期末に時価評価したヘッジ手段の評価差額を繰り延べる処理は同じとなります。

16）9,500円（国債時価）－9,700円（国債簿価）＝△200円

17）9,800円（売建価格）－9,620円（先物時価）＝180円
仮に決算時に売り建てた場合には，9,620円でしか売れないため，9,800円で売り建てて，益が生じていると考えます。

18）9,500円（国債時価）－9,700円（国債簿価）＝△200円

19）9,800円（売建価格）－9,500円（先物時価）＝300円

20）契約時，決済時の時価ヘッジの仕訳は，繰延ヘッジの仕訳と同じです。

（時価ヘッジを適用した場合）

全部純資産直入法を採用していても，ヘッジ対象（その他有価証券）に係る損益を認識します。

決算時の仕訳（×２年３月31日）[20]

（借）	投資有価証券評価損益（損益を認識）	200	（貸）	投資有価証券	200
（借）	先物取引差金	180	（貸）	先物損益	180

翌期首の仕訳（×２年４月１日）

（借）	投資有価証券	200	（貸）	投資有価証券評価損益	200
（借）	先物損益	180	（貸）	先物取引差金	180

(4)税効果会計を適用する場合

21）契約時，決済時の仕訳は，税効果会計を適用しない場合の仕訳と同じです。

ヘッジ会計について税効果会計を適用する場合，以下のように考えます[21]。なお，税率は40％とします。

（税効果会計を適用した場合）

①繰延ヘッジの場合

繰延ヘッジ損益もその他有価証券評価差額金と同様に損益項目ではないので「法人税等調整額」は用いません。評価差額に税率を掛けて繰延税金資産・繰延税金負債を引いた額を繰延ヘッジ損益として計上します。

決算時の仕訳（×２年３月31日）

（借）	**繰延税金資産**	**80**[22]	（貸）	投資有価証券	200
	その他有価証券評価差額金	120[23]			
（借）	先物取引差金	180	（貸）	**繰延税金負債**	**72**[24]
				繰延ヘッジ損益	108[25]

22）200円×40％=80円

23）200円－80円＝120円

24）180円×40％=72円

25）180円－72円＝108円

②時価ヘッジの場合

ヘッジ対象について損益を認識するため，評価差額に税率を掛けて繰延税金資産・繰延税金負債とし，相手勘定は「法人税等調整額」を用いて調整します。

決算時の仕訳（×２年３月31日）

（借）	投資有価証券評価損益[26]	200	（貸）	投資有価証券	200
（借）	**繰延税金資産**	**80**[27]	（貸）	**法人税等調整額**[29]	**80**
（借）	先物取引差金	180	（貸）	先物損益	180
（借）	**法人税等調整額**[29]	72[28]	（貸）	**繰延税金負債**	**72**

26）「有価証券評価損益」とする場合もあります。本試験では科目の指示に従って下さい。

27）200円×40％=80円

28）180円×40％=72円

29）税効果の対象となる仕訳の損益の反対側に法人税等調整額がきます。
対象となる仕訳の損益：借方→貸方　法人税等調整額
対象となる仕訳の損益：貸方→借方　法人税等調整額

例題 デリバティブ

Q 次の独立した取引の決算時における仕訳を示しなさい。なお，税効果会計は適用しないものとする。

(1) A社発行の固定利付社債（額面金額 3,000 円）を額面金額で購入し，その他有価証券として分類している。購入と同時に，当該社債の金利変動による価格変動リスクをヘッジするために，固定金利・変動金利受取の金利スワップを締結している。

期末時点の社債ならびに金利スワップの時価はそれぞれ 2,930 円と 100 円であった。繰延ヘッジ会計により処理を行う。その他有価証券については全部純資産直入法を採用する。

(2) 期首に債券オプション市場で債券のコール・オプションを買い建て，オプション料 200 円を支払っていたが，買い建てオプションの期末時点の時価は 210 円である。

解答欄

(1)

借方科目	金額	貸方科目	金額

(2)

借方科目	金額	貸方科目	金額

解答

(1)

借方科目	金額	貸方科目	金額
その他有価証券評価差額金	*70*	投資有価証券	*70*
金利スワップ	*100*	繰延ヘッジ損益	*100*

(2)

借方科目	金額	貸方科目	金額
買建オプション	*10*	オプション差損益	*10*

解説

(1) その他有価証券評価差額金：2,930 円 − 3,000 円 = △ 70 円

(2) オプション差損益：210 円 − 200 円 =10 円

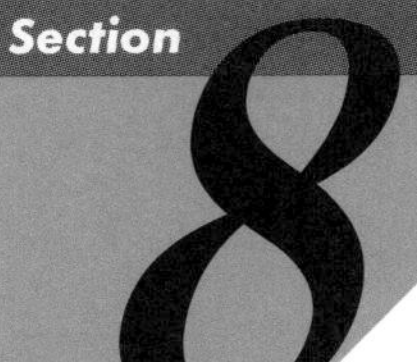

Section 8

固定資産に対する投資が回収できないとわかったら計上。　重要度 ◈◈

減損会計

はじめに 有形固定資産を貸借対照表に記載するさいにその資産は“いくらで買ったのか”，つまり「原価」を記載するのがルールです。しかしどの企業にでも，買ったけど予定どおりに使うことができなかった資産（遊休資産等）の1つや2つはあるものです。これらは原価に比べて使用価値や売却価値が大幅に下がってしまっているはずです。
そこで減損会計により，価値が下がった固定資産を適正に評価しようということになります。
それでは減損会計について見ていきましょう。

減損会計とは

減損会計とは，収益性の低下により投資額を回収する見込みが立たなくなった固定資産[01]の帳簿価額を，一定の条件のもとで**回収可能性を反映させるように減額する会計処理**のことをいいます。

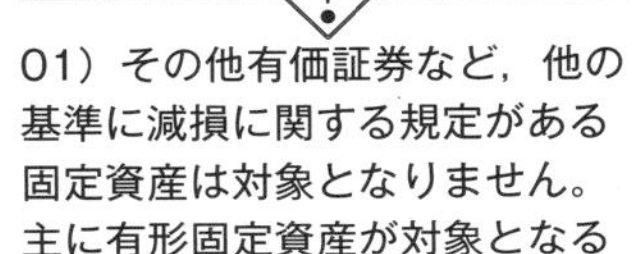

01）その他有価証券など，他の基準に減損に関する規定がある固定資産は対象となりません。主に有形固定資産が対象となると考えましょう。
02）有形固定資産は原価よりも利用価値が大きいと判断したときに購入します。したがって，取得時には〈通常〉の形になっています。

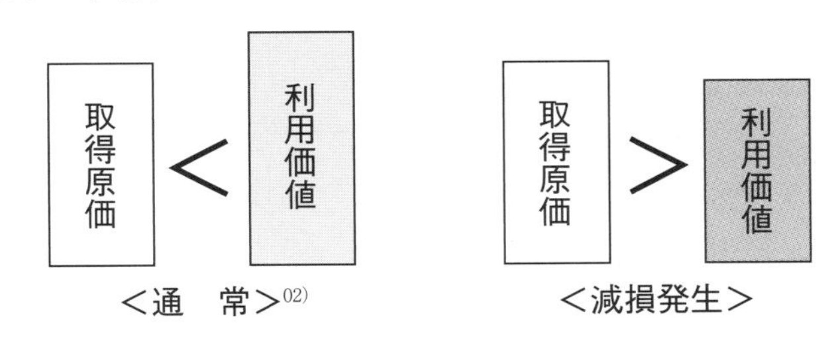

臨時損失との違い

臨時損失も，当期の費用（損失）となるという点では同じですが，状況が異なります。意義および仕訳を一覧にすると次のとおりです。

03）火災で建物の価値が下がった場合をイメージしましょう。

臨時損失	固定資産そのものの減失により[03]，相応の価値の減少を認識
	（借）臨　時　損　失　×××　（貸）固　定　資　産　×××
減損損失	収益性の低下により帳簿価額を回収可能価額に修正
	（借）減　損　損　失　×××　（貸）固　定　資　産　×××

Chapter6

減損会計のフローチャート

減損会計の適用の有無から，財務諸表への表示に至るまでをフローチャートに示すと次のようになります。

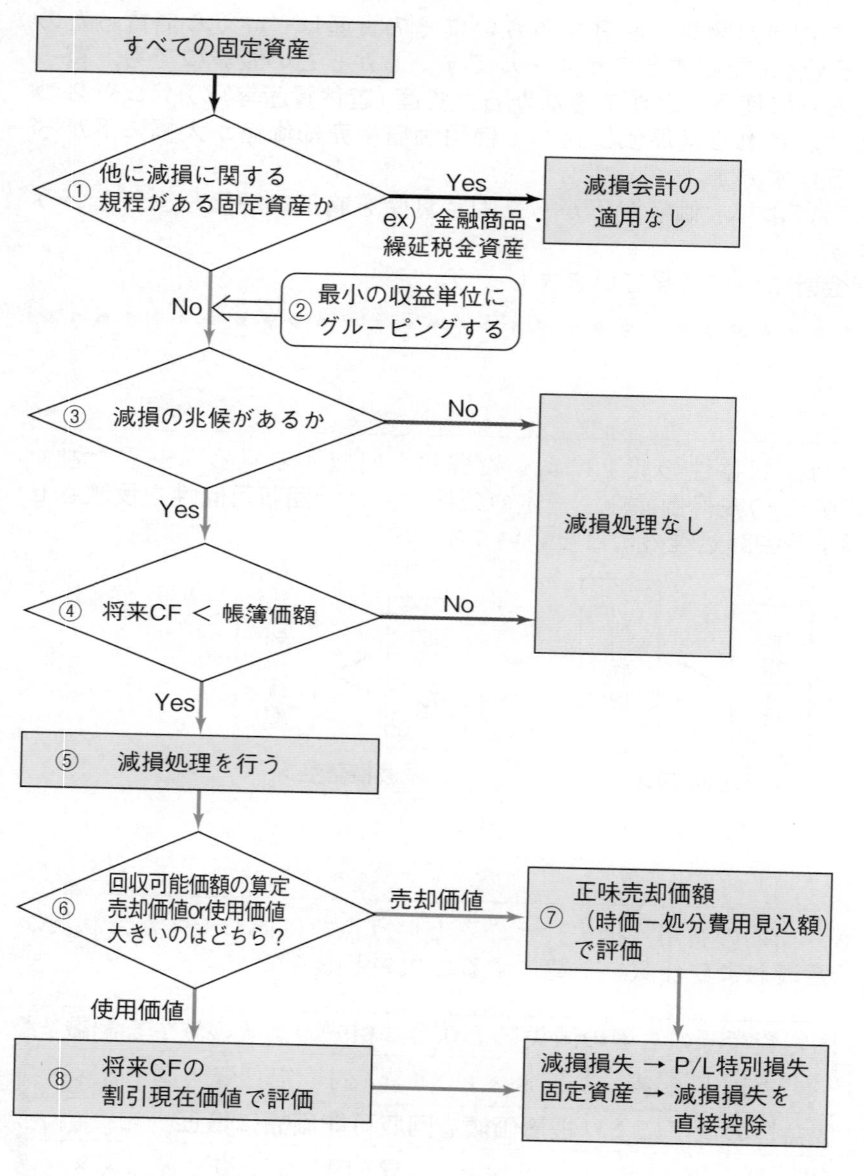

①他に減損に関する規程のある固定資産など，減損会計の適用が除外される固定資産もあります。

②**収益単位で減損会計は適用されます**。例えば，3つの固定資産で1つの製品が作られていたとすると，3つの固定資産を1つのグループと捉えて減損会計を適用することになります。

③すべての固定資産について，将来キャッシュ・フローを計算するのは手間がかかるので，**減損の兆候**がないものは，この段階で除外します。なお，減損の兆候とは，減損が生じている可能性のことをいい，その有無については問題文に指示が与えられると思われます。

④固定資産が生むと考えられる**割引前の将来キャッシュ・フロー**の（単純）**合計額と帳簿価額を比較**し，将来キャッシュ・フローのほうが大きければ減損会計の適用なし，小さければ減損処理を行うことになります。

⑤（借）減損損失 ×××（貸）固定資産 ×××
⇦ この段階では金額は未定

⑥～⑧固定資産の帳簿価額を**回収可能価額**に修正します。回収可能価額は「売却価値」と「使用価値」を比べて大きいほうの額とします。計算方法は下の表のとおりです。

価　値	計算方法
使用価値	将来CFの割引現在価値
売却価値（正味売却価額）	時価－処分費用見込額

取引例　　減損処理の計算

以下の取引につき，各問に答えなさい。
機械（取得原価 130 千円，減価償却累計額 30 千円）に減損の兆候が見られるので，当期末に将来キャッシュ・フローを見積ったところ，残存耐用年数３年の各年につき 20 千円ずつキャッシュ・フローが生じ，使用後の残存価額は 10 千円と見込まれた。
なお，当該機械の当期末における時価は 55 千円，処分費用は４千円と見込まれた。また，将来キャッシュ・フローの現在価値を算定するにあたっては，割引率 10% を用い，最終数値の小数点第１位を四捨五入すること。
(1)　使用価値を算定しなさい。
(2)　正味売却価額を算定しなさい。
(3)　必要な仕訳をしなさい。

(1)　使 用 価 値：57 千円
(2)　正味売却価額：51 千円
(3)（借）減 損 損 失　43,000　（貸）機 械 装 置　43,000

(1)　使用価値：将来キャッシュ・フローの割引現在価値は次のように計算します。

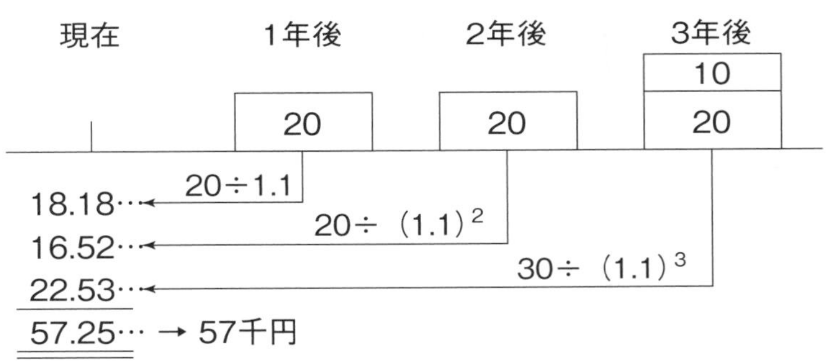

(2)　正味売却価額：55 千円 − 4 千円 =51 千円

(3)　使用価値 57 千円 > 正味売却価額 51 千円により，回収可能価額は 57 千円となります。
　したがって，帳簿価額 100 千円（=130 千円 − 30 千円）との差額 43 千円を減損処理します。

損益計算書・貸借対照表の表示

減損損失の損益計算書への記載，減損処理された固定資産の貸借対照表の記載方法は以下のとおりです。

(1) **減損損失**：特別損失の区分に記載します[04)]。

(2) **固定資産**：減損損失の控除方法の違いにより，次の３種類，４通りの形式があります[05)]。

①直接控除形式（原則）　　（単位：円）

機械装置	87,000	
減価償却累計額	30,000	57,000

②独立間接控除形式

機械装置	130,000	
減損損失累計額	43,000	
減価償却累計額	30,000	57,000

③合算間接控除形式

機械装置	130,000	
減価償却累計額及び減損損失累計額	73,000	57,000

機械装置	130,000	
減価償却累計額	73,000	57,000

（注記）減価償却累計額に減損損失累計額 43,000 円が含まれている。

04）Ⅶ　特別損失
　1. 減損損失　43,000

05）このうち，建設業法施行規則では，①の方法によるものとされています。

try it **例題** **減損会計**

固定資産の減損に係る会計基準によれば，まず，減損の兆候(a) が判断される。次に，減損損失の認識である。そもそも，営業活動において固定資産を使用し続けるのは，帳簿価額が繰り越された将来の期間に回収されることが予想されるからであり，よって，ここでは簿価と資産または資産グループから得られる割引前将来キャッシュ・フローの総額を比較し，簿価がこの総額Ａ（①を上回る　②と同じになる　③を下回る）ときには，減損を認識する。これを受けて，減損損失が測定(b) される。このときの判断は，期末時点での判断であるから，第一に問題になるのが前掲の割引前将来キャッシュ・フローの総額を現在価値に割引くことである。この価値は使用し続けることによる価値であるから(　ア　)と呼ばれる。一方，固定資産の保有についての意思決定としては，期末時点で売却することも考えられる。そこで，(　イ　)価額も減損測定の要因となる。そして，(　ア　)と(　イ　)価額のうちＢ（①高い　②低い）ほうの価額を(　ウ　)価額と呼び，この価額まで簿価を引き下げ(c)，これにより，固定資産の減損会計の処理が終了する。

(1)　アからウの括弧の中に入る適当な言葉を書きなさい。

(2)　下線部(a)について，次に掲げた①②③の事象のうち，減損の兆候と関係のない事象が一つある。その番号を書きなさい。
①　資産または資産グループの市場価格が著しく下落したこと。
②　資産または資産グループが使用されている営業活動から生じる損益またはキャッシュ・フローが，継続してマイナスとなっているか，あるいは継続してマイナスとなる見込みであること。
③　資産または資産グループの市場価格が上昇したこと。

(3)　下線部(b)について，減損損失は，損益計算書の中の区分のうち，どの区分に収容されるかを示しなさい。

(4)　下線部(c)について，いま減損損失を計上する前の設備の取得原価が50,000千円，その減価償却累計額が22,500千円であった場合，これに減損損失17,000千円を計上したとき，設備の貸借対照表上の表示を「基準」が原則的としている方法により示しなさい。

(5)　Ａ・Ｂの括弧の中の正しい言葉の番号を書きなさい。

解答

(1)　ア．使用価値　イ．正味売却　ウ．回収可能

(2)　③

(3)　特別損失

(4)

貸借対照表　（単位：千円）

設　　備	33,000	
減価償却累計額	△ 22,500	

(5)　A．①　B．①

コラム　流星哲学

毎年、夏になると流星群がやってくる。

大阪にいた頃には、流星群がくるたびに三重と奈良の県境に出かけ、望遠鏡で流れ星を追ったものでした。

ところで、みなさんは『流れ星に願いごとをすると、その願いごとが叶う』という話、信じておられますか？

『そんなお伽話、今どき信じている人はいないよ』とお思いでしょう。

でも、私は信じています。

信じているどころか、『流れ星に願いごとをすると、その願いごとが叶う』と保証します。

夜、星空を見上げて、流れ星を探してみてください。

晴れた日ばかりではなく、雨の日も曇りの日もあります。つまり、必ず星空が見えるとは限りません。

また、運よく星空が見え、さらに運よく流れ星が流れたとしましょう。しかし、広い夜空の下、そこを見ていなければ流れ星に気づくことはありません。

さらに、流れ星などほんの一瞬です。

その一瞬の間に自分の願いごとを言う。

それは本当に多くの偶然が重なった、その一瞬に願いごとを言うということになります。

つまり、一日24時間四六時中、自分が本当に願っていることでないと、とてもとてもその瞬間に言葉になるものではないのです。

もう、おわかりでしょう。

私が『流れ星に願いごとをすると、その願いごとが叶う』ことを保証するわけが。

そうです。

一人の人間が24時間四六時中、寝ても醒めても本当に願っていることならば、当然にそのための努力を厭うこともなく、それは必然的に実現するのです。

あっ、流れ星だ！

間に合いましたか？　そして、あなたは何を願いましたか？

原状回復義務に伴う支出に備えて計上します。　重要度 ◈◈◈

資産除去債務

はじめに 例えば10年契約で借りた土地の上に，建物を建てたとします。10年後土地を返すとき，その建物は取り壊さなければなりません。建物を壊すのには費用がたくさんかかります。今回は，その将来の負担をどうやって現在の財務諸表に反映させるかについて学習していきます。

資産除去債務の意義

①資産除去債務の意義

「資産除去債務」とは，有形固定資産[01]の取得，建設，開発または通常の使用によって生じ，当該有形固定資産の除去に関して法令または契約で要求される法律上の義務およびそれに準ずるもの[02]をいいます。

なお，有形固定資産の「除去」とは，売却，廃棄，リサイクル等の形で，有形固定資産を用役提供から除外することをいいます。

②資産除去債務に関する会計基準の範囲

「資産除去債務に関する会計基準」では，有形固定資産の除去に関わるものを対象としています。そのため，有形固定資産の使用期間中に実施する環境修復や修繕は対象とはなりません。

③会計基準の必要性

資産除去債務の早期認識への関心が高まっていることから，除去に関する将来の負担を財務諸表に反映させることは投資情報として役立つこと等により，資産除去債務に関する会計基準が整備されました。

④一連の流れ

資産除去債務の会計処理の一連の流れは，以下のようになっています。

[取得時]
・資産除去債務の負債計上
→
[決算時]
・除去費用の配分
・利息費用の計上
→
[除去時]
・有形固定資産の除去
・資産除去債務の履行

01）有形固定資産には建設仮勘定やリース資産のほか，財務諸表等規則において「投資その他の資産」に分類されている投資不動産なども含みます。

02）債務の履行を免れることがほぼ不可能な義務をいいます。例えば，アスベスト等の法律で処理方法等を規定されている有害物質を除去する義務などが，これに該当します。

資産除去債務の会計処理

(1)取得時の処理

資産除去債務は，有形固定資産の取得，建設，開発または通常の使用によって発生した時に負債として計上します[03]。資産除去債務はそれが発生したときに，有形固定資産の除去に要する割引前の将来キャッシュ・フローを見積り，割引後の金額（割引現在価値）で算定します。
算定した資産除去債務は負債として計上し，同額を関連する有形固定資産の帳簿価額に加えます。

03）資産除去債務の発生時に債務の金額を合理的に見積ることができない場合には，これを計上せず，合理的に見積ることができるようになった時点で負債として計上します。

取引例 1　　資産除去債務の負債計上

次の取引の仕訳を示しなさい。
×1年4月1日に備品30,000円を取得し，現金で支払った。当社には，契約上当該備品を使用後に除去する義務がある。当該備品の除去に必要な支出は11,979円と見積られ，取得時における資産除去債務の割引現在価値は，9,000円と算定された。

（借）	備　　品	39,000	（貸）	現　　金	30,000
				資産除去債務[04]	9,000

04）貸借対照表上，一年基準により，流動負債または固定負債の区分に表示します。

資産除去債務の金額には，除去時の見積額ではなく，取得時における割引現在価値が採用されます。なお，資産除去債務と同額を有形固定資産の帳簿価額に含めて計上します。

(2)決算時の処理

①除去費用の配分

資産除去債務を負債計上したさい，当該負債の計上額と同額を有形固定資産の取得原価に含めて計上しました。資産計上することにより，減価償却を通じて，資産除去債務に対応する除去費用を有形固定資産の残存耐用年数にわたり各期に費用配分します。

取引例 2　　除去費用の配分

決算時の仕訳を示しなさい。
×2年3月31日の決算にあたり，**【取引例1】**で取得した備品（購入価額30,000円，資産除去債務の割引現在価値9,000円）について，減価償却を行う。当該備品は耐用年数3年の定額法により償却を行う。なお，残存価額はゼロである。

（借）	減価償却費	13,000	（貸）	備品減価償却累計額	13,000

資産除去債務に対応する除去費用は，減価償却により費用化します。

$$(\underbrace{30{,}000\text{円}}_{\text{購入金額}} + \underbrace{9{,}000\text{円}}_{\text{資産除去債務}}) \times \frac{1\text{年}}{3\text{年}} = 13{,}000\text{円}$$

②利息費用の計上

割引計算によって求める金額は，割り引く期間が短くなればその金額は大きくなります。資産除去債務についても同じことがいえ，時の経過により割り引く期間が短くなれば，その分だけ資産除去債務の金額は大きくなります。この時の経過による増加額を利息費用[05]といい，この分だけ資産除去債務の金額も調整する必要があります。

時の経過による利息費用と資産除去債務の調整額は，期首の資産除去債務の帳簿価額に割引率を掛けて算定します。なお，このとき用いる割引率は，資産除去債務を計上したときの割引率を用います。

05）名前に「利息」とついていますが，お金を借りているわけではないため，営業外費用として計上する「支払利息」とは異なる性質を持つものです。

取引例 3　利息費用の計上

決算時に必要な仕訳を示しなさい。
×2年3月31日の決算にあたり，【取引例1】で資産を取得した際に発生した資産除去債務9,000円の調整を行う。なお，資産除去債務計上時の割引率は年10%である。

（借）利　息　費　用[06]　900　（貸）資産除去債務　900

06）損益計算書上，資産除去債務に係る減価償却費と同じ区分に表示します。
したがって，通常の有形固定資産に係るものであれば「販売費及び一般管理費」の区分に表示します。

取得時から決算時までの計算上の利息を利息費用として，資産除去債務の金額を調整します。

9,000円×10%＝900円
（9,000円：資産除去債務残高）

なお，利息費用の計上額を表に示すと以下のとおりになります。

年　月　日	利　息　費　用	資産除去債務
×1年4月1日	—	9,000円
×2年3月31日	900円	9,900円
×3年3月31日	990円	10,890円
×4年3月31日	1,089円	11,979円

(3) 除去時の処理

①有形固定資産の除去

売却，廃棄等により有形固定資産を除去する場合には，その除去方法に応じて処理を行います[07]。

07）問題文の指示に従ってください。

②資産除去債務の履行

資産除去債務を履行する場合には，資産除去債務を取り崩す処理を行います。なお，このとき，除去に係る支出と当初の見積りに基づく資産除去債務計上額に差異がある場合には，その差額を履行差額として損益計上します。

取引例 4　有形固定資産の除去および資産除去債務の履行

除去時に必要な仕訳を示しなさい。
×4年3月31日に，**【取引例1】**で取得した備品の使用終了に伴い，除去を行う。同日における当該備品の減価償却累計額は39,000円，資産除去債務は11,979円となっている（当初の見積りと同額）。なお，除去に係る支出は12,000円である（現金支払い）。
なお，当期の減価償却費と利息費用の計上は終了しているものとする。

（借）	備品減価償却累計額	39,000	（貸）	備　　品	39,000
（借）	資産除去債務	11,979	（貸）	現　　金	12,000
	履行差額[08]	21			

08）損益計算書上，利息費用と同様にその減価償却費と同じ区分に表示します。

資産除去債務履行時の実際の支出額が当初の見積りに基づく資産除去債務の計上額を上回る場合には，履行差額として費用処理します。

コラム　試験会場に持っていくとよいもの「セロテープ」

建設業経理士の問題用紙は、なんと大判のB4サイズ（広げるとB3）。
これを必死に解き進める中で、ページをめくる。
ページをめくれば、大判の問題用紙は風を巻き起こし、それが机のスミに置いた
受験票に当たり、ハラハラと舞い落ちる。
事実はそれだけ。
落ちたのはあくまでも受験票。
しかし、不思議なことに試験中に受験票が落ちると、自分自身が試験に落ちたような気になる（笑）。
そこで、セロテープ。
セロテープで受験票の上辺を机に留め、受験票の下に身分証明書を置けば、
戦闘準備完了！
受験票のチェックなど、まったく気にしないで解答作成に没頭できます。
みなさんぜひ、セロテープを。
そして、試験会場でセロテープを見たら、みなさんと同じ、私の教え子です（笑）。

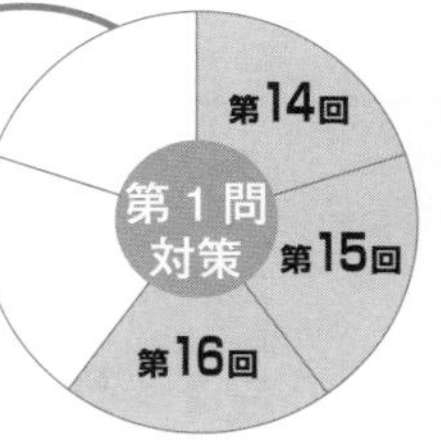

▶解答用紙→P. 1
▶解答・解説→2－32

標準時間	20分

Q 14回 共同企業体（ＪＶ）の会計に関する次の設問に答えなさい。 **（20点）**

問１　スポンサー企業（構成員のうち代表者）がみずからの会計組織の中にＪＶ会計を取り込み，ＪＶ会計の全体を管理する方式について論じなさい。（300字以内）

問２　協定原価の意味とその会計処理について述べなさい。（200字以内）

問１　ＪＶ会計では，どのような会計方式が採用されるか？

問２　ＪＶの工事原価には，ＪＶ工事固有のものとして発生するものと，そうでないものとがある。

▶解答用紙→P. 2
▶解答・解説→2－34

標準時間	20分

Q 15回 税効果会計に関する次の問に答えなさい。各設問とも指定した字数以内で記入すること。 **（20点）**

問１　税効果会計の意義について述べなさい。（200字以内）

問２　将来減算一時差異について棚卸資産を例に挙げて説明しなさい。（300字以内）

問２　将来何を減算するものかから説明を始める。

▶解答用紙→P. 3
▶解答・解説→2－36

標準時間	20分

Q 16回 損益計算書に関する次の設問に答えなさい。各設問とも指定した字数以内で記入すること。 **（20点）**

問１　損益計算書の意義について述べなさい。（200字以内）

問２　会社計算規則や建設業法施行規則では，損益計算書の様式に関して種々の規定を設けている。その主要なものを３つ挙げて説明しなさい。（300字以内）

問２　段階的に利益を計算している点，収益と費用を相殺して記載しているかについて書く。

▶解答用紙→P. 4
▶解答・解説→２－38

標準時間	20分

Q 21回 **リース会計基準に基づき以下の問いに答えなさい。各設問とも指定した字数以内で記入すること。（20点）**

問１　リース取引の分類について述べなさい。（300字以内）

問２　ファイナンス・リース取引については，通常の売買取引に係る方法に準じて会計処理を行う理由を述べなさい。（200字以内）

問１　リース取引の判定基準を考えてみる。

問２　ファイナンス・リース取引の経済的実態を考えてみる。

▶解答用紙→P. 5
▶解答・解説→２－40

標準時間	20分

Q 22回 **固定資産の減損に関する以下の問に解答しなさい。各設問とも指定した字数以内で記入すること。（20点）**

問１　どのような場合に減損損失を認識するかについて説明しなさい。（300字以内）

問２　減損処理後の会計処理を説明しなさい。（200字以内）

問１　減損損失を認識するまでのプロセスを考えてみる。

問２　減損処理後の帳簿価額をどのように費用配分すべきかを考えてみる。

空欄補充

第2問 対策

第2問で問われるのはこれだ！

知識を得点につなげるためには、まず出題内容を把握しよう！
過去12回分の出題パターンは次のとおりです。

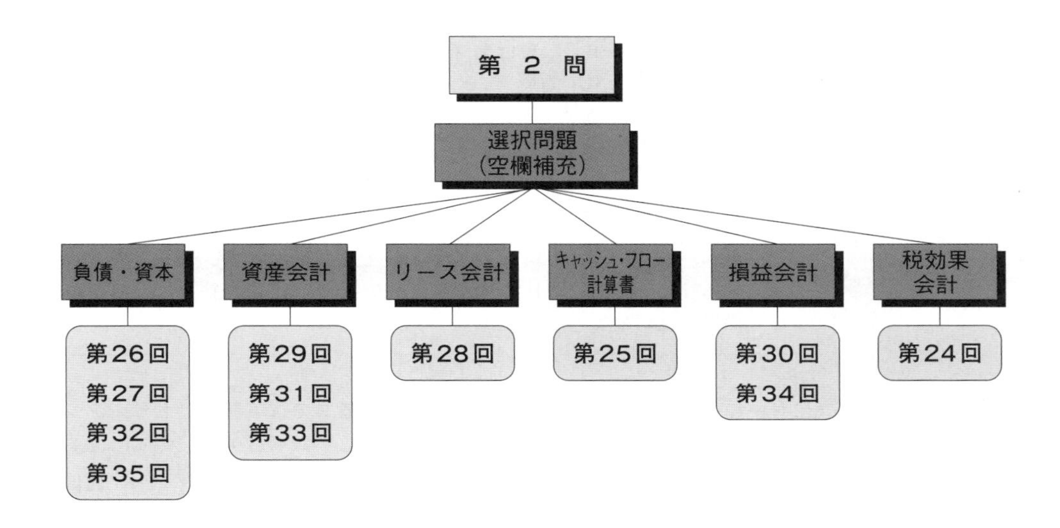

第２問は空欄補充問題です。さまざまな論点から出題されています。語句を選択する問題なので，第１問と合わせて，重要な論点とそのキーワードをおさえてください。

第２問対策　これで得点アップ！

知識を得点に変えるための解き方をマスターしよう！
「**空欄補充問題**」の解き方をを示します。

1．空欄をそのままに，最後まで読む

まず問題文を空欄の部分で読むのをやめずに，そのまま最後まで読みます。

個別貸借対照表の純資産の部は，株主資本，［1］および［2］に区分される。［1］の区分には，［3］や土地再評価差額金などが含まれる。すでに発行した［2］が行使され，新株式を発行した場合には，当該［2］の発行に伴う払込金額と［2］の行使に伴う払込金額を，［4］又は［4］及び［5］に振り替える。［2］が行使され、自己株式を処分した場合に生じた自己株式処分差益は［6］に計上する。［2］が行使されずに権利行使期間が満了し，当該［2］が失効したときは，当該失効に対応する額を失効が確定した会計期間の，原則として，［7］として処理する。

〈用語群〉

ア 資本金　イ その他資本剰余金　ウ 営業利益　エ 営業外費用
オ その他有価証券評価差額金　カ 準備金　キ 評価・換算差額等
ク 特別利益　コ 特別損失　サ 自己株式　シ 任意積立金
ス 受贈剰余金　セ 資本金減少差益　ソ 新株予約権　タ 評価替剰余金
チ 転換社債　ト 資本準備金　ナ 利益剰余金　ニ 利益準備金
ネ 繰越利益剰余金

2．キーワードをさがす

次にキーワードとなる言葉をさがします。慣れるまでは下記のとおり，アンダーラインをつけていくとわかりやすくなります。

個別貸借対照表の純資産の部は，株主資本，［1］および［2］に区分される。［1］の区分には，［3］や土地再評価差額金などが含まれる。すでに発行した［2］が行使され，新株式を発行した場合には，当該［2］の発行に伴う払込金額と［2］の行使に伴う払込金額を，［4］又は［4］及び［5］に振り替える。［2］が行使され、自己株式を処分した場合に生じた自己株式処分差益は［6］に計上する。［2］が行使されずに権利行使期間が満了し，当該［2］が失効したときは，当該失効に対応する額を失効が確定した会計期間の，原則として，［7］として処理する。

3．用語を選択する

キーワードのチェックが終わったら，いよいよ用語の選択をします。キーワードを気にしながら，空欄には何が入るのかを考えます。

個別貸借対照表の純資産の部は，株主資本，［1 キ 評価・換算差額等］および［2 ソ 新株予約権］に区分される。［1 キ 評価・換算差額等］の区分には，［3 オ その他有価証券評価差額金］や土地再評価差額金などが含まれる。すでに発行した［2 ソ 新株予約権］が行使され，新株式を発行した場合には，当該［2 ソ 新株予約権］の発行に伴う払込金額と［2 ソ 新株予約権］の行使に伴う払込金額を，［4 ア 資本金］又は［4 ア 資本金］及び［5 ト 資本準備金］に振り替える。［2 ソ 新株予約権］が行使され、自己株式を処分した場合に生じた自己株式処分差益は［6 イ その他資本剰余金］に計上する。［2 ソ 新株予約権］が行使されずに権利行使期間が満了し，当該［2 ソ 新株予約権］が失効したときは，当該失効に対応する額を失効が確定した会計期間の，原則として，［7 ク 特別利益］として処理する。

〈用語群〉

ア 資本金　イ その他資本剰余金　ウ 営業利益　エ 営業外費用
オ その他有価証券評価差額金　カ 準備金　キ 評価・換算差額等
ク 特別利益　コ 特別損失　サ 自己株式　シ 任意積立金
ス 受贈剰余金　セ 資本金減少差益　ソ 新株予約権　タ 評価替剰余金
チ 転換社債　ト 資本準備金　ナ 利益剰余金　ニ 利益準備金
ネ 繰越利益剰余金

▶解 答 用 紙→P.　6
▶解答・解説→２－42

標準時間	10 分

Q 14回 **次の文の ［　　］ の中に入れるべき最も適当な用語を下記の〈用語群〉の中から選び，その記号（ア～ハ）を解答用紙の所定の欄に記入しなさい。　（14 点）**

固定資産の ［ 1 ］ とは，資産の ［ 2 ］ の低下により ［ 3 ］ の回収が見込めなくなった状態である。

［ 1 ］ 処理とは，そのような場合に，一定の条件の下で ［ 4 ］ を反映させるように ［ 5 ］ を減額する会計処理である。

固定資産の ［ 1 ］ 処理と似たものに ［ 6 ］ がある。［ 6 ］ とは，減価償却計算に適用されている ［ 7 ］ の短縮や ［ 8 ］ の修正に基づいて一時に行われる減価償却累計額の修正である。しかし，「会計上の ［ 9 ］ 及び ［ 10 ］ の訂正に関する会計基準」の公表により，これらは会計上の見積りの ［ 9 ］ と考えられるため，［ 11 ］ は行わず，［ 12 ］ 会計処理を行うことになった。

〈用語群〉

ア	開示	イ	耐用年数	ウ	遡及適用	エ	臨時損失
オ	変更	カ	早期適用	キ	滅失	ク	臨時償却
コ	減価償却費	サ	将来にわたり	シ	減損	ス	生産能力
セ	消費パターン	ソ	残存価額	タ	過去にさかのぼり	チ	回収可能性
ト	加速償却	ナ	帳簿価額	ニ	収益性	ネ	取得原価
ノ	誤謬	ハ	投資額				

固定資産の減損処理とはどのような会計処理か？　また，かつては行われていたが，新しい会計基準の導入で廃止された固定資産の減損処理と似た会計処理とは何か？

Q 16回

▶解答用紙→P. 6
▶解答・解説→2－44

標準時間	10分

次の文の［　　］の中に入れるべき最も適当な用語を下記の〈用語群〉の中から選び，その記号（ア～ネ）を解答用紙の所定の欄に記入しなさい。（14点）

資産除去債務とは，有形固定資産の取得，建設，開発又は通常の使用によって生じ，当該有形固定資産の除去（売却，廃棄，リサイクルその他の方法による処分等）に関して法令又は契約で要求される法律上の義務及びそれに準ずるものをいう。

資産除去債務はそれが発生した時に，有形固定資産の除去に要する［ 1 ］の［ 2 ］を見積り，［ 3 ］の金額で算定する。

資産除去債務に対応する［ 4 ］は，資産除去債務を［ 5 ］として計上した時に，当該［ 5 ］の計上額と同額を，関連する有形固定資産の［ 6 ］に加える。資産計上された資産除去債務に対応する［ 4 ］は，［ 7 ］を通じて，当該有形固定資産の［ 8 ］にわたり，各期に費用配分する。

［ 9 ］による資産除去債務の調整額は，その発生時の［ 10 ］として処理する。当該調整額は，［ 11 ］の［ 5 ］の帳簿価額に当初［ 5 ］計上時の［ 12 ］を乗じて算定する。

〈用語群〉

ア 除去費用	イ 収益	ウ 償却率	エ 減価償却累計額
オ 費用	カ 割引前	キ 平均耐用年数	ク 期末
コ 減損損失	サ 期首	シ 残存耐用年数	ス 資産
セ 時の経過	ソ 割引率	タ 減価償却	チ キャッシュ・フロー
ト 償却不足	ナ 割引後	ニ 負債	ネ 帳簿価額

ヒント

資産除去債務の会計処理を考えながら解く。

▶解答用紙→P. 6
▶解答・解説→２－45

標準時間	10分

Q 17回

次の文の［　　］の中に入れるべき最も適当な用語を下記の〈用語群〉の中から選び，その記号（ア～タ）を解答用紙の所定の欄に記入しなさい。（14点）

財務諸表の作成にあたって採用した会計処理の原則および手続きを［ 1 ］という。［ 1 ］を変更した場合には，原則として新たな［ 1 ］を過去の期間のすべてに［ 2 ］する。

新たな表示方法を過去の財務諸表に遡って適用していたかのように表示を変更することを財務諸表の［ 3 ］という。財務諸表の表示方法を変更した場合には，原則として表示する過去の財務諸表について，新たな表示方法に従い財務諸表の［ 3 ］を行う。

過去の財務諸表における［ 4 ］の訂正を財務諸表に反映することを［ 5 ］という。過去の財務諸表における［ 4 ］が発見された場合には，財務諸表のうち，最も古い期間の期首の資産，負債および純資産の額に反映する。そして，表示する過去の各期間の財務諸表には，当該各期間の影響額を反映する。

［ 6 ］は，当該変更が［ 7 ］のみに影響する場合には，当該変更期間に会計処理を行い，当該変更が［ 8 ］の期間に影響する場合には，［ 8 ］にわたり会計処理を行う。

〈用語群〉

ア 会計基準	イ 計算方法	ウ 会計上の見積りの変更	エ 表示の変更
オ 会計方針	カ 再配列	キ 見え消し	ク 当期
コ 将来	サ 組替え	シ 会計上の測定の変更	ス 誤謬
セ 瑕疵	ソ 遡及適用	タ 修正再表示	

ヒント

会計上の変更及び誤謬の訂正について，各項目に分類して，それぞれの取扱いを考えてみる。

▶解答用紙→P.　7
▶解答・解説→２－46

標準時間	10分

次の文章は，剰余金の額の計算に関するものである。
［　　］の中に入れるべき最も適当な用語を下記の〈用語群〉の中から選び，その記号（ア～チ）を解答用紙の所定の欄に記入しなさい。　（14点）

剰余金の額の計算は，会社法第446条と会社計算規則第149条及び第150条によって詳細に定められている。その結論を簡単な算式で示せば，剰余金の額＝［1］の額＋［2］の額と示すことができる。

［1］は，払込資本のうち［3］または［4］に計上されていない部分である。具体的には，［3］減少差益，［4］減少差益および［5］，並びに［6］等のうち［4］に計上されていない部分から成る。会社法上，剰余金の配当には，［1］からの株主への配当も含まれるが，それは実質的には払込資本の払い戻しである。

［2］は，［7］のうち［8］以外の部分である。具体的には，［9］と［10］から成る。［9］には，事業拡充のための積立金である［11］や，将来の費用・損失に備えるための積立金である［12］などがある。

〈用語群〉

ア 資本準備金	イ 偶発損失積立金	ウ 合併差益	エ 繰越利益剰余金
オ 任意積立金	カ 利益準備金	キ 事業拡張積立金	ク 繰延資産
コ その他資本剰余金	サ 資本金	シ 配当平均積立金	ス 受贈剰余金
セ その他利益剰余金	ソ 留保利益	タ 自己株式処分差益	チ 純資産

ヒント
払込資本および留保利益の分類を考えながら解く。

▶解答用紙→P. 7
▶解答・解説→2－47

標準時間	10分

Q 22回 **次の文中の [　　] の中に入れるべき最も適当な用語を下記の〈用語群〉の中から選び，その記号（ア～タ）を解答用紙の所定の欄に記入しなさい。（14点）**

建設業会計と関連をもつ会計法規としては，会社法・[1] および金融商品取引法・[2] 等が，また建設業会計に固有のものとしては，[3] 等があげられる。

会社法は，株式会社の「会計の原則」として，「株式会社の会計は，一般に公正妥当と認められる企業会計の [4] に従うものとする。」と定めている。また会社法は，会計規定の細部を法務省令に委ねていることが多いが，かかる法務省令の中でも，特に [1] には，会計帳簿の作成，[5] その他の作成・表示の方法，監査報告書の内容等，[5] の公告等，および資本等の計数等に関する細かい規定がある。

[2] は金融商品取引法第193条に基づき，貸借対照表，損益計算書その他の財務計算に関する書類（個別財務諸表）の用語，様式，作成方法等を定めたものである。この規則に定めていない事項については，「一般に公正妥当と認められる企業会計の [6] 」に従うものとされている。

[3] は，建設業者が建設業法によって国土交通大臣または都道府県知事に提出する財務諸表について定めている。株式会社（子会社を除く）の場合，それは貸借対照表，損益計算書，株主資本等変動計算書，注記表および [7] 並びに事業報告書である。

〈用語群〉

ア 計算書類規則	イ 計算書類	ウ 会計報告書	エ 財務諸表等規則
オ 商法施行規則	カ 会社計算規則	キ 企業会計原則	ク 建設業法施行規則
コ 基準	サ 原則	シ 慣行	ス キャッシュ・フロー計算書
セ 附属明細書	ソ 附属明細表	タ 慣習	

ヒント

前後の文章から関連する用語を考えてみる。

正誤問題

第3問対策　第3問で問われるのはこれだ！

知識を得点につなげるためには、まず出題内容を把握しよう！
過去12回分の出題パターンは次のとおりです。

第３問は，正誤問題が出題されます。正誤問題は幅広い論点にわたって出題されていますので，穴がないように過去に出題されたものはひととおり解いておきましょう。

第３問対策　これで得点アップ！

知識を得点に変えるための解き方をマスターしよう！
「第１７回の問題」を例に、解き方を示します。

1．文章を読み，本問の論点とポイントを考えます。

1．では，株式交付費について書かれています。株式交付費のポイントは，処理と償却期間です。
2．では，開発費について書かれています。開発費のポイントは，処理と償却期間です。
3．では，社債発行費について書かれています。社債発行費のポイントは，処理と償却期間です。
以降の文章についても，同様に考えます。

2．説明文には～～～をひき，ポイントとなる箇所は◯で囲むなど印をつけておきます。

1．当期に発生した新株式の発行にかかる支出 ￥3,000,000 を株式交付費として貸借対照表に計上し，3 年で償却することとした。
2．市場開拓のための支出 ￥10,000,000 を開発費として繰延処理し，5 年間で規則的に償却することとしてきた。第 3 年目の初めに当該市場から撤退することに決めたが，当初の予定通り償却を継続した。
3．償還期間 5 年の社債を発行し，社債券の印刷費などに ￥500,000 を支出した。この支出を社債発行費として繰延処理し，3 年で定額法で償却することとした。

3．◯の箇所について，それぞれ，正しいものには「○」を，誤っているものには「×」を付けます。

1．当期に発生した新株式の発行にかかる支出 ￥3,000,000 を株式交付費として貸借対照表○に計上し，3 年○で償却することとした。
2．市場開拓のための支出 ￥10,000,000 を開発費として繰延処理○し，5 年間○で規則的に償却することとしてきた。第 3 年目の初めに当該市場から撤退することに決めたが，当初の予定通り償却を継続×した。
3．償還期間 5 年の社債を発行し，社債券の印刷費などに ￥500,000 を支出した。この支出を社債発行費として繰延処理○し，3 年×で定額法○で償却することとした。

4．「×」が付いた問題には，問題番号の箇所に「×」を記入し，解答用紙にも記入し，「×」が付かなかった問題には，同様に「○」を記入する。

①．当期に発生した新株式の発行にかかる支出 ￥3,000,000 を株式交付費として貸借対照表○に計上し，3 年○で償却することとした。
2×．市場開拓のための支出 ￥10,000,000 を開発費として繰延処理○し，5 年間○で規則的に償却することとしてきた。第 3 年目の初めに当該市場から撤退することに決めたが，当初の予定通り償却を継続×した。
3×．償還期間 5 年の社債を発行し，社債券の印刷費などに ￥500,000 を支出した。この支出を社債発行費として繰延処理○し，3 年×で定額法○で償却することとした。

▶解答用紙→P. 8
▶解答・解説→２－49

標準時間	10分

Q 15回

以下の各文章について，財務会計に関するわが国の基本的な考え方に照らして，正しいものには「A」，誤ったものには「B」を解答用紙の所定の欄に記入しなさい。

（18点）

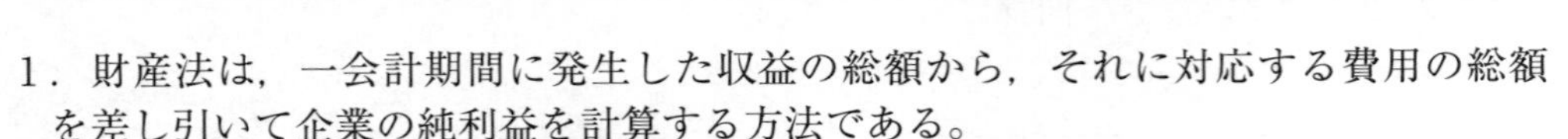

1．財産法は，一会計期間に発生した収益の総額から，それに対応する費用の総額を差し引いて企業の純利益を計算する方法である。
2．現金主義会計は，収益費用にかかる貨幣の流れに着目して，当期の現金収入額を収益とし，現金支出額を費用とし，両者を比較して純利益を計算する会計方式である。
3．発生主義の原則は，収益費用について，現金収支にかかわらず，それが発生したと認められる事実に基づいて計上することを要請する原則である。
4．費用収益対応の原則には，個別的対応と期間的対応の２つの対応の仕方があり，売上高と売上原価の対応は期間的対応である。
5．会計期末に工事進捗度を見積もり，工事進捗度に応じて当期の工事収益を認識する方法は，工事進行基準と呼ばれ，実現主義の考え方に基づく収益の認識基準である。
6．販売した商品について品違いで代金の一部を控除することを売上値引といい，これは販売費に計上される。
7．資産の取得原価を，一定の方法で計画的，規則的に各期に配分すべきことを要請する原則を，費用配分の原則という。
8．資金を借り入れて資産を購入した場合，借入金について発生する利子は資産の取得原価に算入してはならない。
9．固定資産について減価償却を行わず，老朽品の部分的取替えが行われたとき，それに要した支出額を費用として処理する方法を取替法という。

4．売上高と売上原価は商品を媒体として対応しているがこのような対応の仕方は個別的か期間的か？

5．実現主義とは，企業外部の第三者に財貨又は役務を提供し，その対価として現金又は現金同等物を受け取った時点で収益を認識する基準である。では，工事が未完成の状態でも工事進捗度に応じて工事収益を認識する工事進行基準は，発生主義か実現主義か？

8．建物の自家建設ではなく資産の購入の場面である点に注意する。

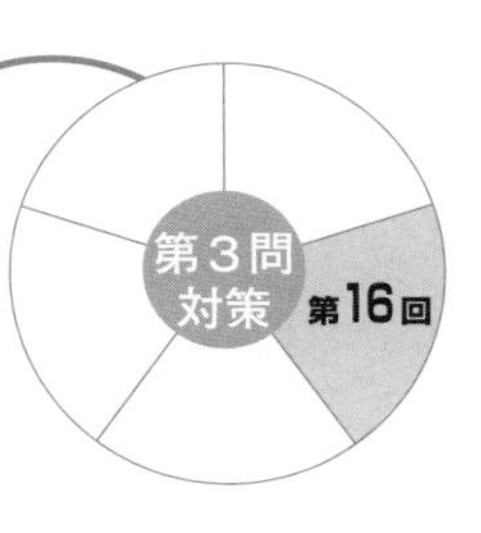

▶解答用紙→P. 8
▶解答・解説→２－51

標準時間	10分

Q 16回 **以下の各文章について，財務会計に関するわが国の基本的な考え方に照らして，正しいものには「A」，誤ったものには「B」を解答用紙の所定の欄に記入しなさい。**

（16点）

1．真実性の原則は，企業の公開する財務諸表の内容に虚偽があってはならないことを要請するものであるので，会計ルールの選択の仕方や会計担当者の判断の仕方によって表現する数値が異なることは認められない。
2．正規の簿記の原則は，記録の網羅性，記録の検証可能性および記録の秩序性の３つを要請するものであるので，簿外資産や簿外負債は認められない。
3．資本取引・損益取引区別の原則は，適正な資本維持ないし適正な損益計算を企業会計の基本目的としてとらえ，資本取引と損益取引の混同および資本剰余金と利益剰余金との直接・間接の振替を禁止する規範理念である。
4．明瞭性の原則は，財務諸表の利用者が広く社会の各階層に及んでいることを前提に，財務諸表の形式に関し，目的適合性，概観性と詳細性の調和などの一定の要件を満たすことを要請する規範理念である。
5．継続性の原則は，期間比較性の確保，また恣意性の介入する余地の縮小化の観点から会計処理の原則・手続きの継続適用を要請するものであるので，会計処理の原則・手続きの変更は一切認められない。
6．保守主義の原則は，期間計算において予測の要素が介入する場合に，認められる範囲内で利益を控えめに測定し伝達することを要請する規範理念である。
7．単一性の原則は，報告目的の異なる財務諸表の形式的な単一性と，それぞれの財務諸表に記載される資産，負債，純資産，収益および費用の金額が同一であることを要請するものである。
8．企業会計の目的は，企業の状況に関する利害関係者の判断を誤らせないようにすることにあるから，重要性の乏しいものについては，本来の厳密な会計処理によらないで他の簡便な方法によることも認められる。

1．会計ルールの選択は認められない？

5．正当な理由がある場合は？

7．報告目的が異なる場合でも，財務諸表ごとで形式が同じことが必要？

▶解 答 用 紙→P.　8
▶解答・解説→２－53

標準時間	10分

Q 17回

財務会計に関するわが国の基本的な考え方に照らして，以下の各会計処理のうち，認められるものには「A」，認められないものには「B」を解答用紙の所定の欄に記入しなさい。

（16点）

1．当期に発生した新株式の発行にかかる支出 ¥3,000,000を株式交付費として貸借対照表に計上し，３年で償却することとした。
2．市場開拓のための支出 ¥10,000,000を開発費として繰延処理し，５年間で規則的に償却することとしてきた。第３年目の初めに当該市場から撤退することに決めたが，当初の予定通り償却を継続した。
3．償還期間５年の社債を発行し，社債券の印刷費などに ¥500,000を支出した。この支出を社債発行費として繰延処理し，３年で定額法で償却することとした。
4．決算に際し前払利息 ¥1,000について，金額的に重要ではないと判断し，当期の費用として処理した。
5．自己株式を取得した際に買入手数料 ¥315,000がかかったので，自己株式の取得原価に算入した。
6．当期になって機械の耐用年数が当初の見積りより２年短いことが判明したので，償却不足額 ¥1,200,000を当期に臨時償却した。
7．主要材料の原価は ¥4,600，時価は ¥4,550，補助材料の原価は ¥2,750，時価は ¥2,650，貯蔵品の原価は ¥2,100，時価は ¥2,180であったので， ¥70の棚卸資産評価損を計上することとした。
8．市場販売目的のソフトウェアの製品マスターの制作費 ¥1,500,000を当期の費用として損益計算書に計上した。

ヒント

2．繰延資産は将来にわたって効果があると期待されるため計上するもの。効果がなくなったら？

4．重要性の原則を考える。

6．臨時償却の処理は，現在認められる？

7．棚卸資産の評価のグルーピングは，一括法が認められる。

▶解 答 用 紙→P. 9
▶解答・解説→２－55

標準時間	10分

Q 21回

財務会計に関するわが国の基本的な考え方に照らして，以下の各会計処理のうち，認められるものには「Ａ」，認められないものには「Ｂ」を解答用紙の所定の欄に記入しなさい。　（16点）

1．完成工事未収入金を契約上の支払日より２か月早く決済してくれたので，完成工事未収入金を減額することとし，完成工事高をその金額だけ減額することとした。
2．棚卸資産を購入した。購入に係る引取運賃，購入手数料は，購入代価と比べて金額が僅少であるので，その全額を当期の費用として計上することとした。
3．当期の完成工事高に対して，過去の実績率に基づき完成工事補償引当金を計上することとした。
4．既存の商品について広告宣伝活動を行った。当該活動に係る費用は，来期の売上高に貢献すると認められるので，繰延資産として貸借対照表に計上することとした。
5．自己株式を取得した。取得にかかった付随費用を自己株式の取得原価に算入した。
6．投機目的でオプション契約を行った。この取引に係るキャッシュ・フローを，キャッシュ・フロー計算書の投資活動によるキャッシュ・フローの区分に記載することとした。
7．会計基準の改正により財務諸表の表示方法に変更が生じたので，表示する過去の財務諸表について，修正再表示することとした。
8．将来減算一時差異に対して繰延税金資産を計上することとし，当期の税率に基づいて繰延税金資産の金額を計算した。

ヒント

1．完成工事未収入金が早期決済されたときに計上される勘定科目は？
4．繰延資産の性質は？
7．修正再表示はどのような場合に行われるかを考える。
8．繰延税金資産は差異が解消されるときに税金を減額させる効果がある場合に計上される。

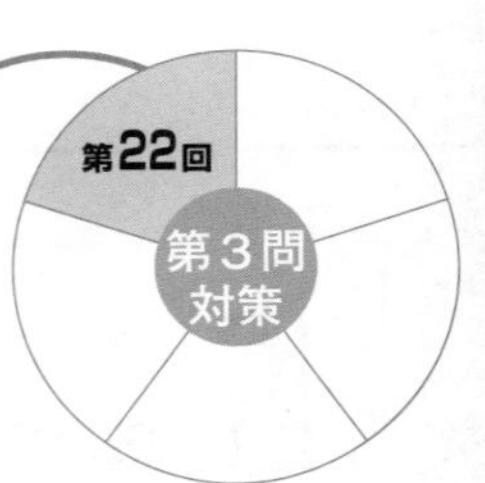

Q 22回

▶解答用紙→P. 9
▶解答・解説→2－57

標準時間	10分

財務会計に関するわが国の基本的な考え方に照らして，以下のキャッシュ・フロー計算書に関する各文章のうち，正しいものには「A」，誤ったものには「B」を解答用紙の所定の欄に記入しなさい。（16点）

1．キャッシュ・フロー計算書が対象とする資金の範囲は，現金および現金同等物である。ここで現金とは，手許現金および要求払預金をいう。一方，現金同等物とは，①容易に換金可能であり，②価値の変動について僅少なリスクしか負わない短期投資をいう。現金同等物は，これら２つの要件のうちいずれかを満たせばよい。

2．建設業を営む企業にとっては，請負代金の回収は営業活動による収入である。したがって，これは「営業活動によるキャッシュ・フロー」の区分に記載する。

3．「財務活動によるキャッシュ・フロー」とは，資金の調達および運用によるキャッシュ・フローをいい，株式の発行による収入，社債の発行および借入れによる収入，現金同等物に含まれない短期投資の取得および売却等によるキャッシュ・フロー等をいう。

4．当座借越契約にもとづき，当座借越限度枠を日常の資金管理活動において企業が保有する現金および現金同等物と同様に利用している場合であって，期末に当座借越残高があり，これが，貸借対照表上，短期借入金に含めて計上されているときには，現金および現金同等物の期末残高に関して，貸借対照表とキャッシュ・フロー計算書との間で不一致が発生する。

5．社債元本の減少を伴う新株予約権付社債の転換，ファイナンス・リースによる資産の取得等，重要な非資金取引については，当期のキャッシュ・フローには影響を与えないものの翌会計期間以降のキャッシュ・フローに重要な影響を与えるため，キャッシュ・フロー計算書に注記しなければならない。

6．個々のキャッシュ・フローをいずれの活動区分で表示するかについては，そのキャッシュ・フローの発生原因が営業・投資・財務のどの活動にあるかによって判定しなければならない。したがって，機械を割賦取引により取得した場合における割賦代金の支払によるキャッシュ・フローは，その発生原因が機械という固定資産の取得にあるので，「投資活動によるキャッシュ・フロー」の区分に記載する。

7．「営業活動によるキャッシュ・フロー」の表示方法として，主要な取引ごとにキャッシュ・フローを総額で表示する方法（直接法）を採用した場合，外注先への原材料等の有償支給に係る債権と加工品の仕入に係る債務とを相殺し，差額のみを決済するような取引であっても，当該取引に関する債権・債務を総額で表示しなければならない。

8．売買処理した借手側のファイナンス・リース取引に係るキャッシュ・フローは，その支払リース料が一般に営業損益計算に含まれると考えられることから，原則として「営業活動によるキャッシュ・フロー」の区分に記載する。

ヒント

2．建設業を営む企業の本業を考えてみる。
3．「財務活動によるキャッシュ・フロー」は，どのようなキャッシュ・フローを記載するかを考える。
4．当座借越を現金および現金同等物と同様に利用している場合は，キャッシュ・フロー計算書上，現金および現金同等物のマイナスとして扱う。
7．決済額を忠実に表現する方法は？
8．ファイナンス・リース取引のリース債務の性格に着目する。

個別計算

第4問対策　第4問で問われるのはこれだ！

知識を得点につなげるためには、まず出題内容を把握しよう！
過去12回分の出題パターンは次のとおりです。

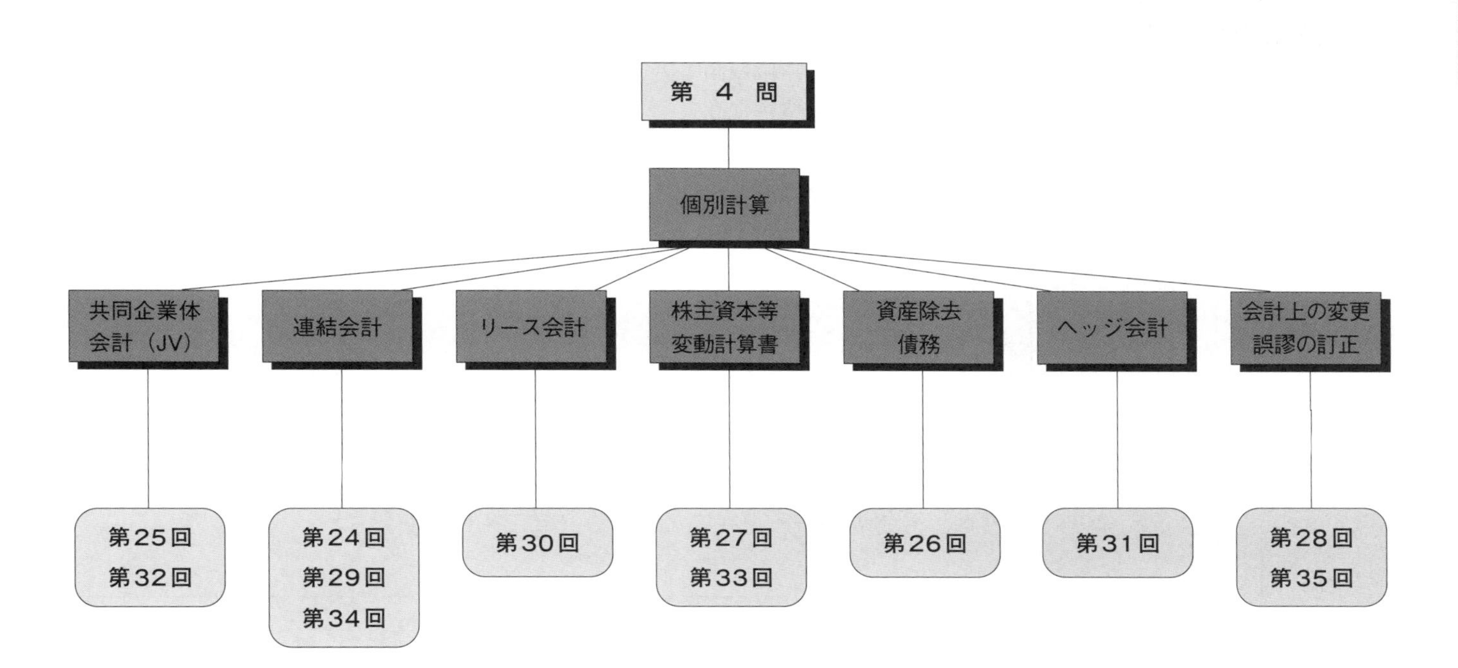

第４問は，主に個別論点の計算問題が多く出題されます。

特に，リース会計や共同企業体会計，連結会計については，重要性が高いと思われるので，重点をおいて学習してください。

第４問対策 これで得点アップ！

知識を得点に変えるための解き方をマスターしよう！
「キャッシュ・フロー」を計算する問題の解き方を示します。

1．問題文の資料をアンダーラインを引いて分類するとともに，解答要求に波線を引きます。

次の〈資料〉は，商品の仕入，売上に関連するものである。〈資料〉に記載した以外の項目は考慮しないものとして，下記の設問に答えなさい。

〈資料〉

（単位：千円）

当期商品売上高	1,000
前期末売上債権残高	300
当期末売上債権残高	320
当期商品仕入高	800
前期末商品残高	140
当期末商品残高	160
前期末仕入債務残高	100
当期末仕入債務残高	80

問１　税金等調整前当期純利益を計算しなさい。
問２　商品売上収入を計算しなさい。
問３　商品仕入支出を計算しなさい。
問４　営業活動によるキャッシュ・フローを計算しなさい。

2．キャッシュ・フローを計算するために，ボックス図を作成します。

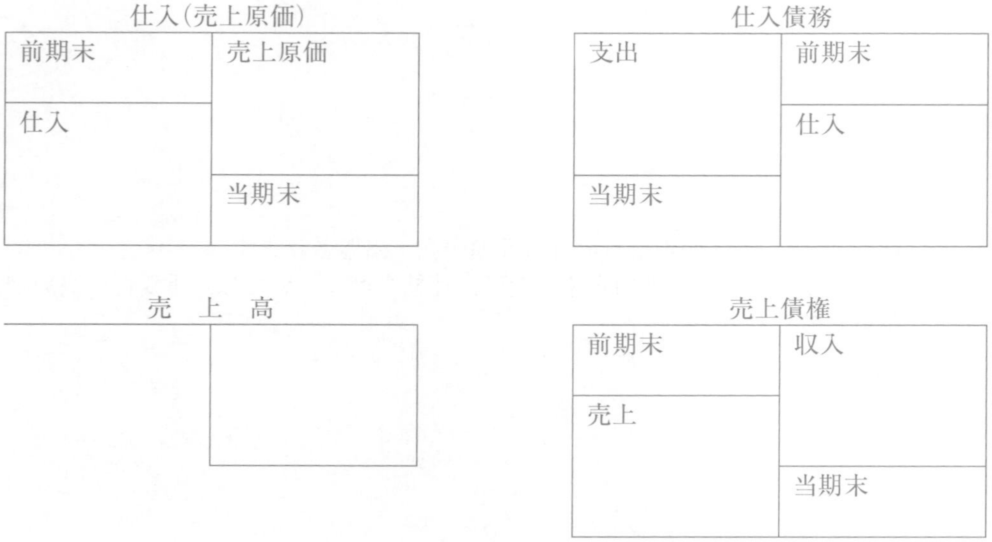

仕入（売上原価）

前期末	売上原価
仕入	
	当期末

仕入債務

支出	前期末
	仕入
当期末	

売　上　高

売上債権

前期末	収入
売上	
	当期末

3．問題文から，ボックス図に必要な金額を記入します。

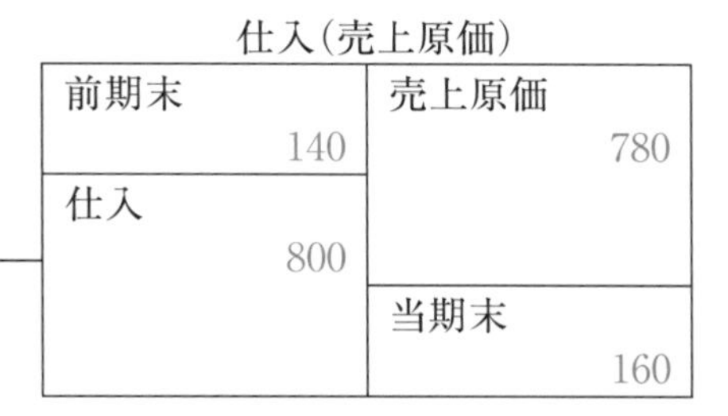

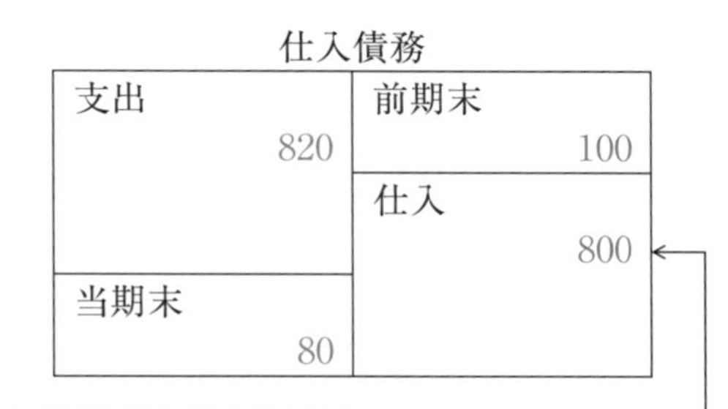

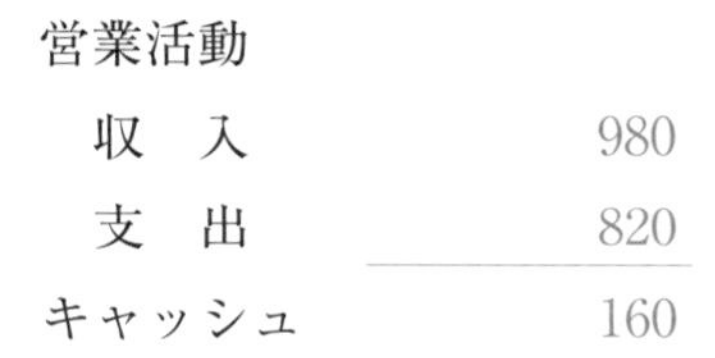

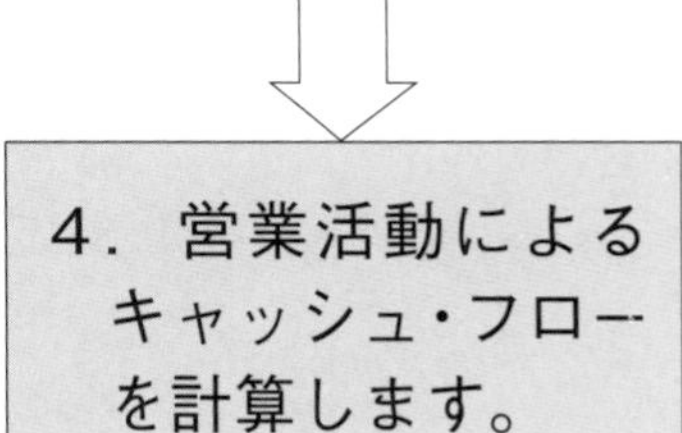

4．営業活動によるキャッシュ・フローを計算します。

営業活動

収　入	980
支　出	820
キャッシュ	160

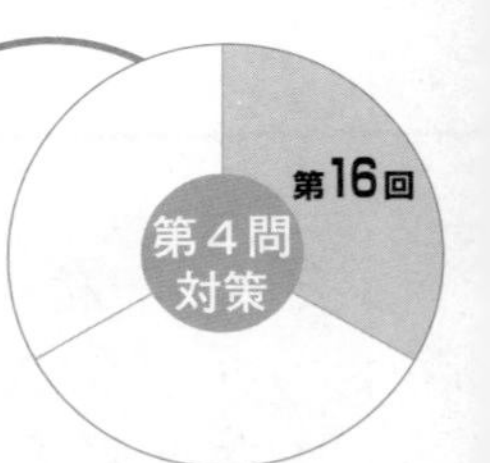

▶解答用紙→P. 10
▶解答・解説→２－60

標準時間	10分

Q 16回 **次の〈資料〉を基に，下の設問（問 1 ～ 3）に解答しなさい。** **（14点）**

〈資料〉

平成×年 4 月 1 日にA株式会社は，B株式会社の発行済株式の 70％を 8,000 千円で取得し，子会社とした。取得直後における両社の貸借対照表は，次のとおりである。なお，B株式会社の諸資産の時価は 15,000 千円であり，諸負債の時価は簿価と等しい。

貸借対照表

A株式会社　　平成×年４月１日現在　　（単位：千円）

B 社 株 式	8,000	諸　負　債	7,000
その他資産	14,000	資　本　金	10,000
		利益剰余金	5,000
	22,000		22,000

貸借対照表

B株式会社　　平成×年４月１日現在　　（単位：千円）

諸　資　産	12,000	諸　負　債	4,000
		資　本　金	6,000
		利益剰余金	2,000
	12,000		12,000

問 1　全面時価評価法による場合に認識すべき評価差額を計算しなさい。
問 2　連結財務諸表に計上される非支配株主持分の金額を計算しなさい。
問 3　投資消去差額を計算しなさい。なお，のれんの場合には「A」を，負ののれんの場合には「B」を解答用紙の所定の欄に記入すること。

ヒント

子会社の資産・負債の時価評価の仕訳と，資本連結の仕訳を書いてみる。

一部改題

連結財務諸表に関する会計基準の改正により，「少数株主持分」を「非支配株主持分」に変更した。

▶解答用紙→P. 10
▶解答・解説→２－61

標準時間	10分

Q 21回 次の〈資料〉を基に，下の設問に解答しなさい。 （14点）

〈資料〉

平成×１年４月１日に設備（取得原価￥12,000,000　耐用年数３年）を取得し，使用を開始した。当該設備については使用後に除去する法的義務があり，この除去に係る支出額は￥1,000,000と見積もられた。なお，割引率は２％とし，解答に際し円未満は切り捨てること。

問1　取得時点で計上される資産除去債務の額を計算しなさい。

問2　平成×２年３月31日（決算）時点で計上される，時の経過による資産除去債務の調整額を計算しなさい。

問3　平成×２年３月31日（決算）時点で計上される，設備の減価償却費（定額法）の額を計算しなさい。

問２　期首の資産除去債務の帳簿価額に割引率を掛けて算定する。

問３　除去費用の配分を忘れないようにする。

▶解答用紙→P. 10
▶解答・解説→2－62

標準時間	10分

22回

A社は，次の〈条件〉でB社と共同企業体（ジョイント・ベンチャー，以下，JVという）を結成した。以下の設問に答えなさい。なお，仕訳において使用する勘定科目は下記の〈勘定科目群〉から選び，その記号（ア～チ）と勘定科目を書くこと。

（14点）

〈資料〉

１．ＪＶの構成会社
　Ａ社（スポンサー企業）　出資割合 70%
　Ｂ社（サブ企業）　出資割合 30%
　会計期間は両社とも１年間，決算期も同一である。

２．ＪＶ工事の内容

工事費（契約金額）	￥15,000,000
工事原価	￥10,000,000
工事総利益	￥ 5,000,000

３．ＪＶにおいて発生した取引は，各構成員に直ちに通知する。
４．ＪＶの会計処理は，独立会計方式による。

問１　ＪＶは発注者より工事に係る前受金￥4,000,000を受け取り，直ちに当座預金に入金した。なお，この前受金は構成員に分配しない。ＪＶとＢ社の仕訳を示しなさい。

問２　工事原価￥10,000,000が発生したが，代金は未払いである。ＪＶはこの原価について各構成員に出資の請求をした。ＪＶとＡ社の仕訳を示しなさい。

問３　工事原価￥10,000,000を支払うため，前受金￥4,000,000で充当できない分につき構成員各社が現金で出資し，ＪＶは直ちに当座預金に入金した。ＪＶとＡ社の仕訳を示しなさい。

問４　ＪＶは問３の対価を，小切手を振り出して支払った。ＪＶとＢ社の仕訳を示しなさい。

〈勘定科目群〉

ア 現金	イ 当座預金	ウ 資本金	エ 完成工事原価
オ 完成工事高	カ 仮払金	キ 未成工事受入金	ク 未成工事支出金
コ ＪＶ出資金	サ Ａ社出資金	シ Ｂ社出資金	ス 未収入金
セ 工事未払金	ソ 仮受金	タ 未払分配金	チ 完成工事未収入金

問３　不足分について出資された側と出資した側はそれぞれどの勘定を使うかを考えてみる。

第5問 対策　第5問で問われるのはこれだ！

精算表の作成

知識を得点につなげるためには、まず出題内容を把握しよう！

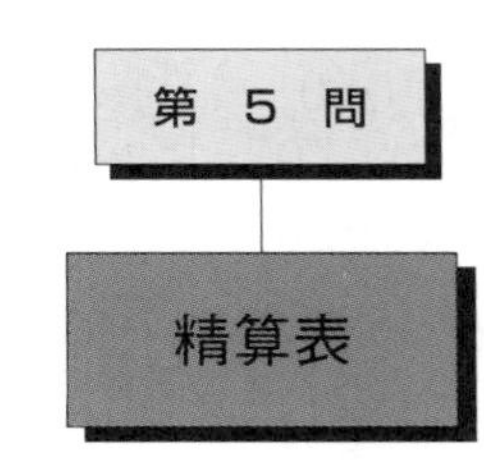

第５問は毎回精算表の問題となっています。まず，主要７論点をしっかり押さえておく必要があります。上記以外の出題論点として，固定資産，新株予約権，デリバティブ等も考えられます。

〈主要７論点〉

1．貸倒引当金の設定（差額補充法）
2．減価償却（月次処理あり）
3．退職給付引当金（月次処理あり）の繰入
4．有価証券の評価
5．完成工事補償引当金の設定
6．完成工事原価の算定
7．完成工事高の計上

第５問 対策　これで得点アップ！

知識を得点に変えるための解き方をマスターしよう！
「精算表」の解法として、次の方法が一般的に用いられます。

精算表の作成はいかに短時間で正確に記入していくかがポイントになります。まず問題文を見て付記事項があったら付記事項を読み，頭に入れてから，整理事項を読みます。また，採点の対象となるのは順進問題の場合，損益計算書欄（P/L欄）および貸借対照表欄（B/S欄）の数値になります。精算表は整理記入欄に記入したら行ごとにP/L欄，B/S欄を完成させる方法で解答していくことが大切です。

それでは，効率よく精算表を作成できる電卓のたたき方を示してみましょう。

□は電卓のキーを，〔　〕は電卓上の計算結果を示します。

1．付記事項を読む

問題文に付記事項があったら，まず付記事項から読みます。付記事項は通常最後に書いてあるので一読しておかないと，決算整理事項を処理するうえでの前提が違ったまま処理され，最後になって慌てるといったことになりかねません。

2．貸倒引当金の設定

Q　受取手形と完成工事未収入金の合計額に対して２％の貸倒引当金を計上する（差額補充法）。

精　算　表　（単位：千円）

勘定科目	残高試算表		整理記入		損益計算書		貸借対照表	
	借方	貸方	借方	貸方	借方	貸方	借方	貸方
受取手形	100000							
完成工事未収入金	85000							
貸倒引当金		800		②2900				①3700
販売費及び一般管理費	190000		③2900		④192900			

貸倒引当金：100000＋85000×.02＝〔3,700〕→①

追加計上額：〔3,700〕－800＝〔2,900〕→②③

販売費及び一般管理費：〔2,900〕＋190000＝〔192,900〕→④

3．減価償却の処理

Q　機械装置の当期減価償却費は 7,000 千円で，全額工事原価とする。なお，機械装置の減価償却については，月次原価計算で月額 600 千円の予定計算を実施しており，３月まで毎月末に次のように処理してきている。

（借）未成工事支出金　600,000　（貸）機械装置減価償却累計額　600,000

この予定計上額と当期の実際発生額との間に差額が生じれば，この差額は工事原価に加減される。

精　算　表　（単位：千円）

勘定科目	残高試算表		整理記入		損益計算書		貸借対照表	
	借方	貸方	借方	貸方	借方	貸方	借方	貸方
未成工事支出金	375000			⑤200				
機械装置	50000							
機械装置減価償却累計額		15400	⑥200					⑦15200

減価償却費予定計上額：600×12＝〔7,200〕

過大計上額：〔7,200〕－7000＝〔200〕→⑤⑥

機械装置減価償却累計額：〔200〕－15400＝〔－15,200〕→⑦

4．退職給付引当金の設定

Q　従業員の退職給付引当金については，月次原価計算で月額 400 千円の予定計算を実施し，３月まで毎月末に次のような処理をしてきている。

（借）未成工事支出金　280,000　（貸）退職給付引当金　400,000
　　　販売費及び一般管理費　120,000

当期末に繰り入れるべき退職給付引当金の額は 5,000 千円である。予定計上額と実際繰入額との間に差額が生じれば，この差額は工事原価に 70%，販売費及び一般管理費に 30%の割合で加減される。

精　算　表　（単位：千円）

勘定科目	残高試算表		整理記入		損益計算書		貸借対照表	
	借方	貸方	借方	貸方	借方	貸方	借方	貸方
未成工事支出金	375000		⑧140					
退職給付引当金		15000		⑩200				⑪15200
販売費及び一般管理費	190000		⑨60					

退職給付引当金（工事原価分）：5000×.7＝〔3,500〕

追加計上額（工事原価分）：〔3,500〕M＋280×12M－RM〔140〕→⑧C

退職給付引当金（販売費及び一般管理費分）：5000×.3＝〔1,500〕

追加計上額（販売費及び一般管理費分）：〔1,500〕M＋ 1 2 0 × 1 2 M－ RM 〔60〕→ ⑨

合計追加計上額：〔60〕＋ 1 4 0 ＝〔200〕→ ⑩

退職給付引当金：〔200〕＋ 1 5 0 0 0 ＝〔15,200〕→ ⑪

5．完成工事補償引当金の設定

Q 当期の完成工事高に対して，0.1％の完成工事補償引当金を設定する。（差額補充法）

精算表 （単位：千円）

勘定科目	残高試算表 借方	残高試算表 貸方	整理記入 借方	整理記入 貸方	損益計算書 借方	損益計算書 貸方	貸借対照表 借方	貸借対照表 貸方
未成工事支出金	375000		⑭247					
完成工事補償引当金		300		⑬247				⑫547
完成工事高		547150						

完成工事補償引当金： 5 4 7 1 5 0 × . 0 0 1 ＝〔547.15〕→ ⑫（千円未満切捨て）

差額補充額： 〔547.15〕－ 3 0 0 ＝〔247.15〕→ ⑬⑭（　　〃　　）

6．完成工事原価の算定

Q 未成工事支出金の期末残高は105,000千円である。

精算表 （単位：千円）

勘定科目	残高試算表 借方	残高試算表 貸方	整理記入 借方	整理記入 貸方	損益計算書 借方	損益計算書 貸方	貸借対照表 借方	貸借対照表 貸方
未成工事支出金	375000		140 247	200 ⑯270187			⑮105000	
完成工事原価			⑰270187		⑱270187			

未成工事支出金の期末残高： 105,000 → ⑮

完成工事原価： 3 7 5 0 0 0 ＋ 1 4 0 ＋ 2 4 7

－ 2 0 0 － 1 0 5 0 0 0 ＝〔270,187〕→ ⑯⑰⑱

7．整理記入欄の合計

その他の整理事項についても各行ごとに完成させながら解いていきます。
整理記入欄の借方・貸方の合計が一致しているかどうかを確認します。

8．損益計算書欄，貸借対照表欄の合計

それぞれ借方・貸方の合計の差額は一致します。その差額をP/L欄，B/S欄の当期純利益の行に記入し，借方・貸方の合計をそれぞれ一致させます。→ ⑲

9．当期純利益の算定

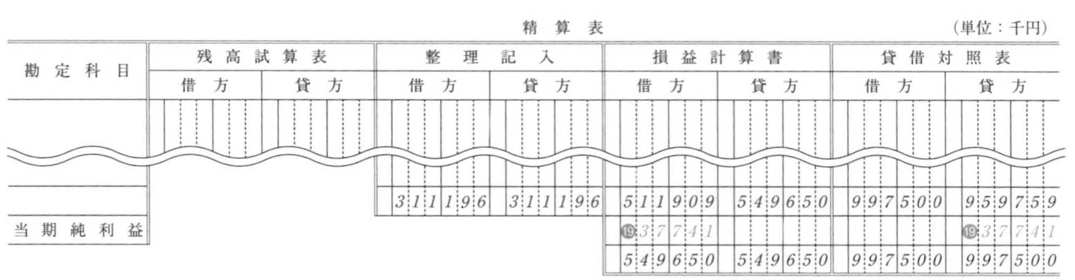

精算表 （単位：千円）

勘定科目	残高試算表 借方	残高試算表 貸方	整理記入 借方	整理記入 貸方	損益計算書 借方	損益計算書 貸方	貸借対照表 借方	貸借対照表 貸方
			311196	311196	511909	549650	997500	959759
当期純利益					⑲37741			⑲37741
					549650	549650	997500	997500

▶解答用紙→P. 11
▶解答・解説→２－64

標準時間	30分

Q 15回

次の〈決算整理事項等〉に基づき，解答用紙に示されている埼玉建設株式会社の当会計年度（平成×１年４月１日～平成×２年３月31日）に係る精算表を完成しなさい。なお，計算過程で端数が生じた場合は，千円未満の端数を切り捨てること。また，整理の過程で新たに生じる勘定科目で，精算表上に指定されている科目は，そこに記入すること。（36点）

〈決算整理事項等〉

(1)　機械装置は，平成×1年４月１日に取得したものであり，取得時点での条件は次のとおりである。

機械装置Ａ　取得原価　20,000千円　　残存価額　０千円　　耐用年数　５年
機械装置Ｂ　取得原価　16,000千円　　残存価額　０千円　　耐用年数　８年

ＡとＢの２つの機械装置を１つの償却単位とし，平均耐用年数の計算は加重平均法，定額法により総合償却を行う。

(2)　期首に債券オプション市場で債券のコール・オプションを買い建て，オプション料100千円を支払ったが，期末の買建オプションの時価は80千円である。

(3)　有価証券はすべてその他有価証券であり，期末の時価は1,200千円である。税率を40％として税効果会計を適用する。

(4)　退職給付引当金への当期繰入額は2,830千円であり，このうち1,800千円は工事原価，1,030千円は販売費及び一般管理費である。なお，現場作業員の退職給付引当金については，月次原価計算で月額140千円の予定計算を実施しており，平成×2年３月までの毎月の予定額は，未成工事支出金の借方と退職給付引当金の貸方にすでに計上されている。この予定計上額と実際発生額との差額は工事原価に加減する。

(5)　請け負っている工事は下記の２つの工事だけである。工事Ａには原価比例法により工事進行基準を，工事Ｂには工事完成基準を適用している。

工事Ａ

工事期間は３年（平成×0年４月１日～平成×3年３月31日），工事収益総額は600,000千円，工事原価総額の見積額は400,000千円，着手前に前受金として300,000千円を受領している。当期末までの工事原価の発生額は，第１期が144,000千円，第２期が136,000千円であった。工事原価総額の見積額に変更はない。

工事Ｂ

工事期間は２年（平成×1年４月１日～平成×3年３月31日），工事収益総額は200,000千円，工事原価総額の見積額は150,000千円，前受金の受領はない。当期末までの工事原価の発生額は105,000千円であったが，当期末に見積もり直したところ工事原価総額は210,000千円と見積もられた。なお，精算表上，工事損失引当金繰入額は完成工事原価に振替えない。

(6)　受取手形と完成工事未収入金の期末残高に対して２％の貸倒引当金を設定する。このうち600千円については，税務上損金算入が認められていないため，税率を40％として税効果会計を適用する。（差額補充法）

(7)　当期の完成工事高に対して0.5％の完成工事補償引当金を設定する。（差額補充法）

(8)　法人税等と未払法人税等を計上する。なお，税率は40％とする。

(9)　税効果を考慮したうえで，当期純利益を計上する。

ヒント

(1)　加重平均耐用年数は，減価償却総額を１年間の償却額で割ることによって求める。

(4)　予定計上額は実際発生額と比べ多かったか少なかったか？

(5)　工事完成基準を適用している場合，工事完成まで完成工事原価は計上されない。

(6)　損金算入が認められない場合，将来減算一時差異と将来加算一時差異のどちらになるか？

(9)　税効果を考慮する場合，法人税等の金額はどのように計算すればよいか？

▶解答用紙→P. 12
▶解答・解説→2－69

標準時間	30分

Q 17回

次の〈決算整理事項等〉に基づき，解答用紙に示されている東京建設株式会社の当会計年度（平成×1年4月1日～平成×2年3月31日）に係る精算表を完成しなさい。なお，計算過程で端数が生じた場合は，千円未満の端数を切り捨てること。また，整理の過程で新たに生じる勘定科目で，精算表上に指定されている科目は，そこに記入すること。（36点）

〈決算整理事項等〉

(1)　機械装置は，平成×0年４月１日に取得したものであり，取得時点での償却に関する条件は次のとおりである。

取得原価　20,000千円　　残存価額　2,000千円
耐用年数　５年　　　　　減価償却法　定額法

なお，当期首に見積り直したところ，残存価額はゼロであることが判明している。

(2)　期首に債券オプション市場で債券のコール・オプションを売り建て，オプション料 100千円を受け取っていた。売建オプションの期末の時価は 80千円である。

(3)　有価証券はすべてその他有価証券であり，期末の時価は 1,200千円である。税率を40％として税効果会計を適用する。

(4)　退職給付引当金への当期繰入額は 2,830千円であり，このうち 1,700千円は工事原価，1,130千円は販売費及び一般管理費である。

なお，現場作業員の退職給付引当金については，月次原価計算で月額 150千円の予定計算を実施しており，平成×2年３月までの毎月の予定額は，未成工事支出金の借方と退職給付引当金の貸方にすでに計上されている。この予定計上額と実際発生額との差額は工事原価に加減する。

(5)　請け負っている工事は次の工事だけであり，原価比例法により工事進行基準を適用している。

工事期間は３年（平成×0年４月１日～平成×3年３月31日），工事収益総額は 600,000千円，工事原価総額の見積額は 400,000千円で，着手前に前受金として 300,000千円を受領している。

当期末までの工事原価発生額は，第１期が 144,000千円，第２期が 136,000千円であった。第２期末に工事原価総額の見積りを，437,500千円に変更した。

(6)　受取手形と完成工事未収入金の期末残高に対して２％の貸倒引当金を設定する。このうち 500千円については税務上損金算入が認められないため，税率を40％として税効果会計を適用する。（差額補充法）

(7)　当期の完成工事高に対して0.5％の完成工事補償引当金を設定する。（差額補充法）

(8)　法人税等と未払法人税等を計上する。なお，税率は40％とする。

(9)　税効果を考慮した上で，当期純利益を計上する。

(1)　固定資産の簿価を残りの年数で償却する。

(2)　買建てオプションは時価－簿価＝＋の場合，利益。売建てオプションは？

(4)　予定計上額は実際発生額と比べ多かったか少なかったか？

(5)　工事原価総額の見積りを変更した場合，変更後の金額を用いる。

(6)　損金算入が認められない場合，将来減算一時差異と将来加算一時差異のどちらになるか？

(9)　税効果の調整前の法人税等の金額は逆算により求める。

▶解答用紙→P. 13
▶解答・解説→２－73

標準時間	30分

Q 22回

次の〈決算整理事項等〉に基づき，解答用紙に示されている大阪建設株式会社の当会計年度（平成×１年４月１日～平成×２年３月31日）に係る精算表を完成しなさい。なお，計算過程で端数が生じた場合は，千円未満の端数を切り捨てること。また，整理の過程で新たに生じる勘定科目で，精算表上に指定されている科目は，そこに記入すること。（36点）

〈決算整理事項等〉

(1)　機械装置は，平成×０年４月１日に取得したものであり，取得した時点での条件は次のとおりである。

取得原価　30,000千円　　残存価額　０円　　耐用年数　８年
減価償却方法　定額法

この資産について，期末に減損の兆候が見られたため，割引前のキャッシュ・フローの総額を見積もったところ，21,000千円であった。また，割引後のキャッシュ・フローの総額は20,300千円，正味売却価額は19,000千円とそれぞれ算定された。なお，減価償却費は未成工事支出金に計上し，減損損失は機械装置減損損失に計上すること。

(2)　有価証券はすべてその他有価証券であり，期末の時価は2,500千円である。税率を40％として税効果会計を適用する。

(3)　借入金5,000千円のうち1,200千円は，１ドル＝120円の時に借り入れたものである。期末時点の為替相場は，１ドル＝115円である。

(4)　退職給付引当金への当期繰入額は2,100千円であり，このうち1,300千円は工事原価，800千円は販売費及び一般管理費である。なお，現場作業員の退職給付引当金については，月次原価計算で月額100千円の予定計算を実施しており，平成×２年３月までの毎月の予定額は，未成工事支出金の借方と退職給付引当金の貸方にすでに計上されている。この予定計上額と実際発生額との差額は工事原価に加減する。

(5)　期末時点で施工中の工事は次の工事だけであり，収益認識には原価比例法により工事進行基準を適用している。

工事期間は３年（平成×０年４月１日～平成×３年３月31日），工事収益総額は700,000千円，工事原価総額の見積額は500,000千円で，着手前に前受金として350,000千円を受領している。

当期末までの工事原価発生額は，第１期が175,000千円，第２期が189,000千円であった。第２期末に工事原価総額の見積もりを，520,000千円に変更した。

(6)　受取手形と完成工事未収入金の期末残高に対して２％の貸倒引当金を設定する。このうち1,000千円については税務上損金算入が認められないため，税率を40％として税効果会計を適用する。（差額補充法）

(7)　当期の完成工事高に対して0.5％の完成工事補償引当金を設定する。（差額補充法）

(8)　法人税，住民税及び事業税ならびに未払法人税等を計上する。なお，税率は40％とする。

(9)　税効果を考慮した上で，当期純損益を計上する。

ヒント

(1)　回収可能価額はどの金額を使う？
(3)　何ドル借り入れたのかを先に計算する。
(4)　予定計算で計上されている額と，実際発生額との差額を調整する。
(5)　工事原価総額の見積りを変更した場合，変更後の金額を用いる。
(6)　損金算入が認められない場合，将来減算一時差異と将来加算一時差異のどちらになるか？
(9)　税効果調整前の法人税等の金額は逆算により求める。

第２部　解答・解説

この解答例は，ネットトスクールで作成したものです。

第 14 回出題

解 答

解答にあたっては，各問とも指定した字数以内（句読点を含む）で記入すること。

問１

共同企業体（JV）の会計処理では，原則として，JV
を独自の会計単位とする独立会計方式が採用されなけれ
ばならない。☆☆しかし，スポンサー企業（構成員のうち代
表者）がみずからの会計組織の中にJV会計を取り込み
，JV会計の全体を管理する方式は，独立会計方式では
ない。☆ただし，事務効率化の観点から，スポンサー企業
における電算処理システムを共有するような独立会計方
式は許容されている。☆☆その際には，現場主義会計の理念
が尊重されるとともに，会計システムの独立性が不可欠
であるから，JV工事の収入，支出に関する記録が独立
して保持されるシステムが必要である。☆

問２

協定原価とは，JV工事原価に算入すべきか各構成員企
業の負担とすべきか協議によって定められる原価をいう
。☆JVの協定原価として承認されたものを構成員企業で
処理する場合，発生した実際費用と協定原価との間に差
額が生じることがある。☆借方差額のケースでは，その差
額は未成工事支出金勘定に追加算入され，☆貸方差額のケ
ースでは，その差額を未成工事支出金勘定の貸方に算入
する方法とその差額を雑収入に計上する方法がある。☆

予想採点基準
☆…２ 点× 10 ＝ 20 点
☆の前の文の内容が正解で得点

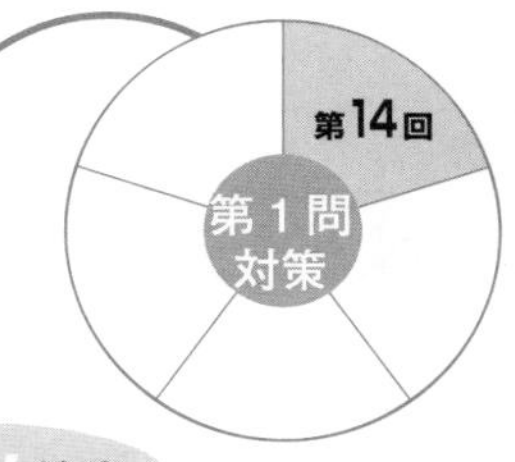

解説

問１　共同企業体会計における会計単位

共同企業体（＝ＪＶ）とは，複数の企業が一つの工事を分担して請け負う目的で協定を結んで出資し結成するものをいいます。

ＪＶはそれ自体が企業としての性格を有するものではありませんが，ＪＶ会計は，ＪＶの受注した工事に係る報告書の作成が目的となっているため，個々の構成員[*1)]の会計処理からは独立した，ＪＶを会計単位とする独立会計方式が採用されなければならないとされています。

ＪＶの独立会計方式は，ＪＶに参加した個々の企業（構成員）の会計から離れて独立した共同企業体としての会計を別個に実施することを意味します。よって，スポンサー企業がみずからの会計組織の中にＪＶ会計を取り込み，ＪＶ会計の全体を管理する方式は，独立会計方式とはいえません。

ただし，事務効率化の観点から，スポンサー企業における電算処理システムを共有するような独立会計方式は許容されています。その際には，現場主義会計の理念が尊重されることとともに，会計システムの独立性が不可欠であることから，ＪＶ工事の収入・支出に関する記録が独立して保持されるシステムが必要となります。

ここに！注意

＊1）ＪＶを構成するそれぞれの企業を構成員という。

問２　協定原価の意味とその会計処理

(1)　協定原価の意味

ＪＶの工事原価には，ＪＶ工事固有のものとして発生するもの[*2)]と，ＪＶ工事原価に算入すべきか各構成員企業の負担とすべきか協議によらなければならないもの[*3)]とがあります。このうち，後者を協定原価といいます。

協定原価は，原則として協定原価算入基準案を施行委員会で作成し，運営委員会で承認を得なければなりません。基準案には，算入・不算入の別，算入範囲等が明示されます。

＊2）外注費・購入材料費等は，基本的にはＪＶ固有のものとして発生する。

＊3）協定原価には，仮設材損料・動力用水光熱費・機械等損料・管理部門諸費用・出張旅費・委員会諸費用等がある。

(2)　協定原価の会計処理

ＪＶの協定原価として承認されたものを構成員企業で処理する場合，発生した実際費用と協定原価との間に差額が生じることがあります。この差額には，①借方差額（実際費用＞協定原価）と②貸方差額（実際費用＜協定原価）とがあります。

①　借方差額となるケースの会計処理

借方差額は未成工事支出金勘定に追加算入されます。

②　貸方差額となるケースの会計処理

貸方差額については，未成工事支出金勘定の貸方に算入する方法と，その差額を雑収入に計上する方法とがあります。

テキスト参照ページ
⇒　P. 1-146

第15回出題

解答

解答にあたっては，各問とも指定した字数以内（句読点を含む）で記入すること。

問1

税効果会計は，企業会計上の収益又は費用と課税所得計
算上の益金又は損金の認識時点の相違等により☆，企業会
計上の資産又は負債の額と課税所得計算上の資産又は負
債の額に相違がある場合において☆，法人税その他利益に
関連する金額を課税標準とする税金の額を適切に期間配
分することにより☆，法人税等を控除する前の当期純利益
と法人税等を合理的に対応させることを目的とする手続
である☆。

問2

将来減算一時差異は，差異が生じた時に課税所得の計算
上加算され，将来，差異が解消するときに課税所得の計
算上減算されるものである☆☆。この将来減算一時差異は，
会計上の費用計上時期と税務上の損金算入時期が異なる
ことから生じる☆。棚卸資産の評価損を例に挙げると，会
計上は棚卸資産を評価減したときに費用処理されるが，
税務上は棚卸資産を処分したときに損金とされる☆。この
ように会計上の費用計上時期と税務上の損金算入時期が
異なる結果，会計上の棚卸資産の額は税務上の資産額よ
り低くなる☆。この場合の差額は，将来の課税所得計算上
減算効果があるため，将来減算一時差異となる☆。

予想採点基準

☆…2点×10＝20点

☆の前の文の内容が正解で得点

解説

問１　税効果会計の意義

損益計算書に計上される法人税等は，企業会計上の利益（税引前当期純利益）を基準として計算されます。しかし，企業会計と税務会計ではその目的が異なるため，収益（益金）・費用（損金）の認識時点や資産・負債の金額に違いが生じます。そうすると，損益計算書に計上される法人税等の額が税引前当期純利益と期間対応せず，また将来の法人税等の支払額に対する影響が示されないことになります。

税効果会計とは，会計上の資産または負債の計上額と課税所得計算上の資産または負債の計上額に差異がある場合，法人税等を適切に期間配分することにより，税引前当期純利益と法人税等を合理的に期間対応させる手続です。

問２　将来減算一時差異

一時差異とは貸借対照表に計上されている資産および負債の金額と課税所得計算上の資産および負債の金額との差額をいいます。一時差異には将来減算一時差異と将来加算一時差異があります。将来減算一時差異は，差異が生じたときに課税所得の計算上加算され，将来この差異が解消されるときに課税所得の計算上減算されるものをいい，将来加算一時差異とは差異が生じたときに課税所得の計算上減算され，将来この差異が解消されるときに課税所得の計算上加算されるものをいいます。

棚卸資産の評価損を例にあげると，会計上は棚卸資産の評価損を計上した時点で費用処理されますが，税務上は棚卸資産を処分したときに損金とされます。このように会計上の費用計上時期と税務上の損金算入時期が異なる結果，会計上の棚卸資産の額は税務上の資産額より低くなります。この場合の差額は，将来の課税所得計算上減算効果があるため，将来減算一時差異となります。以下に具体例を示します。

(1)　第１期（会計上の利益500円）において商品評価損100円を計上したが，税務上損金不算入とされた。実効税率は40％とする。

会計上の商品評価損（費用）100円のところ，税務上損金０円。
税務上の課税所得＝会計上の利益500円＋100円＝600円
法人税等　600円×40％＝240円
法人税等調整額　△100円×40％＝△40円

(借) 繰延税金資産	40	(貸) 法人税等調整額	40

(2)　第２期（会計上の利益600円）において商品が処分され商品評価損100円が，税務上損金算入された。実効税率は40％とする。

会計上の商品評価損（費用）０円のところ，税務上損金100円。
税務上の課税所得＝会計上の利益600円－100円＝500円
法人税等　500円×40％＝200円
法人税等調整額　100円×40％＝40円

(借) 法人税等調整額	40	(貸) 繰延税金資産	40

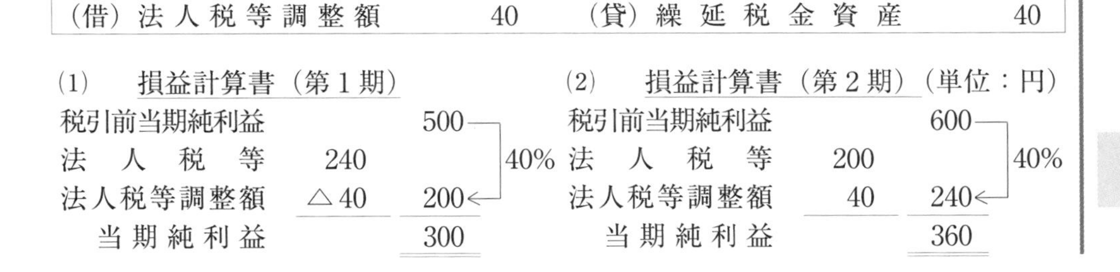

(1)　損益計算書（第１期）

税引前当期純利益		500
法人税等	240	
法人税等調整額	△40	200
当期純利益		300

(500の40％＝200)

(2)　損益計算書（第２期）（単位：円）

税引前当期純利益		600
法人税等	200	
法人税等調整額	40	240
当期純利益		360

(600の40％＝240)

テキスト参照ページ
⇒ P. 1-178

第16回出題

解答

解答にあたっては，各問とも指定した字数以内（句読点含む）で記入すること。

問１

損益計算書は一営業年度における企業の経営成績を示す
計算書で，貸借対照表とともに，主要な計算書のひとつ
である。☆それは一営業年度に発生ないし実現した収益と
，それに対応する費用とを対応表示して当期純利益を記
載したもので，☆原理的には収益－費用＝利益という損益
法の原理にもとづいて作成される。☆財務諸表の利用者は
，この計算書を通じて，過去における資金運用の経緯と
結果を観察し，将来の収益性を予測しようとする。☆

問２

1つめは，報告式の採用である。☆報告式の損益計算書は
，勘定式に比べて，区分計算に従って収益から費用を差
し引くのに便利であり，かつ理解しやすい。☆2つめは，
区分計算である。☆これは収益と費用とをいくつかの段階
に分けて利益を段階的に計算する形式である。この区分
計算を通じて，企業の本来の活動の成果をあらわす営業
利益・収益性の予測の指標となる経常利益・営利活動に
よる一期間の株主資本の増加額である当期純利益の区分
表示が可能になる。☆3つめは，総額主義の原則である。☆
この原則は，損益計算書において，収益と関連費用との
相殺の禁止として具体化される。この両建表示を通じて
営業活動の規模が明らかにされる。☆※

※　上記の他に，損益科目の科目の明細の細分化や注記を挙げても可。

予想採点基準
☆…２点×10＝20点
☆の前の文の内容が正解で得点

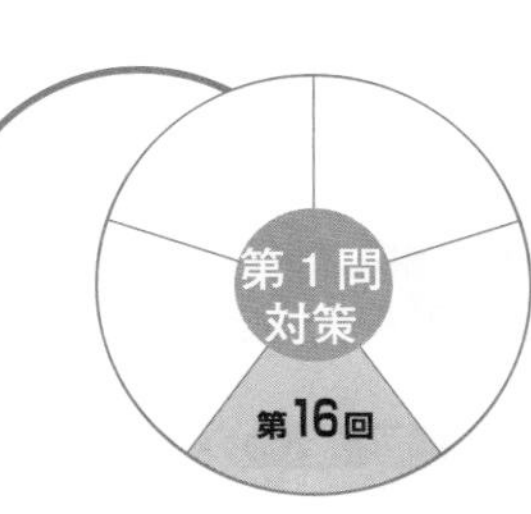

解 説

問 1　損益計算書の意義

損益計算書は一営業年度における企業の経営成績を示す計算書で，貸借対照表とともに，主要な計算書のひとつです。

それは一営業年度に発生ないし実現した収益と，それに対応する費用とを対応表示して当期純利益を記載したもので，原理的には収益－費用＝利益という損益法の原理にもとづいて作成されます。

問 2　損益計算書の様式

企業会計原則，会社計算規則，建設業法施行規則では，損益計算書の作成に関してさまざまな規定を設けています。その主なものは次のとおりです。

(1)　報告式の採用

建設業法施行規則では，報告式を採用しています。報告式の損益計算書は，勘定式に比べて，区分計算に従って収益から費用を差し引くのに便利であり，かつ理解しやすいです。

(2)　区分計算

収益と費用とをいくつかの段階に分けて利益を段階的に計算する形式であり，建設業法施行規則によれば，経常的な期間損益項目の差額として経常利益が表示され，それにそれ以外の損益項目（特別損益）を加減し，法人税，住民税及び事業税を控除して当期純利益を表示します。

(3)　総額主義

この原則は，損益計算書において，収益と関連費用との相殺の禁止として具体化されます。

(4)　科目の明細

収益と費用をその源泉に応じて区別し，その内容を詳細に示そうとするものです。損益科目の細分性の程度は，その金額の重要性・項目の危険性などを考慮して決定します。

(5)　注記

損益計算書の本文を補足するものとして，重要な会計方針，関係会社との取引高等を，損益計算書の脚注としてまたは「注記表」に記載します。

テキスト参照ページ
⇒　P. 1-34

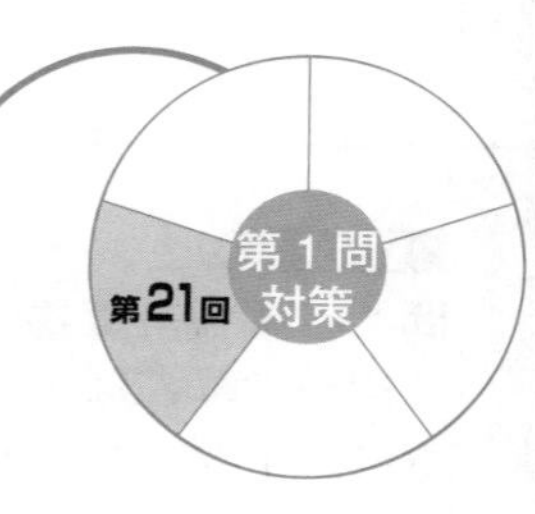

第21回出題

解答

解答にあたっては，各問とも指定した字数以内（句読点含む）で記入すること。

問1

リース取引は，リース期間の中途においてリース契約を
解除することができないリース取引又はこれに準ずる取
引で，☆借手が，リース物件からもたらされる経済的利益
を実質的に享受することができ，かつ，リース物件の使
用に伴って生じるコストを実質的に負担することとなる
ファイナンス・リース取引☆とファイナンス・リース取引
以外のリース取引であるオペレーティング・リース取引
に分類される。☆また，ファイナンス・リース取引は，リ
ース契約上の諸条件に照らしてリース物件の所有権が借
手に移転すると認められる所有権移転ファイナンス・リ
ース取引と，☆それ以外の所有権移転外ファイナンス・リ
ース取引に分類される。☆

問2

ファイナンス・リース取引は，その経済的実態が当該物
件を売買した場合と同様の状態にあると認められる。☆そ
れにもかかわらず，賃貸借取引として会計処理を行うと
，当該物件が貸借対照表に計上されないなど，☆☆その取引
実態が財務諸表に的確に反映されているものとはいえず
，利害関係者の誤解を招くおそれがある。☆これを避ける
ため，ファイナンス・リース取引については，通常の売
買取引に係る方法に準じて会計処理を行う必要がある。☆

予想採点基準
☆…2点×10＝20点
☆の前の文の内容が正解で得点

第１問対策
第21回

解説

問1　リース取引の分類

(1)　ファイナンス・リース取引かオペレーティング・リース取引かを判定する要件

①　リース期間の途中で，リース契約を解除できないこと。 ②　借手がリース物件から受ける利益を実質的に享受することができ，リース物件の使用コストを実質的に負担すること。

①と②をいずれも満たす場合→ファイナンス・リース取引
①と②のいずれかを満たすもしくはいずれも満たさない場合→オペレーティング・リース取引

(2)　所有権移転ファイナンス・リース取引か所有権移転外ファイナンス・リース取引かを判定する要件

・リース契約上の諸条件に照らしてリース物件の所有権が借手に移転すると認められるか。

認められる→所有権移転ファイナンス・リース取引
認められない→所有権移転外ファイナンス・リース取引

問2　ファイナンス・リース取引の会計処理

(1)　ファイナンス・リース取引の経済的実態

ファイナンス・リース取引の経済的実態は，リース物件を売買した場合と同様の状態にあると認められます。

(2)　ファイナンス・リース取引を賃貸借取引として会計処理を行ったときの問題点

賃貸借取引として会計処理を行うときの仕訳

(借) 支払リース料	××	(貸) 現金	××

→支払リース料が計上されるのみでリース物件が貸借対照表に計上されないため，利害関係者に誤解を招くおそれがあります。

売買取引として会計処理を行うときの仕訳

(借) リース資産	××	(貸) リース債務	××

テキスト参照ページ
⇒　P.1-194

第22回出題

解答

解答にあたっては，各問とも指定した字数以内（句読点含む）で記入すること。

問１

10 20 25

減損損失は，固定資産の収益性の低下により投資額の回
収が見込めなくなった状態において，一定の条件下で回
収可能性を反映させるように帳簿価額を減額した際に計
上されるものである。☆☆
5 具体的には，まず，資産又は資産グループの営業活動か
ら生じる損益又はキャッシュ・フローが継続的にマイナ
スになっている等といった減損の兆候の有無を検討する☆
。次に，減損の兆候ありと判定された資産又は資産グル
ープから得られる割引前将来キャッシュ・フローの総額
10 と帳簿価額を比較し，資産又は資産グループから得られ
る割引前将来キャッシュ・フローの総額が帳簿価額を下
回る場合に，減損損失が認識されることとなる。☆☆

問２

10 20 25

減損処理を行った資産については，減損損失を控除した
帳簿価額に基づき減価償却を行う。☆☆すなわち，減損処理
を行った資産についても，減損処理後の帳簿価額をその
後の事業年度にわたって適正に原価配分するため，毎期
5 計画的，規則的に減価償却を実施することになる。☆
また，減損処理は減損の存在が相当程度確実な場合に限
って行われることに加え，事務的負担を増大させるおそ
れがあるため，☆減損損失の戻入れは行わない。☆

予想採点基準
☆…２点×10＝20点
☆の前の文の内容が
正解で得点

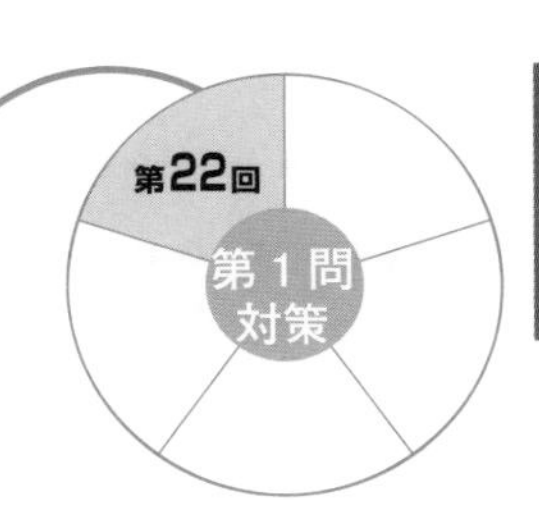

解説

問1　減損損失の認識

(1)　減損会計とは

減損会計とは，収益性の低下により投資額を回収する見込みが立たなくなった固定資産の帳簿価額を，一定の条件のもとで回収可能性を反映させるように減額する会計処理をいいます。

(2)　どのような場合に減損損失を認識するか

減損の兆候があり，資産又は資産グループから得られる割引前将来キャッシュ・フローの総額と帳簿価額を比較し，資産又は資産グループから得られる割引前将来キャッシュ・フローの総額が帳簿価額を下回る場合に，減損損失を認識します。

問２　減損処理後の会計処理

(1)　減価償却

減損処理を行った資産については，減損損失を控除した帳簿価額に基づき減価償却を行います。すなわち，減損処理を行った資産についても，減損処理後の帳簿価額をその後の事業年度にわたって適正に原価配分するため，毎期計画的，規則的に減価償却を実施することになります。

(2)　減損損失の戻入れ

減損損失の戻入れは，行いません。なぜなら，減損の存在が相当程度確実な場合に限って減損損失を認識及び測定することとしていること，また，戻入れは事務的負担を増大するおそれがあるからです。

テキスト参照ページ
⇒　P.1-205

第 14 回出題

解　答

記号（ア～ハ）

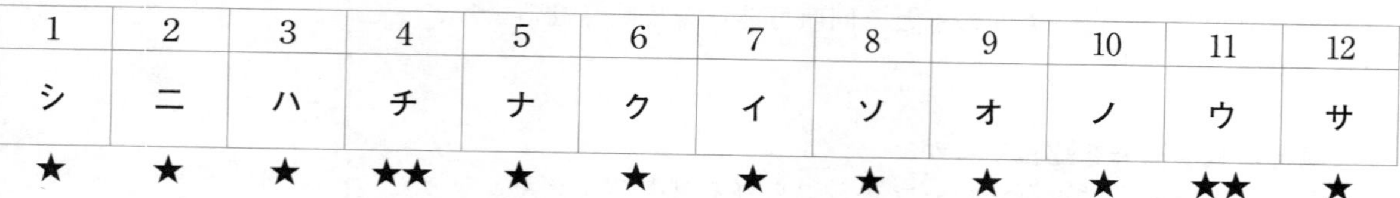

1	2	3	4	5	6	7	8	9	10	11	12
シ	ニ	ハ	チ	ナ	ク	イ	ソ	オ	ノ	ウ	サ
★	★	★	★★	★	★	★	★	★	★	★★	★

予想採点基準
★…１ 点× 14 ＝ 14 点

解　説

１．固定資産の減損

固定資産の減損とは，資産の収益性の低下により投資額の回収が見込めなくなった状態をいいます。

減損処理とは，固定資産の減損が生じた場合に，一定の条件の下で回収可能性を反映させるように帳簿価額を減額する会計処理をいいます。

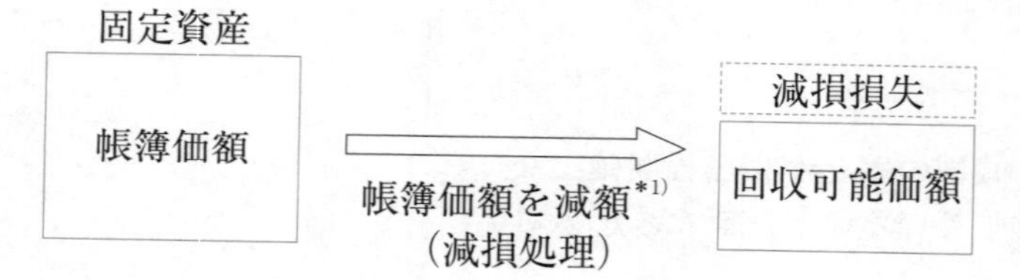

２．臨時償却

臨時償却とは，固定資産の耐用年数の短縮や残存価額の修正等に関する影響額を，その変更期間において，前期損益修正（特別損益）として一時に認識する方法です*2)。

この臨時償却は，「会計上の変更及び誤謬の訂正に関する会計基準」の適用によって廃止され，固定資産の耐用年数の短縮や残存価額の修正等を行った場合は，「会計上の見積りの変更」として，過年度修正損益と考えるのではなく，見積りを変更した当期以降の減価償却計算を修正します*3)。

３．会計上の見積りの変更

会計上の見積りの変更とは，新たに入手可能となった情報に基づいて，過去に財務諸表を作成する際に行った会計上の見積り（固定資産の耐用年数や残存価額等の見積り）を変更することをいいます。

会計上の見積りの変更は，原則として，当該変更が変更期間のみに影響する場合*4) には，当該変更期間に会計処理を行い，当該変更が将来の期間にも影響する場合*5) には，将来にわたり会計処理を行います。

いずれの場合も，会計上の見積りの変更は，新しい情報によってもたらされるものであるとの認識から，過去に遡って処理せず，その影響は将来に向けて認識することになります。

ここに注意

*1）資産の収益性の低下→帳簿価額のうち回収が見込めない部分が生じている。→回収が見込まれる額まで帳簿価額を減額する。

*2）この処理方法を「キャッチ・アップ方式」という。

*3）この処理方法を「プロスペクティブ方式」という。

*4）具体例：回収不能債権に対する貸倒見積額の変更

*5）具体例：固定資産の耐用年数の見積りの変更

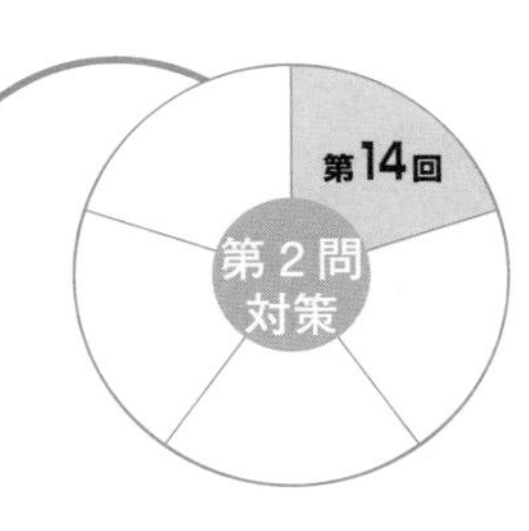

4．会計上の変更及び誤謬の訂正

本問では，「会計上の変更及び誤謬の訂正に関する会計基準」より，「会計上の見積りの変更」について問われていますが，他の「**会計方針の変更**」・「表示方法の変更」・「過去の誤謬の訂正」とあわせて原則的な取扱いをまとめると次のとおりとなります。

分　類		会計上の取扱い		
		遡及処理	内	容
会計上の変更	会計方針の変更	○	「遡及適用」	新たな会計方針を過去の財務諸表に遡って適用していたかのように会計処理する。
	表示方法の変更	○	「財務諸表の組替え」	新たな表示方法を過去の財務諸表に遡って適用していたかのように表示を変更する。
	会計上の見積りの変更	×	——	変更期間または将来の期間にわたり会計処理を行う。
過去の誤謬の訂正		○	「修正再表示」	過去の財務諸表における誤謬の訂正を財務諸表に反映する。

☞ よって本問の文章は次のようになります。

固定資産の減損とは，資産の収益性の低下により投資額の回収が見込めなくなった状態である。

減損処理とは，そのような場合に，一定の条件の下で回収可能性を反映させるように帳簿価額を減額する会計処理である。

固定資産の減損処理と似たものに臨時償却がある。臨時償却とは，減価償却計算に適用されている耐用年数の短縮や残存価額の修正に基づいて一時に行われる減価償却累計額の修正である。しかし，「会計上の変更及び誤謬の訂正に関する会計基準」の公表により，これらは会計上の見積りの変更と考えられるため，遡及適用は行わず，将来にわたり会計処理を行うことになった。

テキスト参照ページ
⇒　P. 1-205、1-80

第１６回出題

解答

記号（ア～ネ）

1	2	3	4	5	6	7	8	9	10	11	12
カ	チ	ナ	ア	ニ	ネ	タ	シ	セ	オ	サ	ソ
★★	★★	★	★	★	★	★	★	★	★	★	★

予想採点基準

★… 1 点× 14 ＝ 14 点

解説

１．資産除去債務

「資産除去債務」とは，有形固定資産の取得，建設，開発又は通常の使用によって生じ，当該有形固定資産の除去に関して法令又は契約で要求される法律上の義務及びそれに準ずるものをいいます。

２．資産除去債務の算定

資産除去債務はそれが発生したときに，有形固定資産の除去に要する割引前の将来キャッシュ・フローを見積り，割引後の金額（割引価値）で算定します。

３．資産除去債務に対応する除去費用の資産計上と費用配分

資産除去債務に対応する除去費用は，資産除去債務を負債として計上した時に，当該負債の計上額と同額を，関連する有形固定資産の帳簿価額に加えます。資産計上された資産除去債務に対応する除去費用は，減価償却を通じて，当該有形固定資産の残存耐用年数にわたり，各期に費用配分します。

４．時の経過による資産除去債務の調整額の処理

時の経過による資産除去債務の調整額は，その発生時の費用として処理します。当該調整額は，期首の負債の帳簿価額に当初負債計上時の割引率を乗じて算定します。

☞ よって本問の文章は次のようになります。

資産除去債務とは，有形固定資産の取得，建設，開発又は通常の使用によって生じ，当該有形固定資産の除去（売却，廃棄，リサイクルその他の方法による処分等）に関して法令又は契約で要求される法律上の義務及びそれに準ずるものをいう。

資産除去債務はそれが発生した時に，有形固定資産の除去に要する割引前のキャッシュ・フローを見積り，割引後の金額で算定する。

資産除去債務に対応する除去費用は，資産除去債務を負債として計上した時に，当該負債の計上額と同額を，関連する有形固定資産の帳簿価額に加える。資産計上された資産除去債務に対応する除去費用は，減価償却を通じて，当該有形固定資産の残存耐用年数にわたり，各期に費用配分する。

時の経過による資産除去債務の調整額は，その発生時の費用として処理する。当該調整額は，期首の負債の帳簿価額に当初負債計上時の割引率を乗じて算定する。

テキスト参照ページ
⇒ P. 1-211

第 17 回出題

解　答

記号（ア〜タ）

1	2	3	4	5	6	7	8
オ	ソ	サ	ス	タ	ウ	ク	コ
★★	★★	★★	★★	★★	★★	★	★

予想採点基準
★…１ 点× 14 ＝ 14 点

解　説

1．会計方針の変更

会計方針とは，財務諸表の作成にあたって採用した会計処理の原則および手続きをいいます。会計方針を変更した場合，原則として，新たな会計方針を過去の期間のすべてに遡及適用します。

遡及適用とは，新たな会計方針を過去の財務諸表に遡って適用していたかのように会計処理することをいいます。

2．表示方法の変更

財務諸表の表示方法を変更した場合には，原則として表示する過去の財務諸表について，新たな表示方法において財務諸表の組替えを行います。

3．会計上の見積りの変更

会計上の見積りとは，資産及び負債や収益及び費用等の額に不確実性がある場合において，財務諸表作成時に入手可能な情報に基づいて，その合理的な金額を算出することをいいます。

会計上の見積りを変更した場合には，その変更が変更期間のみに影響する場合には，その変更期間に会計処理を行い，その変更が将来の期間にも影響する場合には，将来にわたり会計処理を行います。

4．誤謬の訂正

誤謬とは，原因となる行為が意図的であるか否かにかかわらず，財務諸表作成時に入手可能な情報を使用しなかったことによる，又はこれを誤用したことによる誤りをいいます。過去の財務諸表における誤謬の訂正を財務諸表に反映することを修正再表示といいます。

過去の財務諸表における誤謬が発見された場合には，財務諸表のうち，最も古い期間の期首の資産，負債および純資産の額に反映します。

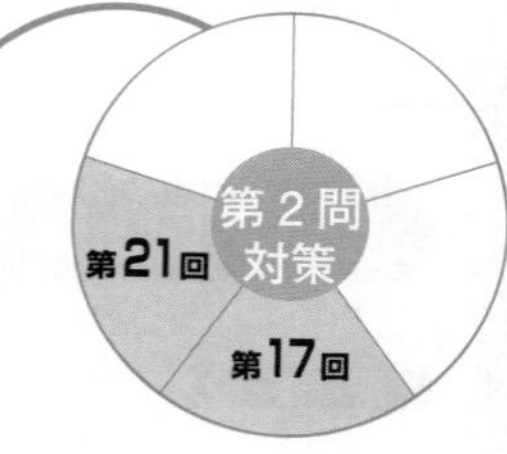

☞ **よって本問の文章は次のようになります。**

財務諸表の作成にあたって採用した会計処理の原則および手続きを**会計方針**という。**会計方針**を変更した場合には，原則として新たな**会計方針**を過去の期間のすべてに**遡及適用**する。

新たな表示方法を過去の財務諸表に遡って適用していたかのように表示を変更することを財務諸表の**組替え**という。財務諸表の表示方法を変更した場合には，原則として表示する過去の財務諸表について，新たな表示方法に従い財務諸表の**組替え**を行う。

過去の財務諸表における**誤謬**の訂正を財務諸表に反映することを**修正再表示**という。過去の財務諸表における**誤謬**が発見された場合には，財務諸表のうち，最も古い期間の期首の資産，負債および純資産の額に反映する。そして，表示する過去の各期間の財務諸表には，当該各期間の影響額を反映する。

会計上の見積りの変更は，当該変更が**当期**のみに影響する場合には，当該変更期間に会計処理を行い，当該変更が**将来**の期間に影響する場合には，**将来**にわたり会計処理を行う。

テキスト参照ページ
⇒ P. 1-23

第 21 回出題

解 答

記号（ア～チ）

1	2	3	4	5	6	7	8	9	10	11	12
コ	セ	サ	ア	タ	ウ	ソ	カ	オ	エ	キ	イ
★	☆	☆	★	☆	☆	☆	☆	☆	☆	☆	☆

予想採点基準
☆…１点×10＝10点
★…２点×２＝４点

解 説

１．剰余金の額

剰余金の額＝その他資本剰余金＋その他利益剰余金

２．払込資本

払込資本は以下のように分類されます。

払込資本
- 資本金
- 資本準備金
- **その他資本剰余金**（資本金減少差益，資本準備金減少差益および自己株式処分差益並びに合併差益等のうち資本準備金に計上されていない部分）

３．留保利益

留保利益は以下のように分類されます。

留保利益
- **その他利益剰余金**
  - 任意積立金（事業拡張積立金，偶発損失積立金）
  - 繰越利益剰余金
- 利益準備金

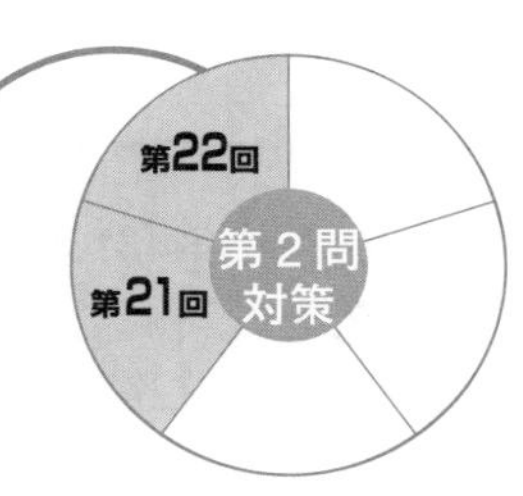

☞ **よって本問の文章は次のようになります。**

剰余金の額の計算は，会社法第446条と会社計算規則第149条及び第150条によって詳細に定められている。その結論を簡単な算式で示せば，剰余金の額＝その他資本剰余金の額＋その他利益剰余金の額と示すことができる。

その他資本剰余金は，払込資本のうち資本金または資本準備金に計上されていない部分である。具体的には，資本金減少差益，資本準備金減少差益および自己株式処分差益，並びに合併差益等のうち資本準備金に計上されていない部分から成る。会社法上，剰余金の配当には，その他資本剰余金からの株主への配当も含まれるが，それは実質的には払込資本の払い戻しである。

その他利益剰余金は，留保利益のうち利益準備金以外の部分である。具体的には，任意積立金と繰越利益剰余金から成る。任意積立金には，事業拡充のための積立金である事業拡張積立金や，将来の費用・損失に備えるための積立金である偶発損失積立金などがある。

テキスト参照ページ
⇒ P.1-112

第22回出題

解答

記号（ア～タ）

1	2	3	4	5	6	7
カ	エ	ク	シ	イ	コ	ソ
☆	☆	☆	☆	☆	☆	☆

予想採点基準
☆…2点×7＝14点

解説

建設業会計と関連をもつ会計法規とその詳細は次のとおりとなります。

法　　律	細かい規則	規則の内容	財務諸表等
会社法	会社計算規則	会計帳簿の作成 計算書類その他の作成・表示の方法 計算書類の公告等	貸借対照表，損益計算書， 株主資本等変動計算書， 個別注記表，附属明細書， 事業報告
金融商品取引法	財務諸表等規則	個別財務諸表の用語・様式・ 作成方法等	貸借対照表，損益計算書， 株主資本等変動計算書， キャッシュ・フロー計算書， 附属明細表
建設業法	建設業法施行規則	財務諸表の様式等	貸借対照表，損益計算書， 株主資本等変動計算書， 注記表，附属明細表， 事業報告書

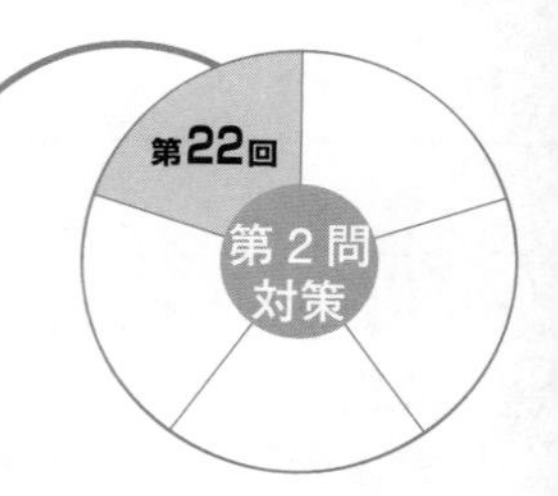

会社法第431条では，株式会社の「会計の原則」として，「株式会社の会計は，一般に公正妥当と認められる企業会計の慣行に従うものとする。」と定めています。

また，財務諸表等規則第１条でも，この規則に定めていない事項について，「一般に公正妥当と認められる企業会計の基準」に従うものとされています。

☞ **よって本問の文章は次のようになります。**

建設業会計と関連をもつ会計法規としては，会社法・会社計算規則および金融商品取引法・財務諸表等規則等が，また建設業会計に固有のものとしては，建設業法施行規則等があげられる。

会社法は，株式会社の「会計の原則」として，「株式会社の会計は，一般に公正妥当と認められる企業会計の慣行に従うものとする。」と定めている。また会社法は，会計規定の細部を法務省令に委ねていることが多いが，かかる法務省令の中でも，特に会社計算規則には，会計帳簿の作成，計算書類その他の作成・表示の方法，監査報告書の内容等，計算書類の公告等，および資本等の計数等に関する細かい規定がある。

財務諸表等規則は金融商品取引法第193条に基づき，貸借対照表，損益計算書その他の財務計算に関する書類（個別財務諸表）の用語，様式，作成方法等を定めたものである。この規則に定めていない事項については，「一般に公正妥当と認められる企業会計の基準」に従うものとされている。

建設業法施行規則は，建設業者が建設業法によって国土交通大臣または都道府県知事に提出する財務諸表について定めている。株式会社（子会社を除く）の場合，それは貸借対照表，損益計算書，株主資本等変動計算書，注記表および附属明細表並びに事業報告書である。

ここに！注意

会社法，金融商品取引法および建設業法があり他に税法も考えられますが，問題の用語群に無いこと及び「建設業会計」に固有のものから建設業法に係る法規を考えます。

ここに！注意

会社法においては，財務諸表を「計算書類」と規定しています。

テキスト参照ページ
⇒　P. 1-16

コラム　会計感情論

最近の私の、血のにじむような努力による研究成果についてお話しましょう（もちろん、真に受けないでくださいね）。

研究の結論から申し上げると、簿記でいうところの五要素、つまり資産・負債・資本（純資産）・収益・費用は、人間の感情でいうところの４つの感情『喜・怒・哀・楽』に相当している、という新事実が発見されました！

まず、元手（資本）の増加要因である「収益」は人間の感情の『喜』に相当しています。
“おぅおぅ、儲かって嬉しい嬉しい” という喜びの感情です。

次に、返さねばならない「負債」は『怒』であり、“借りるときの恵比須顔・返すときの閻魔顔” といわれるとおり、閻魔様の怒りの感情を表しています。

また元手の減少要因の「費用」は人間感情でいう『哀』であり、“あぁー、お前も出て行っちまうのか” という哀しみの感情。

最後に、持っていて価値のある「資産」は『楽』であり、“カネがあるから楽できる、株があるから将来が楽しみ” といった楽の感情を表しているのです。

えっ、五要素から『喜怒哀楽』の４つを引いた残りの１個、そうそう「資本（純資産）」って何だって？

おおっと、鋭い質問です。そうですねー、「資本」はさしずめ『幸福』ってところですかね。

『喜怒哀楽』を超えた結果としてあり、『人生の究極の目的』でもあり、喜びが増加要素で良い人に分け与える（投資する）ことでも増え、哀しみを１人でしょい込むと減る、まぁ、そんなものですか。

みなさんも、『幸福』という名の資本をたくさん創っていきましょう。

第１５回出題

解答

記号（AまたはB）

1	2	3	4	5	6	7	8	9
B	A	A	B	B	B	A	A	A
☆	☆	☆	☆	☆	☆	☆	☆	☆

予想採点基準
☆…２ 点× ９ ＝ 18 点

解説

正誤問題

1．**財産法は，一会計期間に発生した収益の総額から，それに対応する費用の総額を差し引いて企業の純利益を計算する方法である。**

B（誤り）財産法は期末資本と期首資本との比較によって企業の純利益を計算する方法です。

2．**現金主義会計は，収益費用にかかる貨幣の流れに着目して，当期の現金収入額を収益とし，現金支出額を費用とし，両者を比較して純利益を計算する会計方式である。**

A（正しい）現金主義は，給付の事実と関係なく，現金収入の事実にもとづいて収益を計上し，現金支出の事実にもとづいて費用を計上し，両者の差額で純利益を計算する考え方です。

3．**発生主義の原則は，収益費用について，現金収支にかかわらず，それが発生したと認められる事実に基づいて計上することを要請する原則である。**

A（正しい）発生主義の原則は，収益・費用について，現金収支の有無にとらわれることなく，それが発生したと認められる事実にもとづいて計上することを要請する原則のことをいいます。

4．**費用収益対応の原則には，個別的対応と期間的対応の２つの対応の仕方があり，売上高と売上原価の対応は期間的対応である。**

B（誤り）売上高と売上原価の対応は，商品という具体的な財・用役の動きを媒体とする個別的対応です。

5．**会計期末に工事進捗度を見積もり，工事進捗度に応じて当期の工事収益を認識する方法は，工事進行基準と呼ばれ，実現主義の考え方に基づく収益の認識基準である。**

B（誤り） 会計期末に工事進捗度を見積もり，工事進捗度に応じて当期の工事収益を認識する工事進行基準は，収益認識基準として発生主義を適用した典型例です。

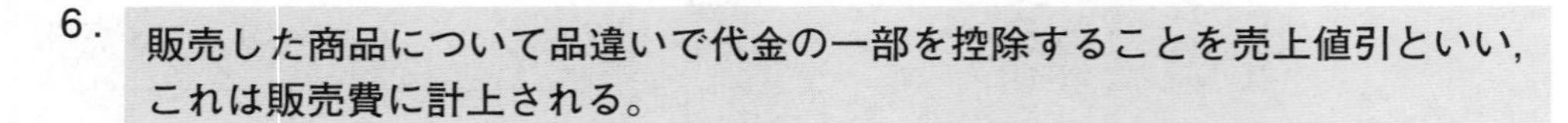

6．**販売した商品について品違いで代金の一部を控除することを売上値引といい，これは販売費に計上される。**

B（誤り） 売上値引は売上からの控除項目と考えられるため，当期の売上高から差し引きます。

7．**資産の取得原価を，一定の方法で計画的，規則的に各期に配分すべきことを要請する原則を，費用配分の原則という。**

A（正しい） 資産の取得原価を，一定の方法で計画的，規則的に各期に配分すべきことを要請する原則を，費用配分の原則といいます。

8．**資金を借り入れて資産を購入した場合，借入金について発生する利子は資産の取得原価に算入してはならない。**

A（正しい） 資産購入のために借り入れた借入金について発生する利子は，取得原価に算入できません。取得原価に算入することが認められているのは，自家建設において取得する有形固定資産の稼働前の期間に属する借入資本利子である等の要件を満たす場合です。

9．**固定資産について減価償却を行わず，老朽品の部分的取替えが行われたとき，それに要した支出額を費用として処理する方法を取替法という。**

A（正しい） 同種の物品が多数集まって一つの全体を構成し、老朽品の部分的取替えを繰り返すことにより全体が維持されるような固定資産については、減価償却に代わって取替法を採用することが認められています。

テキスト参照ページ
⇒ P. 1-26、1-37、1-28
P. 1-75、1-81

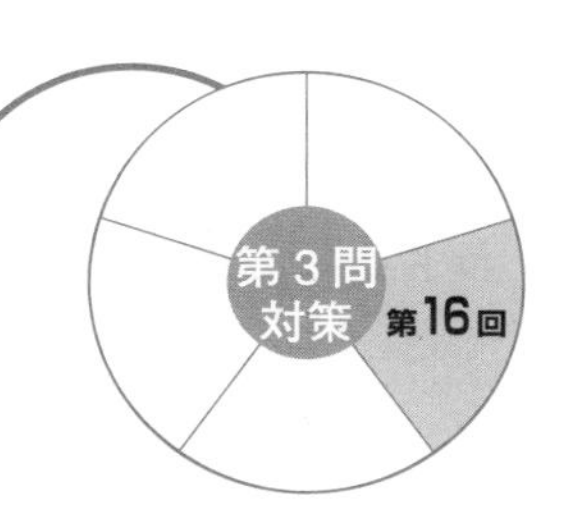

第 16 回出題

解 答

記号（AまたはB）

1	2	3	4	5	6	7	8
B	B	A	A	B	A	B	A
☆	☆	☆	☆	☆	☆	☆	☆

予想採点基準
☆… 2 点× 8 ＝ 16 点

解 説

正誤問題

1．**真実性の原則は，企業の公開する財務諸表の内容に虚偽があってはならないことを要請するものであるので，会計ルールの選択の仕方や会計担当者の判断の仕方によって表現する数値が異なることは認められない。**

B（誤り） 真実性の原則における「真実」は，相対的真実を意味します。そのため，会計ルールの選択の仕方や会計担当者の判断の仕方によって表現する数値が異なることは認められます。

2．**正規の簿記の原則は，記録の網羅性，記録の検証可能性および記録の秩序性の３つを要請するものであるので，簿外資産や簿外負債は認められない。**

B（誤り） 正規の簿記の原則は，記録の網羅性，記録の検証可能性および記録の秩序性の３つを要請するものですが，重要性の乏しいものについては，本来の厳密な会計処理によらないで他の簡便な方法によることも正規の簿記の原則に従った処理として認められます。そのため，重要性の乏しいものについて簡便な会計処理を行うことによる簿外資産および簿外負債は認められています。

3．**資本取引・損益取引区別の原則は，適正な資本維持ないし適正な損益計算を企業会計の基本目的としてとらえ，資本取引と損益取引の混同および資本剰余金と利益剰余金との直接・間接の振替を禁止する規範理念である。**

A（正しい） 資本取引・損益取引区別の原則では，資本取引と損益取引の混同および資本剰余金と利益剰余金との直接・間接の振替を禁止しています。

4．**明瞭性の原則は，財務諸表の利用者が広く社会の各階層に及んでいることを前提に，財務諸表の形式に関し，目的適合性，概観性と詳細性の調和などの一定の要件を満たすことを要請する規範理念である。**

A（正しい） 明瞭性の原則では，財務諸表の形式に関し，目的適合性，概観性と詳細性の調和などの一定の要件を満たすことを要請しています。

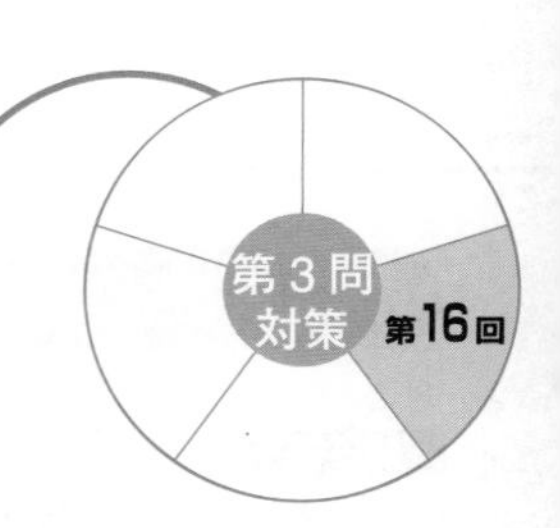

5．**継続性の原則は，期間比較性の確保，また恣意性の介入する余地の縮小化の観点から会計処理の原則・手続きの継続適用を要請するものであるので，会計処理の原則・手続きの変更は一切認められない。**

B（誤り） 継続適用の要請は絶対的なものではなく，正当な理由にもとづく変更は認められます。この場合の正当な理由とは，より合理的と認められる方向への変更，会計法規の改正に伴う変更，経済事象の変化に伴う変更などがあげられます。

6．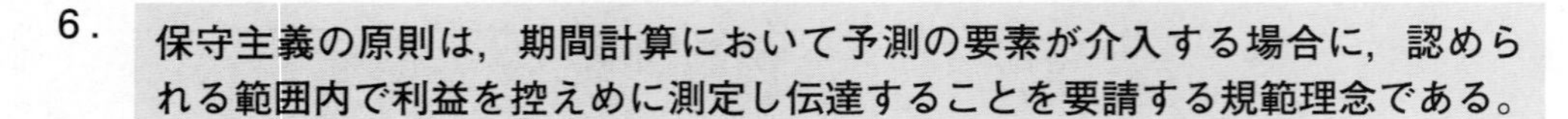
保守主義の原則は，期間計算において予測の要素が介入する場合に，認められる範囲内で利益を控えめに測定し伝達することを要請する規範理念である。

A（正しい） 保守主義の原則では，期間計算において予測の要素が介入する場合に，認められる範囲内で利益を控えめに測定し伝達することを要請しています。ただし，利益をできるだけ控えめに計上するためとはいえ，会計の基準を逸脱しているときは，過度な保守主義として否定されます。

7．**単一性の原則は，報告目的の異なる財務諸表の形式的な単一性と，それぞれの財務諸表に記載される資産，負債，純資産，収益および費用の金額が同一であることを要請するものである。**

B（誤り） 単一性の原則では，信用目的，租税目的など報告目的の異なる財務諸表の表示形式が異なること（形式多元）は問題とせず，財務諸表に記載される資産，負債，純資産，収益および費用の金額が同一であることを要請しています。

8．**企業会計の目的は，企業の状況に関する利害関係者の判断を誤らせないようにすることにあるから，重要性の乏しいものについては，本来の厳密な会計処理によらないで他の簡便な方法によることも認められる。**

A（正しい） 重要性の原則では，重要性の乏しいものについては，本来の厳密な会計処理によらないで他の簡便な方法によることも認めています。

テキスト参照ページ

⇒　P. 1-17

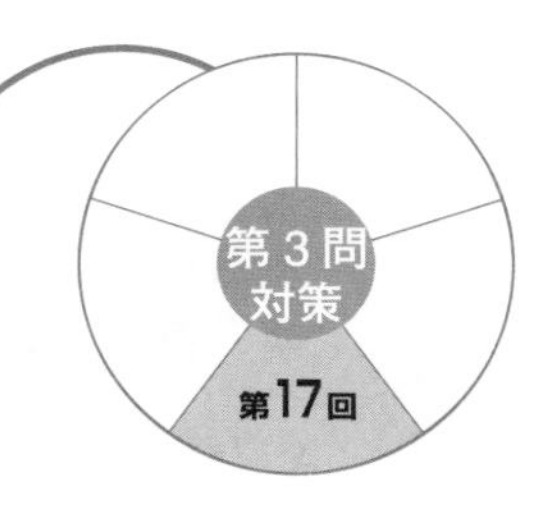

第 17 回出題

解答

記号（AまたはB）

1	2	3	4	5	6	7	8
A	B	B	A	B	B	A	B
☆	☆	☆	☆	☆	☆	☆	☆

予想採点基準
☆…２ 点× ８ ＝ 16 点

解説

正誤問題

1．**当期に発生した新株式の発行にかかる支出 ￥3,000,000 を株式交付費として貸借対照表に計上し，３年で償却することとした。**

A（認められる） 株式交付費（新株の発行又は自己株式の処分に係る費用）は，原則として，支出時に費用（営業外費用）として処理しますが，繰延資産として処理することもできます。この場合には，株式交付のときから３年以内のその効果の及ぶ期間にわたって償却をしなければなりません。

2．**市場開拓のための支出 ￥10,000,000 を開発費として繰延処理し，５年間で規則的に償却することとしてきた。第３年目の初めに当該市場から撤退することに決めたが，当初の予定通り償却を継続した。**

B（認められない） 開発費は，原則として，支出時に費用（売上原価又は販売費及び一般管理費）として処理しますが，繰延資産として処理することもできます。この場合には，支出のときから５年以内のその効果の及ぶ期間にわたって，定額法その他の合理的な方法により規則的に償却しなければなりません。

　ただし，支出の効果が期待されなくなった繰延資産は，その未償却残高を一時に償却しなければなりません。

3．**償還期間５年の社債を発行し，社債券の印刷費などに ￥500,000 を支出した。この支出を社債発行費として繰延処理し，３年で定額法で償却することとした。**

B（認められない） 社債発行費は，原則として，支出時に費用（営業外費用）として処理しますが，繰延資産として処理することもできます。この場合には，社債の償還までの期間にわたり償却をしなければなりません。

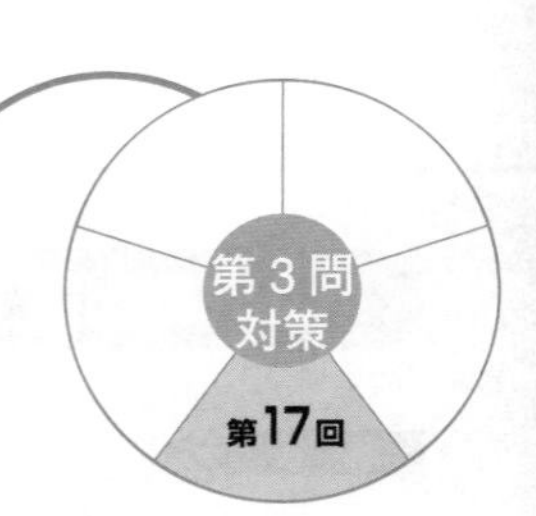

4．**決算に際し前払利息 ￥1,000 について，金額的に重要ではないと判断し，当期の費用として処理した。**

A（認められる） 企業会計は，定められた会計処理の方法に従って正確な計算を行うべきものであるが，企業会計が目的とするところは，企業の財務内容を明らかにし，企業の状況に関する利害関係者の判断を誤らせないようにすることにあるから，重要性の乏しいものについては，本来の厳密な会計処理によらないで他の簡便な方法によることも正規の簿記の原則に従った処理として認められます。

なお，前払費用，未収収益，未払費用および前受収益のうち，重要性の乏しいものについては，経過勘定項目として処理せず当期の費用として処理することができます。

5．**自己株式を取得した際に買入手数料 ￥315,000 がかかったので，自己株式の取得原価に算入した。**

B（認められない） 自己株式の取得，処分及び消却に関する付随費用は，損益計算書の営業外費用に計上します。

6．**当期になって機械の耐用年数が当初の見積りより２年短いことが判明したので，償却不足額 ￥1,200,000 を当期に臨時償却した。**

B（認められない） 固定資産の耐用年数の変更は，会計上の見積りの変更に該当します。会計上の見積りの変更は，当該変更が変更期間のみに影響する場合には，当該変更期間に会計処理を行い，当該変更が将来の期間にも影響する場合には，将来にわたり会計処理を行います。固定資産の減価償却は将来の期間の期間にも影響するため，臨時償却をせずに将来にわたり会計処理を行います。

7．**主要材料の原価は ￥4,600，時価は ￥4,550，補助材料の原価は ￥2,750，時価は ￥2,650，貯蔵品の原価は ￥2,100，時価は ￥2,180 であったので，￥70 の棚卸資産評価損を計上することとした。**

A（認められる） 棚卸資産を評価する場合における原価と時価の比較する方法には，(1)個々の品目ごとに適用する品目法，(2)種類ごとのいくつかの品目に分けて適用するグループ法，(3)棚卸資産全体を単位とする一括法の３つがあります。(3)の方法による場合の棚卸資産評価損は次のようになります。

棚卸資産評価損：(4,600円＋2,750円＋2,100円) － (4,550円＋2,650円＋2,180円)
＝70円

8．**市場販売目的のソフトウェアの製品マスターの制作費 ￥1,500,000 を当期の費用として損益計算書に計上した。**

B（認められない） 市場販売目的のソフトウェアである製品マスターの制作費は，研究開発費に該当する部分を除き，資産として計上しなければなりません。ただし，製品マスターの機能維持に要した費用は，資産として計上してはなりません。

テキスト参照ページ
⇒ P. 1-86、1-21、1-117
P. 1-24、1-64、1-85

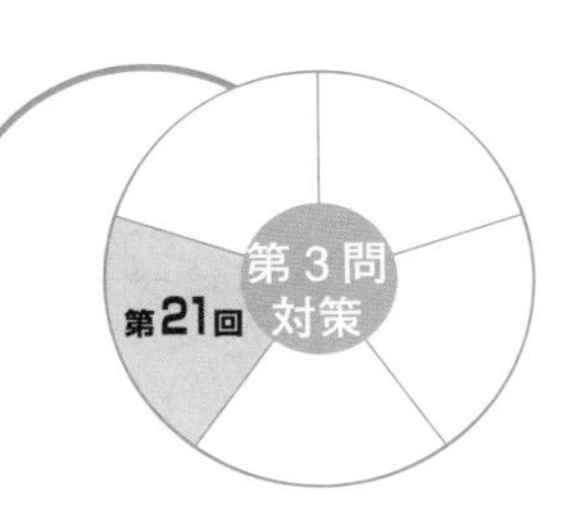

第 21 回出題

解答

記号（AまたはB）

1	2	3	4	5	6	7	8
B	A	A	B	B	A	B	B
☆	☆	☆	☆	☆	☆	☆	☆

予想採点基準
☆…2点×8＝16点

解説

正誤問題

1．**完成工事未収入金を契約上の支払日より２か月早く決済してくれたので，完成工事未収入金を減額することとし，完成工事高をその金額だけ減額することとした。**

B（認められない） 完成工事未収入金を早期に受取り代金の一部を免除した場合，売上割引とし営業外費用として処理します。

2．**棚卸資産を購入した。購入に係る引取運賃，購入手数料は，購入代価と比べて金額が僅少であるので，その全額を当期の費用として計上することとした。**

A（認められる） 棚卸資産の取得価額には，これを消費し又は販売の用に供するために直接要した全ての費用の額が含まれますが，費用の額の合計額が購入代価に比べて少額である場合には，その取得価額に算入しないことができます。

3．**当期の完成工事高に対して，過去の実績率に基づき完成工事補償引当金を計上することとした。**

A（認められる） 完成工事補償引当金とは建設業において契約により工事の引渡後に無償で補修を行う場合の支出に備えて設定される引当金です。当期の完成工事高に対して，過去の補修の実積率に基づき計上します。

4．**既存の商品について広告宣伝活動を行った。当該活動に係る費用は，来期の売上高に貢献すると認められるので，繰延資産として貸借対照表に計上することとした。**

B（認められない） 繰延資産としての計上が認められるのは，①株式交付費，②社債発行費等（新株予約権の発行に係る費用を含む。），③創立費，④開業費，⑤開発費の５項目に限られており，広告宣伝費については，繰延資産として計上することはできません。

（繰延資産の会計処理に関する当面の取扱い　2　(2)）

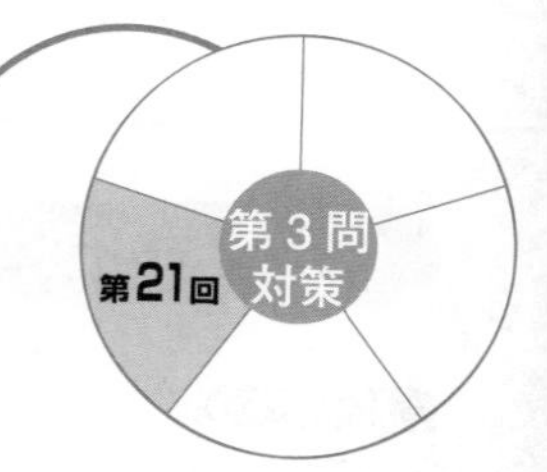

5．**自己株式を取得した。取得にかかった付随費用を自己株式の取得原価に算入した。**

B（認められない） 自己株式の取得，処分及び消却に関する付随費用は，損益計算書の営業外費用に計上します。

（自己株式及び準備金の額の減少等に関する会計基準　14）

6．**投機目的でオプション契約を行った。この取引に係るキャッシュ・フローを，キャッシュ・フロー計算書の投資活動によるキャッシュ・フローの区分に記載することとした。**

A（認められる） 投機目的でオプション契約を締結するなど特定のリスクを減殺する目的以外に利用されている場合，短期的な売買差益の獲得を目的としているものと考えられるので，このオプション契約に係るキャッシュ・フローは，「投資活動によるキャッシュ・フロー」の区分に記載します。

（連結財務諸表等におけるキャッシュ・フロー計算書の作成に関する実務指針　35）

7．**会計基準の改正により財務諸表の表示方法に変更が生じたので，表示する過去の財務諸表について，修正再表示することとした。**

B（認められない） 財務諸表の表示方法を変更した場合には，原則として表示する過去の財務諸表について，新たな表示方法に従い財務諸表の組替えを行います。

（会計方針の開示，会計上の変更及び誤謬の訂正に関する会計基準　14）

8．**将来減算一時差異に対して繰延税金資産を計上することとし，当期の税率に基づいて繰延税金資産の金額を計算した。**

B（認められない） 将来減算一時差異に対する繰延税金資産の金額は，回収が行われると見込まれる期の税率に基づいて計算します。

（税効果会計に係る会計基準　第二　二　2）

テキスト参照ページ
⇒ P. 1-42、1-62、1-99
P. 1-87、1-117、1-128
P. 1-25、1-179

第22回出題

解答

記号（AまたはB）

1	2	3	4	5	6	7	8
B	A	B	A	A	B	B	B
☆	☆	☆	☆	☆	☆	☆	☆

予想採点基準
☆…２点×８＝16点

解説

正誤問題

1．**キャッシュ・フロー計算書が対象とする資金の範囲は，現金および現金同等物である。ここで，現金とは，手許現金および要求払預金をいう。一方，現金同等物とは，①容易に換金可能であり，②価値の変動について僅少なリスクしか負わない短期投資をいう。現金同等物は，これら２つの要件のうちいずれかを満たせばよい。**

B（誤っている）現金同等物は，①容易に換金可能であり，かつ，②価値の変動について僅少なリスクしか負わない短期投資をいいます。したがって，これら２つの要件のいずれも満たす必要があります。

（連結キャッシュ・フロー計算書等の作成基準の設定に関する意見書　三　２　(1)）

2．**建設業を営む企業にとっては，請負代金の回収は営業活動による収入である。したがって，これは「営業活動によるキャッシュ・フロー」の区分に記載する。**

A（正しい）建設業を営む企業にとっては，工事の請負が本業となるため，請負代金の回収は営業活動による収入となります。したがって，「営業活動によるキャッシュ・フロー」の区分に記載します。

3．**「財務活動によるキャッシュ・フロー」とは，資金の調達および運用によるキャッシュ・フローをいい，株式の発行による収入，社債の発行および借入れによる収入，現金同等物に含まれない短期投資の取得および売却等によるキャッシュ・フロー等をいう。**

B（誤っている）「財務活動によるキャッシュ・フロー」の区分には，株式の発行による収入，社債の発行および借入れによる収入等を記載します。現金同等物に含まれない短期投資の取得および売却等によるキャッシュ・フローは「投資活動によるキャッシュ・フロー」の区分に記載します。

（連結キャッシュ・フロー計算書等の作成基準の設定に関する意見書　三　３　(3)，(4)）

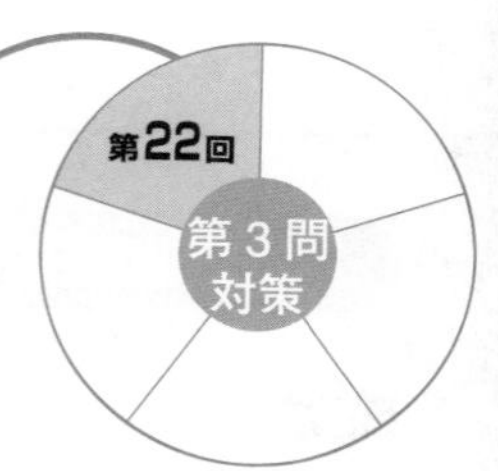

4．**当座借越契約にもとづき，当座借越限度枠を日常の資金管理活動において企業が保有する現金および現金同等物と同様に利用している場合であって，期末に当座借越残高があり，これが，貸借対照表上，短期借入金に含めて計上されているときには，現金および現金同等物の期末残高に関して，貸借対照表とキャッシュ・フロー計算書との間で不一致が発生する。**

A（正しい） 企業は金融機関と当座借越契約を結ぶことにより，当座預金残高を超えて小切手を振り出すことができます。期末に当座借越残高がある場合，貸借対照表上，通常，借越分を金融機関からの一時的な借入れと考え，短期借入金に振り替えます。

一方，キャッシュ・フロー計算書上は，当座借越が明らかに資金調達活動と考えられる場合には，「財務活動によるキャッシュ・フロー」の区分に記載し，当座借越が現金同等物とほとんど同様に利用されている場合には，現金同等物のマイナスとして扱います。

そのため，後者の場合には，貸借対照表上は，現金及び預金のマイナスとならずに短期借入金となる一方，キャッシュ・フロー計算書上は，現金および現金同等物のマイナスとなるため，両者で不一致が生じます。

（連結財務諸表等におけるキャッシュ・フロー計算書の作成に関する実務指針　29）

5．**社債元本の減少を伴う新株予約権付社債の転換，ファイナンス・リースによる資産の取得等，重要な非資金取引については，当期のキャッシュ・フローには影響を与えないものの翌会計期間以降のキャッシュ・フローに重要な影響を与えるため，キャッシュ・フロー計算書に注記しなければならない。**

A（正しい） 上記のほかにも，株式の発行による資産の取得又は合併，現物出資による株式の取得又は資産の交換が生じた場合についても重要な非資金取引としてキャッシュ・フロー計算書の注記の対象となります。

（連結キャッシュ・フロー計算書等の作成基準注解　注9）

6．**個々のキャッシュ・フローをいずれの活動区分で表示するかについては，そのキャッシュ・フローの発生原因が営業・投資・財務のどの活動にあるかによって判定しなければならない。したがって，機械を割賦取引により取得した場合における割賦代金の支払によるキャッシュ・フローは，その発生原因が機械という固定資産の取得にあるので，「投資活動によるキャッシュ・フロー」の区分に記載する。**

B（誤っている） 個々のキャッシュ・フローをいずれの活動区分で表示するかについては，そのキャッシュ・フローの取引が営業・投資・財務のいずれの性格をより強く有するかによって判定します。機械を割賦取引により取得した場合における割賦代金の支払いによるキャッシュ・フローは，ファイナンスとしての性格が強いと考えられることから原則として，「財務活動によるキャッシュ・フロー」の区分に記載します。

（連結財務諸表等におけるキャッシュ・フロー計算書の作成に関する実務指針　6，33）

7．**「営業活動によるキャッシュ・フロー」の表示方法として，主要な取引ごとにキャッシュ・フローを総額で表示する方法（直接法）を採用した場合，外注先への原材料等の有償支給に係る債権と加工品の仕入に係る債務とを相殺し，差額のみを決済するような取引であっても，当該取引に関する債権・債務を総額で表示しなければならない。**

B（誤っている）外注先への原材料等の有償支給に係る債権と加工品の仕入に係る債務とを相殺し，差額のみを決済するような取引の場合，キャッシュ・フロー計算書上は，当該差額部分のキャッシュ・フローを記載します。
（連結財務諸表等におけるキャッシュ・フロー計算書の作成に関する実務指針　41）

8．**売買処理した借手側のファイナンス・リース取引に係るキャッシュ・フローは，その支払リース料が一般に営業損益計算に含まれると考えられることから，原則として「営業活動によるキャッシュ・フロー」の区分に記載する。**

B（誤っている）通常の売買取引に係る方法に準じて会計処理された借手側のファイナンス・リース取引に係る支払リース料のうち，元本返済部分は，当該リースが資金調達活動の一環として利用されているものと認められることから，「財務活動によるキャッシュ・フロー」の区分に記載し，利息相当額部分については，企業が採用した支払利息の表示区分に従って記載します。
（連結財務諸表等におけるキャッシュ・フロー計算書の作成に関する実務指針　34）

テキスト参照ページ
⇒　P. 1-128

第16回出題

解答

問１　3000　千円　☆☆★

問２　3300　千円　☆☆★

問３　300　千円　記号（ＡまたはＢ）Ａ　☆☆

※問３は記号もあわせて正解で４点。

予想採点基準
☆…２点×６＝12点
★…１点×２＝２点

解説

本問では，支配獲得日である平成×年４月１日の処理を行えば，問１～問３に解答することができます。

１．個別財務諸表の修正

支配獲得日において子会社（Ｂ社）の資産及び負債を時価評価[*1)]します。

(借) 諸資産	3,000	(貸) 評価差額	3,000

評価差額：時価 15,000千円－簿価 12,000千円＝3,000千円……問１の解答

２．投資と資本の相殺消去

上記１．における評価差額も子会社（Ｂ社）の資本として，投資と資本の相殺消去の対象となります。

(借)		(貸)	
資本金	6,000	Ｂ社株式	8,000
利益剰余金	2,000	非支配株主持分	3,300
評価差額	3,000		
のれん	300		

子会社（Ｂ社）の資本：資本金 6,000千円＋利益剰余金 2,000千円＋評価差額 3,000千円＝11,000千円

非支配株主持分：11,000千円×（100％－70％）＝3,300千円……問２の解答

のれん：8,000千円－11,000千円×70％（親会社持分）＝300千円（借方）………問３の解答

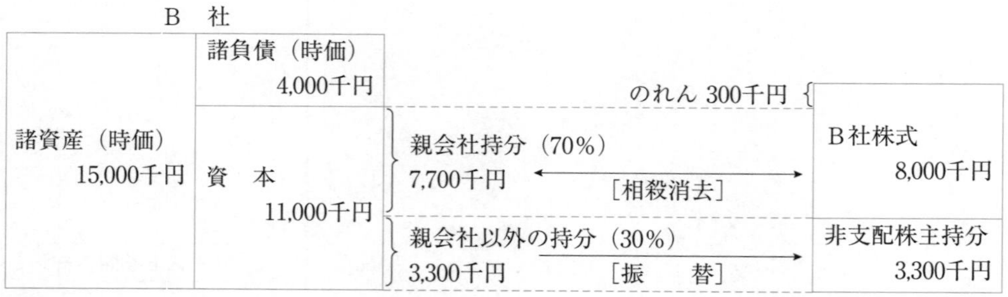

Ｂ社

諸資産（時価）15,000千円	諸負債（時価）4,000千円			
			のれん 300千円	Ｂ社株式 8,000千円
	資本 11,000千円	親会社持分（70％）7,700千円	←［相殺消去］→	
		親会社以外の持分（30％）3,300千円	［振替］→	非支配株主持分 3,300千円

ここに注意

*1）税効果会計に関する資料は与えられていないため，考慮する必要はない。

テキスト参照ページ
⇒ P. 1-158

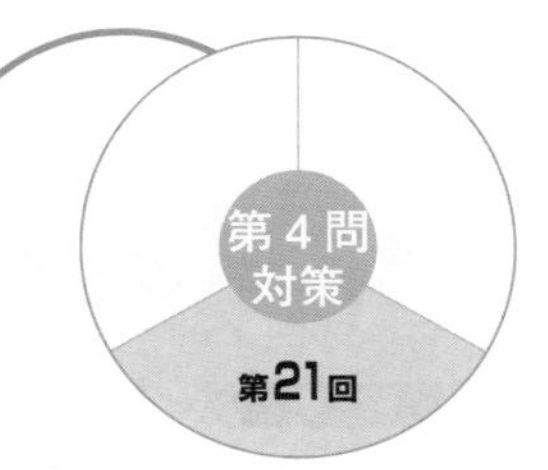

第21回出題

解答

問１	★	¥ 942322
問２	☆	¥ 18846
問３	☆	¥ 4314107

予想採点基準
☆…５ 点 × ２ ＝ 10 点
★…４ 点 × １ ＝ ４ 点

解説

１．資産除去債務

「資産除去債務」とは，有形固定資産の取得，建設，開発，または通常の使用によって生じ，その有形固定資産の除去に関して法令又は契約で要求される法律上の義務及びそれに準ずるものをいいます。

２．設備取得時点で計上される資産除去債務の額（問１）

有形固定資産の除去に要する割引前の将来キャッシュ・フローを見積り，割引後の金額で算定します。

$$1{,}000{,}000\text{円}\times\frac{1}{(1.02)^3}=942{,}322.33\cdots\rightarrow 942{,}322\text{円（円未満切捨て）}$$

（1,000,000円：割引前将来キャッシュ・フロー，(1.02)：割引率）

（借）	設　備	12,942,322	（貸）	現金預金	12,000,000
				資産除去債務	942,322

３．時の経過による資産除去債務の調整額（問２）

期首の資産除去債務の帳簿価額に負債計上時の割引率を乗じて算定します。

942,322円×２％＝18,846.44→18,846円（円未満切捨て）

（借）	利息費用	18,846	（貸）	資産除去債務	18,846

４．設備の減価償却費（問３）

資産除去債務を負債として計上した時に，負債の計上額と同額を，有形固定資産の帳簿価額に加えているため，その帳簿価額を耐用年数にわたり償却します。

12,942,322円÷３年＝4,314,107.33…→4,314,107円（円未満切捨て）

（借）	減価償却費	4,314,107	（貸）	設備減価償却累計額	4,314,107

テキスト参照ページ
⇒ P. 1-211

第22回出題

解答

記号（ア～チ）も必ず記入のこと

		借方			貸方			
		記号	勘定科目	金額	記号	勘定科目	金額	
問1	ＪＶ	イ	当座預金	4000000	キ	未成工事受入金	4000000	☆
	Ｂ社	コ	ＪＶ出資金	1200000	キ	未成工事受入金	1200000	☆
問2	ＪＶ	ク	未成工事支出金	10000000	セ	工事未払金	10000000	☆
	Ａ社	ク	未成工事支出金	7000000	セ	工事未払金	7000000	☆
問3	ＪＶ	イ	当座預金	6000000	サ	Ａ社出資金	4200000	☆
					シ	Ｂ社出資金	1800000	
	Ａ社	コ	ＪＶ出資金	4200000	ア	現金	4200000	☆
問4	ＪＶ	セ	工事未払金	10000000	イ	当座預金	10000000	
	Ｂ社	セ	工事未払金	3000000	コ	ＪＶ出資金	3000000	☆

予想採点基準

☆…２点×７＝14点

解説

(1) 発注者からの前受金の受取り

前受金を受け取ったときはまず，ＪＶ（共同事業体）の取引として処理をします。構成員への分配をしない場合には，構成員は発注者から前受金を受取りＪＶに出資したと考え，ＪＶ出資金勘定を用いて処理します。

ＪＶの仕訳

(借) 当座預金	4,000,000	(貸) 未成工事受入金	4,000,000

Ａ社の仕訳

(借) ＪＶ出資金	2,800,000 ※1	(貸) 未成工事受入金	2,800,000

Ｂ社の仕訳

(借) ＪＶ出資金	1,200,000 ※2	(貸) 未成工事受入金	1,200,000

※1　4,000,000円×70％＝2,800,000円
※2　4,000,000円×30％＝1,200,000円

(2) 請負工事による原価の発生

請負工事による原価が発生した場合には，ＪＶで未成工事支出金勘定，工事未払金勘定で処理します。また，同時に構成員に出資の請求をします。各構成員はこの請求により，出資割合に応じた額を未成工事支出金勘定と工事未払金勘定で処理します。

ＪＶの仕訳

（借）	未成工事支出金	10,000,000	（貸）工事未払金	10,000,000

Ａ社の仕訳

（借）	未成工事支出金	7,000,000 ※1	（貸）工事未払金	7,000,000

Ｂ社の仕訳

（借）	未成工事支出金	3,000,000 ※2	（貸）工事未払金	3,000,000

※１　10,000,000円×70％＝7,000,000円
※２　10,000,000円×30％＝3,000,000円

(3)　各構成員による出資

工事原価10,000,000円と前受金4,000,000円の差額6,000,000円につき，各構成員が出資します。ＪＶは，各構成員からの出資金につき，○○出資金勘定で処理します。各構成員はＪＶ出資金勘定で処理します。

ＪＶの仕訳

（借）	当座預金	6,000,000	（貸）Ａ社出資金	4,200,000 ※1
			Ｂ社出資金	1,800,000 ※2

※１　6,000,000円×70％＝4,200,000円
※２　6,000,000円×30％＝1,800,000円

Ａ社の仕訳

（借）	ＪＶ出資金	4,200,000	（貸）現金	4,200,000

Ｂ社の仕訳

（借）	ＪＶ出資金	1,800,000	（貸）現金	1,800,000

(4)　工事原価の支払い

ＪＶが工事原価を支払いを行った時に，工事未払金を減少させます。各構成員は工事未払金を減少させ，相手勘定はＪＶ出資金を用います。

ＪＶの仕訳

（借）	工事未払金	10,000,000	（貸）当座預金	10,000,000

Ａ社の仕訳

（借）	工事未払金	7,000,000 ※1	（貸）ＪＶ出資金	7,000,000

※１　10,000,000円×70％＝7,000,000円

Ｂ社の仕訳

（借）	工事未払金	3,000,000 ※2	（貸）ＪＶ出資金	3,000,000

※２　10,000,000円×30％＝3,000,000円

テキスト参照ページ
⇒　P. 1-147

第１５回出題

解 答

精　算　表

（単位：千円）

勘定科目	残高試算表		整理記入		損益計算書		貸借対照表	
	借方	貸方	借方	貸方	借方	貸方	借方	貸方
現金預金	5000						5000	
受取手形	20000						20000	
買建オプション	100			20			80	
貸付金	800						800	
貸倒引当金		1200		1600				☆ 2800
未成工事支出金	233980		6000 120 900	136000			☆105000	
機械装置	36000						36000	
土地	40000						40000	
有価証券	1000		200				1200	
その他の諸資産	5680						5680	
工事未払金		12500						12500
未成工事受入金		84000	84000					※ 0
完成工事補償引当金		120		900				☆ 1020
借入金		7500						7500
退職給付引当金		4500		120 1030				☆ 5650
その他の諸負債		3490						3490
資本金		205000						205000
資本準備金		12000						12000
利益準備金		10000						10000
繰越利益剰余金		12000						12000
受取利息		60				60		
その他の収益		700				700		
販売費及び一般管理費	9340		1030		10370			
その他の諸費用	1170				1170			
	353070	353070						
機械装置減価償却累計額				6000				☆ 6000
オプション評価損益			20		☆ 20			
貸倒引当金繰入額			1600		1600			
工事損失引当金繰入額			10000		☆ 10000			
工事損失引当金				10000				10000
その他有価証券評価差額金				120				☆ 120
繰延税金資産			240				☆ 240	
繰延税金負債				80				80
完成工事未収入金			120000				120000	
完成工事高				204000		☆204000		
完成工事原価			136000		136000			
未払法人税等				18480				18480
法人税等			18480		☆ 18480			
法人税等調整額				240		240		
			378590	378590	177640	205000	334000	306640
当期（純利益）					☆ 27360			27360
					205000	205000	334000	334000

※　0の記入は省略しても可。

予想採点基準

☆… 3 点× 12 = 36 点

解説 （仕訳単位：千円）

(1) **減価償却**

総合償却を行うため，減価償却費は加重平均耐用年数を用いて計算します。

① 加重平均耐用年数の計算

加重平均耐用年数は，減価償却総額を１年間の償却額で割って計算します。

	取得原価	残存価額	耐用年数	総　額	１　年
機械装置Ａ	20,000千円	０千円	５年	20,000千円	4,000千円
機械装置Ｂ	16,000千円	０千円	８年	16,000千円	2,000千円
				36,000千円	6,000千円

加重平均耐用年数：36,000千円÷6,000千円＝６年

② 減価償却費の計算

（借）	未成工事支出金	6,000	（貸）機械装置減価償却累計額	6,000

36,000千円÷６年（加重平均耐用年数）＝6,000千円

(2) **オプション**

オプション（デリバティブ）は決算時に時価評価し，評価差額は当期の損益として処理します。

（借）	オプション評価損益	20	（貸）買建オプション	20

80千円（時価）－100千円（簿価）＝△20千円（評価差損）

(3) **その他有価証券の時価評価**

（借）	有価証券	200	（貸）繰延税金負債	80
			その他有価証券評価差額金	120

評価差額：1,200千円（時価）－1,000千円（簿価）＝200千円（評価差益）

繰延税金負債：200千円×40％＝80千円

その他有価証券評価差額金：200千円－80千円＝△120千円

(4) **退職給付引当金（退職給付費用の計上）**

現場作業員に係る退職給付費用は予定額で計上されていますので，決算においては，予定計上額と実際発生額との差額を調整します。

予定計上額：140千円（月額）×12カ月＝1,680千円

予定計上額と実際発生額との差額：1,680千円（予定）－1,800千円（実際）＝120千円[*1)]

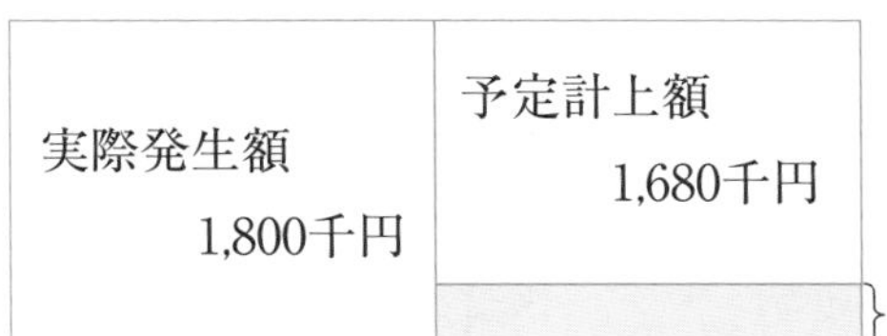

ここに！注意

＊1）本問では，予定計上額＜実際発生額であるため，差額を追加計上します。

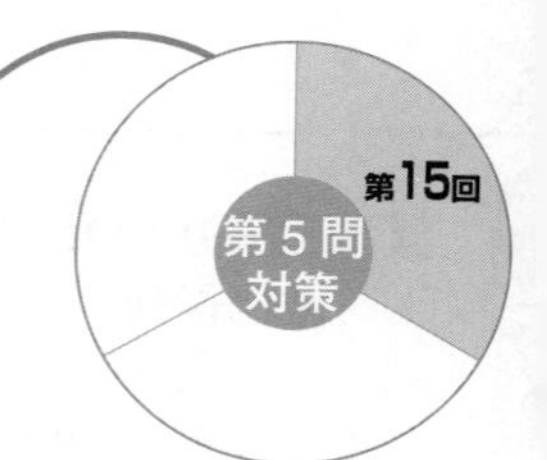

(借) 未成工事支出金	120	(貸) 退職給付引当金	120
(借) 販売費及び一般管理費	1,030	(貸) 退職給付引当金	1,030

(5) 完成工事高と完成工事原価の算定・計上

工事A

① 第１期（前期）の処理

$$\text{工事収益}：600{,}000\text{千円}\times\frac{144{,}000\text{千円（発生工事原価）}}{400{,}000\text{千円（工事原価総額）}}=216{,}000\text{千円}$$

(借) 未成工事受入金*2)	216,000	(貸) 完成工事高	216,000

未成工事受入金前期末残高：300,000千円－216,000千円＝84,000千円

② 第２期（当期）の処理

$$\text{工事収益}：\text{工事収益総額}\times\frac{\text{発生工事原価の累計額}}{\text{変更後の工事原価総額}}-\text{前期までの工事収益累計額}$$

$$600{,}000\text{千円}\times\frac{144{,}000\text{千円}+136{,}000\text{千円}}{400{,}000\text{千円}}-216{,}000\text{千円}=204{,}000\text{千円}$$

(借) 未成工事受入金*3)	84,000	(貸) 完成工事高	204,000
完成工事未収入金*3)	120,000		

完成工事未収入金：204,000千円（完成工事高）－84,000千円（未成工事受入金）＝120,000千円

工事原価当期発生額136,000千円を未成工事支出金勘定から完成工事原価勘定に振り替えます。

(借) 完成工事原価	136,000	(貸) 未成工事支出金	136,000

工事B

① 当期工事原価の計上

工事原価当期発生額105,000千円を未成工事支出金に計上します（処理済み）。

(借) 未成工事支出金	105,000	(貸) 現金預金等	105,000

② 工事損失引当金の計上

工事原価総額を当期末に見積もり直したところ当初の150,000千円から210,000千円に増加しているため，工事収益総額200,000千円から変更後の工事原価総額210,000千円を控除すると，工事全体で10,000千円損失となることがわかります。工事Ｂは工事完成基準を適用するため，すでに計上された損失は０千円なので，工事全体の損失10,000千円を工事損失引当金に計上します。

(借) 工事損失引当金繰入額	10,000	(貸) 工事損失引当金	10,000

工事全体の損失：200,000千円（工事収益総額）－210,000千円（変更後工事原価総額）＝△10,000千円

ここに注意

*2) 着手前に前受金として300,000千円を受領しているので，完成工事高として計上した216,000千円に充当する。

*3) 未成工事受入金残高84,000千円を充当し，残額120,000千円は完成工事未収入金とする。

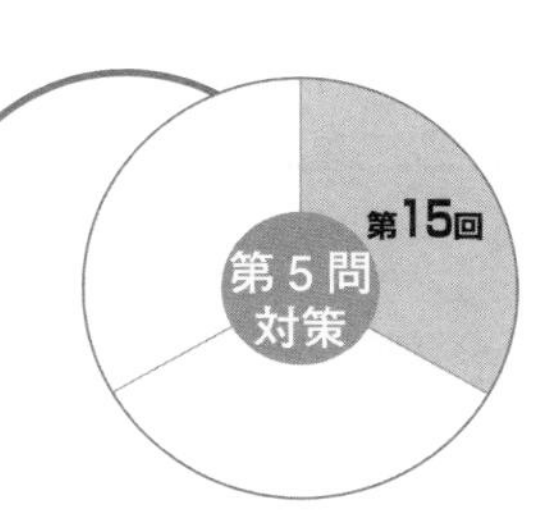

すでに計上された損失：０千円

工事損失引当金：10,000千円－０千円＝10,000千円

なお，問題文の指示により，工事損失引当金繰入額は完成工事原価に振り替えません。

また，工事Ａの工事原価当期発生額については，次のように検証することもできます。

233,980千円（前T/B完成工事支出金）＋6,000千円（減価償却費）＋120千円（退職給付費用）＋900千円※（完成工事補償引当金繰入額）－105,000千円（工事Ｂ工事原価当期発生額）＝136,000千円

※　下記(7)を参照。

(6)　貸倒引当金の設定と税効果会計の適用

(借) 貸倒引当金繰入額	1,600	(貸) 貸倒引当金	1,600

引当金設定額：（20,000千円（前T/B受取手形）＋120,000千円（完成工事未収入金））×２％＝2,800千円

引当金繰入額：2,800千円－1,200千円＝1,600千円

(借) 繰延税金資産	240	(貸) 法人税等調整額	240

一時差異600千円＊4)×40％＝240千円

(7)　完成工事補償引当金の設定

(借) 未成工事支出金	900	(貸) 完成工事補償引当金	900

引当金設定額：204,000千円（完成工事高）×0.5％＝1,020千円

引当金繰入額：1,020千円－120千円（前T/B完成工事補償引当金）＝900千円

(8)　法人税等と未払法人税等の計上

収益総額：204,000千円（完成工事高）＋60千円（受取利息）＋700千円（その他の収益）＝204,760千円

費用総額：136,000千円（完成工事原価）＋10,370千円（販売費及び一般管理費）＋1,170千円（その他の諸費用）＋20千円（オプション評価損益）＋1,600千円（貸倒引当金繰入額）＋10,000千円（工事損失引当金繰入額）＝159,160千円

税引前当期純利益：204,760千円－159,160千円＝45,600千円

ここで，法人税等の計上にあたり，決算整理事項等(9)の指示に従い，税効果会計を考慮します。考え方および算定手順は次のとおりです。

ここに！注意

＊4）損金不算入額
　　＝将来減算一時差異

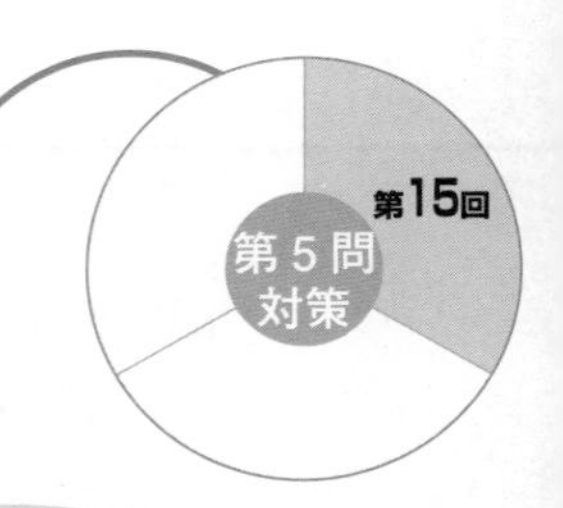

：		：
税引前当期純利益		45,600
法　人　税　等	18,480※2	×40%（期間的に対応）
法人税等調整額	△240	18,240※1
当　期　純　利　益		27,360※3

※１　会計上の法人税等：45,600千円（税引前当期純利益）×40%＝18,240千円*5)

※２　実際に計上される法人税等は，次のように逆算で求めます。
18,240千円（会計上の法人税等）＋240千円（法人税等調整額）＝18,480千円

（借）法　人　税　等	18,480	（貸）未 払 法 人 税 等	18,480

※３　当期純利益：45,600千円－18,240千円＝27,360千円*6)

ここに！注意

＊5)　税効果会計考慮後における会計上の法人税等の金額は，理論上は，税引前当期純利益の40％で期間的に対応することになる。

＊6)　当期純利益は，税効果会計考慮後の金額となっており，理論上は，45,600千円×（100％－40％）＝27,360千円と計算できる。

テキスト参照ページ
⇒　P. 1-79、1-199、1-181、1-100
1-37、1-103
1-178、1-99
1-180

コラム　心のふるさと

昔の人達はみんな『ふるさと』をもっていた。しかし、最近はこんなに素敵なものをもっている人は決して多くない。

私自身「ふるさとはどこですか」と聞かれると、確かに生まれ落ちたのは大阪の西成ではあるが、とてもそこをふるさととは呼べない。したがって、ふるさとのない人の一人になってしまう。

しかし、それは肉体の話である。そして、誰しも、心にもふるさとがある。

それは、その人の心の中に目盛がつき、自分なりの物差し（価値観）が出来た時代であり、またそのときを過ごした場所であり、一つ一つの風景や人や、言葉が心に焼きつけられている。

そしてその頃の自分は、何ものかに没頭して、夢中になって、必死になっていたはずである。そうでないと、自分なりの物差しなどできるはずはないのだから。

良いことがあったり、悪いことがあったり、人生の節目を迎えたりしたときに、ふと、心のふるさとに立ちかえり、そこに今でも住んでいる心の中の自分自身に話しかけたりする。

私の場合は、明らかに大学時代を過ごした京都の伏見・深草界隈である。吉野家でバイトをし、学費を作り、未来は見えず、それでも必死になって資格をとり、彼女と一緒に暮らし始めた、あの頃である。

この季節、京都の山々が紅く燃え立ち、人々の声がこだまする。

そして、やがて、やわらかな風花が舞い降りる。

私の心のふるさとにも…。

第 17 回出題

解答

精　算　表

（単位：千円）

勘定科目	残高試算表		整理記入		損益計算書		貸借対照表	
	借方	貸方	借方	貸方	借方	貸方	借方	貸方
現金預金	5500						5500	
受取手形	16000						16000	
貸付金	800						800	
貸倒引当金		1200		800				☆2000
未成工事支出金	131300		4100 700	100 136000			※0	
機械装置	20000						20000	
機械装置減価償却累計額		3600		4100				☆7700
土地	40000						40000	
投資有価証券	1000		200				1200	
その他の諸資産	7640						7640	
売建オプション		100	20					80
工事未払金		500						500
未成工事受入金		84000	84000					※0
完成工事補償引当金		140		700				☆840
借入金		7500						7500
退職給付引当金		4500	100	1130				☆5530
その他の諸負債		490						490
資本金		100000						100000
資本準備金		12000						12000
利益準備金		10000						10000
繰越利益剰余金		8000						8000
受取利息		60				60		
その他の収益		700				700		
販売費及び一般管理費	9380		1130		10510			
その他の諸費用	1170				1170			
	232790	232790						
オプション評価損益				20		☆20		
貸倒引当金繰入額			800		800			
その他有価証券評価差額金				120				☆120
繰延税金資産			200				☆200	
繰延税金負債				80				80
完成工事未収入金			84000				☆84000	
完成工事高				168000		☆168000		
完成工事原価			136000		☆136000			
未払法人税等				8320				8320
法人税等			8320		☆8320			
法人税等調整額				200		200		
			319570	319570	156800	168980	175340	163160
当期（純利益）					☆12180			12180
					168980	168980	175340	175340

※　0の記入は省略しても可。

予想採点基準

☆…３点×12＝36点

解 説 （仕訳単位：千円）

(1) 減価償却

当期首において残存価額の見積りを変更しています。こうした場合，まず当期首時点の帳簿価額を算定し，これを変更後の残存価額に基づき当期以降の残存耐用年数にわたり費用配分します。

当期首時点の帳簿価額：20,000千円（取得原価）－3,600千円（前T／B機械装置減価償却累計額）*1) ＝16,400千円

（借）未成工事支出金	4,100	（貸）機械装置減価償却累計額	4,100

減価償却費：（16,400千円－０千円）÷（５年－１年）（残存耐用年数）＝4,100千円

(2) オプション

オプション（デリバティブ）は決算時に時価評価し，評価差額は当期の損益として処理します。なお，売り建て（100千円で売り注文）のため，時価が下がることにより利益が生じることに注意してください。

（借）売建オプション	20	（貸）オプション評価損益	20

100千円（簿価）－80千円（時価）＝20千円

(3) その他有価証券の時価評価

（借）投資有価証券	200	（貸）繰延税金負債	80
		その他有価証券評価差額金	120

評価差額：1,200千円（時価）－1,000千円（簿価）＝200千円（評価差益）

繰延税金負債：200千円×40％＝80千円

その他有価証券評価差額金：200千円－80千円＝120千円

(4) 退職給付引当金（退職給付費用の計上）

現場作業員に係る退職給付費用は予定額で計上されていますので，決算においては，予定計上額と実際発生額との差額を調整します。

予定計上額：150千円（月額）×12カ月＝1,800千円

予定計上額と実際発生額との差額：1,800千円（予定）－1,700千円（実際）＝100千円*2)

実際発生額	予定計上額
1,700千円	1,800千円
調整額 100千円	

（借）退職給付引当金	100	（貸）未成工事支出金	100
（借）販売費及び一般管理費	1,130	（貸）退職給付引当金	1,130

ここに！注意

＊1）減価償却累計額の検証：（20,000千円－2,000千円）÷５年＝3,600千円
なお，特に指示がない限り，過年度の処理は適正とみなしてよい。

＊2）本問では，予定計上額 ＞ 実際発生額であるため，差額を減額調整する。

(5) 完成工事高と完成工事原価の算定・計上

① 第１期（前期）の処理

工事収益：600,000千円 × $\frac{144,000千円（発生工事原価）}{400,000千円（工事原価総額）}$ = 216,000千円

(借) 未成工事受入金*3)	216,000	(貸) 完成工事高	216,000

未成工事受入金前期末残高：300,000千円 − 216,000千円 = 84,000千円

② 第２期（当期）の処理

工事収益：工事収益総額 × $\frac{発生工事原価の累計額}{変更後の工事原価総額}$ − 前期までの工事収益累計額

600,000千円 × $\frac{144,000千円 + 136,000千円}{437,500千円}$ − 216,000千円 = 168,000千円

(借) 未成工事受入金*4)	84,000	(貸) 完成工事高	168,000
完成工事未収入金*4)	84,000		

完成工事未収入金：164,000千円（完成工事高） − 84,000千円（未成工事受入金） = 84,000千円

工事原価当期発生額 136,000千円を未成工事支出金勘定から完成工事原価勘定に振替えます。

(借) 完成工事原価	136,000	(貸) 未成工事支出金	136,000

なお，この工事原価当期発生額については，次のように検証することもできます。

131,300千円（前Ｔ／Ｂ未成工事支出金） + 4,100千円（減価償却費） − 100千円（退職給付費用） + 700千円※（完成工事補償引当金繰入額） = 136,000千円

※ 下記(7)を参照。

(6) 貸倒引当金の設定と税効果会計の適用

(借) 貸倒引当金繰入額	800	(貸) 貸倒引当金	800

引当金設定額：（16,000千円（前Ｔ/Ｂ受取手形） + 84,000千円（完成工事未収入金）） × 2％ = 2,000千円

引当金繰入額：2,000千円 − 1,200千円 = 800千円

(借) 繰延税金資産	200	(貸) 法人税等調整額	200

一時差異500千円*5) × 40％ = 200千円

(7) 完成工事補償引当金の設定

(借) 未成工事支出金	700	(貸) 完成工事補償引当金	700

引当金設定額：168,000千円（完成工事高） × 0.5％ = 840千円

引当金繰入額：840千円 − 140千円（前Ｔ／Ｂ完成工事補償引当金） = 700千円

ここに！注意

*3) 着手前に前受金として300,000千円を受領しているので，完成工事高として計上した216,000千円に充当する。

*4) 未成工事受入金残高84,000千円を充当し，残額84,000千円は完成工事未収入金とする。

*5) 損金不算入額
＝将来減算一時差異

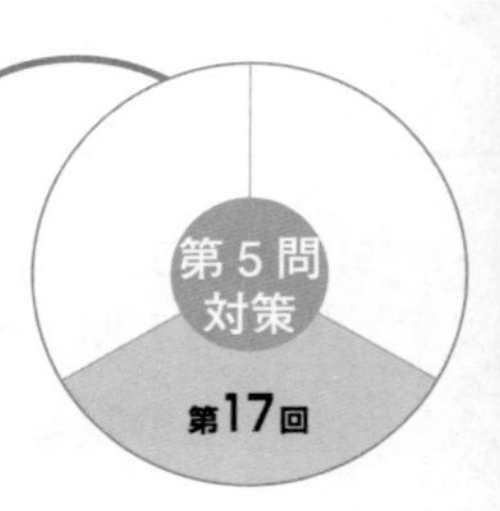

(8) 法人税等と未払法人税等の計上

収益総額：168,000千円（完成工事高）＋60千円（受取利息）＋700千円（その他の収益）＋20千円（オプション評価損益）＝168,780千円

費用総額：136,000千円（完成工事原価）＋10,510千円（販売費及び一般管理費）＋1,170千円（その他の諸費用）＋800千円（貸倒引当金繰入額）＝148,480千円

税引前当期純利益：168,780千円－148,480千円＝20,300千円

ここで，法人税等の計上にあたり，決算整理事項等(9)の指示に従い，税効果会計を考慮します。考え方及び算定手順は次のとおりです。

	:	:
税引前当期純利益		20,300
法人税等	8,320※2	
法人税等調整額	△200	8,120※1
当期純利益		12,180※3

×40%（期間的に対応）

※１　会計上の法人税等：20,300千円（税引前当期純利益）×40%＝8,120千円＊6)

※２　実際に計上される法人税等は，次のように逆算で求めます。
8,120千円（会計上の法人税等）＋200千円（法人税等調整額）＝8,320千円

(借) 法人税等	8,320	(貸) 未払法人税等	8,320

※３　当期純利益：20,300千円－8,120千円＝12,180千円＊7)

ここに！注意

＊6) 税効果会計考慮後における会計上の法人税等の金額は，理論上は，税引前当期純利益の40%で期間的に対応することになる。

＊7) 当期純利益は，税効果会計考慮後の金額となっており，理論上は，
20,300千円×（100%－40%）
＝12,180千円
と計算できる。

テキスト参照ページ
⇒ P. 1-80、1-199、1-181、1-100、1-37、1-178、1-99、1-180

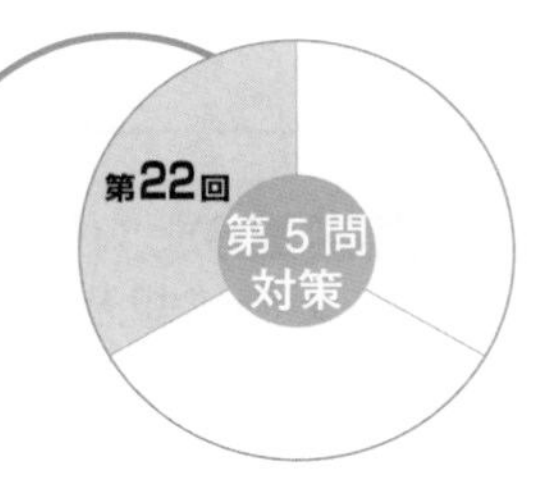

第 22 回出題

解 答

（単位：千円）

勘定科目	残高試算表		整理記入		損益計算書		貸借対照表	
	借 方	貸 方	借 方	貸 方	借 方	貸 方	借 方	貸 方
現金預金	11000						11000	
受取手形	20000						20000	
貸倒引当金		1100		2100				3200
未成工事支出金	184050		3750 100 1100	189000			0	
機械装置	30000			2200			☆ 27800	
機械装置減価償却累計額		3750		3750				7500
土地	15000						15000	
投資有価証券	2000		500				2500	
その他の諸資産	16295						16295	
工事未払金		12300						12300
未成工事受入金		105000	105000					0
完成工事補償引当金		125		1100				☆ 1225
借入金		5000	50					4950
退職給付引当金		3500		900				☆ 4400
その他の諸負債		13640						13640
資本金		120000						120000
資本準備金		13000						13000
利益準備金		12000						12000
繰越利益剰余金		5600						5600
雑収入		3180				3180		
販売費及び一般管理費	18100		800		18900			
その他の諸費用	1750				1750			
	298195	298195						
機械装置減損損失			2200		2200			
貸倒引当金繰入額			2100		☆ 2100			
その他有価証券評価差額金				300				☆ 300
繰延税金資産			400				☆ 400	
繰延税金負債				200				200
為替差損益				50		☆ 50		
完成工事未収入金			140000				☆ 140000	
完成工事高				245000		☆ 245000		
完成工事原価			189000		☆ 189000			
未払法人税等				14112				☆ 14112
法人税，住民税及び事業税			14112		14112			
法人税等調整額				400		400		
			459112	459112	228062	248630	232995	212427
当期（純利益）					☆ 20568			20568
					248630	248630	232995	232995

※　0の記入は省略しても可。

予想採点基準
☆… 3 点× 12 ＝ 36 点

解　説　（仕訳単位：千円）

(1)　減価償却及び減損損失

まず，減価償却を行い，当期の減価償却後の帳簿価額（取得原価－減価償却累計額）にもとづき，減損損失を計算します。

①　減価償却

(借) 未成工事支出金	3,750	(貸) 機械装置減価償却累計額	3,750

減価償却費：30,000千円÷８年＝3,750千円

②　減損損失

イ　減損損失の認識

割引前将来キャッシュ・フローの総額が帳簿価額を下回る場合には，減損損失を認識します。

帳簿価額：30,000千円－（3,750千円＋3,750千円）＝22,500千円

22,500千円＞21,000千円（割引前将来C/F）　∴減損損失を認識する。

ロ　減損損失の測定

帳簿価額を回収可能価額まで減額し，減少額を減損損失として当期の損失とします。回収可能価額とは，正味売却価額と使用価値（割引後のキャッシュ・フローの総額）のいずれか高いほうの金額をいいます。

回収可能価額　20,300千円＞19,000千円　∴20,300千円

(借) 機械装置減損損失	2,200	(貸) 機械装置	2,200

減損損失：22,500千円－20,300千円＝2,200千円

(2)　その他有価証券の時価評価

(借) 投資有価証券	500	(貸) 繰延税金負債	200
		その他有価証券評価差額金	300

評価差額：2,500千円（時価）－2,000千円（簿価）＝500千円（評価差益）

繰延税金負債：500千円×40％＝200千円

その他有価証券評価差額金：500千円－200千円＝300千円

(3)　借入金の換算

外貨建金銭債権・債務は，期末に決算日レートで換算し，換算差額は為替差損益として処理します。

(借) 借入金	50	(貸) 為替差損益	50

1,200千円÷120円/ドル＝10千ドル

10千ドル×115円/ドル－1,200千円＝△50千円（負債の減少）

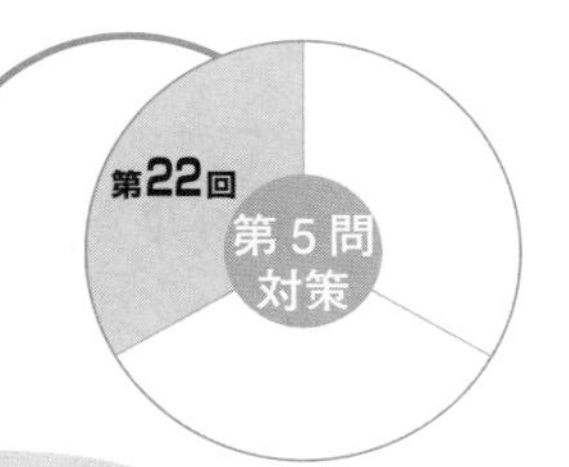

(4) 退職給付引当金（退職給付費用の計上）

予定計上額：100千円（月額）×12カ月＝1,200千円

予定計上額と実際発生額との差額：1,200千円（予定）－1,300千円（実際）＝△100千円[*1)]

実際発生額	予定計上額
1,300千円	1,200千円
	（追加計上 100千円）

(借)			(貸)	
未成工事支出金	100		退職給付引当金	900
販売費及び一般管理費	800			

(5) 完成工事高と完成工事原価の算定・計上等

① 第１期（前期）（処理済み）

工事収益：$700{,}000\text{千円} \times \dfrac{175{,}000\text{千円}}{500{,}000\text{千円}} = 245{,}000\text{千円}$

(借)		(貸)	
未成工事受入金[*2)]	245,000	完成工事高	245,000

② 第２期（当期）（未処理）

イ　工事収益

工事原価総額の見積りが変更された場合は，変更後の金額を用いて当期の工事収益を計算します。

工事収益：工事収益総額×$\dfrac{\text{発生工事原価の累計額}}{\text{変更後の工事原価総額}}$－前期までの工事収益累計額

工事収益：$700{,}000\text{千円} \times \dfrac{175{,}000\text{千円}+189{,}000\text{千円}}{520{,}000\text{千円}} - 245{,}000\text{千円} = 245{,}000\text{千円}$

(借)		(貸)	
未成工事受入金[*3)]	105,000	完成工事高	245,000
完成工事未収入金[*3)]	140,000		

完成工事未収入金：245,000千円（完成工事高）－105,000千円（未成工事受入金）＝140,000千円

ロ　完成工事原価

工事原価当期発生額189,000千円を未成工事出金勘定から完成工事原価勘定に振り替えます。

(借)		(貸)	
完成工事原価	189,000	未成工事支出金	189,000

(6) 貸倒引当金の設定

① 貸倒引当金

(借)		(貸)	
貸倒引当金繰入額	2,100	貸倒引当金	2,100

引当金設定額：（20,000千円（前T/B受取手形）＋140,000千円（完成工事未収入金））×２％＝3,200千円

引当金繰入額：3,200千円－1,100千円＝2,100千円

ここに！注意

＊1）本問では，予定計上額＜実際発生額であるため，差額を追加計上する。

＊2）着手前に前受金として350,000千円を受領しているので，完成工事高として計上した245,000千円に充当する。

＊3）未成工事受入金残高105,000千円を充当し，残額140,000千円は，完成工事未収入金とする。

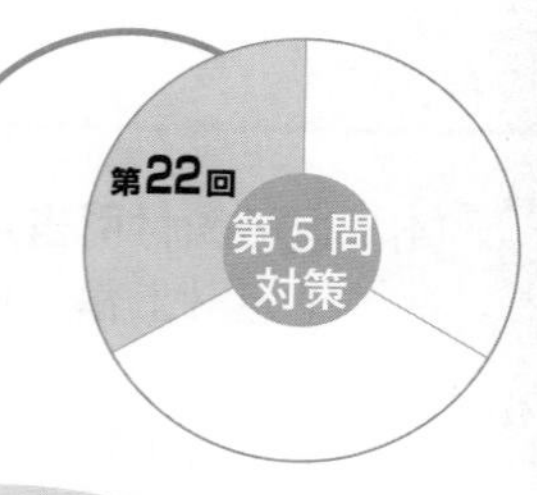

② 税効果会計

(借) 繰延税金資産	400	(貸) 法人税等調整額	400

一時差異1,000千円*4) × 40% = 400千円

(7) **完成工事補償引当金の設定**

(借) 未成工事支出金	1,100	(貸) 完成工事補償引当金	1,100

引当金設定額：245,000千円(完成工事高) × 0.5% = 1,225千円

引当金繰入額：1,225千円 − 125千円(前T/B完成工事補償引当金) = 1,100千円

(8) **法人税等と未払法人税等の計上**

収益総額：3,180千円(雑収入) + 50千円(為替差損益) + 245,000千円(完成工事高) = 248,230千円

費用総額：18,900千円(販売費及び一般管理費) + 1,750千円(その他の諸費用) + 2,200千円(機械装置減損損失) + 2,100千円(貸倒引当金繰入額) + 189,000千円(完成工事原価) = 213,950千円

税引前当期純利益：248,230千円 − 213,950千円 = 34,280千円

ここで，法人税等の計上にあたり，問題文の決算整理事項等(9)の指示に従い，税効果会計を考慮します。考え方及び算定手順は次のとおりです。

	:	:	
税引前当期純利益		34,280	
法人税，住民税及び事業税	14,112※2		×40%（期間的に対応）
法人税等調整額	△400	13,712※1	
当期純利益		20,568※3	

※１　会計上の法人税等：34,280千円(税引前当期純利益) × 40% = 13,712千円*5)

※２　実際に計上される法人税，住民税及び事業税は，次のように逆算で求めます。

13,712千円(会計上の法人税等) + 400千円(法人税等調整額) = 14,112千円

(借) 法人税，住民税及び事業税	14,112	(貸) 未払法人税等	14,112

※３　当期純利益：34,280千円 − 13,712千円 = 20,568千円*6)

ここに注意

*4) 損金不算入額＝将来減算一時差異

*5) 税効果会計考慮後における会計上の法人税等の金額は，理論上は，税引前当期純利益の40%で期間的に対応する。

*6) 当期純利益は，税効果会計考慮後の金額となっており，理論上は，34,280千円×(100%−40%)＝20,568千円　と計算できる。

テキスト参照ページ
⇒ 1-207，1-181，1-189，1-37，1-99，1-180

第 3 部　最新問題編

建設業経理士試験

第 32 回～第 35 回

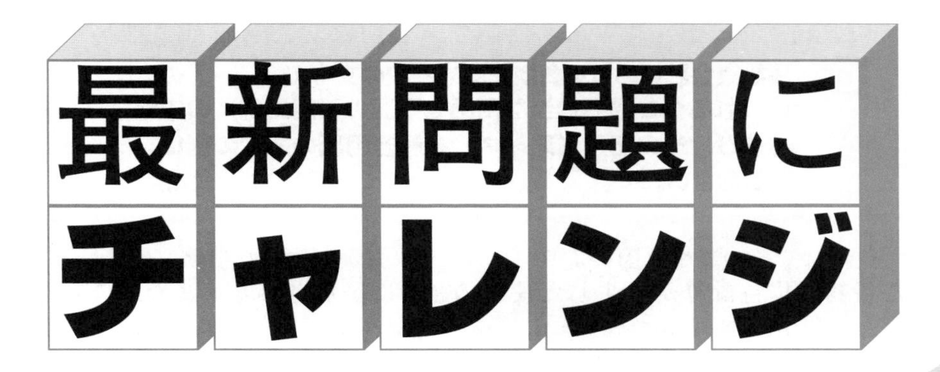

工事進行基準に関する以下の問に答えなさい。各問ともに指定した字数以内で記入すること。

〈標準時間〉20分

（20点）

問１　工事進行基準を説明するとともに，この基準の適用要件を答えなさい。（200字）

問２　総額請負契約，原価補償契約，単価精算契約それぞれについて，工事進行基準による工事収益額の測定方法を説明しなさい。（300字）

問１　工事完成基準と工事進行基準のどちらを適用するのかは，成果の確実性の有無がポイント。

問２　第５問で毎回のように出題される工事進行基準の計算は，工事代金（請負金額）の総額が既に確定している。

建設業会計における負債に関する次の文中の［　　］の中に入れるべき最も適当な用語を下記の〈用語群〉の中から選び，その記号（ア～ネ）を解答用紙の所定の欄に記入しなさい。

〈標準時間〉10分

（14点）

負債は，その発生原因により，［ 1 ］取引から生じた債務，［ 2 ］取引から生じた債務，損益計算から生じた債務の３つに区別される。また，これらの負債は，［ 3 ］支出を伴うか否かにより［ 3 ］債務と非［ 3 ］債務の２つに区別される。

［ 1 ］取引から生じた債務のうち［ 3 ］債務は，手形債務とその他の［ 3 ］債務とに分けられる。これらのうちその他の［ 3 ］債務には，①原料・資材などの購入，発注工事の引き渡しなどの生産活動に関連して発生した債務，②経費および一般管理活動にもとづいて発生した債務，③固定資産の購入その他の通常の取引以外の取引により発生した債務がある。これらのうち，①は［ 4 ］の項目で，②と③は未払金またはその発生原因を示す名称の項目で貸借対照表に記載される。非［ 3 ］債務については，たとえば工事の請負代金の前受分は債務となるが，これは将来，建設物の引き渡し等のサービスの提供を通じて決済される。この点で［ 3 ］債務とは異なり，これは貸借対照表において［ 5 ］の項目で記載される。

［ 2 ］取引から生じた債務には借入金と社債の２つがある。これらのうち借入金は，貸借対照表上，期間の長短・借入先の違いなどにより，区別して記載される。

損益計算から生じた債務とは，期間利益の計算を正確に行うための期間収益・期間費用の帰属計算の結果生じた貸方項目をいう。これには，［ 6 ］，未払費用，および［ 7 ］がある。これらのうち，［ 6 ］と未払費用については，見越負債あるいは累積中の債務という一定の債務性が認められるが，［ 7 ］は条件付債務や非債務などであり，法的な性質は異なる。

・累積中の債務については，本問では，継続して債務が増加する項目を考えてみる。

〈用語群〉

ア	投資	イ	財務	ウ	資本	エ	積立金
オ	準備金	カ	引当金	キ	営業	ク	経常
コ	臨時	サ	完成工事未収入金	シ	未収入金	ス	工事未払金
セ	未収収益	ソ	前受収益	タ	前受金	チ	未成工事受入金
ト	未成工事支出金	ナ	流動	ニ	固定	ネ	金銭

財務会計に関するわが国の基本的な考え方に照らして，以下の会計処理のうち，認められるものには「A」，認められないものには「B」を解答用紙の所定の欄に記入しなさい。（16点）

〈標準時間〉10分

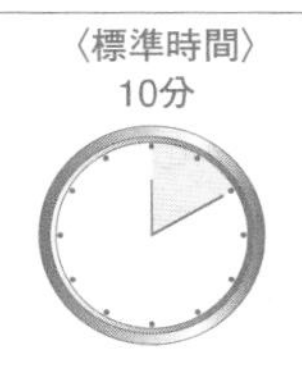

1．かねて発行していた新株予約権（自己新株予約権）を取得した。なお，自己新株予約権の代価と取得に要した付随費用とを合算して自己新株予約権の取得原価とした。

2．建設業を事業目的としている当社は，短期売買（トレーディング）目的で甲社株式を購入した。なお，キャッシュ・フロー計算書において，当該売買にかかるキャッシュ・フローは，その保有目的に合わせて営業活動によるキャッシュ・フローの区分に計上した。

3．耐用年数が到来したが，なお使用中の機械について，その金額が少額であったために，未償却残高（残存価額）を簿外資産として処理した。

4．使用中の機械が故障したが，工事に支障がないために修理は次期に行うこととした。これに伴い発生する修繕費についても，その金額が少額であったために，当期においては修繕引当金を計上しないこととした。

5．得意先への証票発行事務の時間的および経済的負担軽減を目的として専用のソフトウェアを購入した。その目的は十分に達成されていると判断できたが，当該ソフトウェアの購入費については，「研究開発費等に係る会計基準」に従い，当期の費用として処理した。

6．建設現場で使用する機械を購入したが，当社の資金繰りの関係上，販売会社に代金は5回の分割払いとすることを申し入れ承諾された。当期のキャッシュ・フロー計算書では，当該分割払いが当社にとっては資金調達に該当するため，決算時に支払済みとなっていた3回分の分割代金は財務活動によるキャッシュ・フローの区分に計上した。

7．機械装置の減価償却方法を，正当な理由により，定額法から定率法に変更した。減価償却方法の変更は会計方針の変更に該当するが，「会計方針の開示，会計上の変更及び誤謬の訂正に関する会計基準」に従い遡及適用は行わなかった。

8．当社は，取引先乙社の借入金について債務保証をしている。乙社の財政状況は良好で，当面，当該借入金が返済不能になる危険は見込まれないが，保守主義の観点から，当該借入金全額について債務保証損失引当金を計上し，その繰入額を当期の損益計算書に計上した。

1．新株予約権の取引は株主との取引ではないので，資本取引には該当しない。

2．建設業を営む会社にとって，株式の売買が本業か否かを考える。

5．事務の負担軽減目的を達成できているということは，費用負担が軽減されていることを意味する。

8．財務状態が良好な取引先の債務を保証している場合，取引先が問題なく債務を弁済する可能性が高いので，当社の負担となる可能性は低い。

Q 第4問 **A社は，次の〈条件〉でB社と共同企業体（ジョイント・ベンチャー，以下，ＪＶという）を結成した。下の問１～問５に答えなさい。なお，仕訳において使用する勘定科目は下記の〈勘定科目群〉から選び，その記号（ア～チ）と勘定科目を書くこと。　（14点）**

〈標準時間〉
15分

スポンサー企業とサブ企業は，出資割合に応じて会計処理を行う。

〈条件〉

1．ＪＶの構成会社

A社（スポンサー企業）	出資割合	70％
B社（サブ企業）	出資割合	30％

会計期間は両社とも１年間，決算期も同一である。

2．ＪＶ工事の内容

請負金額	¥70,000,000
工事原価	¥56,000,000
工事総利益	¥14,000,000

（注）消費税は考慮しない。

3．ＪＶにおいて発生した取引は，各構成員に直ちに通知する。

4．ＪＶの会計処理は，独立会計方式による。

5．ＪＶの完成工事高については，工事完成基準で計上する。

問１　ＪＶは発注者より工事に係る前受金¥20,000,000を受け取り，直ちに当座預金に入金した。なお，この前受金は構成員に分配しない。ＪＶとA社の仕訳を示しなさい。

問２　工事原価¥56,000,000が発生したが，代金は未払いである。ＪＶはこの原価について各構成員に出資の請求をした。ＪＶとB社の仕訳を示しなさい。

問３　工事原価¥56,000,000を支払うため，前受金¥20,000,000で充当できない不足分につき構成員各社が現金で出資し，ＪＶは直ちに当座預金に入金した。ＪＶとB社の仕訳を示しなさい。

問４　ＪＶは問３の対価を，小切手を振り出して支払った。ＪＶとA社の仕訳を示しなさい。

問５　ＪＶの決算におけるＪＶとA社の仕訳を示しなさい。なお，工事は完成し，すでに発注者に引き渡し済みである。

問５　ＪＶが決算を行うということは，既にＪＶにおいて完成工事高と完成工事原価の計上は済んでいるものと考える。

〈勘定科目群〉

ア	現金	イ	当座預金	ウ	資本金	エ	完成工事原価
オ	完成工事高	カ	完成工事未収入金	キ	未収入金	ク	未成工事受入金
コ	前受金	サ	未成工事支出金	シ	建設仮勘定	ス	ＪＶ出資金
セ	A社出資金	ソ	B社出資金	タ	工事未払金	チ	未払分配金

Q 第5問

次の〈決算整理事項等〉に基づき，解答用紙に示されているＹ建設株式会社の当会計年度（20×7年４月１日～20×8年３月31日）に係る精算表を完成しなさい。ただし，計算過程で端数が生じた場合は，計算の最終段階で千円未満の端数を切り捨てること。なお，整理の過程で新たに生じる勘定科目で，精算表上に指定されている科目は，そこに記入し，（　　）については各自で考えること。　　**（36点）**

〈標準時間〉30分

〈決算整理事項等〉

1．機械装置のうち１台は，20×3年４月１日に取得し，同日より使用を開始したものであり，取得した時点での条件は次のとおりである。

取得原価　20,000千円　　残存価額　2,000千円
耐用年数　５年　　減価償却方法　定額法

使用終了時に当該機械装置を撤去する契約上の義務があり，撤去に要する支出額は1,000千円と見積られた。

当該義務について資産除去債務を計上し（割引率３％），処理を行ってきた。

当該機械装置の使用が20×8年３月31日に終了したので撤去すると共に売却した。撤去に要した実際の支出額は1,050千円，売却額は2,120千円であった。必要な決算処理を行うと同時に，当該撤去・売却取引を次のように処理していたので修正する。なお，減価償却費は完成工事原価に計上する。

（借）仮払金　1,050,000　（貸）現金預金　1,050,000
（借）現金預金　2,120,000　（貸）仮受金　2,120,000

2．１で処理した機械装置以外の機械装置（同一機種で５台）は，20×1年４月１日に取得し，同日より使用を開始したものであり，取得した時点での条件は次のとおりである。

取得原価：60,000千円　　残存価額：ゼロ
耐用年数：10年　　減価償却方法：定額法

しかし，これらの機械装置のうち１台が決算日に水没し，今後使用できないことが判明したために廃棄処分する。なお，減価償却費は全額未成工事支出金に計上し，廃棄処分に伴い発生する損失は固定資産除却損に計上すること。

3．有価証券はすべて20×6年４月１日に@97.0円で購入したＡ社社債（額面総額：20,000千円，年利：2.0%，利払日：毎年９月と３月の末日，償還期日：20×9年３月31日）である。この社債はその他有価証券に分類されており，期末の時価は19,950千円である。償却原価法（定額法）を適用すると共に評価替えを行う。また，実効税率を30%として税効果会計を適用する。

有形固定資産の最終年度においては，減価償却累計額が要償却額（取得原価－残存価額）と等しくなるように計算する。

1　最終年度の利息費用の計上を済ませると，資産除去債務の残高は撤去に要する支出の見積額と一致する。

3　債券をその他有価証券として保有する場合，償却原価法を適用してから時価評価を行う。

4　予定計上額と実際発生額のうちどちらが大きいかを間違えないようにする。

5　工事収益総額と工事原価総額を変更した場合，両方とも変更後の金額にもとづいて計算する。

4．退職給付引当金への当期繰入額は3,050千円であり，このうち2,520千円は工事原価，530千円は販売費及び一般管理費である。なお，現場作業員の退職給付引当金については，月次原価計算で月額225千円の予定計算を実施しており，20×8年３月までの毎月の予定額は，未成工事支出金の借方と退職給付引当金の貸方にすでに計上されている。この予定計上額と実際発生額との差額は，未成工事支出金および退職給付引当金に加減する。

5．期末時点で施工中の工事は次の工事だけであり，収益認識には原価比例法による工事進行基準を適用している。

工事期間は４年（20×5年４月１日～20×9年３月31日），当初契約時の工事収益総額は750,000千円，工事原価総額の見積額は630,000千円で，前受金として着手前に200,000千円，第２期末に150,000千円をそれぞれ受領している。

当期末までの工事原価発生額は，第１期が107,100千円，第２期が132,300千円，第３期が202,600千円であった。資材価格と人件費の高騰により，第３期首（当期首）に工事原価総額の見積りを680,000千円に変更するとともに，交渉により，請負工事代金総額を780,000千円とすることが認められた。

6．受取手形と完成工事未収入金の期末残高に対して２％の貸倒引当金を設定する（差額補充法）。このうち1,300千円については税務上損金算入が認められないため，実効税率を30％として税効果会計を適用する。

7．当期の完成工事高に対して0.5％の完成工事補償引当金を設定する（差額補充法）。

8．法人税，住民税及び事業税と未払法人税等を計上する。なお，実効税率は30％とする。

9．税効果を考慮した上で，当期純損益を計上する。

建設業経理士　1級　財務諸表　最新問題（第33回）

偶発債務に関する以下の問に答えなさい。各問ともに指定した字数以内で記入すること。

（20点）

問1　偶発債務とは何かを説明するとともに，その発生原因を例示しなさい。(200字)

問2　偶発債務は，その発生確率の高低に応じて財務諸表における表示が異なっている。それぞれの場合における表示方法を説明しなさい。(300字)

ヒント

問1　他社の借入金に対し債務保証をしたときに，将来，債務者が支払不能となった場合に代わりに支払う義務が生じる。

問2　財務諸表に計上できなくても，補足説明として注記を用いて利害関係者に報告する方法がある。

建設業会計における棚卸資産および固定資産について述べた次の文中の［　　］の中に入れるべき最も適当な用語を下記の〈用語群〉の中から選び，その記号（ア～チ）を解答用紙の所定の欄に記入しなさい。なお，（　　）にあてはまる用語は各自推定すること。　**（14点）**

棚卸資産は，販売を目的に保有され，あるいは生産その他企業の営業活動で（　　）に保有される財・用役をいい，これらは，未成工事支出金および［ 1 ］の勘定で処理されている。未成工事支出金には，工事収益を未だ認識していない工事に要した材料費，労務費，外注費，経費といった［ 2 ］のほか，特定工事に係る［ 3 ］，材料，仮設材料などが含まれる。また，［ 1 ］には，手持の工事用原材料，仮設材料，機械部品等の消耗工具器具備品，事務用消耗品が含まれる（未成工事支出金等で処理したものを除く）。

固定資産は，企業が営業目的を達成するために［ 4 ］にわたって使用し，あるいは保有する資産である。建設業法施行規則では，固定資産を有形固定資産，［ 5 ］および［ 6 ］の３つに分類している。有形固定資産には，建物，構築物，機械，運搬具，工具器具備品，土地，［ 7 ］などの有形物が含まれる。［ 5 ］には，特許権，借地権などの法律上の権利のほか，営業権のような事実上の権利が含まれる。また［ 6 ］に属するものとしては長期利殖を目的として保有する有価証券，子会社株式・出資金，長期貸付金などのほか，長期の［ 8 ］があげられる。

・前後の文章から関連する用語を考えてみる。

〈用語群〉

ア	繰延資産	イ	無形固定資産	ウ	完成工事高	エ	建設仮勘定
オ	減価償却累計額	カ	材料貯蔵品	キ	完成工事未収入金	ク	工事未払金
コ	短期間	サ	長期間	シ	投資その他の資産	ス	工事原価
セ	前受金	ソ	前渡金	タ	前払費用	チ	前受収益

Q 第3問

財務会計に関するわが国の基本的な考え方に照らして，以下の会計処理のうち，認められるものには「A」，認められないものには「B」を解答用紙の所定の欄に記入しなさい。

(16点)

〈標準時間〉
10分

1．かねて発行していた新株予約権について，権利が行使されずに権利行使期限が到来したので，純資産の部に計上されていた新株予約権の発行に伴う払込金額を資本金に振り替えた。

2．当社は，従業員の退職給付について，確定給付型退職給付制度を採用し，外部の信託銀行に退職給付基金を積み立てている。当期末，退職した従業員に対して当該基金から退職金が支払われ，退職給付債務が減少したので退職給付引当金を減額した。

3．保有していた自己株式を売却したが，その際に処分差損が発生した。当該差損をその他資本剰余金から減額したが，減額しきれなかったので，不足分をその他利益剰余金（繰越利益剰余金）から減額した。

4．事業規模を縮小するに伴い資本金を減少させた。その際に発生した差益は，当期の損益として損益計算書に計上した。

5．期末に保有する工事用原材料の将来の価格下落による損失に備えるため，その残高に対して３％の引当金を設定した。

6．受取利息を入金時に認識してきたため，受取利息勘定の期末残高に期間未経過のものが含まれていたが，未経過の金額が相対的に小さいために期末整理を行わず，受取利息勘定の期末残高を当期の損益計算書に収益として計上した。

7．小口の買掛金の残高を，その金額が小さいとの理由で簿外負債として処理した。

8．当期（決算日は毎年３月31日）の10月１日に社債（償還期間５年）を発行し，その際に募集広告費等に￥500,000支出した。これを社債発行費として繰延処理し，定額法で償却することとした。これにより，決算時に償却費￥50,000を計上した。

1．発行した新株予約権が権利行使されずに権利行使期限を迎えた場合，どんな勘定科目に振り替えるのかを考える。

2．基金から退職金が支払われると，退職給付債務と年金資産がそれぞれ同額減少する。

7．買掛金は企業の主目的たる営業活動に循環過程で計上される重要な科目の１つ。

8．期中に支出した場合，月割計算に注意。

Q 第4問 次の〈資料〉に基づき，20×7年３月期（20×6年４月１日～20×7年３月31日）の株主資本等変動計算書（一部）を完成し，①～⑦にあてはまる金額を解答用紙の所定の欄に記入しなさい。なお，金額がマイナスの場合には，金額の前に△をつけること。（14点）

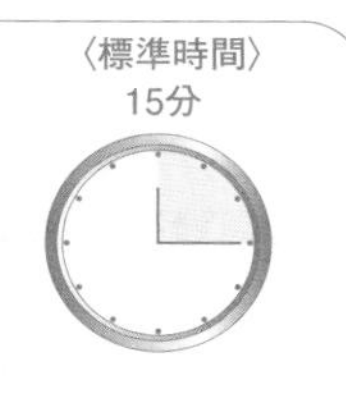

〈資料〉

1．20×6年６月24日に開催された定時株主総会において，剰余金の処分が次のとおり承認された。

⑴　繰越利益剰余金を財源とし，株主への配当金を１株につき330円にて実施する。なお，この時点における当社の発行済株式総数は32,000株である。あわせて，会社法で規定する額の利益準備金を計上する。

⑵　別途積立金を新たに3,000千円計上する。

2．20×6年７月25日に㈱Ａ建設を吸収合併した。同社の諸資産（時価）は360,000千円，諸負債（時価）は240,000千円であった。合併の対価として，同社の株主に対して当社の新株10,000株（時価@15,000円）を交付し，資本金増加額は90,000千円，資本準備金増加額は40,000千円，およびその他資本剰余金増加額は20,000千円とした。

3．20×6年12月15日に増資を行い，2,000株を１株につき16,500円で発行した。払込金は全額当座預金に預け入れた。資本金は，会社法で規定する最低額を計上することとした。なお，増資に当たり手数料その他の支出として500千円を現金で支払った。

4．20×7年３月31日に決算を行った結果，当期純利益は67,000千円であることが判明した。

株主資本等変動計算書に記載するのは純資産の科目のみ。

1．金額がマイナスの場合，△を付けるのを忘れないようにする。

2．まず，仕訳を書いてから，該当する欄を埋める。そして，ひととおり記入してから合計を計算する。

株主資本等変動計算書（一部）

自20×6年４月１日　至20×7年３月31日

（単位：千円）

	株主資本								
		資本剰余金			利益剰余金				
						その他利益剰余金			
	資本金	資本準備金	その他資本剰余金	資本剰余金合計	利益準備金	別途積立金	繰越利益剰余金	利益剰余金合計	株主資本合計
当期首残高	295,000	12,300	26,500	38,800	26,400	5,000	30,600	62,000	395,800
当期変動額									
剰余金の配当					①			②	
別途積立金の積立									
吸収合併	③			④					
新株の発行		⑤							
当期純利益							⑥		
当期変動額合計									
当期末残高									⑦

Q 第5問

次の〈決算整理事項等〉に基づき，解答用紙に示されているX建設株式会社の当会計年度（20×5年4月1日～20×6年3月31日）に係る精算表を完成しなさい。
ただし，計算過程で端数が生じた場合は，千円未満の端数を切り捨てること。なお，整理の過程で新たに生じる勘定科目で，精算表上に指定されている科目は，そこに記入すること。（36点）

〈標準時間〉
30分

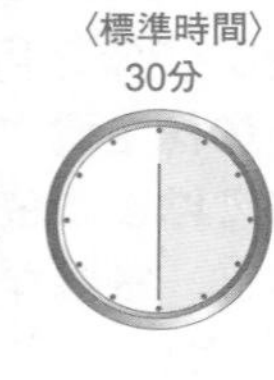

1　期末に減損の兆候がある場合，まず当期の減価償却の計算を先に行う。

3　債券をその他有価証券として保有する場合，償却原価法を適用してから時価評価を行う。

4　予定計上額と実際発生額のうちどちらが大きいかを間違えないようにする。

5　工事収益総額と工事原価総額を変更した場合，両方とも変更後の金額にもとづいて計算する。

〈決算整理事項等〉

1．機械装置は，20×1年4月1日に取得し，同日より使用を開始したものであり，取得した時点での条件は次のとおりである。

　取得原価　34,000千円　　残存価額　ゼロ
　耐用年数　10年　　減価償却方法　定額法

　この資産について，期末に減損の兆候が見られたため，割引前のキャッシュ・フローの総額を見積もったところ，16,500千円であった。また，割引後のキャッシュ・フローの総額は16,015千円と算定され，これは正味売却価額よりも大きかった。なお，減価償却費は未成工事支出金に計上し，減損損失は機械装置減損損失に計上すること。

2．貸付金5,000千円のうち2,700千円は，1ドル＝135円の時に貸し付けたものである。期末時点の為替レートは，1ドル＝128円である。

3．有価証券はすべて当期首に@98.5円で購入したA社社債（額面総額：15,000千円，年利：1.0%，利払日：毎年9月と3月の末日，償還期日：20×8年3月31日）である。この社債はその他有価証券に分類されており，期末の時価は14,550千円である。償却原価法（定額法）を適用するとともに評価替えを行う。また，実効税率を30%として税効果会計を適用する。

4．退職給付引当金への当期繰入額は3,120千円であり，このうち2,870千円は工事原価，250千円は販売費及び一般管理費である。なお，現場作業員の退職給付引当金については，月次原価計算で月額250千円の予定計算を実施しており，20×6年3月までの毎月の予定額は，未成工事支出金の借方と退職給付引当金の貸方にすでに計上されている。この予定計上額と実際発生額との差額は工事原価に加減する。

5．期末時点で施工中の工事は次の工事だけであり，収益認識には原価比例法による工事進行基準を適用している。

　工事期間は4年（20×3年4月1日～20×7年3月31日），当初契約時の工事収益総額は840,000千円，工事原価総額の見積額は600,000千円で，前受金として着手前に200,000千円，第2期末に180,000千円をそれぞれ受領している。

　当期末までの工事原価発生額は，第1期が135,000千円，第2期が115,000千円，第3期が236,500千円であった。資材価格と人件費の高騰により，第3期

首に工事原価総額の見積りを700,000千円に変更するとともに，交渉により，請負工事代金総額を900,000千円とすることが認められた。

6．受取手形と完成工事未収入金の期末残高に対して２％の貸倒引当金を設定する（差額補充法）。このうち1,100千円については税務上損金算入が認められないため，実効税率を30％として税効果会計を適用する。

7．当期の完成工事高に対して0.5％の完成工事補償引当金を設定する（差額補充法）。

8．法人税，住民税及び事業税と未払法人税等を計上する。なお，実効税率は30％とする。

9．税効果を考慮した上で，当期純損益を計上する。

建設業経理士　1級　財務諸表　最新問題（第34回）

Q 第1問

長期前払費用と繰延資産に関する以下の問に答えなさい。各問ともに指定した字数以内で記入すること。

（20点）

〈標準時間〉
20分

問１　両者の性質上の類似点と相違点を答えなさい。（250字）
問２　両者の会計処理上の類似点と相違点を答えなさい。（250字）

問１「性質の違い」について問われているので，会計処理上の扱いではなくどういう存在なのかを考える。

問２　会計処理上の違いについて問われているので，会計上の取り扱いでの類似点と相違点を考える。

Q 第2問

費用および費用配分の原則に関する次の文中の［　　］の中に入れるべき最も適当な用語を下記の〈用語群〉の中から選び，その記号（ア～チ）を解答用紙の所定の欄に記入しなさい。

（14点）

〈標準時間〉
10分

期間利益は期間収益からそれに対応する費用を差し引いて計算される。この対応計算を［ 1 ］的に行うためには，対応計算に先だって，財・［ 2 ］の減少部分を収益の獲得活動と関係をもつ部分とそれ以外の部分とに明確に区別しておくことが望ましく，かつ，必要なことはいうまでもない。企業会計原則においても，こうした理由から，収益の獲得活動と関係をもつ部分，すなわち「費用」と，それ以外の部分，すなわち「［ 3 ］」とを明確に区別すべきものとしている。

企業会計原則の「貸借対照表原則五」は，費用配分の原則について，資産の取得原価を所定の方法に従い，計画的・［ 4 ］的に各期に配分すべきであるということを要請している。ここにいう「所定の方法」とは，一般に公正妥当と認められた費用配分の方法をいう。たとえば，［ 5 ］資産原価の配分方法には個別法，先入先出法，平均原価法などが認められる。

一方，配分方法の選択について，企業会計原則は企業の自主的な判断に委ねる立場をとっているが，これを企業による配分方法の恣意的な選択を容認するものと解してはならない。つまり，「貸借対照表原則五」にいう「計画的」とは，［ 1 ］的な配分計画のもとに企業の特殊性を十分に考慮して適正な期間利益の計算を［ 6 ］するという意味での妥当な方法の選択を意味する。このようにして選択された配分方法は，正当な理由のないかぎり，毎期［ 7 ］して適用されなければならない。つまり，「［ 4 ］的」とは，妥当な方法の機械的適用を意味する。

・前後の文章から関連する用語を考えてみる。

〈用語群〉

ア　経済	イ　用役	ウ　固定	エ　保証
オ　再検討	カ　規則	キ　損失	ク　検証
コ　負債	サ　経常	シ　損金	ス　棚卸
セ　経費	ソ　合理	タ　流動	チ　継続

財務会計に関するわが国の基本的な考え方に照らして，以下の各記述（１～８）のうち，全体が正しいと認められるものには「Ａ」，認められないものには「Ｂ」を解答用紙の所定の欄に記入しなさい。　（16点）

１．正規の簿記の原則は，帳簿記録の網羅性，検証可能性および秩序性を要請すると同時に，財務諸表がかかる会計記録に基づいて作成されるべきことを求めたものである。しかし，ここにいう記録の網羅性とは，すべての取引項目を完全に記録することを必ずしも要求していない。

２．明瞭性の原則は，財務諸表の利用者が広く社会の各階層に及んでいる事実認識を前提に，財務諸表の形式に関し，目的適合性，概観性と詳細性の調和，表示形式の統一性と継続性など，一定の要件を満たすことを要請する規範理念である。

３．工事用の機械を購入するにあたり銀行から資金を借り入れた。借入れに対する支払利息を，付随費用として当該機械の取得原価に含めることとした。

４．当期に行った新株の発行による収入，自己株式の取得による支出，配当金の支払いによる支出，社債の発行による収入を，キャッシュ・フロー計算書の財務活動によるキャッシュ・フローの区分に計上した。

５．保有している満期保有目的の債券についてデリバティブ取引によりヘッジを行ってきたが，ヘッジ手段の時価の下落が極めて大幅になったため，当該ヘッジ手段はヘッジの要件を充たさなくなったと判断し，ヘッジ会計を中止した。繰り延べてきたヘッジ手段に係る損失については，ヘッジ対象に係る損益が認識されるまで引き続き繰り延べることとした。

６．期首に，従業員の給与計算事務の時間的ならびに経済的負担軽減を目的として専用のソフトウェアを購入し，その目的は十分に達成されている。当該ソフトウェアの購入費を当期の費用として損益計算書に計上した。

７．株式会社の設立に際して株式を発行するために要した証券会社の事務手数料等の諸経費は，株式交付費として処理する。株式交付費は支出時に費用として処理することを原則とするが，これを繰延資産として３年内に償却することが実務上認められている。

８．企業会計原則では，株主資本を資本金と剰余金に区別するとともに，剰余金を資本剰余金と利益剰余金の２つに分けている。会社計算規則などの現行会計制度は，資本剰余金は資本準備金とその他資本剰余金に，利益剰余金は利益準備金とその他利益剰余金に，さらに細かく区分している。

１．重要性の乏しいものまで網羅しようとすると，実務上の負担がかなり大きくなってしまう。

３．借入れに伴う支払利息を固定資産の取得原価に含められるのは，どんな取得形態のときだけ？

５．ヘッジの要件を満たさなくなったとしても，その時まで行ってきたヘッジ会計は正しい会計処理だと考える。

７．株式発行に伴う費用は会社設立時と会社設立後で科目名も償却期間も異なるので要注意。

Q 第4問

次の〈資料〉に基づき，下の問に解答しなさい。（14点）

〈標準時間〉
15分

・子会社の資産と負債の時価評価の仕訳と，資本連結の仕訳を書いてみる。

〈資料〉

20×1年4月1日にP株式会社は，S株式会社の発行済株式の70％を24,000千円で取得し，S株式会社を子会社とした。同日における両社の貸借対照表は，次のとおりである。なお，支配獲得時におけるS株式会社の資産の時価は68,000千円であり，負債の時価は44,500千円である。

貸借対照表

P株式会社　　20×1年4月1日現在　　（単位：千円）

借方	金額	貸方	金額
S社株式	24,000	諸負債	54,000
その他諸資産	102,000	資本金	50,000
		利益剰余金	22,000
	126,000		126,000

貸借対照表

S株式会社　　20×1年4月1日現在　　（単位：千円）

借方	金額	貸方	金額
諸資産	63,000	諸負債	43,000
		資本金	18,000
		利益剰余金	2,000
	63,000		63,000

問1　全面時価評価法による場合に認識すべき評価差額の金額を計算しなさい。

問2　連結財務諸表に計上される非支配株主持分の金額を計算しなさい。

問3　連結財務諸表に計上されるのれんの金額を計算しなさい。

Q 第5問

次の〈決算整理事項等〉に基づき，解答用紙に示されているＹ建設株式会社の当会計年度（20×4年４月１日～20×5年３月31日）に係る精算表を完成しなさい。
ただし，計算過程で端数が生じた場合は，千円未満の端数を切り捨てること。なお，整理の過程で新たに生じる勘定科目で，精算表上に指定されている科目は，そこに記入すること。また，経過勘定項目はすべて期首に再振替されている。（36点）

〈標準時間〉
30分

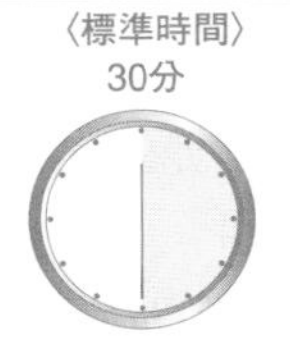

〈決算整理事項等〉

1．機械装置（同一機種で４台）は，20×2年４月１日に取得し，同日より使用を開始したものであり，取得した時点での条件は次のとおりである。

取得原価　80,000千円　　残存価額　ゼロ
耐用年数　10年　　減価償却方法　定額法

しかし，これらの機械装置のうち１台が決算日に水没し，今後使用できないことが判明したために廃棄処分する。なお，減価償却費は未成工事支出金に計上し，廃棄処分に伴い発生する損失は固定資産除却損に計上すること。

2．定期預金は，20×3年４月１日に，年利２％，元利継続式（元利金を毎年継続して預入する方式）３年の契約で預け入れたものである。本年度末における未収利息を計上する。

3．有価証券はすべてその他有価証券であり，期末の時価は17,200千円である。実効税率を30％として税効果会計を適用する。

4．退職給付引当金への当期繰入額は13,260千円であり，このうち11,950千円は工事原価，1,310千円は販売費及び一般管理費である。なお，現場作業員の退職給付引当金については，月次原価計算で月額980千円の予定計算を実施しており，20×5年３月までの毎月の予定額は，未成工事支出金の借方と退職給付引当金の貸方にすでに計上されている。この予定計上額と実際発生額との差額は工事原価に加減する。

5．期末時点で施工中の工事は次の工事だけであり，収益認識には原価比例法による工事進行基準を適用している。工事期間は４年（20×2年４月１日～20×6年３月31日），当初契約時の工事収益総額は750,000千円，工事原価総額の見積額は600,000千円で，前受金として着手前に100,000千円，第２期末に250,000千円をそれぞれ受領している。

当期末までの工事原価発生額は，第１期が72,000千円，第２期が168,000千円，第３期が260,500千円であった。資材価格と人件費の上昇により，第３期首（当期首）に工事原価総額の見積りを650,000千円に変更するとともに，交渉により，請負工事代金総額を780,000千円とすることが認められた。

2．利息の受け取りと，期末の未収利息の計上の処理を行う。なお，「元利金を…預入」とあるため，受け取った利息は定期預金に入れる。そのため，前期の利息を含めた額に利息が付くことに注意。

4．予定計上額と実際発生額のうちどちらが大きいかを間違えないようにする。

5．工事収益総額と工事原価総額を変更した場合，両方とも変更後の金額にもとづいて計算する。

6．受取手形と完成工事未収入金の期末残高に対して２％の貸倒引当金を設定する（差額補充法）。このうち2,222千円については税務上損金算入が認められないため，実効税率を30%として税効果会計を適用する。

7．当期の完成工事高に対して0.5%の完成工事補償引当金を設定する（差額補充法）。

8．法人税，住民税及び事業税と未払法人税等を計上する。なお，実効税率は30%とする。

9．税効果を考慮した上で，当期純損益を計上する。

建設業経理士　1級　財務諸表　最新問題（第35回）

Q 第1問

「金融商品に関する会計基準」に基づいて，有価証券の評価に関する次の問に解答しなさい。各問ともに指定した字数以内で記入すること。

〈標準時間〉
20分

（20点）

問１　売買目的有価証券，満期保有目的の債券，子会社株式および関連会社株式，その他有価証券という４種類の有価証券について，貸借対照表計上時の評価方法ならびに評価差額が発生する場合の処理方法をそれぞれ説明しなさい。（300字）

問２　問１で答えた処理方法が採用される理由を説明しなさい。（200字）

ヒント

問１　評価差額は時価評価を行った際に生じる取得原価（帳簿価額）と時価との差額。ただ，必ずしも損益に計上するとは限らない。

問２　有価証券の期末評価は保有目的に応じて決まっている。例えば，売却を意図しない有価証券は時価で評価する意義が乏しいため時価評価は行わない。

Q 第2問

負債と資本の区別に関する次の文中の [　　] の中に入れるべき最も適当な用語を下記の〈用語群〉の中から選び，その記号（ア～チ）を解答用紙の所定の欄に記入しなさい。

〈標準時間〉
10分

（14点）

貸借対照表上の貸方項目は，企業に投下された資金の [1] を示す。このような資金は契約もしくは慣習に従いそれぞれの調達先にいずれは返還されなければならない。したがって，このような貸方項目は，資金提供者の観点からみれば，彼らが企業の資金（ないし資産）に対して有している抽象的な [2] を表すものとみることができる。資金提供者が企業の資産に対して有する [2] は一般に「持分」とよばれる。持分は一般にその源泉の違いによって [3] 持分と [4] 持分とに区別される。

[3] 持分は，[3] が企業資産に対してもっている [2] をいう。それは企業がその所有する資産をもって弁済しなければならない債務を意味するところから，会計上「負債」とよばれる。貸借対照表の貸方項目のうち支払手形，工事未払金，[5] ，借入金，社債などが，この [3] 持分を構成する。

これに対して [4] 持分は，[6] などの企業主が企業の資産に対してもっている [2] をいう。それは企業経営の元本を構成するところから会計上「資本」とよばれるが，今日の企業の代表的な組織形態が株式会社であるところから [6] 持分とよぶことも多い。株式会社の場合，[4] 持分には，貸方項目のうち資本金，資本準備金などの出資額のほか，留保利益たる [7] ，任意積立金などが属する。

・前後の文章から関連する用語を考えてみる。

〈用語群〉

ア	運用形態	イ	完成工事未収入金	ウ	調達源泉	エ	所有権
オ	債権者	カ	債務者	キ	未成工事受入金	ク	未成工事支出金
コ	請求権	サ	利益準備金	シ	資産価値	ス	受託者
セ	株主	ソ	投資家	タ	その他資本剰余金	チ	出資者

Q 第3問

財務会計に関するわが国の基本的な考え方に照らして，以下の各文章（1～8）のうち，正しいと認められるものには「A」，認められないものには「B」を解答用紙の所定の欄に記入しなさい。（16点）

〈標準時間〉
10分

1．小口の工事未払金の残高を，その金額が小さいとの理由で，簿外負債として処理した。

2．受取利息を入金時に認識してきたため，期末に期間未経過のもの（前受）が受取利息勘定に含まれていたが，その未経過の金額が相対的に小さいために期末整理を行わず，同勘定の全額を当期の損益計算に収益として計上した。

3．当期に行った新株の発行による収入，自己株式の取得による支出，有価証券の取得による支出，社債の発行による収入を，キャッシュ・フロー計算書の財務活動によるキャッシュ・フローの区分に計上した。

4．第1期首に行った市場開拓のための支出を，支出後5期にわたり繰延経理することとしていたが，支出後3期目の初めに当該市場から撤退することになった。しかし当該繰延経理については，当初の予定を変更せず，継続することとした。

5．株式会社の設立時に株式を発行するために要した支出は株式交付費として処理する。株式交付費は支出時に費用として処理することを原則とするが，これを繰延資産として計上し，3年以内のその効果の及ぶ期間にわたって，定率法により償却することが実務上認められている。

6．保有していた自己株式を売却したが，その際に発生した自己株式の帳簿価額と払込額との差額については，当期の損益として損益計算書に計上した。

7．かねて発行していた新株予約権について，権利が行使されずに権利行使期限が到来したので，純資産の部に計上されていた新株予約権の発行に伴う払込金額を利益として処理した。

8．当社は，取引先A社の借入金について，担保を設定した上で債務保証をしている。当期になってA社の経営状況が著しく悪化し，今後，経営破たんに陥る可能性が高いと判断されたので，債務保証の総額から担保の処分によって回収可能な金額を控除した金額について債務保証損失引当金を計上し，その繰入額を当期の損益計算書に計上した。

1．重要性は質的な面，量的（金額的）な面の両面から考える。

3．財務活動によるキャッシュ・フローの区分に計上されるものは，主に貸借対照表の貸方（負債と純資産）に関係するキャッシュ・フローである。

5．株式発行に伴う費用は会社設立時と会社設立後で科目名も償却期間も異なるので要注意。なお，償却方法はほとんどの繰延資産が定額法に限定している。

7．発行した新株予約権の権利行使期限が到来したときは，どんな科目で処理する？

次の固定資産の処理に関する問１・２について，解答を解答用紙の所定の欄に記入しなさい。
ただし，会計処理は企業会計基準第24号「会計方針の開示，会計上の変更及び誤謬の訂正に関する会計基準」に従って行いなさい。また，解答金額に端数が生じた場合は，千円未満の端数を切り捨てること。　（14点）

〈標準時間〉
15分

問１　20×1年期首に機械Ａ（取得原価：20,000千円　耐用年数：20年　残存価額：2,000千円）を取得し，同時に使用を開始した。機械Ａについて定額法による減価償却を実施してきたが，20×7年期首に，残存耐用年数が12年であることが明らかになった。これについて，次の２つの場合における20×7年度決算後の当該機械の減価償却累計額の金額を答えなさい。

①　取得時に定めた耐用年数が取得時における合理的な見積もりに基づくものであり，かつ，20×7年における変更も合理的な見積もりに基づくものである場合

②　取得時に定めた耐用年数が合理的な見積もりに基づくものではなく，これを20×7年に合理的な見積もりに基づくものに変更する場合

問２　20×3年期首に機械Ｂ（取得原価：45,000千円　耐用年数：20年　残存価額：4,500千円）を取得し，同時に使用を開始した。機械Ｂについて定額法による減価償却を実施してきたが，20×9年期首において，合理的な理由に基づき，当年度より減価償却の方法を定率法（償却率：0.152）に変更することとした。この場合の20×9年度決算における当該機械の減価償却費の金額を答えなさい。

問１　取得時の耐用年数の見積もりが合理的なものであった①の場合は遡って修正する必要はないが，取得時の耐用年数の見積もりが合理的な見積もりに基づくものではない②の場合は誤謬訂正として取り扱う。

問２　減価償却方法の変更は会計方針の変更と会計上の見積りの変更との区別が困難な場合に該当する。

Q 第5問 次の〈決算整理事項等〉に基づき，解答用紙に示されているX建設株式会社の当会計年度（20×5年4月1日～20×6年3月31日）に係る精算表を完成しなさい。
ただし，計算過程で端数が生じた場合は，千円未満の端数を切り捨てること。なお，整理の過程で新たに生じる勘定科目で，精算表上に指定されている科目は，そこに記入すること。（36点）

〈標準時間〉30分

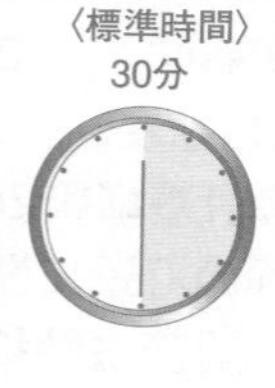

〈決算整理事項等〉

1．機械装置は，20×1年4月1日に取得し，同日より使用を開始したものであり，取得した時点での条件は次のとおりである。
　取得原価：346,000千円　耐用年数：10年
　残存価額：ゼロ　減価償却方法：定額法
　この資産について，期末に減損の兆候が見られたため，割引前のキャッシュ・フローの総額を見積もったところ，169,500千円であった。また，割引後のキャッシュ・フローの総額は159,786千円と算定され，これは正味売却価額よりも大きかった。なお，減価償却費は未成工事支出金に計上し，減損損失は機械装置減損損失に計上すること。

2．有価証券はすべて当期首に@98.2円で購入したA社社債（額面金額：30,000千円　年利：1.0%　利払日：毎年9月と3月の末日　償還期日：20×8年3月31日）である。ただし，額面金額と取得価額との差額は金利の調整と認められる。この社債はその他有価証券に分類されており，期末の時価は29,600千円である。償却原価法（定額法）を適用するとともに評価替えを行う。また，実効税率を30%として税効果会計を適用する。

3．金利スワップは，上記2の有価証券の金利変動による価格変動リスクをヘッジするために，20×5年5月1日に，固定金利支払・変動金利受取のスワップを50千円で購入していたものであるが，当該スワップの期末時価が100千円となった。当該取引はヘッジ会計の要件を充たしているので，繰延ヘッジにより会計処理する。なお，上記2の有価証券の価格変動は市場金利の変動のみを要因とするものであり，また，実効税率を30%として税効果会計を適用する。

4．退職給付引当金への当期繰入額は5,743千円であり，このうち4,991千円は工事原価，752千円は販売費及び一般管理費である。なお，現場作業員の退職給付引当金については，月次原価計算で月額400千円の予定計算を実施しており，20×6年3月までの毎月の予定額は，未成工事支出金の借方と退職給付引当金の貸方にすでに計上されている。この予定計上額と実際発生額との差額は未成工事支出金に加減する。

1．まず当期の減価償却を行い，減価償却後の期末簿価と回収可能価額を比較する。

2．まず償却原価法を行い，償却原価を時価に評価替えする。

3．残高試算表に金利スワップが50千円計上されているので，期末の時価評価にあたっては時価と簿価との差額のみ処理すればよい。

4．予定計上額と実際発生額のうちどちらが大きいかを間違えないようにする。

5．工事収益総額と工事原価総額を変更した場合，両方とも変更後の金額にもとづいて計算する。

5．期末時点で施工中の工事は次の工事だけであり，収益認識には原価比例法による工事進行基準を適用している。
　工事期間は４年（20×3年４月１日～20×7年３月31日），当初契約時の工事収益総額は565,000千円，工事原価総額の見積額は452,000千円で，前受金として着手前に180,000千円，第２期末に160,000千円をそれぞれ受領している。
　当期末までの工事原価発生額は，第１期が116,400千円，第２期が132,200千円，第３期が184,000千円であった。資材価格と人件費の高騰により，第３期首に工事原価総額の見積りを600,000千円に変更するとともに，交渉により，請負工事代金総額を700,000千円とすることが認められた。

6．受取手形と完成工事未収入金の期末残高に対して2.0％の貸倒引当金を設定する（差額補充法）。このうち2,300千円については税務上損金算入が認められないため，実効税率を30％として税効果会計を適用する。

7．当期の完成工事高に対して0.5％の完成工事補償引当金を設定する（差額補充法）。

8．法人税，住民税及び事業税と未払法人税等を計上する。なお，実効税率は30％とする。

9．税効果を考慮した上で，当期純損益を計上する。

コラム 精算表での検算のコツ

第5問の精算表を解いていて，「これでバッチリ」と思って合計金額を計算していたところ，貸借の合計金額が合わずにガッカリした経験は，きっと誰しもあるのではないでしょうか。

こういう場合，「そもそも電卓の操作ミス」の可能性もあります。そのときは，もう一度同じように計算するのではなく，敢えて「下から」計算するのも有効な方法です。

慣れるまで少し苦労しますが，検算も同じように上から集計していくと，頭の中で固定化された勘違いがそのまま残った状態で同じ計算をすることになるので，同じ操作ミスをしてしまう傾向にあります。そのような勘違いの固定化を避けるには，違う順序や方向で検算するのも有効です。

また，貸借合計の差額を「①２で割る（÷２）」か「②９で割る（÷９）」ことで，間違いの箇所に気付けるケースがあります。

貸借合計の差額を「①２で割る（÷２）」ことで求めた金額が修正仕訳に存在する場合，貸借の位置やプラスマイナスを間違えている可能性があります。

また，貸借合計の差額を「②９で割る（÷９）」ことで求めた金額の10倍，もしくは10分の１の金額が修正仕訳に存在する場合，その仕訳の桁間違いをしている可能性があります。

この方法はミスが１か所だけの場合に限って有効な方法ですが，知っておいて損はないテクニックです。

精算表は１つのミスがいろんな所に波及するため，検算やミスの特定が難しいものですが，テクニックで乗り切っていきましょう（もちろん，ミスをしないのが一番の対策です）。

第3部 解答・解説

この解答例は，ネットスクールで作成したものです。

解答・解説（建設業経理士 第32回）

第1問

解答 解答にあたっては，各問とも指定した字数以内（句読点を含む）で記入すること。

問1

工事進行基準とは，期末に工事進捗度を見積り，それに
応じて当期の工事収益を認識する方法である。☆工事の進
行途上においてその進捗部分について成果の確実性が認
められる場合には，工事進行基準を適用する。☆
成果の確実性が認められるためには，①工事収益総額，
②工事原価総額および③決算日における工事進捗度，の
各要素について信頼性をもって見積もることができなけ
ればならない。☆☆

問2

総額請負契約とは，工事代金の総額を確定して契約する
方法である。☆この場合，工事収益額は工事収益総額（工
事契約代金）に各期の工事進捗度を乗じて計算される。☆
原価補償契約とは，実際の工事原価の総額に一定の利益
を上乗せした額をもって請負代金とする方法である。☆こ
の場合，工事収益額は各期の実際工事原価に一定率の利
益を加算して計算される。☆
単価精算契約とは，作業に対する単価を決定しておいて
，その実際に行った作業量に応じて代金を精算するとい
う契約の方法である。☆この場合，工事収益額は各期の完
成作業単位量に単位当たりの請負工事収益額を乗じて計
算される。☆

予想採点基準
☆…2点×10＝20点
☆の前の文の内容が正解で得点

解　説

問１　工事進行基準とその要件

工事進行基準とは，工事契約に関して，工事収益総額，工事原価総額，及び決算日における工事進捗度を見積り，これに応じて当期の工事収益及び工事原価を認識する方法をいいます。

工事の進行途上において，その進捗部分について成果の確実性が認められる場合に，工事進行基準を適用することになります。

ここでいう「成果の確実性」が認められるには，以下の３つの要素すべて*1)が信頼をもって見積もることができなければなりません。

① 工事収益総額
② 工事原価総額
③ 決算日における工事進捗度

ここに！注意

＊1）どれか１つでも信頼をもって見積もることができない場合には，成果の確実性が認められないため，工事完成基準を適用することになる。

問２　契約形態ごとの工事進行基準における工事収益額の測定方法

工事契約は請負代金の決定方法の違いによって，大きく３つに分類されます。それぞれ，請負代金は工事収益の基礎となるものであるため，請負代金の決定方法が異なれば，工事進行基準における工事収益額の測定方法も異なります。

契約形態	概要	工事収益額の測定方法
総額請負契約*2)	あらかじめ工事代金の総額を確定して契約する方法。最も多く用いられる。	工事収益総額（請負金額）に対して，各期の工事進捗度に応じた工事収益額を測定する。一般的には原価比例法で工事進捗度を算定する。
原価補償契約	実際の工事原価に一定の利益を上乗せした金額を請負金額とする方法。事前に「実際の工事原価」の範囲を明確にしておく必要がある。	各期に実際発生した工事原価に，あらかじめ決められた利益率などに基づいて算定された利益を加算して工事収益額を測定する。
単価精算契約	作業量（時間や施工面積など）に対する単価を決めておき，実際の作業量に応じて請負代金を精算する方法。	実際に行った作業量にあらかじめ決めた単価を乗じて工事収益額を測定する。

ここに！注意

＊2）第５問の精算表の問題などで頻繁に出題される形式が，総額請負契約に基づく工事進行基準の工事収益額の測定に該当する。

テキスト参照ページ
⇒　P.1-36

第2問

解　答

記号（ア～ネ）

1	2	3	4	5	6	7
キ	イ	ネ	ス	チ	ソ	カ
☆	☆	☆	☆	☆	☆	☆

予想採点基準
☆… 2 点× 7 ＝14点

解　説

負債は企業に対して資金を提供した側（債権者，資本）からみると，企業の資産に対する請求権を表しているといえます。

負債はその発生原因から次のように区分されます。

負　債
- 営業取引から生じた債務 … 工事未払金や未払金などの金銭債務や未成工事受入金などの非金銭債務
- 財務取引から生じた債務 … 借入金や社債などの金銭債務
- 損益計算から生じた債務 … 適正な期間損益計算のために計上した前受収益や引当金などの非金銭債務

損益計算から生じた債務のうち前受収益と未払費用は，どちらも財・サービスまたは金銭を引き渡す義務が明らかであるため，一定の債務性が認められます。

一方の引当金は，債務を負う可能性が高くてもまだ未確定の状態（条件付債務）であったり，修繕引当金のようにそもそも債務でもないもの（非債務のもの）が含まれたりするため，前受収益や未払費用とは法的な性質が大きく異なります。

以上より，空欄の［6］には前受収益が入り，［7］には引当金が入ります。

☞よって本問の文章は次のようになります。

負債は，その発生原因により，営業取引から生じた債務，財務取引から生じた債務，損益計算から生じた債務の３つに区別される。また，これらの負債は，金銭支出を伴うか否かにより金銭債務と非金銭債務の２つに区別される。

営業取引から生じた債務のうち金銭債務は，手形債務とその他の金銭債務とに分けられる。これらのうちその他の金銭債務には，①原料・資材などの購入，発注工事の引き渡しなどの生産活動に関連して発生した債務，②経費および一般管理活動にもとづいて発生した債務，③固定資産の購入その他の通常の取引以外の取引により発生した債務がある。これらのうち，①は工事未払金の項目で，②と③は未払金またはその発生原因を示す名称の項目で貸借対照表に記載される。非金銭債務については，たとえば工事の請負代金の前受分は債務となるが，これは将来，建設物の引き渡し等のサービスの提供を通じて決済される。この点で金銭債務とは異なり，これは貸借対照表において未成工事受入金の項目で記載される。

財務取引から生じた債務には借入金と社債の２つがある。これらのうち借入金は，貸借対照表上，期間の長短・借入先の違いなどにより，区別して記載される。

損益計算から生じた債務とは，期間利益の計算を正確に行うための期間収益・期間費用の帰属計算の結果生じた貸方項目をいう。これには，前受収益，未払費用，および引当金がある。これらのうち，前受収益と未払費用については，見越負債あるいは累積中の債務という一定の債務性が認められるが，引当金は条件付債務や非債務などであり，法的な性質は異なる。

テキスト参照ページ
⇒　P.1-48

第3問

解　答

記号（ＡまたはＢ）

1	2	3	4	5	6	7	8
A	B	B	A	B	A	A	B
☆	☆	☆	☆	☆	☆	☆	☆

予想採点基準

☆…２点×８＝16点

解　説

正誤問題

１．かねて発行していた新株予約権（自己新株予約権）を取得した。なお，自己新株予約権の代価と取得に要した付随費用とを合算して自己新株予約権の取得原価とした。

Ａ（認められる） 自社がかねて発行していた新株予約権を取得した場合，これを自己新株予約権といいます。自己新株予約権の取得の取引は，株主ではなく新株予約権者との取引であることから，資本取引でなく損益取引とされます。そのため，通常の資産の取得と同様に，自己新株予約権の代価に取得に要した付随費用を加えた金額を自己新株予約権の取得原価とします。

（払込資本を増加させる可能性のある部分を含む複合金融商品に関する会計処理　11）

２．建設業を事業目的としている当社は，短期売買（トレーディング）目的で甲社株式を購入した。なお，キャッシュ・フロー計算書において，当該売買にかかるキャッシュ・フローは，その保有目的に合わせて営業活動によるキャッシュ・フローの区分に計上した。

Ｂ（認められない） あるキャッシュ・フローを営業活動によるキャッシュ・フローの区分に計上するか否かは，その企業の事業目的を考慮して判断します。もし，証券会社のように事業目的に短期的な有価証券の売買が含まれていると考えられる場合は，短期売買目的の株式の購入に係るキャッシュ・フローは営業活動によるキャッシュ・フローに分類されますが，本問のように建設業を事業目的としている企業では，短期売買目的の株式の購入は事業目的外の取引と考えられるため，これによるキャッシュ・フローは営業活動によるキャッシュ・フローの区分に計上せず，投資活動によるキャッシュ・フローの区分に計上します。
（連結財務諸表等におけるキャッシュ・フロー計算書の作成に関する実務指針　32）

3．**耐用年数が到来したが，なお使用中の機械について，その金額が少額であったために，未償却残高（残存価額）を簿外資産として処理した。**

B（認められない） 耐用年数が到来して償却済みであっても，使用中の有形固定資産については，除却されるまで未償却残高（残存価額）または備忘価額で貸借対照表に記載しなければなりません。

（企業会計原則　第三　五　D）

4．**使用中の機械が故障したが，工事に支障がないために修理は次期に行うこととした。これに伴い発生する修繕費についても，その金額が少額であったために，当期においては修繕引当金を計上しないこととした。**

A（認められる） 当期に行うべき修繕を次期に実施することになった場合，当期の負担とするために修繕引当金を計上しなければなりません。ただし，引当金のうち，重要性の乏しいものについては重要性の原則により計上しないことも認められています。

（企業会計原則注解　注１）

5．**得意先への証票発行事務の時間的および経済的負担軽減を目的として専用のソフトウェアを購入した。その目的は十分に達成されていると判断できたが，当該ソフトウェアの購入費については，「研究開発費等に係る会計基準」に従い，当期の費用として処理した。**

B（認められない） 社内利用のためにソフトウェアを購入した場合で，そのソフトウェアの利用によって収益獲得または費用削減が確実であると認められる場合には，ソフトウェアの取得に要した費用を資産として計上しなければなりません。本問の事例では，証票発行事務の時間的・経済的負担目的が十分に達成されているとあるため，費用削減が確実であると判断できます。

（研究開発費等に係る会計基準　四　３）

6．**建設現場で使用する機械を購入したが，当社の資金繰りの関係上，販売会社に代金は５回の分割払いとすることを申し入れ承諾された。当期のキャッシュ・フロー計算書では，当該分割払いが当社にとっては資金調達に該当するため，決算時に支払済みとなっていた３回分の分割代金は財務活動によるキャッシュ・フローの区分に計上した。**

A（認められる） キャッシュ・フロー計算書の表示区分は，決済条件等の取引慣行を考慮して判断します。有形固定資産の購入に係るキャッシュ・フローは，通常の取引慣行として考えられる期間内での支払であれば投資活動によるキャッシュ・フローの区分に計上されます。一方，通常の取引慣行として考えられる期間を超えてファイナンス（金融取引・資金調達取引）の性質が強い支払条件と判断された場合は財務活動によるキャッシュ・フローの区分に計上されます。
（連結財務諸表等におけるキャッシュ・フロー計算書の作成に関する実務指針　33）

7．**機械装置の減価償却方法を，正当な理由により，定額法から定率法に変更した。減価償却方法の変更は会計方針の変更に該当するが，「会計方針の開示，会計上の変更及び誤謬の訂正に関する会計基準」に従い遡及適用は行わなかった。**

A（認められる） 機械装置などの有形固定資産の減価償却方法は会計方針に該当しますが，有形固定資産の減価のパターンの見積りであるとも考えられます。そのため，減価償却方法の変更は会計上の変更を会計上の見積りの変更と区別することが困難な場合に該当することから，会計上の見積りと同様に取り扱うこととなっており，遡及適用は行いません。

（会計方針の開示，会計上の変更及び誤謬の訂正に関する会計基準　19，60）

8．**当社は，取引先乙社の借入金について債務保証をしている。乙社の財政状況は良好で，当面，当該借入金が返済不能になる危険は見込まれないが，保守主義の観点から，当該借入金全額について債務保証損失引当金を計上し，その繰入額を当期の損益計算書に計上した。**

B（認められない） 保証先である乙社の財政状況が良好で返済不能になる危険が見込まれない場合，債務保証を行っている当社において，代わりに債務を弁済することになって損失が発生する可能性は低いと考えられます。この場合，引当金の設定要件を満たさないため，債務保証損失引当金とその繰入額の計上は認められません。

（企業会計原則注解　注18）

テキスト参照ページ

⇒P.　1-130，1-21，
1-20，1-85，
1-83，1-98

第4問

解答

記号（ア～チ）も必ず記入のこと。

		借方			貸方			
		記号	勘定科目	金額	記号	勘定科目	金額	
問1	ＪＶ	イ	当座預金	20000000	ク	未成工事受入金	20000000	☆
	A社	ス	ＪＶ出資金	14000000	ク	未成工事受入金	14000000	☆
問2	ＪＶ	サ	未成工事支出金	56000000	タ	工事未払金	56000000	☆
	B社	サ	未成工事支出金	16800000	タ	工事未払金	16800000	☆
問3	ＪＶ	イ	当座預金	36000000	セ ソ	A社出資金 B社出資金	25200000 10800000	☆
	B社	ス	ＪＶ出資金	10800000	ア	現金	10800000	
問4	ＪＶ	タ	工事未払金	56000000	イ	当座預金	56000000	
	A社	タ	工事未払金	39200000	ス	ＪＶ出資金	39200000	☆
問5	ＪＶ	オ セ ソ	完成工事高 A社出資金 B社出資金	70000000 25200000 10800000	エ チ	完成工事原価 未払分配金	56000000 50000000	☆
	A社	ク カ エ	未成工事受入金 完成工事未収入金 完成工事原価	14000000 35000000 39200000	オ サ	完成工事高 未成工事支出金	49000000 39200000	

予想採点基準
☆…２点×７＝14点

解説

(1) **発注者からの前受金の受取り**

前受金を受け取ったときはまず，ＪＶ（共同事業体）の取引として処理します。構成員への分配をしない場合には，構成員は発注者から前受金を受取りＪＶに出資したと考え，ＪＶ出資金勘定を用いて処理します。

ＪＶの仕訳

(借)当座預金 20,000,000	(貸)未成工事受入金 20,000,000

A社の仕訳

(借) J V 出 資 金	14,000,000※1	(貸) 未成工事受入金	14,000,000

B社の仕訳

(借) J V 出 資 金	6,000,000※2	(貸) 未成工事受入金	6,000,000

※1　20,000,000円×70％＝14,000,000円
※2　20,000,000円×30％＝ 6,000,000円

(2) 請負工事による原価の発生

請負工事による原価が発生したときは，ＪＶで未成工事支出金勘定，工事未払金勘定で処理します。また，同時に構成員に出資の請求をします。各構成員はこの請求により，出資割合に応じた額を未成工事支出金勘定と工事未払金勘定で処理します。

ＪＶの仕訳

(借) 未成工事支出金	56,000,000	(貸) 工 事 未 払 金	56,000,000

A社の仕訳

(借) 未成工事支出金	39,200,000※1	(貸) 工 事 未 払 金	39,200,000

B社の仕訳

(借) 未成工事支出金	16,800,000※2	(貸) 工 事 未 払 金	16,800,000

※1　56,000,000円×70％＝39,200,000円
※2　56,000,000円×30％＝16,800,000円

(3) 各構成員による出資

工事原価56,000,000円と前受金20,000,000円の差額36,000,000円につき，各構成員が出資します。ＪＶは，各構成員からの出資金につき，○○出資金勘定で処理します。各構成員はＪＶ出資金勘定で処理します。

ＪＶの仕訳

(借) 当 座 預 金	36,000,000	(貸) A 社 出 資 金	25,200,000※1
		B 社 出 資 金	10,800,000※2

※1　36,000,000円×70％＝25,200,000円
※2　36,000,000円×30％＝10,800,000円

A社の仕訳

(借) J V 出 資 金	25,200,000	(貸) 現 金	25,200,000

B社の仕訳

(借) J V 出 資 金	10,800,000	(貸) 現 金	10,800,000

(4) 工事原価の支払い

ＪＶが工事原価を支払いを行ったときは，工事未払金を減少させます。各構成員は工事未払金およびＪＶ出資金を減少させます。

ＪＶの仕訳

(借) 工 事 未 払 金	56,000,000	(貸) 当 座 預 金	56,000,000

A社の仕訳

(借) 工 事 未 払 金	39,200,000※1	(貸) J V 出 資 金	39,200,000

※1　56,000,000円×70％＝39,200,000円

B社の仕訳

(借)工事未払金	16,800,000※2	(貸)ＪＶ出資金	16,800,000

※2　56,000,000円×30％＝16,800,000円

（参考）工事の完成と引渡し

工事が完成し引渡しを完了したときにＪＶで完成工事高と完成工事原価を計上します。なお，A社とB社は「仕訳なし」となります。

ＪＶの仕訳

(借)未成工事受入金	20,000,000	(貸)完成工事高	70,000,000
完成工事未収入金	50,000,000※		
(借)完成工事原価	56,000,000	(貸)未成工事支出金	56,000,000

※　70,000,000円－20,000,000円＝50,000,000円

(5)　決算

ＪＶの仕訳

ＪＶでは，工事利益（完成工事高－完成工事原価）に各社の出資金を含めた額を未払分配金として計上します。

(借)完成工事高	70,000,000	(貸)完成工事原価	56,000,000
A社出資金	25,200,000	未払分配金	50,000,000※
B社出資金	10,800,000		

※　未払分配金

（70,000,000円－56,000,000円）＋25,200,000円＋10,800,000円＝50,000,000円

A社の仕訳

各社では出資割合に応じて完成工事高と完成工事原価を計上します。

(借)未成工事受入金	14,000,000	(貸)完成工事高	49,000,000※1
完成工事未収入金	35,000,000※2		
(借)完成工事原価	39,200,000※3	(貸)未成工事支出金	39,200,000

※1　70,000,000円×70％＝49,000,000円

※2　49,000,000円－14,000,000円＝35,000,000円

※3　56,000,000円×70％＝39,200,000円

B社の仕訳

(借)未成工事受入金	6,000,000	(貸)完成工事高	21,000,000※1
完成工事未収入金	15,000,000※2		
(借)完成工事原価	16,800,000※3	(貸)未成工事支出金	16,800,000

※1　70,000,000円×30％＝21,000,000円

※2　21,000,000円－6,000,000円＝15,000,000円

※3　56,000,000円×30％＝16,800,000円

テキスト参照ページ
⇒　P.1-133

第5問

解答

精　算　表

（単位：千円）

勘定科目	残高試算表		整理記入		損益計算書		貸借対照表	
	借方	貸方	借方	貸方	借方	貸方	借方	貸方
現金預金	6923						6923	
受取手形	28000						28000	
完成工事未収入金	58200		157000				215200	
貸倒引当金		1032		3832				☆4864
未成工事支出金	195068		6000 1712	180 202600			0	
仮払法人税等	5600			5600			0	
仮払金	1050			1050			0	
機械装置	80863			20863 12000			48000	
機械装置減価償却累計額		51092	18863 8400	3771 6000				33600
資産除去債務		971	1000	29				0
土地	20000						20000	
投資有価証券	19600		200 150				19950	
その他の諸資産	33563						33563	
仮受金		2120	2120					0
工事未払金		41688						41688
未成工事受入金		65000	65000					0
完成工事補償引当金		823		1712				2535
退職給付引当金		106124	180	530				☆106474
その他の諸負債		38865						38865
資本金		100000						100000
資本準備金		15000						15000
利益準備金		3000						3000
繰越利益剰余金		2000						2000
完成工事高		285000		222000		☆507000		
完成工事原価	228240		3771 202600		☆434611			
有価証券利息		400		200		600		
雑収入		1088				1088		
販売費及び一般管理費	30496		530		31026			
その他の諸費用	6600				6600			
	714203	714203						
利息費用			29		☆29			
履行差額			50		☆50			
固定資産売却（益）				120		☆120		
固定資産除却損			3600		☆3600			
貸倒引当金繰入額			3832		3832			
その他有価証券評価差額金				105				☆105
繰延税金資産			390				☆390	
繰延税金負債				45				45
未払法人税等				3508				☆3508
法人税、住民税及び事業税			9108		9108			
法人税等調整額				390		390		
			484535	484535	488856	509198	372026	351684
当期（純利益）					☆20342			20342
					509198	509198	372026	372026

※　0の記入は省略しても可。

予想採点基準

☆…3点×12＝36点

解 説 (仕訳単位：千円)

(1) **資産除去債務・機械装置の除却**

資産除去債務を計上している機械装置（取得原価20,000千円）に係る過去の仕訳を考え，決算整理前残高試算表に計上されている機械装置や機械装置減価償却累計額，資産除去債務の金額の根拠を算定します。

① 取得時の仕訳（20X3年４月１日）

資産除去債務：1,000千円÷（1.03）^{5}＝862.6…→863千円＊1)

(借) 機械装置	20,863	(貸) 現金預金等	20,000
		資産除去債務	863

② 利息費用の計上

利息費用：1,000千円－971千円＝29千円＊2)

または 971千円×３％＝29.13→29千円

(借) 利息費用	29	(貸) 資産除去債務	29

③ 減価償却

１年分の減価償却費：（20,863千円－2,000千円）÷５年＝3,772.6→3,773千円

前期末までの減価償却費計上額（４年分）：3,773千円×４年＝15,092千円

当期の減価償却費：（20,863千円－2,000千円）－15,092千円＝3,771千円＊3)

(借) 完成工事原価	3,771	(貸) 機械装置減価償却累計額	3,771

④ 機械装置の売却

受け取った売却代金はすでに仮受金勘定で計上済みであるため，売却に係る修正仕訳では，現金預金の部分を仮受金勘定に置き換えます。

(借) 減価償却累計額	18,863	(貸) 機械装置	20,863
仮受金	2,120	固定資産売却益	120

⑤ 撤去費用の支出

支出した撤去費用はすでに仮払金勘定で計上済みであるため，撤去費用の支出に係る修正仕訳では，現金預金の部分を仮払金勘定に置き換えます。

(借) 資産除去債務	1,000	(貸) 仮払金	1,050
履行差額	50		

(2) **機械の水没処理**

① 当期の減価償却

決算日に水没した１台も含め，５台すべて当期の１年間にわたって使用をしているため，まずは５台分の減価償却費をまとめて計上します。

(借) 未成工事支出金	6,000	(貸) 機械装置減価償却累計額	6,000

減価償却費：60,000千円÷10年＝6,000千円

ここに！注意

＊1）決算整理前残高試算表に計上されている機械装置勘定の金額との整合性を考えて，ここでは四捨五入と考える。

ここに！注意

＊2）最終年度では，原則として資産除去に要する費用の見積額と資産除去債務の残高が一致するように利息費用を計上する。

ここに！注意

＊3）最終年度では，原則として減価償却累計額が要償却額（＝取得原価－残存価額）と一致するように減価償却費を計上する。

② 水没分

5台の機械装置のうち水没し利用できない1台について，固定資産の帳簿価額相当額（取得原価－減価償却累計額[*4)]）を固定資産除却損として処理します。

（借）機械装置減価償却累計額	8,400	（貸）機 械 装 置	12,000
固 定 資 産 除 却 損	3,600		

機械装置（水没分）：60,000千円÷5台＝12,000千円
機械装置減価償却累計額：1,200千円×7年＝8,400千円
固定資産除却損：12,000千円－8,400千円＝3,600千円

ここに！注意

＊4）②で水没分の当期の減価償却費を計上しているため，水没の処理における減価償却累計額は当期末の金額を用いる。

(3) その他有価証券の時価評価

その他有価証券のうちの債券に償却原価法を適用する場合，償却原価法を適用した後の償却原価を期末時価に評価替えします。

取得原価：$20{,}000\text{千円}\times\dfrac{@97\text{円}}{@100\text{円}}=19{,}400\text{千円}$

① 償却原価法

（借）投 資 有 価 証 券	200	（貸）有 価 証 券 利 息	200

$(20{,}000\text{千円}-19{,}400\text{千円})\times\dfrac{12\text{カ月}}{36\text{カ月}}=200\text{千円}$

償却原価：19,600千円＋200千円＝19,800千円

② 時価評価

（借）投 資 有 価 証 券	150	（貸）繰 延 税 金 負 債	45
		その他有価証券評価差額金	105

評価差額：19,950千円（時価）－19,800千円（簿価）＝150千円（評価差益）

繰延税金負債：150千円×30％＝45千円
その他有価証券評価差額金：150千円－45千円＝105千円

(4) 退職給付引当金（退職給付費用の計上）

予定計上額：225千円（月額）×12カ月＝2,700千円

予定計上額と実際発生額との差額：2,700千円（予定）－2,520千円（実際）＝180千円[*5)]

実際発生額	予定計上額
2,520千円	2,700千円
	減額 180千円

（借）退 職 給 付 引 当 金	180	（貸）未 成 工 事 支 出 金	180
（借）販売費及び一般管理費	530	（貸）退 職 給 付 引 当 金	530

ここに！注意

＊5）本問では，予定計上額 > 実際発生額であるため，差額を減額する。

(5) 完成工事高と完成工事原価の算定・計上等

イ　工事収益

①　第1期（前々期）（処理済み）

$$\text{工事収益}：750{,}000\text{千円}\times\frac{107{,}100\text{千円}}{630{,}000\text{千円}}=127{,}500\text{千円}$$

(借) 未成工事受入金*6)	127,500	(貸) 完成工事高	127,500

未成工事受入金残高：200,000千円－127,500千円＝72,500千円

②　第2期（前期）（処理済み）

$$\text{工事収益}：750{,}000\text{千円}\times\frac{107{,}100\text{千円}+132{,}300\text{千円}}{630{,}000\text{千円}}-127{,}500\text{千円}=157{,}500\text{千円}$$

(借) 未成工事受入金*7)	157,500	(貸) 完成工事高	157,500

未成工事受入金残高：72,500千円＋150,000千円－157,500千円＝65,000千円

③　第3期（当期）（未処理）

工事収益総額と，工事原価総額の見積りが変更された場合は，変更後の金額を用いて当期の工事収益を計算します。

$$\text{工事収益}：\text{変更後工事収益総額}\times\frac{\text{発生工事原価の累計額}}{\text{変更後の工事原価総額}}-\text{前期までの工事収益累計額}$$

$$\text{工事収益}：780{,}000\text{千円}\times\frac{107{,}100\text{千円}+132{,}300\text{千円}+202{,}600\text{千円}}{680{,}000\text{千円}}-285{,}000\text{千円}^{*8)}$$

$$=222{,}000\text{千円}$$

(借) 未成工事受入金	65,000	(貸) 完成工事高	222,000
完成工事未収入金*9)	157,000		

完成工事未収入金：222,000千円（完成工事高）－65,000千円（未成工事受入金）＝157,000千円

ロ　完成工事原価

工事原価当期発生額202,600千円を未成工事支出金勘定から完成工事原価勘定に振り替えます。

(借) 完成工事原価	202,600	(貸) 未成工事支出金	202,600

(6) 貸倒引当金の設定

①　貸倒引当金

(借) 貸倒引当金繰入額	3,832	(貸) 貸倒引当金	3,832

引当金設定額：(28,000千円（前T/B受取手形）＋58,200千円（前T/B完成工事未収入金）＋157,000千円（(5)完成工事未収入金））×2％

＝4,864千円

引当金繰入額：4,864千円－1,032千円＝3,832千円

ここに！注意

*6) 着手前に受取った前受金200,000千円のうち127,500千円を充当する。

ここに！注意

*7) 第1期末の未成工事受入金残高72,500千円と第2期に受取った前受金150,000千円の合計額222,500千円のうち157,500千円を充当する。

ここに！注意

*8) 127,500千円＋157,500千円＝285,000千円

ここに！注意

*9) 未成工事受入金残高65,000千円を充当し，残額157,000千円は，完成工事未収入金とする。

② 税効果会計

（借）繰延税金資産	390	（貸）法人税等調整額	390

一時差異　1,300千円×30％＝390千円

(7) 完成工事補償引当金の設定

（借）未成工事支出金	1,712	（貸）完成工事補償引当金	1,712

引当金設定額：（285,000千円＊10)＋222,000千円）×0.5％＝2,535千円
（完成工事高）

引当金繰入額：2,535千円－823千円＝1,712千円
（823千円：前T／B完成工事補償引当金）

(8) 法人税等と未払法人税等の計上

収益総額：（285,000千円＋222,000千円）＋（400千円＋200千円）＋1,088千円＋120千円
（完成工事高）（有価証券利息）（雑収入）（固定資産売却益）

＝508,808千円

費用総額：（228,240千円＋3,771千円＋202,600千円）＋（30,496千円＋530千円）
（完成工事原価）（販売費及び一般管理費）

＋6,600千円＋29千円＋50千円＋3,600千円＋3,832千円＝479,748千円
（その他の諸費用）（利息費用）（履行差額）（固定資産除却損）（貸倒引当金繰入額）

税引前当期純利益：508,808千円－479,748千円＝29,060千円

ここで，法人税等の計上にあたり，問題文の決算整理事項等9の指示に従い，税効果会計を考慮します。考え方及び算定手順は次のとおりです。

：		：	
税引前当期純利益		29,060	
法人税，住民税及び事業税	9,108※2		×30％（期間的に対応）
法人税等調整額	△390	8,718※1	
当期純利益		20,342※3	

※1　会計上の法人税等：29,060千円×30％＝8,718千円＊11)
（29,060千円：税引前当期純利益）

※2　実際に計上される法人税，住民税及び事業税は，次のように逆算で求めます。

8,718千円＋390千円＝9,108千円
（8,718千円：会計上の法人税等）（390千円：法人税等調整額）

※3　当期純利益：29,060千円－8,718千円＝20,342千円

（借）法人税，住民税及び事業税	9,108	（貸）仮払法人税等	5,600
		未払法人税等	3,508

未払法人税等：9,108千円－5,600千円＝3,508千円

ここに！注意

＊10）残高試算表欄に完成工事高285,000千円が計上されていることに注意する。

ここに！注意

＊11）税効果会計考慮後における会計上の法人税等の金額は，理論上は，税引前当期純利益の30％で期間的に対応する。

テキスト参照ページ

⇒P.　1-211，1-79，1-71，1-100，1-37，1-99，1-180

解答・解説（建設業経理士　第33回）

第1問

解答　解答にあたっては，各問とも指定した字数以内（句読点を含む）で記入すること。

問1

偶発債務は，現在は法律上の債務ではないが，将来一定
の条件の発生によって法律上の債務となる可能性をもつ
ものをいう。☆☆偶発債務の発生原因としては，受取手形の
割引または譲渡，子会社等に対する債務保証などが考え
られる。☆具体的には未決済の割引手形および裏書手形に
ついて支払人が支払い不能となった場合に当社が負う遡
求義務や，子会社の借入金が返済不能となった場合に当
社が負う保証義務が偶発債務に該当する。☆

問2

偶発債務のうち，その発生の確率も低く，その金額も正
確に見積もれないものは，通常，財務諸表の注記として
「割引手形×××円」，「子会社等に対する債務保証×
××円」といったかたちで記載される。☆☆発生の確率の低
い偶発債務については，引当金の計上要件を満たさない
ため，引当金を計上することができない。これに対して
，その発生の確率が高く，かつ，その金額も合理的に見
積もることのできる偶発債務については，引当金の計上
要件を満たすことになるため，これを引当金として計上
しなければならない。☆☆この場合，その引当額は「債務保
証損失引当金」，「損害補償損失引当金」などの科目で
負債の部に計上されることになる。☆☆

予想採点基準
☆… 2点×10＝20点
☆の前の文の内容が正解で得点

解　説

問１　偶発債務

偶発債務とは，現在は法律上の債務ではないが，将来一定の条件の発生によって法律上の債務となる可能性をもつものをいいます。その発生原因としては，受取手形の割引または裏書譲渡，子会社に対する債務保証，係争中の訴訟事件などが考えられます。

例えば受取手形の割引については，手形の支払人が支払不能となった場合（一定の条件）には，割引人である当社が金融機関に対して手形の支払義務（法律上の債務）を負うことになります。

問２　偶発債務の財務諸表上の表示

偶発債務は，その発生確率の高低に応じ，財務諸表上の表示も以下のように変わります。

発生可能性	会計上の取扱い
法律上の債務となる確率が低い	財務諸表に注記するのみ （負債は計上しない）
法律上の債務となる確率が高く，金額を見積もれる	引当金（負債）を計上する

＜具体例＞

当社は，得意先Ａ社がＢ銀行から借入れた借入金10,000円に対して債務保証をしている。以下の各ケースにおける，会計上の取扱いを考えてみる。

(1)　Ａ社の財政状態に問題がない場合

財務諸表に注記します。

「債務保証：当社はＡ社の銀行からの借入金10,000円に対し，債務保証を行っております。」

(2)　Ａ社の財政状態が著しく悪化し，翌期に支払い不能となる確率が高い場合

期末に債務保証損失引当金を計上します。

(借) 債務保証損失引当金繰入	10,000	(貸) 債務保証損失引当金	10,000

なお，債務保証をおこなった際に，帳簿上，対照勘定法により備忘記録を行う場合もあります。

債務保証時

(借) 保証債務見返	10,000	(貸) 保証債務	10,000

偶発債務消滅時

(借) 保証債務	10,000	(貸) 保証債務見返	10,000

テキスト参照ページ
⇒　P.1-104

第2問

解答

記号（ア〜チ）

1	2	3	4	5	6	7	8
カ	ス	ソ	サ	イ	シ	エ	タ
☆	☆	☆	☆	★	★	☆	☆

予想採点基準
☆… 2点× 6 =12点
★… 1点× 2 = 2点
合計 14点

解説

1．建設業における棚卸資産

棚卸資産は販売を目的に保有され，あるいは生産その他企業の営業活動で短期間保有される財，用役をいい，建設業においては，未成工事支出金，材料貯蔵品の勘定で処理されています。

(1) 未成工事支出金

未成工事支出金には，工事収益を未だ認識していない工事に要した材料費，労務費，外注費，経費といった工事原価のほか，特定工事に係る前渡金，材料，仮設材料などが含まれます。

(2) 材料貯蔵品

材料貯蔵品には，手持ちの工事用原材料，仮設材料，機械部品等の消耗工具器具備品，事務用消耗品が含まれます（未成工事支出金等で処理したものを除きます）。

2．固定資産

固定資産は，企業が営業目的を達成するため長期間にわたって使用し，あるいは保有する資産です。固定資産は有形固定資産，無形固定資産，投資その他の資産に分類されます。

(1) 有形固定資産

建物，構築物，機械・運搬具，工具器具・備品，土地，建設仮勘定などの有形物が含まれます。

(2) 無形固定資産

特許権，借地権などの法律上の権利のほか，営業権（のれん）のような企業の超過収益力が含まれます。

(3) 投資その他の資産

長期利殖を目的として保有する有価証券（その他有価証券），子会社株式，関連会社株式，出資金*)，長期貸付金などのほか，長期前払費用が含まれます。

ここに！注意

*）出資金とは，株式会社以外の法人や，信用金庫，協同組合等への出資を表す科目です。

☞よって本問の文章は次のようになります。

棚卸資産は，販売を目的に保有され，あるいは生産その他企業の営業活動で**短期間**に保有される財・用役をいい，これらは，未成工事支出金および**材料貯蔵品**の勘定で処理されている。未成工事支出金には，工事収益を未だ認識していない工事に要した材料費，労務費，外注費，経費といった**工事原価**のほか，特定工事に係る**前渡金**，材料，仮設材料などが含まれる。また，**材料貯蔵品**には，手持の工事用原材料，仮設材料，機械部品等の消耗工具器具備品，事務用消耗品が含まれる（未成工事支出金等で処理したものを除く）。

固定資産は，企業が営業目的を達成するために**長期間**にわたって使用し，あるいは保有する資産である。建設業法施行規則では，固定資産を有形固定資産，**無形固定資産**および**投資その他の資産**の３つに分類している。有形固定資産には，建物，構築物，機械，運搬具，工具器具備品，土地，**建設仮勘定**などの有形物が含まれる。**無形固定資産**には，特許権，借地権などの法律上の権利のほか，営業権のような事実上の権利が含まれる。また**投資その他の資産**に属するものとしては長期利殖を目的として保有する有価証券，子会社株式・出資金，長期貸付金などのほか，長期の**前払費用**があげられる。

テキスト参照ページ
⇒　P.1-74，1-8

第3問

解　答

記号（ＡまたはＢ）

1	2	3	4	5	6	7	8
B	B	A	B	B	A	B	A
☆	☆	☆	☆	☆	☆	☆	☆

予想採点基準
☆…２点×８＝16点

解　説

正誤問題

1．かねて発行していた新株予約権について，権利が行使されずに権利行使期限が到来したので，純資産の部に計上されていた新株予約権の発行に伴う払込金額を資本金に振り替えた。

B（認められない）権利行使されずに権利行使期限が到来した新株予約権の払込金額は，権利行使期限が到来した期の利益として処理されます。
（払込資本を増加させる可能性のある部分を含む複合金融商品に関する会計処理　6）

2．当社は，従業員の退職給付について，確定給付型退職給付制度を採用し，外部の信託銀行に退職給付基金を積み立てている。当期末，退職した従業員に対して当該基金から退職金が支払われ，退職給付債務が減少したので退職給付引当金を減額した。

B（認められない）外部の信託銀行等に積み立てられた退職給付基金を年金資産といい，年金資産がある場合，退職給付引当金という負債として計上される金額は，退職給付債務から年金資産を差し引いた金額となります。この場合において，外部の基金から退職金が支払われると，退職給付債務と年金資産がともに同額，減少するため，退職給付引当金の金額は変わりません。
（退職給付に関する会計基準　13）

3．**保有していた自己株式を売却したが，その際に処分差損が発生した。当該差損をその他資本剰余金から減額したが，減額しきれなかったので，不足分をその他利益剰余金（繰越利益剰余金）から減額した。**

A（認められる） 自己株式処分差損が発生した場合はその他資本剰余金として処理しますが，その結果，その他資本剰余金の残高がマイナスになった場合には，決算において，マイナスとなったその他資本剰余金の残高をゼロとする処理を行います。

（自己株式及び準備金の額の減少等に関する会計基準　10，12）

4．**事業規模を縮小するに伴い資本金を減少させた。その際に発生した差益は，当期の損益として損益計算書に計上した。**

B（認められない） 資本金を減少させる取引は資本取引なので，資本取引・損益取引区別の原則に従い，資本取引から生じた差益を損益計算書に計上することは認められません。

（企業会計原則　第一　三）

5．**期末に保有する工事用原材料の将来の価格下落による損失に備えるため，その残高に対して３％の引当金を設定した。**

B（認められない） 将来の特定の費用又は損失であって，その発生が当期以前の事象に起因し，発生の可能性が高く，かつ，その金額を合理的に見積ることができる場合には，当期の負担に属する金額を当期の費用又は損失として引当金に計上することができますが，本問で扱っている材料価格の下落に関しては，発生の可能性について言及がないため，引当金の設定は認められないと考えられます。

（企業会計原則注解　注18）

6．**受取利息を入金時に認識してきたため，受取利息勘定の期末残高に期間未経過のものが含まれていたが，未経過の金額が相対的に小さいために期末整理を行わず，受取利息勘定の期末残高を当期の損益計算書に収益として計上した。**

A（認められる） 未経過分の受取利息は，本来であれば前受収益として計上しなければなりませんが，本問のように，未経過の金額が相対的に小さく重要性に乏しいと考えられる場合は，前受収益（経過勘定項目）を計上しないことができます。

（企業会計原則注解　注１(2)）

7．**小口の買掛金の残高を，その金額が小さいとの理由で簿外負債として処理した。**

B（認められない） 買掛金は主目的たる営業取引の過程で生じる負債であり，科目としての重要性が高いため，仮にその金額が小さいとしても，重要性の原則は適用されません。

（企業会計原則注解　注１）

8．**当期（決算日は毎年３月31日）の10月１日に社債（償還期間５年）を発行し，その際に募集広告費等に￥500,000支出した。これを社債発行費として繰延処理し，定額法で償却することとした。これにより，決算時に償却費￥50,000を計上した。**

A（認められる）社債の発行の際に要した募集広告費等の支出は社債発行費に該当するため，支出した期の費用に計上するのが原則ですが，繰延資産として計上することも認められています。繰延資産として計上した場合，社債の償還までの期間にわたり利息法（または継続適用を条件に定額法）で償却します。なお，期中に支出した場合，決算において月割計算を行います。

当期の社債発行費償却：$500{,}000円 \div 5年 \times \frac{6カ月}{12カ月} = 50{,}000円$

（繰延資産の会計処理に関する当面の取扱い　3(2)）

テキスト参照ページ
⇒P.　1-96，1-110，
1-118，1-98，
1-21，1-87

第4問

解答

① 1056 千円 ☆

② △10560 千円 ☆

③ 90000 千円 ☆

④ 60000 千円 ☆

⑤ 16500 千円 ☆

⑥ 67000 千円 ☆

⑦ 635240 千円 ☆

予想採点基準
☆… 2 点× 7 =14点

解説 (仕訳単位：千円)

1．剰余金の処分

(1) 剰余金の配当

配当金：330円×32,000株＝10,560千円

利益準備金積立額

① 準備金積立限度額：$295,000千円\times\frac{1}{4}-(12,300千円+26,400千円)$
＝35,050千円

② 配当金の$\frac{1}{10}$：$10,560千円\times\frac{1}{10}$＝1,056千円

③ ①＞② ∴1,056千円

(借)		(貸)	
繰越利益剰余金	11,616	利益準備金	1,056
		未払配当金	10,560

(2) 別途積立金の積立て

(借)		(貸)	
繰越利益剰余金	3,000	別途積立金	3,000

2．吸収合併

吸収合併にあたり，合併の対価として新株を発行して被取得企業の株主に交付した場合，交付した株式の時価を払込資本として，合併契約に基づき*1) 資本金・資本準備金・その他資本剰余金とします。

また，受け入れる諸資産・諸負債は時価で計上し，取得原価（払込資本の増加額）との差額をのれん*2) として計上します。

(借)		(貸)	
諸資産	360,000	諸負債	240,000
のれん	30,000	資本金	90,000
		資本準備金	40,000
		その他資本剰余金	20,000

ここに！注意

*1) 通常の新株と異なり，資本金として計上しなければならない金額などは規定されていません。試験上は問題文の指示に従うことになります。

*2) のれんは資産であるため，株主資本等変動計算書には記載されません。

3．増資

(1) 払込み

資本金増加額：16,500円×2,000株×$\frac{1}{2}$＝16,500千円

(借) 当座預金	33,000	(貸) 資本金	16,500
		資本準備金	16,500

(2) 手数料

増資にあたっての手数料は，株式交付費として，原則費用処理します。そのため，株主資本等変動計算書には，直接影響しません。

(借) 株式交付費	500	(貸) 現金	500

4．当期純利益

(借) 損益	67,000	(貸) 繰越利益剰余金	67,000

なお，株主資本等変動計算書を完成させると次のようになります。

株主資本等変動計算書（一部）
自20×6年４月１日　至20×7年３月31日　（単位：千円）

	株主資本								
	資本金	資本剰余金			利益剰余金				株主資本合計
		資本準備金	その他資本剰余金	資本剰余金合計	利益準備金	その他利益剰余金		利益剰余金合計	
						別途積立金	繰越利益剰余金		
当期首残高	295,000	12,300	26,500	38,800	26,400	5,000	30,600	62,000	395,800
当期変動額									
剰余金の配当					1,056		△11,616	△10,560	△10,560
別途積立金の積立						3,000	△ 3,000	0	0
吸収合併	90,000	40,000	20,000	60,000					150,000
新株の発行	16,500	16,500		16,500					33,000
当期純利益							67,000	67,000	67,000
当期変動額合計	106,500	56,500	20,000	76,500	1,056	3,000	52,384	56,440	239,440
当期末残高	401,500	68,800	46,500	115,300	27,456	8,000	82,984	118,440	635,240

テキスト参照ページ

⇒　P.1-116

第5問

解答

精　算　表

（単位：千円）

勘定科目	残高試算表		整理記入		損益計算書		貸借対照表	
	借方	貸方	借方	貸方	借方	貸方	借方	貸方
現金預金	7296						7296	
受取手形	12000						12000	
完成工事未収入金	26300		245500				271800	
貸倒引当金		216		5460				☆ 5676
貸付金	5000			140			4860	
未成工事支出金	231237		3400 1993	130 236500			0	
仮払法人税等	9800			9800			0	
機械装置	34000			985			33015	
機械装置減価償却累計額		13600		3400				17000
土地	24000						24000	
投資有価証券	14775		75	300			14550	
その他の諸資産	10095						10095	
工事未払金		33661						33661
未成工事受入金		30000	30000					0
完成工事補償引当金		467		1993				☆ 2460
退職給付引当金		26652	130	250				☆ 26772
その他の諸負債		21897						21897
資本金		180000						180000
資本準備金		18000						18000
利益準備金		16000						16000
繰越利益剰余金		3200						3200
完成工事高		216530		275500		☆ 492030		
雑収入		1157				1157		
有価証券利息		150		75		☆ 225		
完成工事原価	165859		236500		☆ 402359			
販売費及び一般管理費	18632		250		18882			
その他の諸費用	2536				2536			
	561530	561530						
機械装置減損損失			985		☆ 985			
為替差損益			140		☆ 140			
貸倒引当金繰入額			5460		☆ 5460			
その他有価証券評価差額金			210				210	
繰延税金資産			90 330				☆ 420	
未払法人税等				9445				☆ 9445
法人税，住民税及び事業税			19245		19245			
法人税等調整額				330		330		
			544308	544308	449607	493742	378246	334111
当期（純利益）					☆ 44135			44135
					493742	493742	378246	378246

※　0の記入は省略しても可。

予想採点基準

☆…3点×12＝36点

解　説　（仕訳単位：千円）

(1)　減価償却および減損損失

まず減価償却を行い，当期の減価償却後の帳簿価額（取得原価－減価償却累計額）にもとづき，減損損失を計算します。

①　減価償却

(借)	未成工事支出金	3,400	(貸)	機械装置減価償却累計額	3,400

34,000千円÷10年＝3,400千円

②　減損損失

イ　減損損失の認識

割引前将来キャッシュ・フローの総額が帳簿価額を下回る場合には，減損損失を認識します。

帳簿価額：34,000千円－（13,600千円＋3,400千円）＝17,000千円

17,000千円＞16,500千円　∴　減損損失を認識する。

ロ　減損損失の測定

帳簿価額を回収可能価額まで減額し，減少額を減損損失とします。回収可能価額とは，正味売却価額と使用価値（割引後のキャッシュ・フローの総額）のいずれか高い方の金額をいいます。

(借)	機械装置減損損失	985	(貸)	機械装置	985

17,000千円－16,015千円＝985千円

(2)　貸付金の換算

外貨建金銭債権・債務は，期末に決算日レートで換算し，換算差額は為替差損益として処理します。

(借)	為替差損益	140	(貸)	貸付金	140

2,700千円÷135円/ドル＝20千ドル

20千ドル×128円/ドル－2,700千円＝△140千円（資産の減少）

(3)　その他有価証券の時価評価

その他有価証券のうちの債券に償却原価法を適用する場合，償却原価法を適用した後の償却原価を期末時価に評価替えします。

取得原価：$15{,}000\text{千円} \times \dfrac{@98.5\text{円}}{@100\text{円}} = 14{,}775\text{千円}$

①　償却原価法

(借)	投資有価証券	75	(貸)	有価証券利息	75

$(15{,}000\text{千円} - 14{,}775\text{千円}) \times \dfrac{12\text{カ月}}{36\text{カ月}} = 75\text{千円}$

償却原価：14,775千円＋75千円＝14,850千円

②　時価評価

(借)	繰延税金資産	90	(貸)	投資有価証券	300
	その他有価証券評価差額金	210			

評価差額：14,550千円（時価）－14,850千円（簿価）＝△300千円（評価差損）

繰延税金資産：300千円×30％＝90千円

その他有価証券評価差額金：300千円－90千円＝210千円

(4) 退職給付引当金（退職給付費用の計上）

予定計上額：250千円（月額）×12カ月＝3,000千円

予定計上額と実際発生額との差額：3,000千円（予定）－2,870千円（実際）＝130千円*1)

実際発生額	予定計上額
2,870千円	3,000千円

減額 130千円

(借) 退職給付引当金	130	(貸) 未成工事支出金	130
(借) 販売費及び一般管理費	250	(貸) 退職給付引当金	250

(5) 完成工事高と完成工事原価の算定・計上等

イ　工事収益

① 第1期（前々期）（処理済み）

工事収益：$840,000千円\times\dfrac{135,000千円}{600,000千円}=189,000千円$

(借) 未成工事受入金*2)	189,000	(貸) 完成工事高	189,000

未成工事受入金残高：200,000千円－189,000千円＝11,000千円

② 第2期（前期）（処理済み）

工事収益：$840,000千円\times\dfrac{135,000千円+115,000千円}{600,000千円}-189,000千円=161,000千円$

(借) 未成工事受入金*3)	161,000	(貸) 完成工事高	161,000

未成工事受入金残高：11,000千円＋180,000千円－161,000千円＝30,000千円

③ 第3期（当期）（未処理）

工事収益総額と工事原価総額の見積りが変更された場合は，変更後の金額を用いて当期の工事収益を計算します。

$$工事収益：変更後工事収益総額\times\frac{発生工事原価の累計額}{変更後の工事原価総額}-前期までの工事収益累計額$$

工事収益：$900,000千円\times\dfrac{135,000千円+115,000千円+236,500千円}{700,000千円}-350,000千円$*4)

＝275,500千円

(借) 未成工事受入金	30,000	(貸) 完成工事高	275,500
完成工事未収入金*5)	245,500		

完成工事未収入金：275,500千円（完成工事高）－30,000千円（未成工事受入金）＝245,500千円

ここに！注意

*1) 本問では，予定計上額 ＞ 実際発生額であるため，差額を減額する。

ここに！注意

*2) 着手前に受取った前受金200,000千円のうち189,000千円を充当する。

ここに！注意

*3) 第1期末の未成工事受入金残高11,000千円と第2期に受取った前受金180,000千円の合計額191,000千円のうち161,000千円を充当する。

ここに！注意

*4) 189,000千円＋161,000千円＝350,000千円

*5) 未成工事受入金残高30,000千円を充当し，残額245,500千円は，完成工事未収入金とする。

ロ　完成工事原価

工事原価当期発生額236,500千円を未成工事支出金勘定から完成工事原価勘定に振り替えます。

(借) 完成工事原価	236,500	(貸) 未成工事支出金	236,500

(6)　貸倒引当金の設定

①　貸倒引当金

(借) 貸倒引当金繰入額	5,460	(貸) 貸倒引当金	5,460

引当金設定額：(12,000千円（前T/B受取手形） ＋ 26,300千円（前T/B完成工事未収入金） ＋ 245,500千円（(5)完成工事未収入金）) × 2％

＝5,676千円

引当金繰入額：5,676千円－216千円＝5,460千円

②　税効果会計

(借) 繰延税金資産	330	(貸) 法人税等調整額	330

一時差異　1,100千円×30％＝330千円

(7)　完成工事補償引当金の設定

(借) 未成工事支出金	1,993	(貸) 完成工事補償引当金	1,993

引当金設定額：(216,530千円[*6)]＋275,500千円（完成工事高）) ×0.5％

＝2,460.15千円→2,460千円（切り捨て）

引当金繰入額：2,460千円－467千円（前T/B完成工事補償引当金）＝1,993千円

(8)　法人税等と未払法人税等の計上

収益総額：(216,530千円＋275,500千円)（完成工事高）＋1,157千円（雑収入）＋(150千円＋75千円)（有価証券利息）

＝493,412千円

費用総額：(165,859千円＋236,500千円)（完成工事原価）＋(18,632千円＋250千円)（販売費及び一般管理費）＋2,536千円（その他の諸費用）

＋ 985千円（機械装置減損損失） ＋ 140千円（為替差損） ＋ 5,460千円（貸倒引当金繰入額） ＝430,362千円

税引前当期純利益：493,412千円－430,362千円＝63,050千円

ここで，法人税等の計上にあたり，問題文の決算整理事項等9の指示に従い，税効果会計を考慮します。考え方及び算定手順は次のとおりです。

ここに！注意

＊6）残高試算表欄に完成工事高216,530千円が計上されていることに注意する。

：		：
税引前当期純利益		63,050
法人税，住民税及び事業税	19,245[※2]	
法人税等調整額	△330	18,915[※1]
当期純利益		44,135[※3]

×30％（期間的に対応）

※1　会計上の法人税等：63,050千円×30％＝18,915千円[*7)]
（63,050千円：税引前当期純利益）

※2　実際に計上される法人税，住民税及び事業税は，次のように逆算で求めます。

18,915千円＋330千円＝19,245千円
（18,915千円：会計上の法人税等，330千円：法人税等調整額）

※3　当期純利益：63,050千円－18,915千円＝44,135千円

(借)			(貸)	
法人税，住民税及び事業税	19,245		仮払法人税等	9,800
			未払法人税等	9,445

ここに！注意

＊7）税効果会計考慮後における会計上の法人税等の金額は，理論上は，税引前当期純利益の30％で期間的に対応する。

テキスト参照ページ

⇒P.　1-205，1-190，1-71，1-100，1-37，1-99，1-180

解答・解説（建設業経理士　第34回）

第1問

解答 解答にあたっては，各問とも指定した字数以内（句読点を含む）で記入すること。

問1

長期前払費用と繰延資産は，ともにすでに支出は済んで
いるものの，☆棚卸資産と比べて換金性が著しく低いもし
くは換金性を有しない☆点で共通の性質を持っている。一
方，長期前払費用が対価に見合う役務を未だ受け取って
おらず，その本質が「未費消の原価」である点に求めら
れる☆のに対し，繰延資産はすでに役務を受け取って費消
しており，その本質が「費消済原価」である☆点に求めら
れるという違いがある。つまり，支払いに対する役務を
受け取っているか否か，費消済みであるか否かという点
で両者の性質は大きく異なる。☆

問2

長期前払費用と繰延資産は，ともに支出の期間配分基準
として「時間」を適用している点で共通している。☆一方
，長期前払費用は原則としてその資産計上が強制され，
有効期間にわたって規則的に費用化されるのに対し，☆繰
延資産はそもそも当該支出を繰延経理するか否か発生し
た期の費用とするかが企業の自主的判断に委ねられてお
り，☆また，資産として繰延経理する場合も支出の効果が
発現すると期待される期間を明確に予測することは困難☆
であるため，償却期間は人為的に定められ，早期の償却
が求められる点☆が異なる。

予想採点基準

☆… 2 点×10＝20点
☆の前の文の内容が正解で得点

解　説

問１　長期前払費用と繰延資産の性質上の異同

前払費用は，前払保険料など一定の契約に従い継続してサービスの提供を受ける場合に支払われる対価の未消費分のことであり，長期前払費用は一年基準により前払費用のうち１年を超えた期間に対応する分を指します。

一方の繰延資産は，次の３つの要件を満たした費用を資産計上したものです。

・すでに代価の支払いが完了し，または支払義務が確定していること。
・これに対応する役務の提供を受けていること。
・その効果が将来にわたって発現するものと期待されること。

こうした定義から，長期前払費用と繰延資産の性質には，以下のような類似点と相違点を導き出すことができます。

	長期前払費用	繰延資産
類似点	・どちらも原則として支出済みである ・換金性が極めて低い，または換金性がほとんどない ・将来の収益獲得に貢献するものである	
相違点	対価に見合う役務を未だ受け取っていない（未費消の原価である）	すでに役務の提供を受けている（費消済の原価である）

問２　長期前払費用と繰延資産の会計処理上の異同

長期前払費用と繰延資産ともに，その性質に応じた会計処理が求められるため，上述のような性質の異同から，会計処理の面においても以下のような類似点・相違点が存在します。

	長期前払費用	繰延資産
類似点	・支出の期間配分基準として「時間」が適用される ・将来の収益に対応させるために資産計上される ・将来，費用化される	
相違点	・原則として資産計上が強制される ・有効期間が明確であるため，その有効期間にわたって規則的に費用化される ・固定資産の部（投資その他の資産）に計上される	・資産計上できるものが限定されており，資産とするかは任意 ・効果が発現する期間が明確に予測できないので，早期の償却が求められる ・繰延資産の部に計上される

テキスト参照ページ
⇒　P.1-86～87

第2問

解答

記号（ア～チ）

1	2	3	4	5	6	7
ソ	イ	キ	カ	ス	エ	チ
☆	☆	☆	☆	☆	☆	☆

予想採点基準
☆… 2 点× 7 =14点

解説

1．費用と損失

期間利益は，期間収益からそれに対応する期間費用を差し引いて計算されます。この期間費用には，資本の払戻しや修正以外の原因による出資者持分（資本）の減少すべてを費用とする**広義の費用概念**と，あくまでも財・用役の減少部分のうち収益獲得に関係を持つ部分のみを費用とし，それ以外の災害や盗難など経営活動とは無関係なものを損失として費用とは区別する**狭義の費用概念**が存在します。

この２つの概念の関係性をまとめると，下記の表のようにまとめることができ，広義の費用概念と狭義の費用概念では，「損失」に当たる部分を費用として取り扱うか否かが大きな違いといえます。

費用収益対応の原則に基づき，合理的な期間利益を計算するのであれば，期間収益から差し引く期間費用は，損失を含まない狭義の費用であるべきとされています。

広義の費用 （払戻・修正によらない出資者持分の減少）	**狭義の費用**	財・用役の減少部分のうち生産・販売活動（収益の獲得活動）に関連して発生するもの
	損失	災害や盗難など生産活動（経営活動）とは無関係な出資者持分の減少*1)

ここに！注意

＊1）現行の会計制度における損益計算書上の「特別損失」の区分に該当するものといえます。

2．費用配分の原則

企業会計原則　貸借対照表原則五に次のように規定されています。

「資産の取得原価は，資産の種類に応じた費用配分の原則によって，各事業年度に配分しなければならない。有形固定資産は，当該資産の耐用年数にわたり，定額法，定率法等の一定の減価償却の方法によって，その取得原価を各事業年度に配分し，無形固定資産は，当該資産の有効期間にわたり，一定の減価償却の方法によって，その取得原価を各事業年度に配分しなければならない。」

上記の規定は，費用性資産の取得原価を所定の方法に従い，計画的・規則的に各期に配分すべきであることを要請しているもので，企業会計原則では有形固定資産と無形固定資産について触れていますが，棚卸資産についても費用配分の原則のもと，所定の方法（個別法，先入先出法，平均原価法など）に基づき当期の売上に対する売上原価は損益計算書へ計上されることになります。

この原則における「計画的」とは，企業の特殊性を十分考慮した上で合理的な配分方法を企業の自主的な判断で選択することで，適正な期間利益の計算を保証する妥当なものでなければならないとされています。

また，「規則的」とは，選択した配分方法を毎期継続して適用することを意味しています。

☞よって本問の文章は次のようになります。

期間利益は期間収益からそれに対応する費用を差し引いて計算される。この対応計算を**合理**的に行うためには，対応計算に先だって，財・**用役**の減少部分を収益の獲得活動と関係をもつ部分とそれ以外の部分とに明確に区別しておくことが望ましく，かつ，必要なことはいうまでもない。企業会計原則においても，こうした理由から，収益の獲得活動と関係をもつ部分，すなわち「費用」と，それ以外の部分，すなわち「**損失**」とを明確に区別すべきものとしている。

企業会計原則の「貸借対照表原則五」は，費用配分の原則について，資産の取得原価を所定の方法に従い，計画的・**規則**的に各期に配分すべきであるということを要請している。ここにいう「所定の方法」とは，一般に公正妥当と認められた費用配分の方法をいう。たとえば，**棚卸**資産原価の配分方法には個別法，先入先出法，平均原価法などが認められる。

一方，配分方法の選択について，企業会計原則は企業の自主的な判断に委ねる立場をとっているが，これを企業による配分方法の恣意的な選択を容認するものと解してはならない。つまり，「貸借対照表原則五」にいう「計画的」とは，**合理**的な配分計画のもとに企業の特殊性を十分に考慮して適正な期間利益の計算を**保証**するという意味での妥当な方法の選択を意味する。このようにして選択された配分方法は，正当な理由のないかぎり，毎期**継続**して適用されなければならない。つまり，「**規則**的」とは，妥当な方法の機械的適用を意味する。

テキスト参照ページ
⇒　P.1-26～28

第3問

解　答

記号（AまたはB）

1	2	3	4	5	6	7	8
A	A	B	A	A	B	B	A
☆	☆	☆	☆	☆	☆	☆	☆

予想採点基準
☆… 2 点× 8 ＝16点

解　説

正誤問題

1．**正規の簿記の原則は，帳簿記録の網羅性，検証可能性および秩序性を要請すると同時に，財務諸表がかかる会計記録に基づいて作成されるべきことを求めたものである。しかし，ここにいう記録の網羅性とは，すべての取引項目を完全に記録することを必ずしも要求していない。**

A（認められる） 正規の簿記の原則が要請する正確な会計帳簿の要件には，a）網羅性，b）検証可能性，c）秩序性の３つの要件が求められ，そのうちａ）網羅性は会計帳簿に記録すべき事実が正しく記録され，記帳漏れや架空記録がないことを意味します。ただし，重要性の乏しいものについては，重要性の原則により本来の厳密の会計処理によらず，簡便的な方法によることも認められています。これにより簿外資産・簿外負債が発生するなど，記録されていないものがあったとしても，正規の簿記の原則に従った処理として認められています。

（企業会計原則　第一　二，企業会計原則注解　注１）

2．**明瞭性の原則は，財務諸表の利用者が広く社会の各階層に及んでいる事実認識を前提に，財務諸表の形式に関し，目的適合性，概観性と詳細性の調和，表示形式の統一性と継続性など，一定の要件を満たすことを要請する規範理念である。**

A（認められる） 明瞭性の原則は，財務諸表の利用者（利害関係者）が判断を誤らないようにするために，財務諸表の形式的・実質的な明瞭性を要請する一般原則です。その中には，予想される利害関係者の情報に対する要求に適合する情報を提供することや，開示されるべき財務諸表に関して重要性に応じて，詳しく書きすぎて全体像が掴めなかったり，簡略化しすぎて必要な情報が分からなかったりと言ったことがないように概観性と詳細性の調和を図ることなどが要請されていると解釈されています。

（企業会計原則　第一　四）

3．**工事用の機械を購入するにあたり銀行から資金を借り入れた。借入れに対する支払利息を，付随費用として当該機械の取得原価に含めることとした。**

B（認められない） 有形固定資産を自社で製造・建設する自家建設の場合で，かつ，そのための必要な資金を借入れによってまかなった場合，稼働前の期間に属する利息を有形固定資産の取得原価に算入することが認められています。しかし，本問の工事用機械は自家建設ではなく購入により取得するものであるため，支払利息を機械の取得原価に含めることはできません。

（連続意見書第三　第一　四　2）

4．**当期に行った新株の発行による収入，自己株式の取得による支出，配当金の支払いによる支出，社債の発行による収入を，キャッシュ・フロー計算書の財務活動によるキャッシュ・フローの区分に計上した。**

A（認められる） 財務活動によるキャッシュ・フローの区分には，資金調達に関連するキャッシュ・フローが計上されます。具体的には，新株の発行による収入や自己株式の取得による支出，社債の発行や資金の借入れによる収入，社債の償還や借入金の返済などによる支出，配当金の支払いによる支出などが記載されます。

（連結キャッシュ・フロー計算書等の作成基準注解　注５）

5．**保有している満期保有目的の債券についてデリバティブ取引によりヘッジを行ってきたが，ヘッジ手段の時価の下落が極めて大幅になったため，当該ヘッジ手段はヘッジの要件を充たさなくなったと判断し，ヘッジ会計を中止した。繰り延べてきたヘッジ手段に係る損失については，ヘッジ対象に係る損益が認識されるまで引き続き繰り延べることとした。**

A（認められる）ヘッジ手段の時価の変動が著しく大幅になるなどしてヘッジ会計の要件が充たされなくなったときには，この時点でヘッジ会計の適用を中止し，それ以降はヘッジ会計を適用しません。しかし，ヘッジ会計の要件が充たされていた間のヘッジ手段に係る損益又は評価差額は，その時点では適切な処理であったため，そのままヘッジ対象に係る損益が認識されるまで引き続き繰り延べます。

（金融商品に関する会計基準　33）

6．**期首に，従業員の給与計算事務の時間的ならびに経済的負担軽減を目的として専用のソフトウェアを購入し，その目的は十分に達成されている。当該ソフトウェアの購入費を当期の費用として損益計算書に計上した。**

B（認められない）社内利用のソフトウェアについては，完成品を購入した場合のように，その利用により将来の収益獲得又は費用削減が確実であると認められる場合には，当該ソフトウェアの取得に要した費用を無形固定資産として計上しなければなりません。

（研究開発費等に係る会計基準　四　3）

7．**株式会社の設立に際して株式を発行するために要した証券会社の事務手数料等の諸経費は，株式交付費として処理する。株式交付費は支出時に費用として処理することを原則とするが，これを繰延資産として3年内に償却することが実務上認められている。**

B（認められない）株式会社の設立に際して株式を発行するために要した証券会社の事務手数料等の諸経費を繰延資産として計上することも認められていますが，株式交付費ではなく創立費として計上し，償却期間も3年以内ではなく5年以内とされています。

（繰延資産の会計処理に関する当面の取扱い　3(3)）

8．**企業会計原則では，株主資本を資本金と剰余金に区別するとともに，剰余金を資本剰余金と利益剰余金の2つに分けている。会社計算規則などの現行会計制度は，資本剰余金は資本準備金とその他資本剰余金に，利益剰余金は利益準備金とその他利益剰余金に，さらに細かく区分している。**

A（認められる）現行会計制度では株主資本を以下のように区分しています。

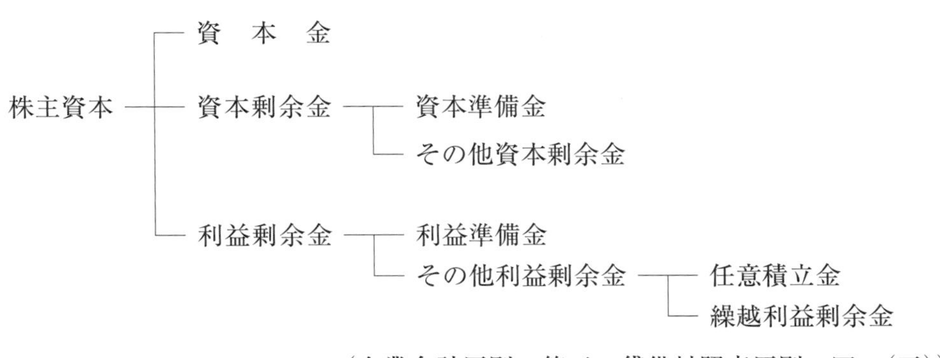

（企業会計原則　第三　貸借対照表原則　四　（三））
（会社計算規則　第76条　４項及び５項）

テキスト参照ページ
⇒P.　1-18～19，1-75，1-85，1-86～87，1-112，1-130

第4問

解　答

問１　3500 千円　☆

問２　7050 千円　☆

問３　7550 千円　★

予想採点基準
☆…５点×２＝10点
★…４点×１＝４点

解　説　（仕訳単位：千円）

本問では，子会社の資産・負債の時価評価と資本連結の処理を行えば，問１～問３に解答することができます。

１．個別財務諸表の修正

支配獲得日において子会社（Ｓ社）の資産及び負債を時価評価*1）します。

(借)	金額	(貸)	金額
諸　資　産	5,000	諸　負　債	1,500
		評　価　差　額	3,500

評価差額：仕訳の貸借差額・・・問１の解答

２．投資と資本の相殺消去

上記１．における評価差額も子会社（Ｓ社）の資本として，投資と資本の相殺消去の対象となります。

(借)	金額	(貸)	金額
資　本　金	18,000	Ｓ　社　株　式	24,000
利益剰余金	2,000	非支配株主持分	7,050
評　価　差　額	3,500		
の　れ　ん	7,550		

子会社（Ｓ社）の資本：資本金18,000千円＋利益剰余金2,000千円＋評価差額3,500千円＝23,500千円

非支配株主持分：23,500千円×（100％－70％）＝7,050千円・・・問２の解答

ここに！注意

＊1）税効果会計に関する資料は与えられていないため，考慮不要でよい。
（単位：千円）
諸資産：68,000－63,000＝5,000
諸負債：44,500－43,000＝1,500

のれん：24,000千円－23,500千円×70％＝7,550千円（借方）・・・問３の解答
親会社持分

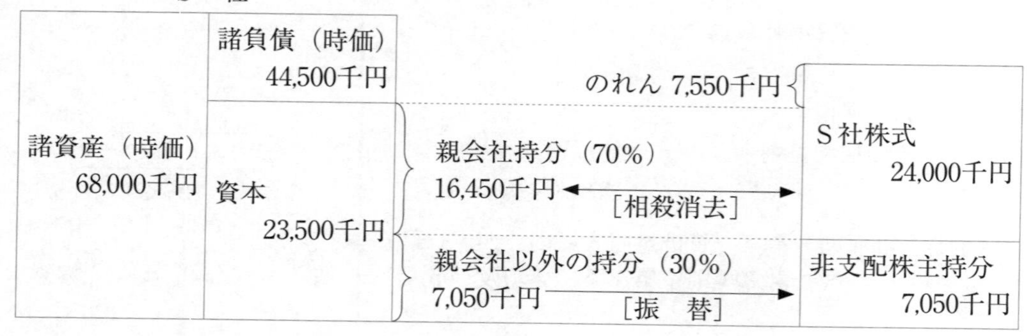

テキスト参照ページ
⇒　P.1-162

第5問

解答

精　算　表

（単位：千円）

勘定科目	残高試算表		整理記入		損益計算書		貸借対照表	
	借方	貸方	借方	貸方	借方	貸方	借方	貸方
現金預金	7153						7153	
受取手形	24000						24000	
完成工事未収入金	36500		250600				☆287100	
貸倒引当金		250		5972				6222
未成工事支出金	250460		8000 190 1850	260500			0	
仮払法人税等	8600			8600			0	
機械装置	80000			20000			60000	
機械装置減価償却累計額		16000	6000	8000				18000
土地	20000						20000	
定期預金	30000		600				☆30600	
投資有価証券	17000		200				17200	
その他の諸資産	11582						11582	
工事未払金		36168						36168
未成工事受入金		50000	50000					0
完成工事補償引当金		1216		1850				☆3066
退職給付引当金		124793		1500				☆126293
その他の諸負債		20684						20684
資本金		180000						180000
資本準備金		15000						15000
利益準備金		8000						8000
繰越利益剰余金		3000						3000
完成工事高		312600		300600		☆613200		
完成工事原価	259800		260500		520300			
受取利息	600			1212		☆612		
雑収入		1863				1863		
販売費及び一般管理費	20089		1310		21399			
その他の諸費用	3790				3790			
	769574	769574						
固定資産除却損			14000		☆14000			
未収利息			612				612	
貸倒引当金繰入額			5972		☆5972			
その他有価証券評価差額金				140				☆140
繰延税金資産			666				666	
繰延税金負債				60				60
未払法人税等				7130				☆7130
法人税，住民税及び事業税			15730		15730			
法人税等調整額				666		☆666		
			616230	616230	581191	616341	458913	423763
当期（純利益）					☆35150			35150
					616341	616341	458913	458913

※　0の記入は省略しても可。

予想採点基準

☆… 3 点×12＝36点

解　説 （仕訳単位：千円）

(1) 減価償却・除却損の計上

① 減価償却費の計上

水没した1台を含め，機械装置は4台すべて当期首から決算日までの1年間使用しているので，先に4台分の1年間の減価償却費を計上すると，素早く処理を行うことができます。

(借) 未成工事支出金	8,000	(貸) 機械装置減価償却累計額	8,000

80,000千円÷10年＝8,000千円

② 水没した機械装置の除却

4台の機械装置のうち水没し利用できない1台について，固定資産の帳簿価額相当額（取得原価－減価償却累計額）[*1] を問題文の指示に従って固定資産除却損として処理します。

(借) 機械装置減価償却累計額	6,000	(貸) 機械装置	20,000
固定資産除却損	14,000		

機械装置（水没分）：80,000千円÷4台＝20,000千円

機械装置減価償却累計額：20,000千円×$\frac{3年}{10年}$＝6,000千円

固定資産除却損：20,000千円－6,000千円＝14,000千円

なお，以下のように先に水没していない3台分の減価償却をしてから，水没した機械装置1台分の処理を行っても大丈夫ですが，解答欄のスペースの都合を考えると，今回に関してはあまりお勧めできません。

① 水没していない3台分の減価償却

(借) 未成工事支出金	6,000	(貸) 機械装置減価償却累計額	6,000

60,000千円÷10年＝6,000千円

② 水没分の処理

(借) 機械装置減価償却累計額	4,000	(貸) 機械装置	20,000
未成工事支出金	2,000		
固定資産除却損	14,000		

機械装置減価償却累計額：20,000千円×$\frac{2年}{10年}$＝4,000千円

未成工事支出金：20,000千円÷10年＝2,000千円

固定資産除却損：20,000千円－4,000千円－2,000千円＝14,000千円

(2) 定期預金

① 前期末の未収利息の計上

(借) 未収利息	600	(貸) 受取利息	600

② 期首の再振替仕訳（処理済み）

再振替仕訳の結果，残高試算表欄の受取利息は600千円の借方残高となっています。

(借) 受取利息	600	(貸) 未収利息	600

ここに！注意

＊1）先に当期分の減価償却費を計上した場合，当期分を含めた減価償却累計額を差し引けば良い。

③　当期に受取った利息の処理

問題文に「元利金（元本と利息）を毎年継続して預入する方式」とあるため，受け取った利息を定期預金として預入れます。

(借) 定期預金	600	(貸) 受取利息	600

上記の仕訳により受取利息の残高がゼロとなります。そのため，600千円は前期分の利息であることがわかります。なお，前期の利息1年分が4月1日に振り込まれていることが想定されます。

④　当期末の未収利息の計上

(借) 未収利息	612	(貸) 受取利息	612

未収利息：(30,000千円＋600千円)＊2) × 2％＝612千円

ここに！注意

＊2) 定期預金に預入れた利息について，当期に利息が付くことに注意する。

(3) その他有価証券の時価評価

(借) 投資有価証券	200	(貸) 繰延税金負債	60
		その他有価証券評価差額金	140

評価差額：17,200千円（時価）－17,000千円（簿価）＝200千円（評価差益）

繰延税金負債：200千円×30％＝60千円

その他有価証券評価差額金：200千円－60千円＝140千円

(4) 退職給付引当金（退職給付費用の計上）

予定計上額：980千円（月額）×12カ月＝11,760千円

予定計上額と実際発生額との差額：11,760千円（予定）－11,950千円（実際）＝△190千円＊3)

実際発生額	予定計上額
11,760千円	11,950千円

追加計上 190千円

ここに！注意

＊3) 本問では，予定計上額 ＜ 実際発生額 であるため，差額を追加計上する。

(借) 未成工事支出金	190	(貸) 退職給付引当金	1,500
販売費及び一般管理費	1,310		

(5) 完成工事高と完成工事原価の算定・計上等

イ　工事収益

①　第1期（前々期）（処理済み）

工事収益：$750,000千円 \times \frac{72,000千円}{600,000千円} = 90,000千円$

(借) 未成工事受入金＊4)	90,000	(貸) 完成工事高	90,000

未成工事受入金残高：100,000千円－90,000千円＝10,000千円

ここに！注意

＊4) 着手前に受取った前受金100,000千円のうち90,000千円を充当する。

②　第2期（前期）（処理済み）

工事収益：$750,000千円 \times \frac{72,000千円 + 168,000千円}{600,000千円} - 90,000千円 = 210,000千円$

(借) 未成工事受入金*5)	210,000	(貸) 完成工事高	210,000

未成工事受入金残高：10,000千円＋250,000千円－210,000千円＝50,000千円

③　第3期（当期）（未処理）

工事収益総額と工事原価総額の見積りが変更された場合は，変更後の金額を用いて当期の工事収益を計算します。

$$\text{工事収益：変更後工事収益総額}\times\frac{\text{発生工事原価の累計額}}{\text{変更後の工事原価総額}}-\text{前期までの工事収益累計額}$$

$$\text{工事収益：}780{,}000\text{千円}\times\frac{72{,}000\text{千円}+168{,}000\text{千円}+260{,}500\text{千円}}{650{,}000\text{千円}}-300{,}000\text{千円}^{*6)}$$

$$=300{,}600\text{千円}$$

(借) 未成工事受入金	50,000	(貸) 完成工事高	300,600
完成工事未収入金*7)	250,600		

完成工事未収入金：300,600千円（完成工事高）－50,000千円（未成工事受入金）＝250,600千円

ロ　完成工事原価

工事原価当期発生額260,500千円を未成工事支出金勘定から完成工事原価勘定に振り替えます。

(借) 完成工事原価	260,500	(貸) 未成工事支出金	260,500

(6)　貸倒引当金の設定

①　貸倒引当金

(借) 貸倒引当金繰入額	5,972	(貸) 貸倒引当金	5,972

引当金設定額：（24,000千円（前T/B受取手形）＋36,500千円（前T/B完成工事未収入金）＋250,600千円（(5)完成工事未収入金））×2％

＝6,222千円

引当金繰入額：6,222千円－250千円＝5,972千円

②　税効果会計

(借) 繰延税金資産	666	(貸) 法人税等調整額	666

一時差異　2,222千円×30％＝666.6→666千円（切り捨て）

(7)　完成工事補償引当金の設定

(借) 未成工事支出金	1,850	(貸) 完成工事補償引当金	1,850

引当金設定額：（312,600千円*8)＋300,600千円（完成工事高））×0.5％＝3,066千円

引当金繰入額：3,066千円－1,216千円（前T/B完成工事補償引当金）＝1,850千円

ここに！注意

＊5）第1期末の未成工事受入金残高10,000千円と第2期に受取った前受金250,000千円の合計額260,000千円のうち210,000千円を充当する。

ここに！注意

＊6）90,000千円＋210,000千円＝300,000千円

ここに！注意

＊7）未成工事受入金残高50,000千円を充当し，残額250,600千円は，完成工事未収入金とする。

ここに！注意

＊8）残高試算表欄に完成工事高312,600千円が計上されていることに注意する。

⑻ 法人税等と未払法人税等の計上

収益総額：613,200千円（完成工事高）＋612千円（受取利息）＋1,863千円（雑収入）＝615,675千円

費用総額：520,300千円（完成工事原価）＋21,399千円（販売費及び一般管理費）＋3,790千円（その他の諸費用）＋14,000千円（固定資産除却損）＋5,972千円（貸倒引当金繰入額）

＝565,461千円

税引前当期純利益：615,675千円－565,461千円＝50,214千円

ここで，法人税等の計上にあたり，問題文の決算整理事項等9の指示に従い，税効果会計を考慮します。考え方及び算定手順は次のとおりです。

：		：
税引前当期純利益		50,214
法人税，住民税及び事業税	15,730※2	
法人税等調整額	△666	15,064※1
当期純利益		35,150※3

×30%（期間的に対応）

※1　会計上の法人税等：50,214千円（税引前当期純利益）×30%＝15,064.2→15,064千円（切り捨て）*9)

※2　実際に計上される法人税，住民税及び事業税は，次のように逆算で求めます。

15,064千円（会計上の法人税等）＋666千円（法人税等調整額）＝15,730千円

※3　当期純利益：50,214千円－15,064千円＝35,150千円

（借）法人税，住民税及び事業税	15,730	（貸）仮払法人税等	8,600
		未払法人税等	7,130

ここに！注意

*9）税効果会計考慮後における会計上の法人税等の金額は，理論上は，税引前当期純利益の30％で期間的に対応する。

テキスト参照ページ

⇒P. 1-79，1-181，1-100，1-37，1-99，1-180

最新34回

解答・解説（建設業経理士　第35回）

第1問

解答 解答にあたっては，各問とも指定した字数以内（句読点を含む）で記入すること。

問1

売買目的有価証券は時価をもって貸借対照表価額とし，
評価差額は当期の損益として処理する。☆★
満期保有目的の債券は，原則として取得原価をもって貸
借対照表価額とするが，債券を債券金額と異なる価額で
取得した場合において，取得価額と債券金額との差額の
性格が金利の調整と認められるときは償却原価法にもと
づいて算定された価額をもって貸借対照表価額とする。☆★
子会社株式および関連会社株式は，取得原価をもって貸
借対照表価額とする。☆★
その他有価証券は時価をもって貸借対照表価額とし，評
価差額は洗い替え方式に基づき，全部純資産直入法また
は部分純資産直入法のいずれかの方法により処理する。☆★

問2

満期保有目的の債券と子会社株式および関連会社株式は
，いずれも売却を意図していないため時価の変動を財務
活動の成果とは捉えないという考え方に基づく。☆☆売買目
的有価証券は財務活動の成果を期末時点の時価に求める
という考え方に基づく。☆その他有価証券は多様な性格を
有し，一義的にその属性を定めることが困難なため，時
価評価をするが，評価差額を当期の損益として処理する
ことは適切ではないという考え方に基づいている。☆

予想採点基準
☆… 2 点× 8 ＝16点
★… 1 点× 4 ＝ 4 点
☆★の前の文の内容が正解で得点

解　説

問１　保有目的別有価証券の評価方法と処理方法

有価証券の期末評価と評価差額の処理方法は，保有目的によって異なります。

保有目的	期末時点の評価方法	評価差額の処理方法
売買目的有価証券	時　　価	当期の損益として処理
満期保有目的の債券	原則は取得原価。ただし，債券金額と異なる金額で取得し，その差額が金利の調整と認められる場合は償却原価で評価する。	
子会社株式 関連会社株式	取得原価	—
その他有価証券	時　　価	全部純資産直入法で処理 （評価差額の合計額を純資産の部に計上）
		部分純資産直入法で処理 （時価が取得原価を上回る銘柄に係る評価差額は純資産の部に計上し，時価が取得原価を下回る銘柄に係る評価差額は当期の損失として処理）

問２　保有目的別有価証券の評価方法と処理方法の理由

保有目的	理　　由
売買目的有価証券	・売買目的で保有するため，売却することについて企業側の制約がない。 ・評価差額は財務活動の成果と考えられる。
満期保有目的の債券	・満期まで保有して約定利息と元本を受け取ることを目的としているため，満期までの価格変動のリスクを認める必要がない。
子会社株式 関連会社株式	・有形固定資産などと同様の事業投資の性格を有し，時価の変動を財務活動の成果とは捉えないという考え方に基づく。
その他有価証券	・売買目的有価証券と子会社株式・関連会社株式との中間的な性格を有し，事業遂行上等の必要性から売却することに企業側の制約を伴うことがある。 ・評価差額を当期の損益とすることは適切ではないと考えられる。

テキスト参照ページ
⇒　P.1-66～73

第2問

解 答

記号（ア～チ）

1	2	3	4	5	6	7
ウ	コ	オ	チ	キ	セ	サ
☆	☆	☆	☆	☆	☆	☆

予想採点基準
☆…２点×７＝14点

解 説

1．債権者持分と株主持分

貸借対照表の貸方は，負債と資本を表示し，企業に投下された資金の**調達源泉**を示しています。

負債と資本は企業に対して資金を提供した側（負債の場合は債権者，資本の場合は株主）からみると，企業の**資産に対する請求権**を表しているといえます。そして，この請求権は一般的に**持分**といわれます。

持分はその調達源泉の違いにより，**債権者持分**と**出資者持分**に区分できます。なお，出資者持分は今日の企業の代表的な組織形態が株式会社であることから**株主持分**と呼ぶことが多いです。

2．株主持分の分類

株主持分は株主資本のことであり，分類すると以下のようになります。

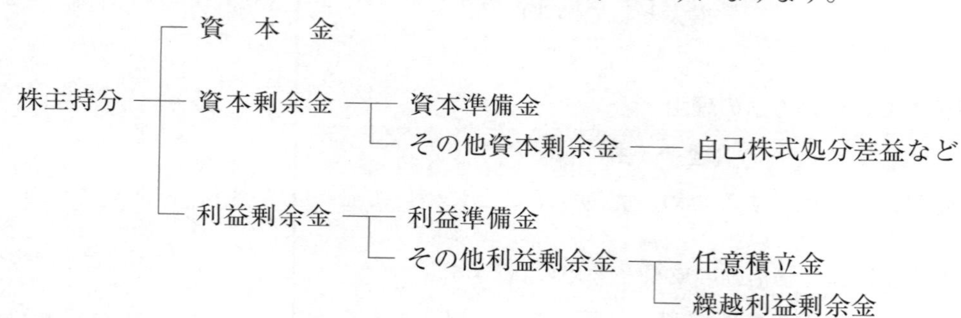

☞よって本問の文章は次のようになります。

貸借対照表上の貸方項目は，企業に投下された資金の**調達源泉**を示す。このような資金は契約もしくは慣習に従いそれぞれの調達先にいずれは返還されなければならない。したがって，このような貸方項目は，資金提供者の観点からみれば，彼らが企業の資金（ないし資産）に対して有している抽象的な**請求権**を表すものとみることができる。資金提供者が企業の資産に対して有する**請求権**は一般に「持分」とよばれる。持分は一般にその源泉の違いによって**債権者**持分と**出資者**持分とに区別される。

債権者持分は，**債権者**が企業資産に対してもっている**請求権**をいう。それは企業がその所有する資産をもって弁済しなければならない債務を意味するところから，会計上「負債」とよばれる。貸借対照表の貸方項目のうち支払手形，工事未払金，未成工事受入金，借入金，社債などが，この債権者持分を構成する。
　これに対して出資者持分は，株主などの企業主が企業の資産に対してもっている請求権をいう。それは企業経営の元本を構成するところから会計上「資本」とよばれるが，今日の企業の代表的な組織形態が株式会社であるところから株主持分とよぶことも多い。株式会社の場合，出資者持分には，貸方項目のうち資本金，資本準備金などの出資額のほか，留保利益たる利益準備金，任意積立金などが属する。

テキスト参照ページ
⇒　P.1-60

第3問

解　答

記号（AまたはB）

1	2	3	4	5	6	7	8
B	A	B	B	B	B	A	A
☆	☆	☆	☆	☆	☆	☆	☆

予想採点基準
☆…２点×８＝16点

解　説

正誤問題

1．**小口の工事未払金の残高を，その金額が小さいとの理由で，簿外負債として処理した。**

B（認められない）重要性の原則では，重要性の乏しいものについては簡便な方法によることを認めていますが，重要性の高いものについては厳密な会計処理を行うことを要求しています。工事未払金のような買掛債務は質的に重要性の高い科目であるため，金額が小さいとの理由で簿外負債とすることは認められません。

（企業会計原則注解　注１）

2．**受取利息を入金時に認識してきたため，期末に期間未経過のもの（前受）が受取利息勘定に含まれていたが，その未経過の金額が相対的に小さいために期末整理を行わず，同勘定の全額を当期の損益計算に収益として計上した。**

A（認められる）前受収益のうち重要性の乏しいものについては，経過勘定項目として処理せずに，受け取った金額を全額，当期の収益として計上することが認められています。

（企業会計原則注解　注１）

3．**当期に行った新株の発行による収入，自己株式の取得による支出，有価証券の取得による支出，社債の発行による収入を，キャッシュ・フロー計算書の財務活動によるキャッシュ・フローの区分に計上した。**

B（認められない） 財務活動によるキャッシュ・フローの区分には，資金の調達及び返済によるキャッシュ・フローが計上されます。問題文中の「自己株式の取得による支出」，「社債の発行による収入」は，いずれも資金の調達及び返済に関するキャッシュ・フローであるため，財務活動によるキャッシュ・フローの区分に計上されますが，「有価証券の取得による支出」はこれに該当せず，投資活動によるキャッシュ・フローの区分に計上されます。

（連結キャッシュ・フロー計算書等の作成基準　第二　二　1②・③）

4．**第1期首に行った市場開拓のための支出を，支出後5期にわたり繰延経理することとしていたが，支出後3期目の初めに当該市場から撤退することになった。しかし当該繰延経理については，当初の予定を変更せず，継続することとした。**

B（認められない） 開発費は，原則として，支出時に費用（売上原価又は販売費及び一般管理費）として処理します。ただし，開発費を繰延資産に計上した場合には，支出のときから5年以内のその効果の及ぶ期間にわたって，定額法その他の合理的な方法により規則的に償却する必要がありますが，支出の効果が期待されなくなった繰延資産は，当初の規則的な償却を止め，その未償却残高を一時に償却しなければなりません。

（繰延資産の会計処理に関する当面の取り扱い　3　(6)）

5．**株式会社の設立時に株式を発行するために要した支出は株式交付費として処理する。株式交付費は支出時に費用として処理することを原則とするが，これを繰延資産として計上し，3年以内のその効果の及ぶ期間にわたって，定率法により償却することが実務上認められている。**

B（認められない） 株式会社の設立に際して株式を発行するために要した証券会社の事務手数料等の諸経費を繰延資産として計上することも認められていますが，株式交付費ではなく創立費として計上し，償却期間も3年以内ではなく5年以内とされています。また，創立費も株式交付費も償却方法は定額法のみが認められており，定率法による償却は認められていません。

（繰延資産の会計処理に関する当面の取り扱い　3　(3)）

6．**保有していた自己株式を売却したが，その際に発生した自己株式の帳簿価額と払込額との差額については，当期の損益として損益計算書に計上した。**

B（認められない） 自己株式の売却（処分）にあたって生じる，自己株式の帳簿価額と払込額との差額である自己株式処分差損益は，資本取引により生じたものと考えることから，当期の損益ではなくその他資本剰余金で処理します。

（自己株式及び準備金の額の減少等に関する会計基準　9，10）

7．**かねて発行していた新株予約権について，権利が行使されずに権利行使期限が到来したので，純資産の部に計上されていた新株予約権の発行に伴う払込金額を利益として処理した。**

A（認められる） 発行した新株予約権が行使されずに権利行使期間が到来して失効したときは，失効した新株予約権の金額を，失効した期に新株予約権戻入益（原則として特別利益）に振り替えます。

（払込資本を増加させる可能性のある部分を含む複合金融商品に関する会計処理　6）

8．**当社は，取引先A社の借入金について，担保を設定した上で債務保証をしている。当期になってA社の経営状況が著しく悪化し，今後，経営破たんに陥る可能性が高いと判断されたので，債務保証の総額から担保の処分によって回収可能な金額を控除した金額について債務保証損失引当金を計上し，その繰入額を当期の損益計算書に計上した。**

A（認められる） A社が経営破たんに陥る可能性が高く，債務保証すべき金額が合理的に見積もることができる状況であるため，引当金の設定要件を満たしているものと考えられます。この場合，債務保証損失引当金を計上し，その繰入額を当期の損益計算書に費用として計上します。

（企業会計原則　注18）

テキスト参照ページ

⇒P.　1-18，1-86～87，
1-104，1-112，
1-130

第4問

解答

問1　①　6450 千円　☆☆★

②　7000 千円　☆☆★

問2　4993 千円　☆☆

予想採点基準
☆… 2 点× 6 ＝12点
★… 1 点× 2 ＝ 2 点

解説　（仕訳単位：千円）

問1　固定資産の耐用年数の変更

1．取得時に定めた耐用年数が合理的な見積もりに基づく場合

過去の見積り方法がその見積り時点で合理的なものであり，かつ，それ以降の見積もりの変更も合理的な方法にもとづく場合には，会計上の見積りの変更として扱います。

会計上の見積りの変更として扱う場合には，固定資産の帳簿価額を残存耐用年数で償却します。

期首減価償却累計額：（20,000千円－2,000千円）$\times\frac{6年^{*1)}}{20年}$＝5,400千円

減価償却費：（20,000千円－5,400千円－2,000千円）÷ 12年＝1,050千円

(借) 減価償却費	1,050	(貸) 機械減価償却累計額	1,050

期末減価償却累計額：5,400千円＋1,050千円＝6,450千円

ここに！注意

＊1）取得した20X1年期首から20X7年期首までに6年経過している。

2．取得時に定めた耐用年数が合理的な見積もりにもとづかない場合

過去の見積り方法がその見積り時点で合理的なものでなかった場合（見積り誤りの場合）には，誤謬の訂正として扱います。

誤謬の訂正として扱う場合には，前期以前の誤りの分について修正再表示を行います。なお，仕訳にあたっては前期以前の損益の修正は繰越利益剰余金で処理します。

(1)　前期以前の減価償却費の修正

正しい耐用年数：12年＋ 6 年＝18年

正しい期首減価償却累計額：（20,000千円－2,000千円）$\times\frac{6年}{18年}$＝6,000千円

減価償却不足額：6,000千円－5,400千円＝600千円

(借) 繰越利益剰余金（減価償却費）	600	(貸) 機械減価償却累計額	600

(2)　当期の減価償却

修正後の耐用年数であらためて減価償却を行います。

減価償却費：（20,000千円－2,000千円）÷18年＝1,000千円

(借) 減価償却費	1,000	(貸) 機械減価償却累計額	1,000

期末減価償却累計額：5,400千円＋600千円＋1,000千円＝7,000千円

問２　固定資産の耐用年数の変更

固定資産の償却方法を変更した場合，会計上の見積りの変更と同様に取り扱い，遡及適用は行いません。定額法から定率法に変更した場合には，固定資産の帳簿価額に残存耐用年数に対応する償却率を掛けて減価償却を行います。

期首減価償却累計額：(45,000千円－4,500千円) ×$\frac{6年^{*2)}}{20年}$ ＝12,150千円

減価償却費：(45,000千円－12,150千円) ×0.152＝4,993.2→4,993千円

(借) 減　価　償　却　費	4,993	(貸) 機械減価償却累計額	4,993

ここに！注意

＊2) 取得した20X3年期首から20X9年期首までに6年経過している。

テキスト参照ページ

⇒　P.1-80～81

第5問

解答

精算表

（単位：千円）

勘定科目	残高試算表		整理記入		損益計算書		貸借対照表	
	借方	貸方	借方	貸方	借方	貸方	借方	貸方
現金預金	2471						2471	
受取手形	96300						96300	
完成工事未収入金	85000		164700				249700	
貸倒引当金		520		6400				☆ 6920
未成工事支出金	147105		34600 191 2104	184000			0	
仮払法人税等	17000			17000			0	
機械装置	346000			13214			332786	
機械装置減価償却累計額		138400		34600				173000
土地	16000						16000	
投資有価証券	29460		180	40			29600	
金利スワップ	50		50				100	
その他の諸資産	18830						18830	
工事未払金		168952						168952
未成工事受入金		29250	29250					0
完成工事補償引当金		1682		2104				☆ 3786
借入金		5000						5000
退職給付引当金		32681		943				☆ 33624
その他の諸負債		11970						11970
資本金		200000						200000
資本準備金		16000						16000
利益準備金		14000						14000
繰越利益剰余金		4800						4800
完成工事高		563280		193950		☆757230		
有価証券利息		300		180		☆ 480		
雑収入		4620				4620		
完成工事原価	394296		184000		☆578296			
販売費及び一般管理費	36259		752		37011			
その他の諸費用	2684				2684			
	1191455	1191455						
機械装置減損損失			13214		☆ 13214			
貸倒引当金繰入額			6400		6400			
その他有価証券評価差額金			28				☆ 28	
繰延ヘッジ損益				35				☆ 35
繰延税金資産			12 690				☆ 702	
繰延税金負債				15				15
未払法人税等				21107				☆ 21107
法人税、住民税及び事業税			38107		38107			
法人税等調整額				690		690		
			474278	474278	675712	763020	746517	659209
当期（純利益）					☆ 87308			87308
					763020	763020	746517	746517

※　0の記入は省略しても可。

予想採点基準

☆… 3 点×12＝36点

解　説　（仕訳単位：千円）

(1)　減価償却および減損損失

まず減価償却を行い，当期の減価償却後の帳簿価額（取得原価－減価償却累計額）にもとづき，減損損失を計算します。

①　減価償却

減価償却費：346,000千円÷10年＝34,600千円

(借) 未成工事支出金	34,600	(貸) 機械装置減価償却累計額	34,600

②　減損損失

イ　減損損失の認識

割引前将来キャッシュ・フローの総額が帳簿価額を下回る場合には，減損損失を認識します。

帳簿価額：346,000千円－（138,400千円＋34,600千円）＝173,000千円

173,000千円＞169,500千円　∴　減損損失を認識する。

ロ　減損損失の測定

帳簿価額を回収可能価額まで減額し，減少額を減損損失とします。回収可能価額とは，正味売却価額と使用価値（割引後のキャッシュ・フローの総額）のいずれか高い方の金額をいいます。

(借) 機械装置減損損失	13,214	(貸) 機械装置	13,214

173,000千円－159,786千円＝13,214千円

(2)　その他有価証券の時価評価

その他有価証券のうちの債券に償却原価法を適用する場合，償却原価法を適用した後の償却原価を期末時価に評価替えします。

取得原価：30,000千円×$\frac{@98.2円}{@100円}$＝29,460千円

①　償却原価法

(借) 投資有価証券	180	(貸) 有価証券利息	180

（30,000千円－29,460千円）×$\frac{12ヵ月}{36ヵ月}$＝180千円

償却原価：29,460千円＋180千円＝29,640千円

②　時価評価

(借) 繰延税金資産	12	(貸) 投資有価証券	40
その他有価証券評価差額金	28		

評価差額：29,600千円（時価）－29,640千円（簿価）＝△40千円（評価差損）

繰延税金資産：40千円×30％＝12千円

その他有価証券評価差額金：40千円－12千円＝28千円

(3) 金利スワップの時価評価（繰延ヘッジ）

金利スワップは決算時に時価評価しますが，ヘッジ会計の要件を充たしているために繰延ヘッジにより会計処理する場合は，評価差額は税効果会計を適用して繰延ヘッジ損益勘定で処理します。

(借) 金利スワップ	50	(貸) 繰延税金負債	15
		繰延ヘッジ損益	35

評価差額：100千円（時価）－50千円（簿価）＝50千円（評価差益）

繰延税金負債：50千円×30％＝15千円
繰延ヘッジ損益：50千円－15千円＝35千円

(4) 退職給付引当金（退職給付費用の計上）

予定計上額：400千円（月額）×12カ月＝4,800千円

予定計上額と実際発生額との差額：4,800千円（予定）－4,991千円（実際）＝△191千円＊1)

実際発生額	予定計上額
4,991千円	4,800千円
	追加計上 191千円

(借) 未成工事支出金	191	(貸) 退職給付引当金	943
販売費及び一般管理費	752		

(5) 完成工事高と完成工事原価の算定・計上等

イ　工事収益

① 第1期（前々期）（処理済み）

工事収益：$565,000\text{千円}\times\frac{116,400\text{千円}}{452,000\text{千円}}=145,500\text{千円}$

(借) 未成工事受入金＊2)	145,500	(貸) 完成工事高	145,500

未成工事受入金残高：180,000千円－145,500千円＝34,500千円

② 第2期（前期）（処理済み）

工事収益：$565,000\text{千円}\times\frac{116,400\text{千円}+132,200\text{千円}}{452,000\text{千円}}-145,500\text{千円}=165,250\text{千円}$

(借) 未成工事受入金＊3)	165,250	(貸) 完成工事高	165,250

未成工事受入金残高：34,500千円＋160,000千円－165,250千円＝29,250千円

ここに！注意

＊1) 本問では，予定計上額 < 実際発生額であるため，差額を追加計上する。

ここに！注意

＊2) 着手前に受取った前受金180,000千円のうち145,500千円を充当する。

ここに！注意

＊3) 第1期末の未成工事受入金残高34,500千円と第2期に受取った前受金160,000千円の合計額194,500千円のうち165,250千円を充当する。

③　第３期（当期）（未処理）

工事収益総額と工事原価総額の見積りが変更された場合は，変更後の金額を用いて当期の工事収益を計算します。

工事収益：変更後工事収益総額×(発生工事原価の累計額／変更後の工事原価総額)－前期までの工事収益累計額

工事収益：700,000千円×(116,400千円＋132,200千円＋184,000千円／600,000千円)－310,750千円[*4)]

＝193,950千円

(借) 未成工事受入金	29,250	(貸) 完成工事高	193,950
完成工事未収入金[*5)]	164,700		

完成工事未収入金：193,950千円（完成工事高）－29,250千円（未成工事受入金）＝164,700千円

ロ　完成工事原価

工事原価当期発生額184,000千円を未成工事支出金勘定から完成工事原価勘定に振り替えます。

(借) 完成工事原価	184,000	(貸) 未成工事支出金	184,000

(6)　貸倒引当金の設定

①　貸倒引当金

(借) 貸倒引当金繰入額	6,400	(貸) 貸倒引当金	6,400

引当金設定額：(96,300千円（前T/B受取手形）＋85,000千円（前T/B完成工事未収入金）＋164,700千円（(5)完成工事未収入金）)×２％

＝6,920千円

引当金繰入額：6,920千円－520千円＝6,400千円

②　税効果会計

(借) 繰延税金資産	690	(貸) 法人税等調整額	690

一時差異　2,300千円×30％＝690千円

(7)　完成工事補償引当金の設定

(借) 未成工事支出金	2,104	(貸) 完成工事補償引当金	2,104

引当金設定額：(563,280千円[*6)]＋193,950千円)（完成工事高）×0.5％＝3,786.15

→ 3,786千円（切り捨て）

引当金繰入額：3,786千円－1,682千円（前T/B完成工事補償引当金）＝2,104千円

ここに！注意

＊4）145,500千円＋165,250千円＝310,750千円

＊5）未成工事受入金残高29,250千円を充当し，残額164,700千円は，完成工事未収入金とする。

ここに！注意

＊6）残高試算表欄に完成工事高563,280千円が計上されていることに注意する。

(8) 法人税等と未払法人税等の計上

収益総額：757,230千円（完成工事高）＋ 480千円（有価証券利息）＋4,620千円（雑収入）＝762,330千円

費用総額：578,296千円（完成工事原価）＋37,011千円（販売費及び一般管理費）＋ 2,684千円（その他の諸費用）＋ 13,214千円（機械装置減損損失）＋ 6,400千円（貸倒引当金繰入額）
＝637,605千円

税引前当期純利益：762,330千円－637,605千円＝124,725千円

ここで，法人税等の計上にあたり，問題文の決算整理事項等９の指示に従い，税効果会計を考慮します。考え方及び算定手順は次のとおりです。

：		：	
税引前当期純利益		124,725	
法人税，住民税及び事業税	38,107※2		×30%（期間的に対応）
法人税等調整額	△690	37,417※1	
当期純利益		87,308※3	

※１　会計上の法人税等：124,725千円（税引前当期純利益）×30%＝37,417.5→37,417千円（切り捨て）*7)

※２　実際に計上される法人税，住民税及び事業税は，次のように逆算で求めます。

37,417千円（会計上の法人税等）＋690千円（法人税等調整額）＝38,107千円

※３　当期純利益：124,725千円－37,417千円＝87,308千円

（借）法人税，住民税及び事業税	38,107	（貸）仮払法人税等	17,000
		未払法人税等	21,107

ここに！注意

*7）税効果会計考慮後における会計上の法人税等の金額は，理論上は，税引前当期純利益の30%で期間的に対応する。

テキスト参照ページ

⇒P.　1-205，1-71，
1-202，1-37，
1-99，1-180

索　引

解　答　用　紙

〈解答用紙ご利用時の注意〉

この色紙を残したままていねいに抜き取り、ご利用ください。なお、抜取りのさいの損傷についてのお取替えはご遠慮願います。

＊ご自分の学習進度に合わせて，コピーしてお使いください。
なお，解答用紙はダウンロードサービスもご利用いただけます。
ネットスクールＨＰの『読者の方へ』にアクセスしてください。
https://www.net-school.co.jp/

解答にあたっての注意事項

1．解答は、解答用紙に指定された解答欄内に記入してください。解答欄外に記入されているものは採点しません。

2．金額の記入にあたっては、以下のとおりとし、１ますごとに数字を記入してください。

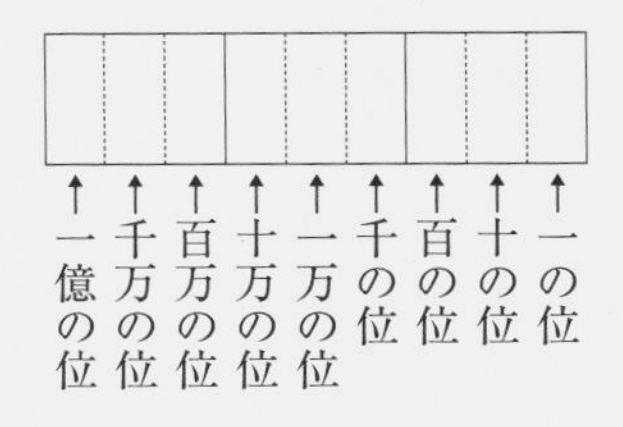

3．解答は、指定したワク内に明瞭に記入してください。判読し難い文字が記入されている場合、その解答欄については採点しません。

4．消費税については、設問で消費税に関する指示がある場合のみ、これを考慮した解答を作成してください。

第１問対策・解答用紙

【第14回―問題は本文2-3ページ，解答・解説は本文2-32ページ】

解答にあたっては，各問とも指定した字数以内（句読点を含む）で記入すること。

問１

10　20　25

5

10

問２

10　20　25

5

【第15回―問題は本文2-3ページ，解答・解説は本文2-34ページ】

解答にあたっては，各問とも指定した字数以内（句読点を含む）で記入すること。

問 1

問 2

【第16回―問題は本文2-3ページ，解答・解説は本文2-36ページ】

解答にあたっては，各問とも指定した字数以内（句読点を含む）で記入すること。

問１

10 20 25

5

問２

10 20 25

5

10

【第21回―問題は本文2-4ページ，解答・解説は本文2-38ページ】

解答にあたっては，各問とも指定した字数以内（句読点を含む）で記入すること。

問１

10　20　25

5

10

問２

10　20　25

5

【第22回―問題は本文2-4ページ，解答・解説は本文2-40ページ】

解答にあたっては，各問とも指定した字数以内（句読点を含む）で記入すること。

問１

10　20　25

5

10

問２

10　20　25

5

第2問対策・解答用紙

【第14回―問題は本文2-7ページ，解答・解説は本文2-42ページ】

記号（ア～ハ）

1	2	3	4	5	6	7	8	9	10	11	12

【第16回―問題は本文2-8ページ，解答・解説は本文2-44ページ】

記号（ア～ネ）

1	2	3	4	5	6	7	8	9	10	11	12

【第17回―問題は本文2-9ページ，解答・解説は本文2-45ページ】

記号（ア～タ）

1	2	3	4	5	6	7	8

【第21回―問題は本文2-10ページ，解答・解説は本文2-46ページ】

記号（ア～チ）

1	2	3	4	5	6	7	8	9	10	11	12

【第22回―問題は本文2-11ページ，解答・解説は本文2-47ページ】

記号（ア～タ）

1	2	3	4	5	6	7

第3問対策・解答用紙

【第15回―問題は本文2-14ページ，解答・解説は本文2-49ページ】

記号（AまたはB）

1	2	3	4	5	6	7	8	9

【第16回―問題は本文2-15ページ，解答・解説は本文2-51ページ】

記号（AまたはB）

1	2	3	4	5	6	7	8

【第17回―問題は本文2-16ページ，解答・解説は本文2-53ページ】

記号（AまたはB）

1	2	3	4	5	6	7	8

【第21回―問題は本文2-17ページ，解答・解説は本文2-55ページ】

記号（AまたはB）

1	2	3	4	5	6	7	8

【第22回―問題は本文2-18ページ，解答・解説は本文2-57ページ】

記号（AまたはB）

1	2	3	4	5	6	7	8

第4問対策・解答用紙

【第16回―問題は本文2-22ページ，解答・解説は本文2-60ページ】

問１ ［　　　］千円

問２ ［　　　］千円

問３ ［　　　］千円　記号（ＡまたはＢ）［　］

【第21回―問題は本文2-23ページ，解答・解説は本文2-61ページ】

問１ ¥［　　　　　］

問２ ¥［　　　　　］

問３ ¥［　　　　　］

【第22回―問題は本文2-24ページ，解答・解説は本文2-62ページ】

記号（ア～チ）も必ず記入のこと

		借方			貸方		
		記号	勘定科目	金額	記号	勘定科目	金額
問1	ＪＶ						
	Ｂ社						
問2	ＪＶ						
	Ａ社						
問3	ＪＶ						
	Ａ社						
問4	ＪＶ						
	Ｂ社						

第５問対策・解答用紙

【第15回―問題は本文2-28ページ，解答・解説は本文2-64ページ】

精　算　表

（単位：千円）

勘定科目	残高試算表		整理記入		損益計算書		貸借対照表	
	借方	貸方	借方	貸方	借方	貸方	借方	貸方
現金預金	5000							
受取手形	20000							
買建オプション	100							
貸付金	800							
貸倒引当金		1200						
未成工事支出金	233980							
機械装置	36000							
土地	40000							
有価証券	1000							
その他の諸資産	5680							
工事未払金		12500						
未成工事受入金		84000						
完成工事補償引当金		120						
借入金		7500						
退職給付引当金		4500						
その他の諸負債		3490						
資本金		205000						
資本準備金		12000						
利益準備金		10000						
繰越利益剰余金		12000						
受取利息		60						
その他の収益		700						
販売費及び一般管理費	9340							
その他の諸費用	1170							
	353070	353070						
機械装置減価償却累計額								
オプション評価損益								
貸倒引当金繰入額								
工事損失引当金繰入額								
工事損失引当金								
その他有価証券評価差額金								
繰延税金資産								
繰延税金負債								
完成工事未収入金								
完成工事高								
完成工事原価								
未払法人税等								
法人税等								
法人税等調整額								
当期（　　　）								

【第17回—問題は本文2-29ページ，解答・解説は本文2-69ページ】

精　算　表

(単位：千円)

勘定科目	残高試算表 借方	残高試算表 貸方	整理記入 借方	整理記入 貸方	損益計算書 借方	損益計算書 貸方	貸借対照表 借方	貸借対照表 貸方
現金預金	5500							
受取手形	16000							
貸付金	800							
貸倒引当金		1200						
未成工事支出金	131300							
機械装置	20000							
機械装置減価償却累計額		3600						
土地	40000							
投資有価証券	1000							
その他の諸資産	7640							
売建オプション		100						
工事未払金		500						
未成工事受入金		84000						
完成工事補償引当金		140						
借入金		7500						
退職給付引当金		4500						
その他の諸負債		490						
資本金		100000						
資本準備金		12000						
利益準備金		10000						
繰越利益剰余金		8000						
受取利息		60						
その他の収益		700						
販売費及び一般管理費	9380							
その他の諸費用	1170							
	232790	232790						
オプション評価損益								
貸倒引当金繰入額								
その他有価証券評価差額金								
繰延税金資産								
繰延税金負債								
完成工事未収入金								
完成工事高								
完成工事原価								
未払法人税等								
法人税等								
法人税等調整額								
当期(　　　)								

【第22回―問題は本文2-30ページ，解答・解説は本文2-73ページ】

精　算　表

（単位：千円）

勘定科目	残高試算表		整理記入		損益計算書		貸借対照表	
	借方	貸方	借方	貸方	借方	貸方	借方	貸方
現金預金	11000							
受取手形	20000							
貸倒引当金		1100						
未成工事支出金	184050							
機械装置	30000							
機械装置減価償却累計額		3750						
土地	15000							
投資有価証券	2000							
その他の諸資産	16295							
工事未払金		12300						
未成工事受入金		105000						
完成工事補償引当金		125						
借入金		5000						
退職給付引当金		3500						
その他の諸負債		13640						
資本金		120000						
資本準備金		13000						
利益準備金		12000						
繰越利益剰余金		5600						
雑収入		3180						
販売費及び一般管理費	18100							
その他の諸費用	1750							
	298195	298195						
機械装置減損損失								
貸倒引当金繰入額								
その他有価証券評価差額金								
繰延税金資産								
繰延税金負債								
為替差損益								
完成工事未収入金								
完成工事高								
完成工事原価								
未払法人税等								
法人税，住民税及び事業税								
法人税等調整額								
当期（　　　）								

解答用紙（建設業経理士 第32回）

【問題は本文3－2ページ，解答・解説は本文3－24ページ】

［第1問］ 解答にあたっては，各問とも指定した字数以内（句読点を含む）で記入すること。

問1

（25字×8行の解答欄）

問2

（25字×12行の解答欄）

[第2問]

記号（ア～ネ）

1	2	3	4	5	6	7

[第3問]

記号（AまたはB）

1	2	3	4	5	6	7	8

[第4問]

記号（ア～チ）も必ず記入のこと

		借方			貸方		
		記号	勘定科目	金額	記号	勘定科目	金額
問1	JV						
	A社						
問2	JV						
	B社						
問3	JV						
	B社						
問4	JV						
	A社						
問5	JV						
	A社						

[第5問]

精　算　表

(単位：千円)

勘定科目	残高試算表		整理記入		損益計算書		貸借対照表	
	借方	貸方	借方	貸方	借方	貸方	借方	貸方
現金預金	6923							
受取手形	28000							
完成工事未収入金	58200							
貸倒引当金		1032						
未成工事支出金	195068							
仮払法人税等	5600							
仮払金	1050							
機械装置	80863							
機械装置減価償却累計額		51092						
資産除去債務		971						
土地	20000							
投資有価証券	19600							
その他の諸資産	33563							
仮受金		2120						
工事未払金		41688						
未成工事受入金		65000						
完成工事補償引当金		823						
退職給付引当金		106124						
その他の諸負債		38865						
資本金		100000						
資本準備金		15000						
利益準備金		3000						
繰越利益剰余金		2000						
完成工事高		285000						
完成工事原価	228240							
有価証券利息		400						
雑収入		1088						
販売費及び一般管理費	30496							
その他の諸費用	6600							
	714203	714203						
利息費用								
履行差額								
固定資産売却(　　)								
固定資産除却損								
貸倒引当金繰入額								
その他有価証券評価差額金								
繰延税金資産								
繰延税金負債								
未払法人税等								
法人税、住民税及び事業税								
法人税等調整額								
当期(　　　)								

解答用紙（建設業経理士 第33回）

【問題は本文3−7ページ，解答・解説は本文3−38ページ】

［第1問］ 解答にあたっては，各問とも指定した字数以内（句読点を含む）で記入すること。

問 1

10 20 25

5

問 2

10 20 25

5

10

[第2問]

記号（ア～チ）

1	2	3	4	5	6	7	8

[第3問]

記号（AまたはB）

1	2	3	4	5	6	7	8

[第4問]

① 　　　　千円

② 　　　　千円

③ 　　　　千円

④ 　　　　千円

⑤ 　　　　千円

⑥ 　　　　千円

⑦ 　　　　千円

[第5問]

精　算　表

（単位：千円）

勘定科目	残高試算表		整理記入		損益計算書		貸借対照表	
	借方	貸方	借方	貸方	借方	貸方	借方	貸方
現金預金	7296							
受取手形	12000							
完成工事未収入金	26300							
貸倒引当金		216						
貸付金	5000							
未成工事支出金	231237							
仮払法人税等	9800							
機械装置	34000							
機械装置減価償却累計額		13600						
土地	24000							
投資有価証券	14775							
その他の諸資産	10095							
工事未払金		33661						
未成工事受入金		30000						
完成工事補償引当金		467						
退職給付引当金		26652						
その他の諸負債		21897						
資本金		180000						
資本準備金		18000						
利益準備金		16000						
繰越利益剰余金		3200						
完成工事高		216530						
雑収入		1157						
有価証券利息		150						
完成工事原価	165859							
販売費及び一般管理費	18632							
その他の諸費用	2536							
	561530	561530						
機械装置減損損失								
為替差損益								
貸倒引当金繰入額								
その他有価証券評価差額金								
繰延税金資産								
未払法人税等								
法人税、住民税及び事業税								
法人税等調整額								
当期（　　　）								

解答用紙（建設業経理士　第34回）

【問題は本文3－12ページ，解答・解説は本文3－51ページ】

［第1問］　解答にあたっては，各問とも指定した字数以内（句読点を含む）で記入すること。

問1

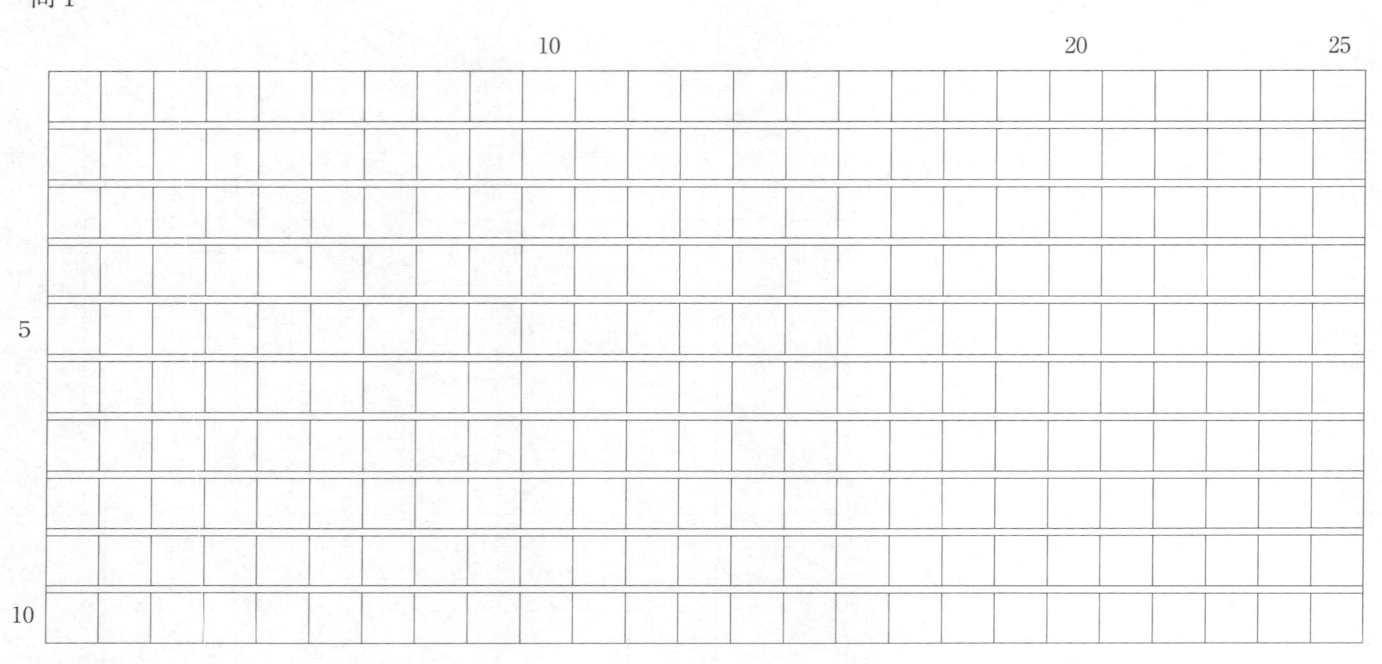

問2

10　20　25

5

10

[第2問]

記号（ア～チ）

1	2	3	4	5	6	7

[第3問]

記号（AまたはB）

1	2	3	4	5	6	7	8

[第4問]

問1 ＿＿＿＿ 千円

問2 ＿＿＿＿ 千円

問3 ＿＿＿＿ 千円

[第5問]

精　算　表

（単位：千円）

勘定科目	残高試算表		整理記入		損益計算書		貸借対照表	
	借方	貸方	借方	貸方	借方	貸方	借方	貸方
現金預金	7153							
受取手形	24000							
完成工事未収入金	36500							
貸倒引当金		250						
未成工事支出金	250460							
仮払法人税等	8600							
機械装置	80000							
機械装置減価償却累計額		16000						
土地	20000							
定期預金	30000							
投資有価証券	17000							
その他の諸資産	11582							
工事未払金		36168						
未成工事受入金		50000						
完成工事補償引当金		1216						
退職給付引当金		124793						
その他の諸負債		20684						
資本金		180000						
資本準備金		15000						
利益準備金		8000						
繰越利益剰余金		3000						
完成工事高		312600						
完成工事原価	259800							
受取利息	600							
雑収入		1863						
販売費及び一般管理費	20089							
その他の諸費用	3790							
	769574	769574						
固定資産除却損								
未収利息								
貸倒引当金繰入額								
その他有価証券評価差額金								
繰延税金資産								
繰延税金負債								
未払法人税等								
法人税、住民税及び事業税								
法人税等調整額								
当期（　　　）								

解答用紙（建設業経理士　第35回）

【問題は本文3－17ページ，解答・解説は本文3－64ページ】

［第1問］ 解答にあたっては，各問とも指定した字数以内（句読点を含む）で記入すること。

問1

（25字×12行の解答欄）

問2

（25字×8行の解答欄）

[第2問]

記号（ア～チ）

1	2	3	4	5	6	7

[第3問]

記号（AまたはB）

1	2	3	4	5	6	7	8

[第4問]

問1　①　［　　　］千円

　　　②　［　　　］千円

問2　　　［　　　］千円

[第5問]

精　算　表

(単位：千円)

勘定科目	残高試算表		整理記入		損益計算書		貸借対照表	
	借方	貸方	借方	貸方	借方	貸方	借方	貸方
現金預金	2471							
受取手形	96300							
完成工事未収入金	85000							
貸倒引当金		520						
未成工事支出金	147105							
仮払法人税等	17000							
機械装置	346000							
機械装置減価償却累計額		138400						
土地	16000							
投資有価証券	29460							
金利スワップ	50							
その他の諸資産	18830							
工事未払金		168952						
未成工事受入金		29250						
完成工事補償引当金		1682						
借入金		5000						
退職給付引当金		32681						
その他の諸負債		11970						
資本金		200000						
資本準備金		16000						
利益準備金		14000						
繰越利益剰余金		4800						
完成工事高		563280						
有価証券利息		300						
雑収入		4620						
完成工事原価	394296							
販売費及び一般管理費	36259							
その他の諸費用	2684							
	1191455	1191455						
機械装置減損損失								
貸倒引当金繰入額								
その他有価証券評価差額金								
繰延ヘッジ損益								
繰延税金資産								
繰延税金負債								
未払法人税等								
法人税、住民税及び事業税								
法人税等調整額								
当期（　　　）								

· · · · · · Memorandum Sheet · · · · · ·

ネットスクール出版